中國美術全集

中國美術全集

書　法　二

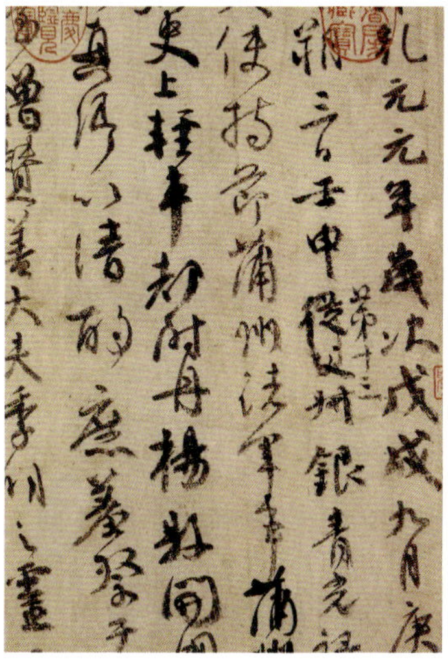

全國百佳圖书出版單位
APGTIME 時代出版
時代出版傳媒股份有限公司
黄　山　書　社

目　　録

貞觀

隋唐 (公元五八一年至公元九〇七年)

頁碼	名稱	時代	作者	出處	收藏地
325	千字文	唐	孫過庭		遼寧省博物館
326	書譜	唐	孫過庭		臺北故宮博物院
328	信行禪師碑	唐	薛稷		
328	夏日游石淙詩	唐	薛曜	河南登封市石淙山北崖	
329	美原神泉詩序碑	唐	尹元凱	陝西富平縣美原鎮	陝西省西安碑林博物館
329	靈飛經	唐	鍾紹京		美國私人處
330	孝經	唐	賀知章		日本宮内廳
331	姜遐碑	唐	姜晞		陝西省禮泉縣
332	姚彝神道碑	唐	徐嶠之		河南省陝縣温塘劉秀山
332	少林寺碑	唐	裴漼		河南省登封市少林寺
333	郎官石記序	唐	張旭		
334	古詩四帖	唐	張旭（傳）		遼寧省博物館
336	嚴仁墓志	唐	張旭	河南偃師市	河南省偃師商城博物館
337	雲麾將軍李思訓碑	唐	李邕		陝西省蒲城縣
337	麓山寺碑	唐	李邕		湖南省長沙市岳麓公園
338	雲麾將軍李秀碑	唐	李邕		北京文丞相祠
338	靈岩寺碑	唐	李邕	山東濟南市長清區靈岩寺	
339	出師表	唐	李邕（傳)		臺北故宮博物院
339	石臺孝經	唐	李隆基		陝西省西安碑林博物館
340	鶺鴒頌	唐	李隆基		臺北故宮博物院
340	上陽臺帖	唐	李白		故宮博物院
341	易州鐵像頌	唐	蘇靈芝	河北易縣	
341	田仁琬德政碑	唐	蘇靈芝	河北易縣	河北省保定市
342	陳尚仙墓志	唐	徐浩	河南洛陽市紅山鄉	
342	不空和尚碑	唐	徐浩		陝西省西安碑林博物館
343	張庭珪墓志	唐	徐浩	河南伊川縣高山鄉	河南省伊川縣博物館
343	嵩陽觀記	唐	徐浩		河南省登封市嵩陽書院
344	順節夫人墓志	唐	李湊		河南省新安縣千唐志齋博物館
344	曹仁墓志	唐	胡霈然	河南伊川縣吕店鄉	
345	御史臺精舍碑	唐	梁昇卿		陝西省西安碑林博物館
345	張説墓志	唐	梁昇卿	河南伊川縣吕店鄉	
346	大智禪師碑	唐	史惟則		陝西省西安碑林博物館
346	南川縣主墓志	唐	韓擇木		陝西歷史博物館
347	王琳墓志	唐	顔真卿	河南洛陽市龍門鎮張溝村	河南洛陽師範學院

頁碼	名稱	時代	作者	出處	收藏地
347	郭虚己墓志	唐	顏真卿	河南偃師市首陽山鎮	河南省偃師商城博物館
348	多寶塔感應碑	唐	顏真卿		陝西省西安碑林博物館
349	東方朔畫贊碑	唐	顏真卿		
349	八關齋會報德記	唐	顏真卿	河南商丘市	
350	祭侄文稿	唐	顏真卿		臺北故宮博物院
352	争座位帖	唐	顏真卿		陝西省西安碑林博物館
353	中興頌	唐	顏真卿	湖南祁陽縣浯溪崖	
353	麻姑仙壇記	唐	顏真卿	江西南城縣	
354	小字麻姑仙壇記	唐	顏真卿		
354	李玄靖碑	唐	顏真卿	江蘇茅山華陽觀	
355	顏勤禮碑	唐	顏真卿	陝西西安市社會路	陝西省西安碑林博物館
355	自書告身	唐	顏真卿		日本東京臺東區立書道博物館
356	顏氏家廟碑	唐	顏真卿		陝西省西安碑林博物館
357	劉中使帖	唐	顏真卿		臺北故宮博物院
357	湖州帖	唐	顏真卿		故宫博物院
358	送裴將軍詩帖	唐	顏真卿		
359	竹山堂連句詩帖	唐	顏真卿		故宫博物院
359	苦筍帖	唐	懷素		上海博物館
360	食魚帖	唐	懷素		私人處
360	小草千字文	唐	懷素		日本
361	論書帖	唐	懷素		遼寧省博物館
362	自叙帖	唐	懷素		臺北故宮博物院
364	高力士墓志	唐	張少悌	陝西蒲城縣	
364	裴遵慶神道碑	唐	盧曉	河南伊川縣彭婆鄉許營村萬安山	
365	三墳記碑	唐	李陽冰		陝西省西安碑林博物館
366	滑臺新驛記	唐	李陽冰	河南滑縣	
367	武侯祠堂碑	唐	柳公綽	四川成都市武侯祠	
367	柳州羅池廟碑	唐	沈傳師		
368	蒙詔帖	唐	柳公權		故宫博物院
369	送梨帖跋	唐	柳公權		
370	迴元觀鐘樓銘	唐	柳公權	陝西西安市太乙路	陝西省西安碑林博物館
370	苻璘神道碑	唐	柳公權		陝西省富平縣
371	玄秘塔碑	唐	柳公權		陝西省西安碑林博物館
372	神策軍碑	唐	柳公權		

頁碼	名稱	時代	作者	出處	收藏地
373	金剛經	唐	柳公權		法國巴黎博物館
373	圭峰禪師碑	唐	裴休	陝西户縣	
374	張好好詩	唐	杜牧		故宫博物院
376	千字文殘卷	唐	高閑		上海博物館
378	唐韵	唐	吴彩鸞		故宫博物院
378	李壽墓志	唐		陝西三原縣焦村	陝西省西安碑林博物館
379	孔祭酒碑	唐		陝西禮泉縣昭陵南十里	
379	樂文義墓志	唐		河南洛陽市	
380	崔敦禮碑	唐			陝西省禮泉縣
380	裴皓墓志	唐		山西聞喜縣東鎮倉底村	山西省聞喜縣博物館
381	靖徹及妻王氏合葬墓志	唐		河南洛陽市	河南省開封市博物館
381	李子如及夫人韓氏合葬墓志	唐		河南洛陽市	河南省開封市博物館
382	梁寺并夫人唐惠兒墓志	唐		陝西西安市	
382	張雄與夫人麴氏墓志	唐		新疆吐魯番市阿斯塔那206號墓	新疆維吾爾自治區博物館
383	馬神威墓志	唐			河南省偃師商城博物館
383	朱君滿及妻李氏合祔墓志	唐		山西長治市	山西博物院
384	興福寺半截碑	唐			陝西省西安碑林博物館
384	張氏墓志	唐		河南伊川縣呂店鄉梁溝村	
385	王之涣墓志	唐		河南洛陽市	
385	峿臺銘	唐		湖南祁陽縣	
386	楊元卿墓志	唐		河南伊川縣城關鎮浥澗村	
386	開成石經	唐			陝西省西安碑林博物館
387	大唐三藏聖教序	唐			陝西省西安碑林博物館
387	月儀帖	唐			臺北故宫博物院
388	蘭亭詩	唐			故宫博物院
389	説文木部鈔本殘卷	唐			日本私人處
390	王勃集	唐			日本東京國立博物館
390	論語鄭氏注鈔本	唐		新疆吐魯番市阿斯塔那	新疆維吾爾自治區博物館
391	古今譯經圖記	唐			故宫博物院
391	黄庭經	唐			故宫博物院
392	恪法師第一抄卷	唐		甘肅敦煌市莫高窟藏經洞	遼寧省博物館
394	釋經卷	唐			山西博物院
396	大般涅槃經迦葉菩薩品	唐		甘肅敦煌市莫高窟藏經洞	甘肅省博物館
396	妙法蓮華經	唐		甘肅敦煌市莫高窟藏經洞	敦煌研究院

頁碼	名稱	時代	作者	出處	收藏地
397	二娘子家書	唐			安徽省博物館
397	嚴苟仁租葡萄園契	唐		新疆吐魯番市阿斯塔那93號墓	新疆維吾爾自治區博物館
398	張仲慶墓表	麴氏高昌		新疆吐魯番市阿斯塔那墓葬	新疆文物考古研究所
398	王伯瑜墓表	麴氏高昌		新疆吐魯番市阿斯塔那墓葬	新疆文物考古研究所
399	康波蜜提墓表	唐		新疆吐魯番市阿斯塔那墓葬	故宫博物院
399	張氏墓志	唐		新疆吐魯番市阿斯塔那墓葬	新疆文物考古研究所
400	錢鏐鐵券	唐			中國國家博物館
400	“年年同閏閣”壺文	唐			

清風

五代十國遼北宋西夏金南宋（公元九〇七年至公元一二七九年）

頁碼	名稱	時代	作者	出處	收藏地
401	神仙起居法帖	五代十國	楊凝式		故宫博物院
402	韭花帖	五代十國	楊凝式		江蘇省無錫市博物館
402	夏熱帖	五代十國	楊凝式		故宫博物院
403	盧鴻草堂十志圖跋	五代十國	楊凝式		臺北故宫博物院
404	錢鏐錢俶批牘合卷	五代十國・吴越			浙江省博物館
404	妙法蓮華經	五代十國・後周			江蘇省蘇州博物館
405	戴思遠墓志	五代十國・後唐		河南伊川縣鴉嶺鄉秘溝村	河南省伊川縣博物館
406	王建哀册	五代十國・前蜀		四川成都市老西門外撫琴臺 五代前蜀主王建墓	四川博物院
406	韓通妻董氏墓志	五代十國・後周			
407	李昪哀册	五代十國・南唐		江蘇南京市牛首山南唐烈祖李昪陵	南京博物院
408	道宗哀册	遼		内蒙古巴林右旗遼永福陵	内蒙古博物院
409	私誠帖	北宋	徐鉉		臺北故宫博物院
409	千字文殘卷	北宋	徐鉉		黑龍江省博物館
410	貴宅帖	北宋	李建中		故宫博物院
410	同年帖	北宋	李建中		故宫博物院
411	土母帖	北宋	李建中		臺北故宫博物院
411	王著草書千字文跋	北宋	周越		臺灣私人處
412	自書詩稿	北宋	林逋		故宫博物院
412	遠行帖	北宋	范仲淹		故宫博物院

頁碼	名稱	時代	作者	出處	收藏地
413	道服贊	北宋	范仲淹		故宮博物院
414	步輦圖跋	北宋	章友直		故宮博物院
414	三札卷	北宋	文彦博		故宮博物院
415	王拱辰墓志蓋	北宋	文彦博	河南伊川縣	河南省伊川縣博物館
416	集古録跋	北宋	歐陽修		臺北故宮博物院
417	自書詩文手稿	北宋	歐陽修		遼寧省博物館
418	萬安橋記	北宋	蔡襄		福建省泉州城東蔡公祠
418	虚堂帖	北宋	蔡襄		故宮博物院
419	思咏帖	北宋	蔡襄		臺北故宮博物院
419	陶生帖	北宋	蔡襄		臺北故宮博物院
420	自書詩稿	北宋	蔡襄		故宮博物院
422	虹縣帖	北宋	蔡襄		臺北故宮博物院
422	暑熱帖	北宋	蔡襄		臺北故宮博物院
423	扈從帖	北宋	蔡襄		故宮博物院
423	安道帖	北宋	蔡襄		臺北故宮博物院
424	離都帖	北宋	蔡襄		臺北故宮博物院
424	脚氣帖	北宋	蔡襄		臺北故宮博物院
425	遠蒙帖	北宋	蔡襄		臺北故宮博物院
425	澄心堂紙帖	北宋	蔡襄		臺北故宮博物院
426	大研帖	北宋	蔡襄		臺北故宮博物院
426	山堂帖	北宋	蔡襄		故宮博物院
427	寧州貼	北宋	司馬光		上海博物館
428	楞嚴經旨要	北宋	王安石		上海博物館
429	過從帖	北宋	王安石		臺北故宮博物院
429	想望顔采帖	北宋	沈遼		臺北故宮博物院
430	久上人帖	北宋	蘇軾		臺北故宮博物院
430	新歲展慶帖	北宋	蘇軾		故宮博物院
431	次韵秦太虚見戲耳聾詩帖	北宋	蘇軾		臺北故宮博物院
432	吏部陳公詩跋	北宋	蘇軾		臺北故宮博物院
432	黄州寒食詩帖	北宋	蘇軾		臺北故宮博物院
434	橙木詩帖	北宋	蘇軾		日本林氏蘭千山館
434	獲見帖	北宋	蘇軾		臺北故宮博物院
435	人來得書帖	北宋	蘇軾		故宮博物院
435	一夜帖	北宋	蘇軾		臺北故宮博物院

頁碼	名稱	時代	作者	出處	收藏地
436	前赤壁賦	北宋	蘇軾		臺北故宮博物院
438	覆盆子帖	北宋	蘇軾		臺北故宮博物院
438	跋王詵詩	北宋	蘇軾		故宮博物院
439	與子厚書	北宋	蘇軾		臺北故宮博物院
440	祭黃幾道文	北宋	蘇軾		上海博物館
440	次辯才韵詩	北宋	蘇軾		臺北故宮博物院
442	歸院帖	北宋	蘇軾		故宮博物院
442	東武帖	北宋	蘇軾		臺北故宮博物院
443	洞庭春色賦 中山松醪賦卷	北宋	蘇軾		吉林省博物院
444	李白仙詩	北宋	蘇軾		日本大阪市立美術館
444	答謝民師論文帖	北宋	蘇軾		上海博物館
446	與夢得書	北宋	蘇軾		臺北故宮博物院
446	知縣朝奉帖	北宋	蘇軾		臺北故宮博物院
447	柳州羅池廟碑	北宋	蘇軾		
448	勘書圖跋	北宋	王詵		南京大學考古與藝術博物館
448	孫過庭千字文跋	北宋	王詵		遼寧省博物館
449	王拱辰墓志	北宋	蘇轍	河南伊川縣城關鎮	河南省伊川縣博物館
449	致定國承議使君尺牘	北宋	蘇轍		臺北故宮博物院
450	王長者墓志銘	北宋	黃庭堅		日本東京國立博物館
450	華嚴疏	北宋	黃庭堅		上海博物館
452	與立之承奉書	北宋	黃庭堅		臺北故宮博物院
452	與景道十七使君書	北宋	黃庭堅		臺北故宮博物院
453	荆州帖	北宋	黃庭堅		臺北故宮博物院
453	天民知命帖	北宋	黃庭堅		臺北故宮博物院
454	廉頗藺相如傳	北宋	黃庭堅		美國紐約大都會博物館
456	杜甫寄賀蘭銛詩	北宋	黃庭堅		故宮博物院
456	苦笋賦帖	北宋	黃庭堅		臺北故宮博物院
457	寒山子龐居士詩	北宋	黃庭堅		臺北故宮博物院
458	贈張大同書	北宋	黃庭堅		美國普林斯頓大學美術館
460	諸上座帖	北宋	黃庭堅		故宮博物院
462	蘇軾黃州寒食帖跋	北宋	黃庭堅		臺北故宮博物院
463	詩送四十九侄	北宋	黃庭堅		故宮博物院
464	伏波神祠詩	北宋	黃庭堅		日本東京永青文庫
466	松風閣詩	北宋	黃庭堅		臺北故宮博物院

頁碼	名稱	時代	作者	出處	收藏地
466	山預帖	北宋	黄庭堅		臺北故宫博物院
467	花氣詩帖	北宋	黄庭堅		臺北故宫博物院
468	李白憶舊游詩	北宋	黄庭堅		日本京都藤井有鄰館
470	與雲夫七弟書	北宋	黄庭堅		臺北故宫博物院
470	聽琴圖題詩	北宋	蔡京		故宫博物院
471	節夫帖	北宋	蔡京		臺北故宫博物院
473	吴江舟中詩卷	北宋	米芾		美國紐約大都會博物館
474	苕溪詩	北宋	米芾		故宫博物院
476	蜀素帖	北宋	米芾		臺北故宫博物院
478	篋中帖	北宋	米芾		臺北故宫博物院
478	與希聲書并七言詩	北宋	米芾		臺北故宫博物院
479	糧院帖	北宋	米芾		故宫博物院
479	逃暑帖	北宋	米芾		美國普林斯頓大學美術館
480	伯充台坐帖	北宋	米芾		臺北故宫博物院
480	中秋詩帖 目窮帖	北宋	米芾		日本大阪市立美術館
481	元日帖	北宋	米芾		日本大阪市立美術館
481	論書帖	北宋	米芾		臺北故宫博物院
482	向太后挽詞	北宋	米芾		故宫博物院
482	研山銘	北宋	米芾		故宫博物院
483	彦和帖	北宋	米芾		臺北故宫博物院
484	清和帖	北宋	米芾		臺北故宫博物院
484	復官帖	北宋	米芾		故宫博物院
485	砂步詩帖	北宋	米芾		故宫博物院
486	虹縣詩	北宋	米芾		日本東京國立博物館
488	戎薛帖	北宋	米芾		臺北故宫博物院
488	珊瑚帖	北宋	米芾		故宫博物院
489	雪意帖	北宋	蔡卞		臺北故宫博物院
489	贈遠夫帖	北宋	蘇過		臺北故宫博物院
490	首夏帖	北宋	王昇		故宫博物院
490	晴和帖	北宋	薛紹彭		故宫博物院
491	雲頂山詩	北宋	薛紹彭		臺北故宫博物院
491	七言詩	北宋	趙佶		上海博物館
492	草書千字文	北宋	趙佶		遼寧省博物館
494	閏中秋月詩帖	北宋	趙佶		故宫博物院

頁碼	名稱	時代	作者	出處	收藏地
494	千字文	北宋	趙佶		上海博物館
495	夏日帖	北宋	趙佶		故宫博物院
496	瀟湘奇觀圖跋	北宋	米友仁		故宫博物院
496	動止持福帖	北宋	米友仁		故宫博物院
497	妙法蓮華經卷第二	北宋		浙江瑞安市慧光塔	浙江省博物館
498	職貢圖題記	北宋			中國國家博物館
498	范仲淹神道碑	北宋		河南伊川縣彭婆鄉	
499	文雅舍利塔銘	北宋		陝西西安市興教寺	
499	舍利函銘	北宋		浙江瑞安市慧光塔	浙江省博物館
500	佛經	西夏		寧夏賀蘭縣拜寺溝方塔	寧夏回族自治區文物考古研究所
500	靈芝頌殘碑	西夏		寧夏銀川市西夏陵區7號陵	寧夏博物館
501	跋蘇軾李白仙詩	金	蔡松年		日本大阪市立美術館
501	跋蘇軾李白仙詩	金	施宜生		日本大阪市立美術館
502	跋蘇軾李白仙詩卷	金	劉沂		日本大阪市立美術館
502	跋蘇軾李白仙詩卷	金	高衎		日本大阪市立美術館
503	古柏行	金	任詢		日本京都藤井有鄰館
503	吕徵墓表	金	任詢	北京豐臺區	北京市文物研究所
504	跋蘇軾李白仙詩卷	金	蔡珪		日本大阪市立美術館
504	李山風雪杉松圖卷跋	金	王庭筠		美國華盛頓弗利爾美術館
505	博州重修廟學記	金	王庭筠		
506	幽竹枯槎圖卷題辭	金	王庭筠		日本京都藤井有鄰館
506	追和坡仙赤壁詞韵	金	趙秉文		臺北故宫博物院
508	趙霖昭陵六駿圖跋	金	趙秉文		故宫博物院
510	徽宗文集序	南宋	趙構		日本文化廳
510	洛神賦	南宋	趙構		遼寧省博物館
511	門内帖	南宋	吴説		故宫博物院
512	宋人三詩帖	南宋	吴説		日本京都藤井有鄰館
514	自書詩	南宋	陸游		遼寧省博物館
516	懷成都詩	南宋	陸游		故宫博物院
516	中流一壺帖	南宋	范成大		故宫博物院
517	春晚帖	南宋	范成大		上海博物館
518	西塞漁社圖跋	南宋	范成大		美國紐約大都會博物館
521	城南唱和詩	南宋	朱熹		故宫博物院
522	七月六日帖	南宋	朱熹		遼寧省博物館

頁碼	名稱	時代	作者	出處	收藏地
522	卜築帖	南宋	朱熹		日本東京國立博物館
523	論語集注殘稿	南宋	朱熹		日本京都國立博物館
523	盧坦傳語碑	南宋	張孝祥		江蘇省蘇州文廟
524	柴溝帖	南宋	張孝祥		上海博物館
524	涇川帖	南宋	張孝祥		上海博物館
525	雜詩帖	南宋	吴琚		故宫博物院
526	行書五段卷	南宋	吴琚		上海博物館
526	壽父帖	南宋	吴琚		故宫博物院
527	急足帖	南宋	吴琚		日本東京國立博物館
527	去國帖	南宋	辛弃疾		故宫博物院
528	王獻之保母帖跋	南宋	姜夔		故宫博物院
529	文向帖	南宋	魏了翁		上海博物館
529	提刑提舉帖	南宋	魏了翁		故宫博物院
530	跋萬歲通天帖	南宋	岳珂		遼寧省博物館
531	汪氏報本庵記卷	南宋	張即之		遼寧省博物館
531	王禹偁待漏院記卷	南宋	張即之		上海博物館
532	台慈帖	南宋	張即之		故宫博物院
532	大字杜甫詩卷	南宋	張即之		遼寧省博物館
533	金剛般若波羅蜜經	南宋	張即之		日本京都智積院
534	李衎墓志銘	南宋	張即之		日本京都藤井有鄰館
535	古松詩	南宋	張即之		故宫博物院
537	自書詩	南宋	趙孟堅		故宫博物院
538	宏齋帖	南宋	文天祥		故宫博物院
539	謝昌元座右辭卷	南宋	文天祥		中國國家博物館
540	到京帖	南宋	邵鯱		臺北故宫博物院
540	宋人詞	南宋	常杓		臺北故宫博物院
541	唐風圖題詩	南宋			遼寧省博物館
541	鹿鳴之什圖題詩	南宋			故宫博物院
542	送劉滿詩	蒙古汗國	耶律楚材		美國紐約大都會博物館
544	大般若波羅蜜多經	大理國		雲南大理市	雲南省博物館
544	啓請儀軌經	大理國		雲南大理市	雲南省博物館

智永

生卒年不詳。俗姓王，名法極。王羲之七世孫。在陳爲吴興（今浙江湖州）永欣寺僧，入隋住長安（今陝西西安）西明寺，人稱“永禪師”。與兄智楷并以書擅名陳、隋間。

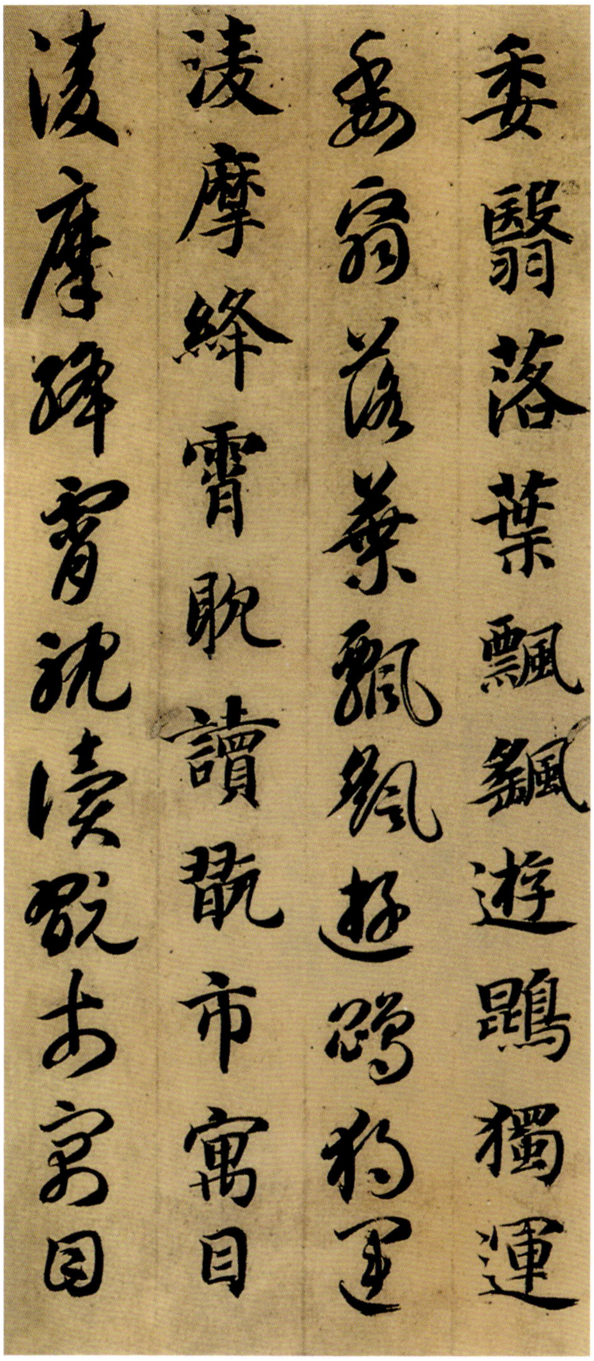

真草千字文局部之一

真草千字文

隋

智永

紙本，册裝。正文二百行，每行十字。

現藏日本。

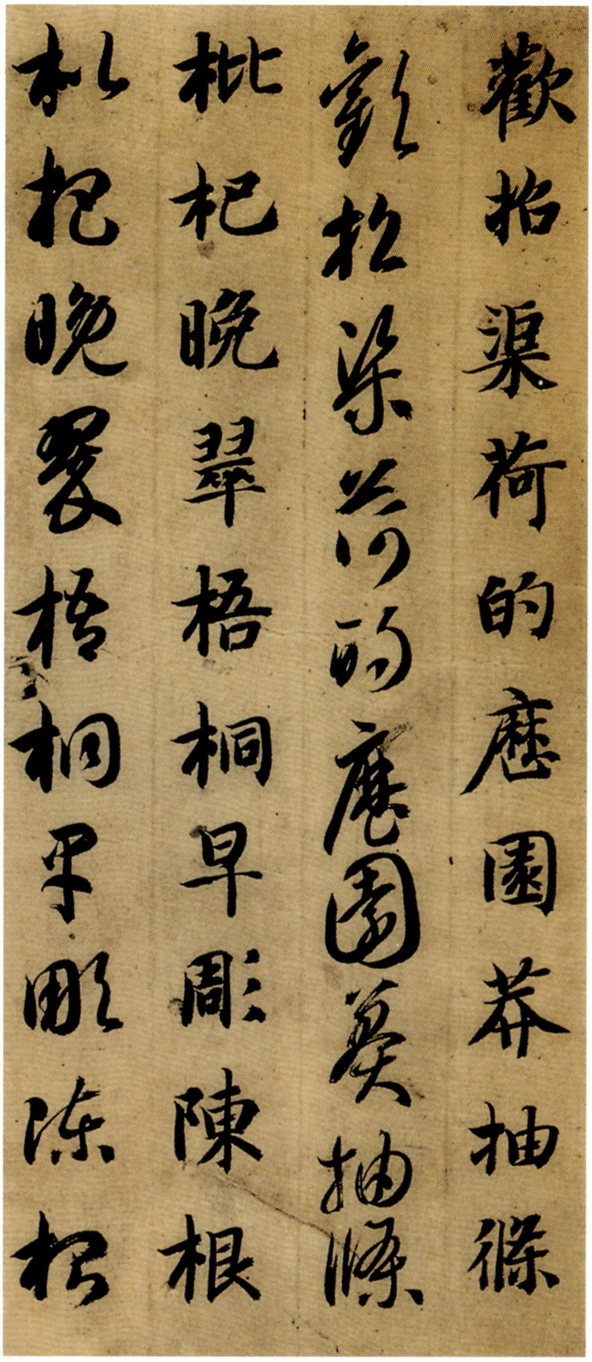

真草千字文局部之二

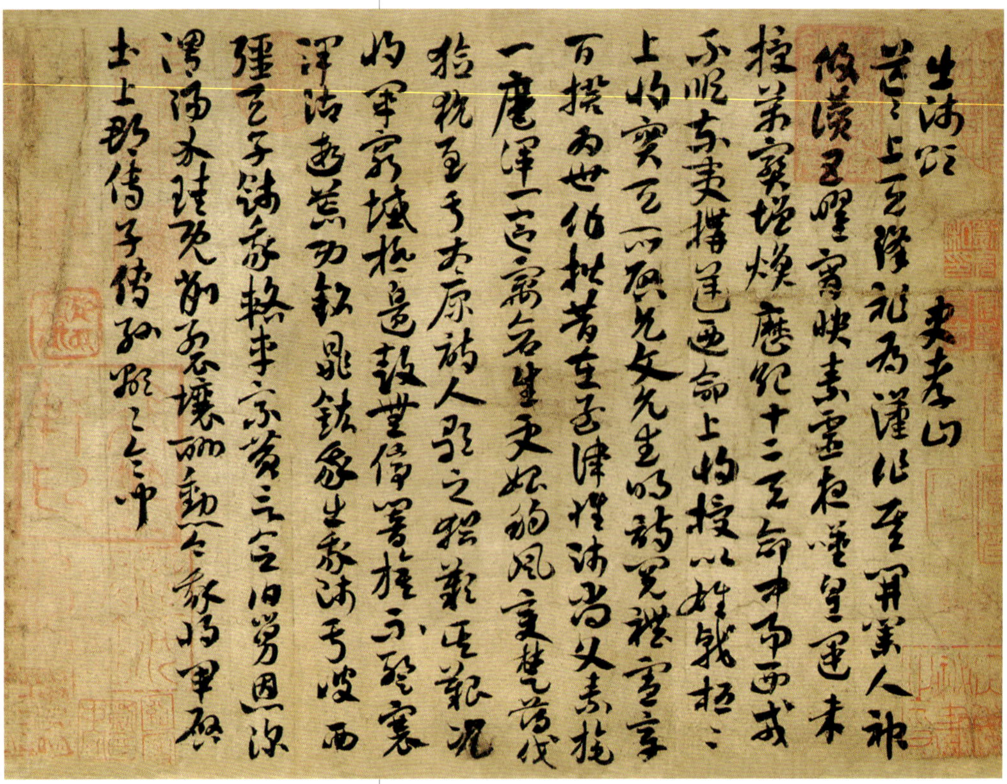

出師頌

隋

高21.2、寬29.1厘米。
紙本。章草十四行。
現藏故宮博物院。

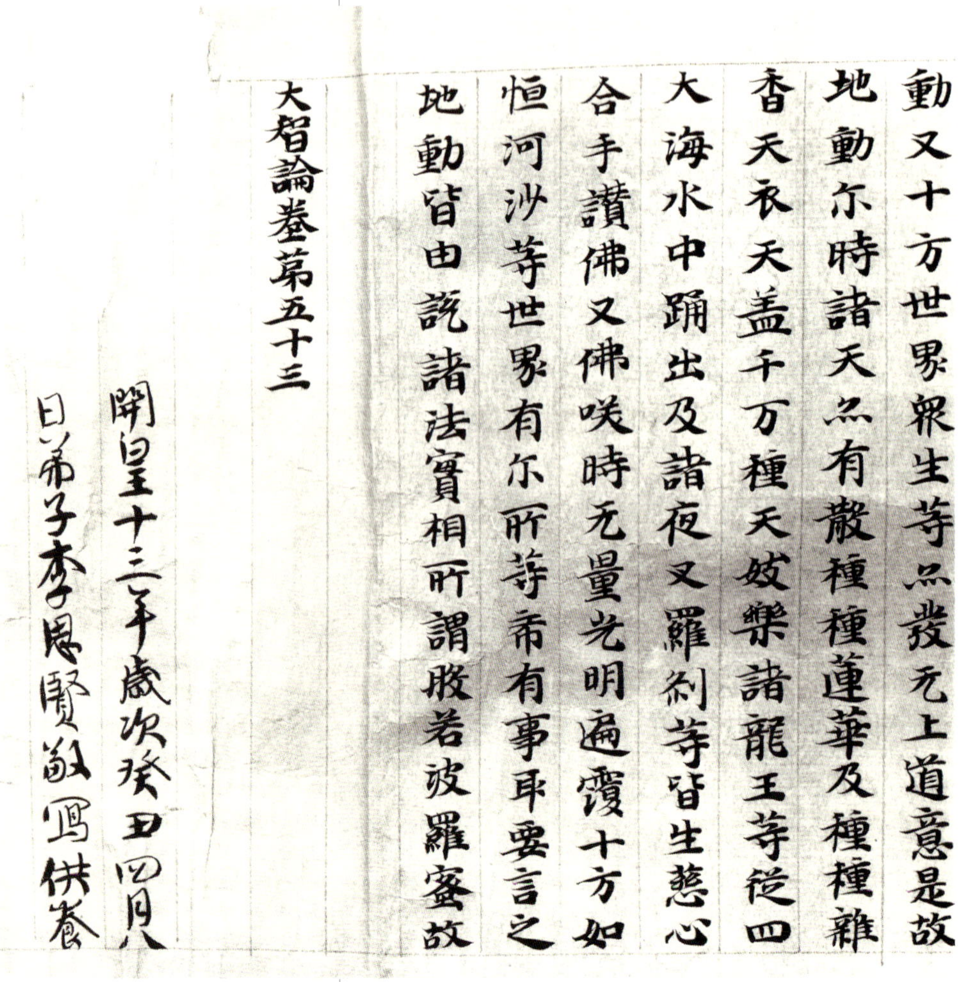

動又十方世界衆生等皆發无上道意是故
地動尒時諸天皆有散種種蓮華及種種雜
香天衣天盖千万種天妓樂諸龍王等從四
大海水中踊出及諸夜叉羅剎等皆生慈心
合手讚佛又佛咲時无量光明遍覆十方如
恒河沙等世界有尒所等希有事要言之
地動皆由說諸法實相所謂般若波羅蜜故
大智論卷第五十三
開皇十三年歲次癸丑四月八
日弟子李思賢敬寫供養

大智論寫本

隋

全卷高26.2、寬921.8厘米。
紙本。書于開皇十三年（公元593年）。此選爲局部。
現藏安徽省博物館。

優婆塞經卷第十

隋

高25.6、寬459厘米。

紙本。現存九紙，計二百四十六行。書于仁壽四年（公元604年）。此選爲局部。

現藏甘肅省博物館。

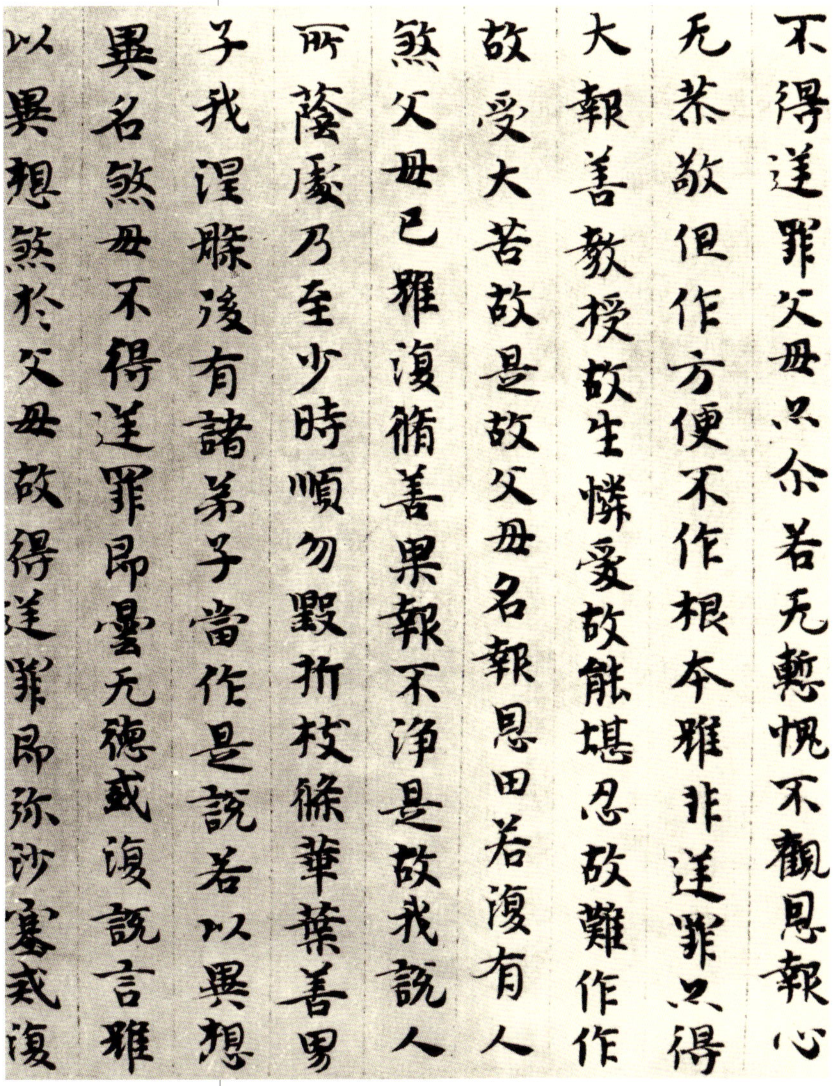

寫　經

隋

高25、寬117.5厘米。

紙本。此選爲局部。

現藏山西博物院。

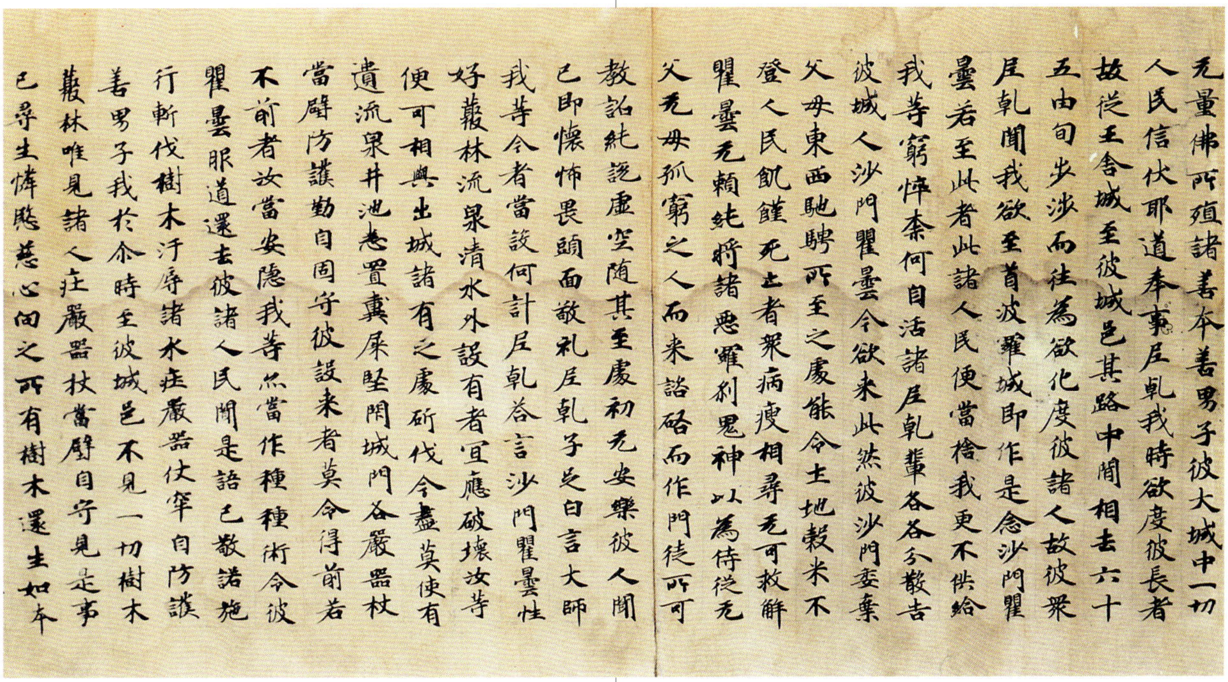

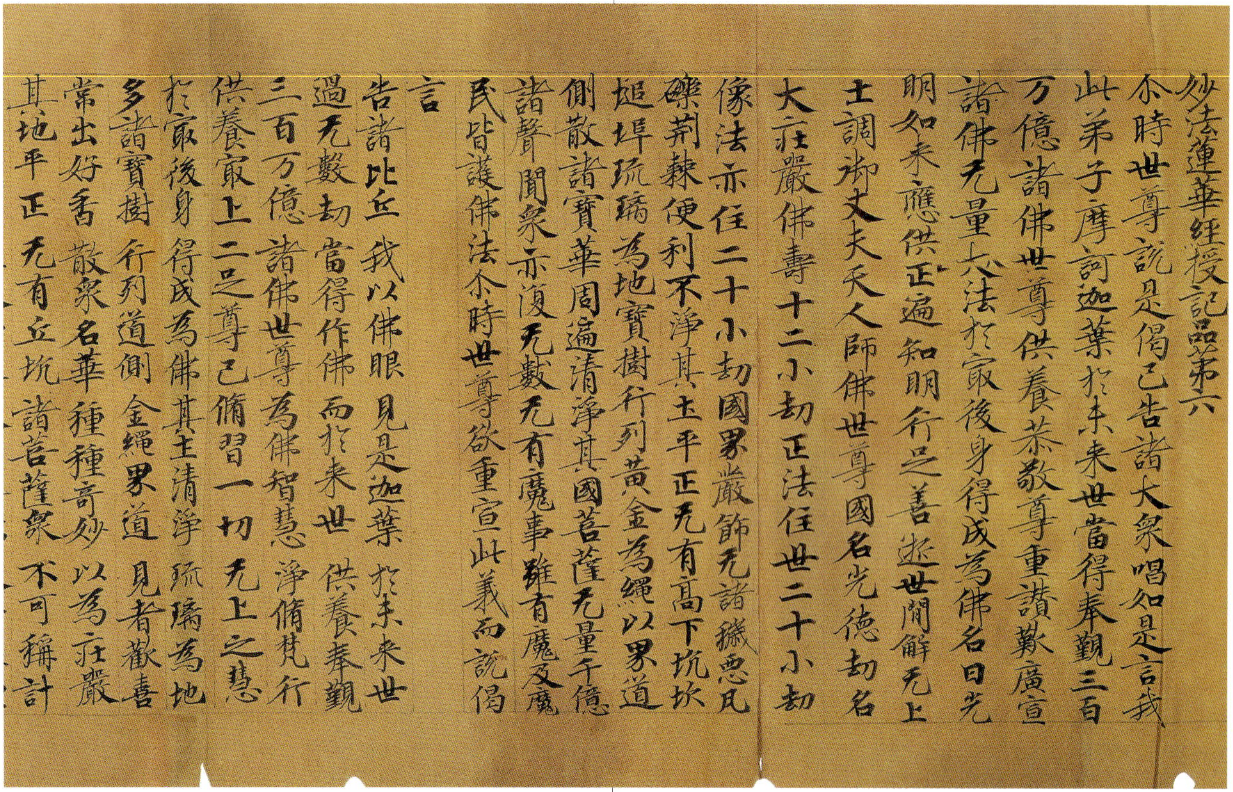

妙法蓮華經

隋

甘肅敦煌市莫高窟藏經洞發現。

全卷寬774厘米。

紙本。此選爲局部。

現藏上海朵雲軒。

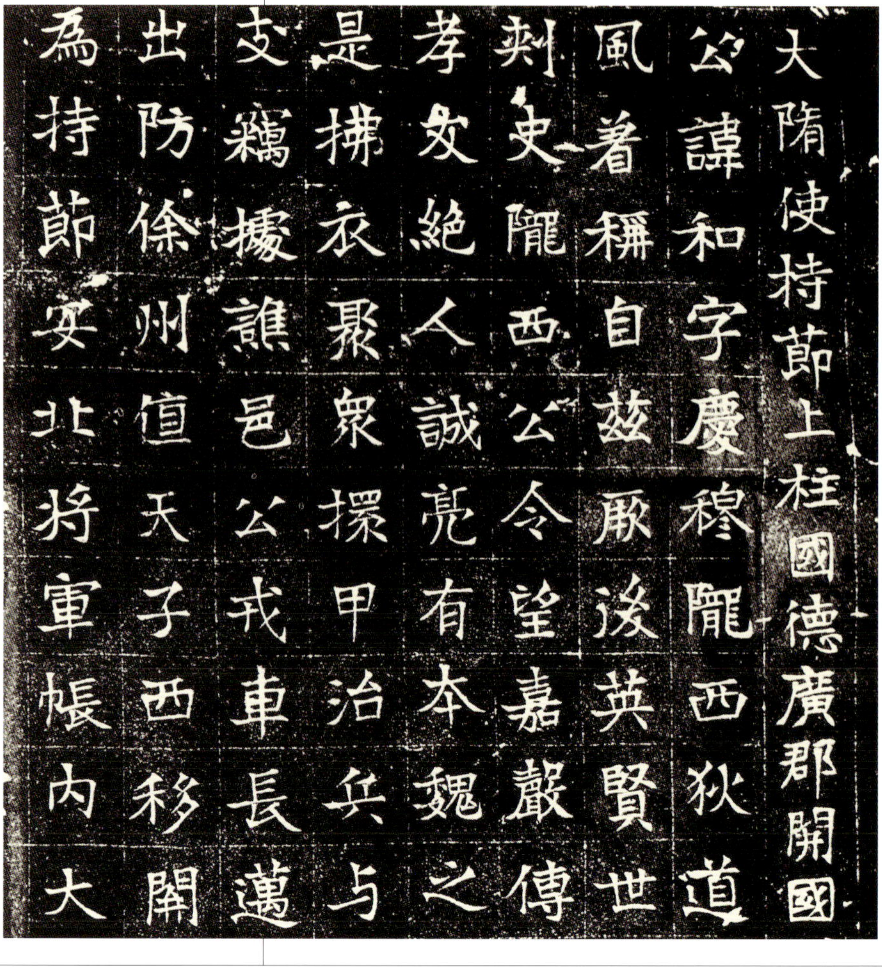

李和墓志

隋

陝西三原縣陵前鄉雙盛村出土。

全志高60.8、寬60.8厘米。

楷書三十三行，每行三十四字。刻于開皇二年（公元582年）。此選爲局部。

現藏陝西省西安碑林博物館。

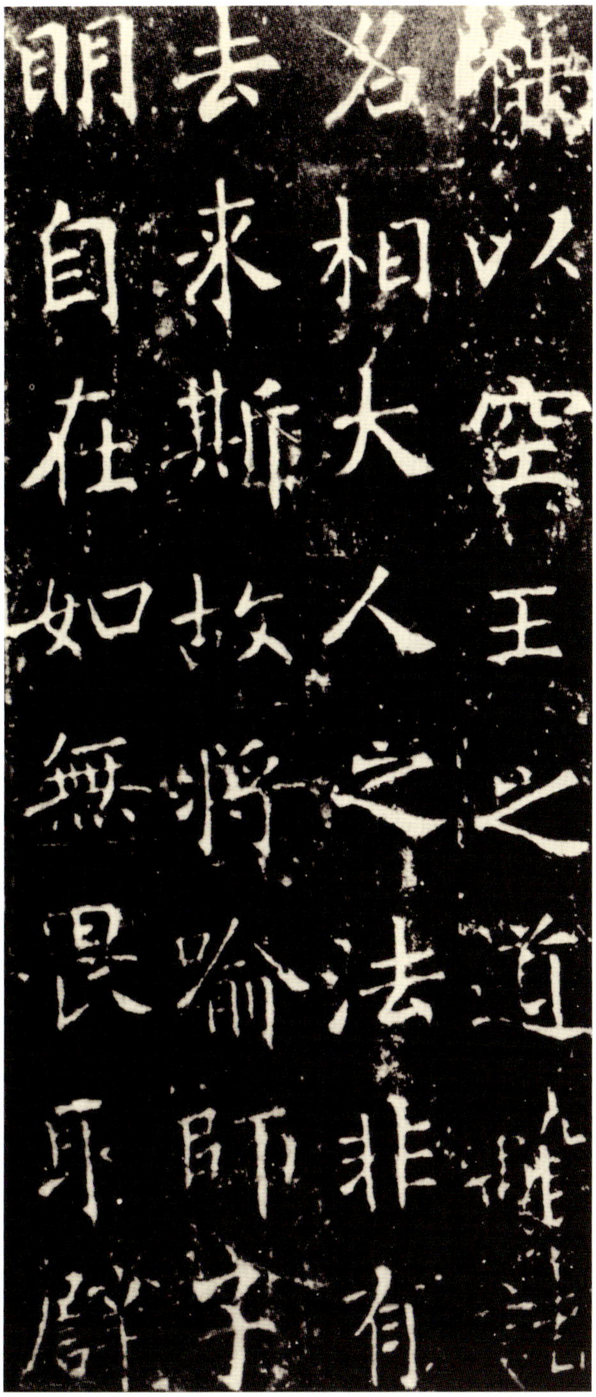
名相大人之法非有
去來斯故將喻師字

龍藏寺碑

隋

楷書三十行，每行五十字。刻于開皇六年（公元586年）。此選爲局部。

碑在河北省正定縣隆興寺。

僧璨大士塔磚銘

隋

浙江杭州市出土。

高15.5、寬11.4厘米。

刻于開皇十二年（公元592年）。

現藏浙江省博物館。

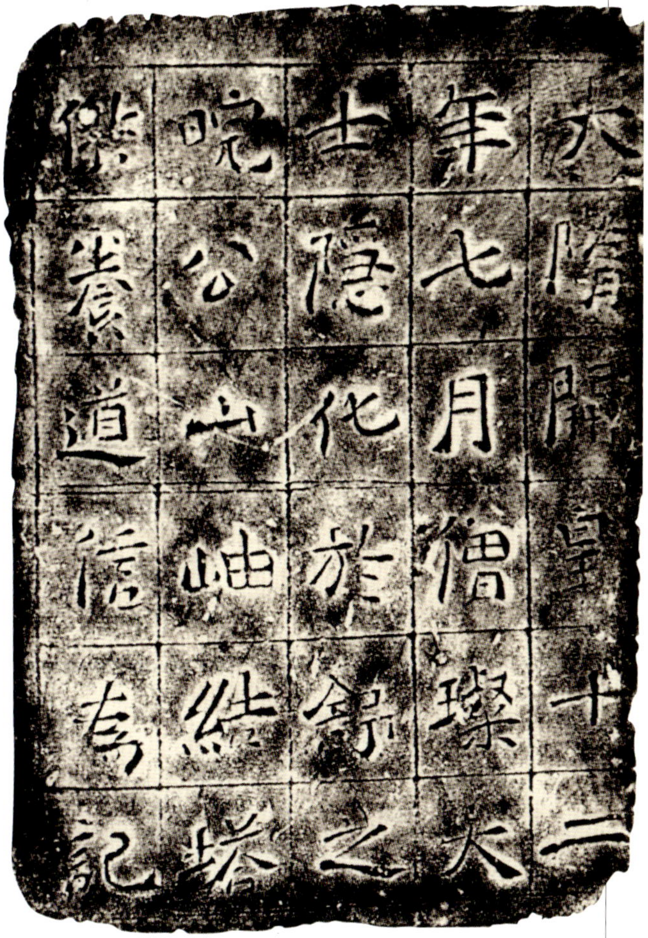
大隋開皇十二
年七月僧璨大
士隱化於舒之
皖公山岫結塔
供養道信為記

曹植廟碑

隋

楷書二十二行，每行四十三字。刻于開皇十三年（公元593年）。此選爲局部。

碑原在山東省東阿縣魚山曹植墓地。

鞏賓墓志

隋

陝西武功縣出土。

全志拓片高52、寬52厘米。

楷書三十一行，每行三十二字。刻于開皇十五年（公元595年）。此選爲局部。

原石已佚。

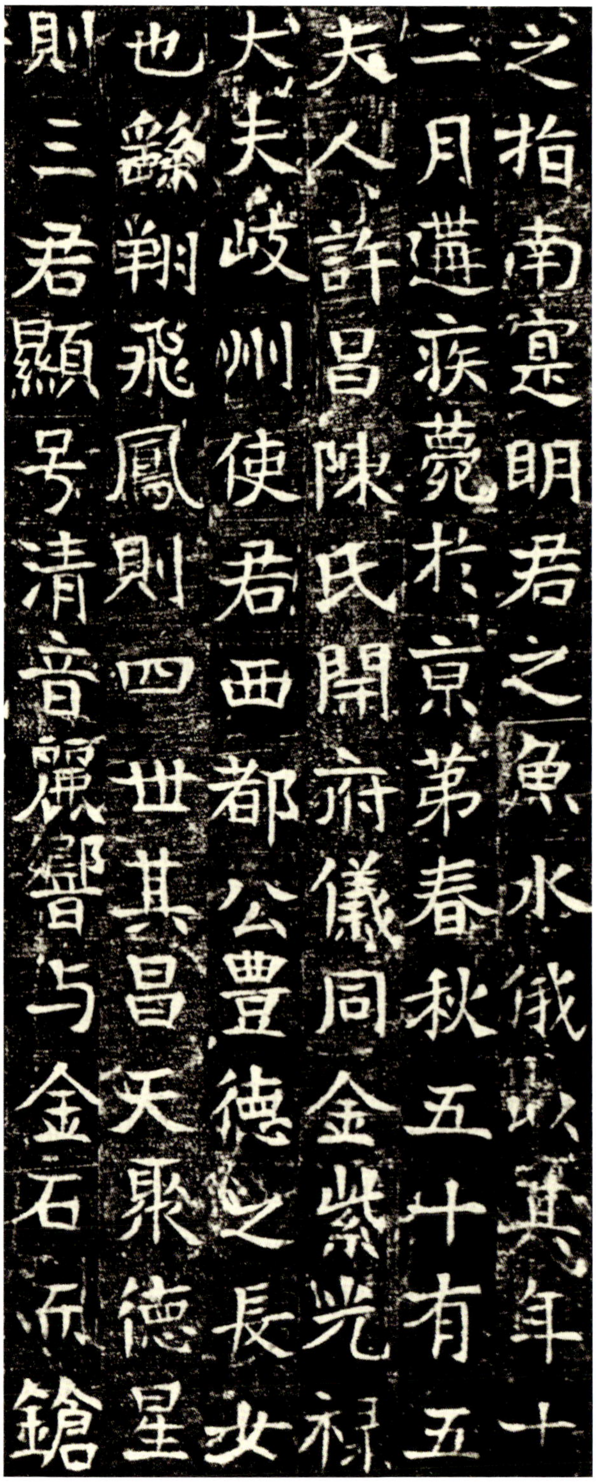

董美人墓志

隋

陝西西安市出土。後亡佚。

楷書二十一行，每行二十三字。刻于開皇十七年（公元597年）。

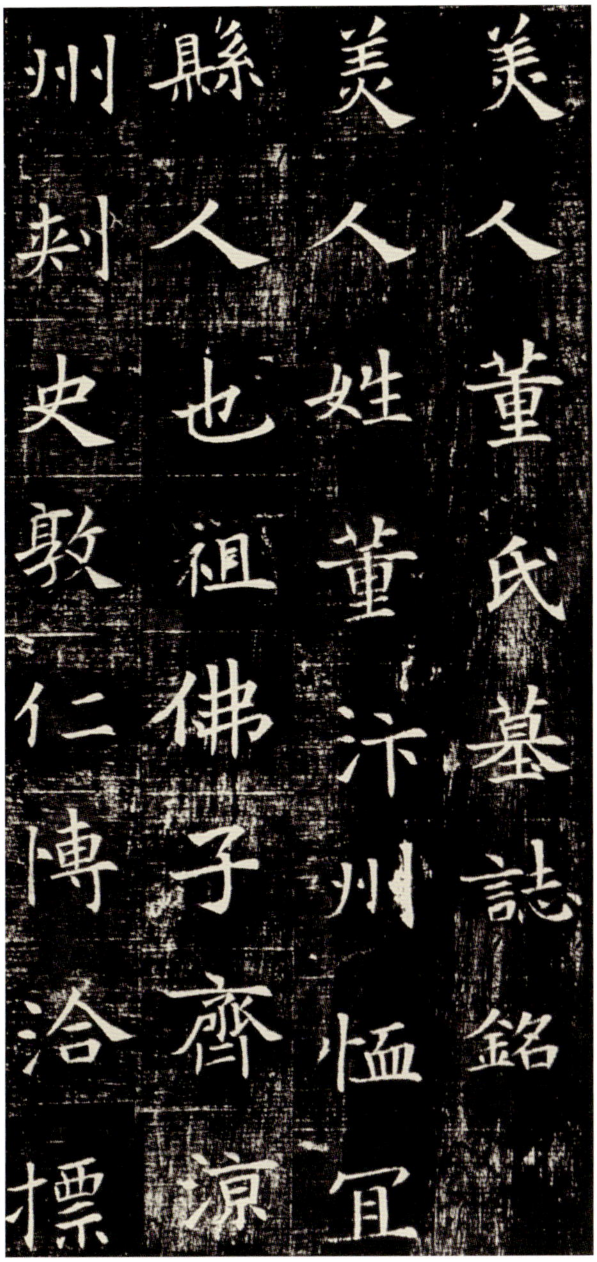
美人董氏墓誌銘
美人姓董汴州恤宜
縣人也祖佛子齊涼
州刺史敦仁博洽標

董美人墓志局部之一

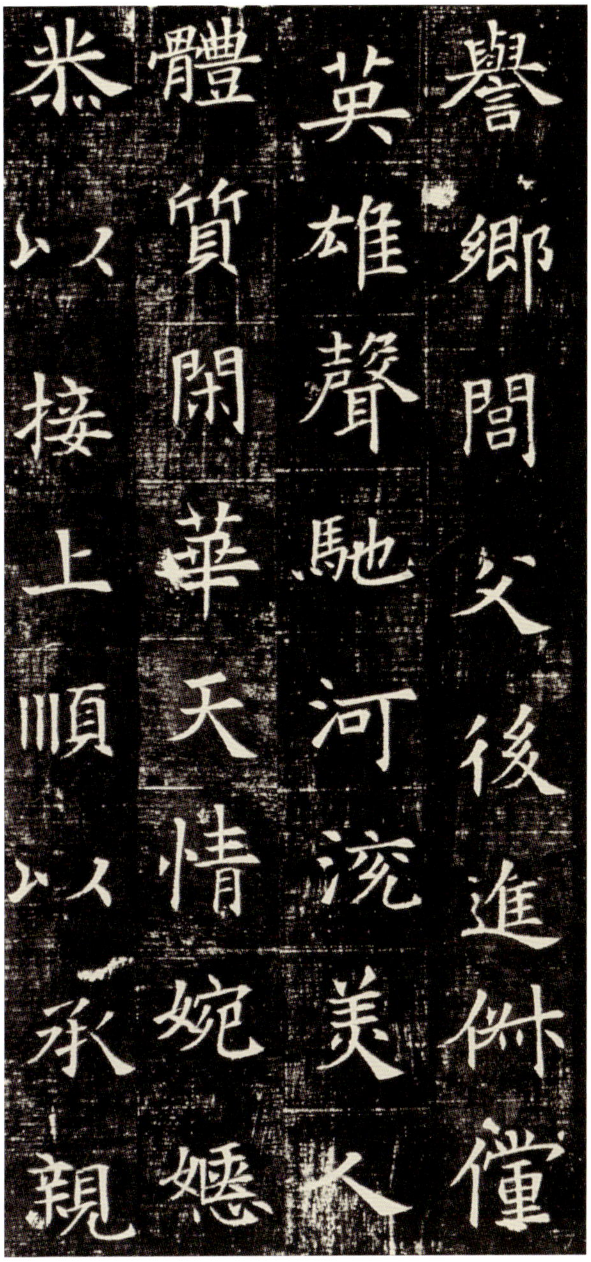
譽鄉閭父後進俶儻
英雄聲馳河澆美人
體質閑華天情婉嫕
以接上順以承親

董美人墓志局部之二

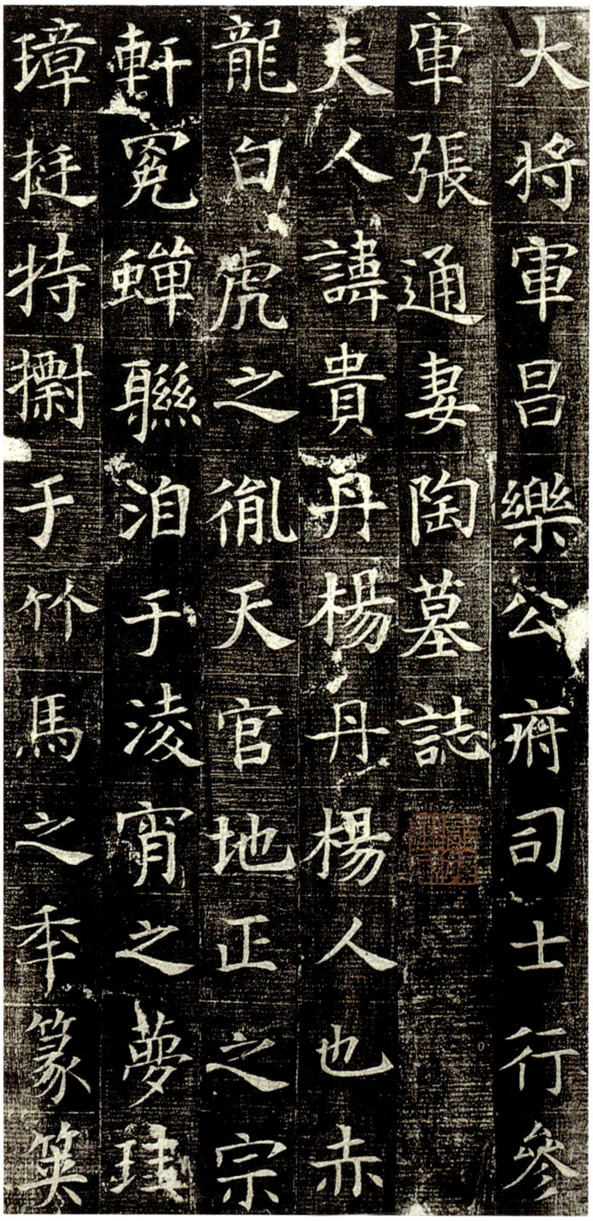

張通妻陶貴墓志

隋

陝西西安市出土。

楷書十九行，每行十九字。刻于開皇十九年（公元599年）。此選爲局部。

原石已佚。

馬穉墓志

隋

河南洛陽市出土。

志高52、寬51.5厘米。

隸書二十五行，每行二十五字。刻于開皇二十年（公元600年）。此選爲局部。

現藏陝西省西安碑林博物館。

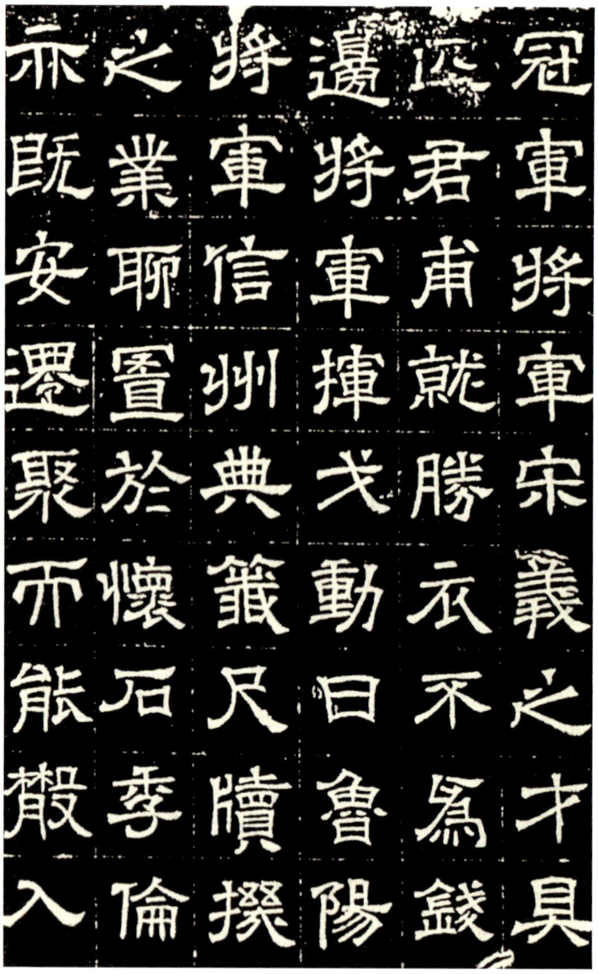

龍山公墓志

隋

重慶奉節縣出土。

全志拓片高97、寬48厘米。

楷書十三行，每行二十至三十字。刻于開皇二十年（公元600年）。此選爲局部。

趙韶墓志

隋

河北定州市趙村出土。

全志拓片高46.3、寬47厘米。

楷書十九行，每行十九字。刻于仁壽元年（公元601年）。此選爲局部。

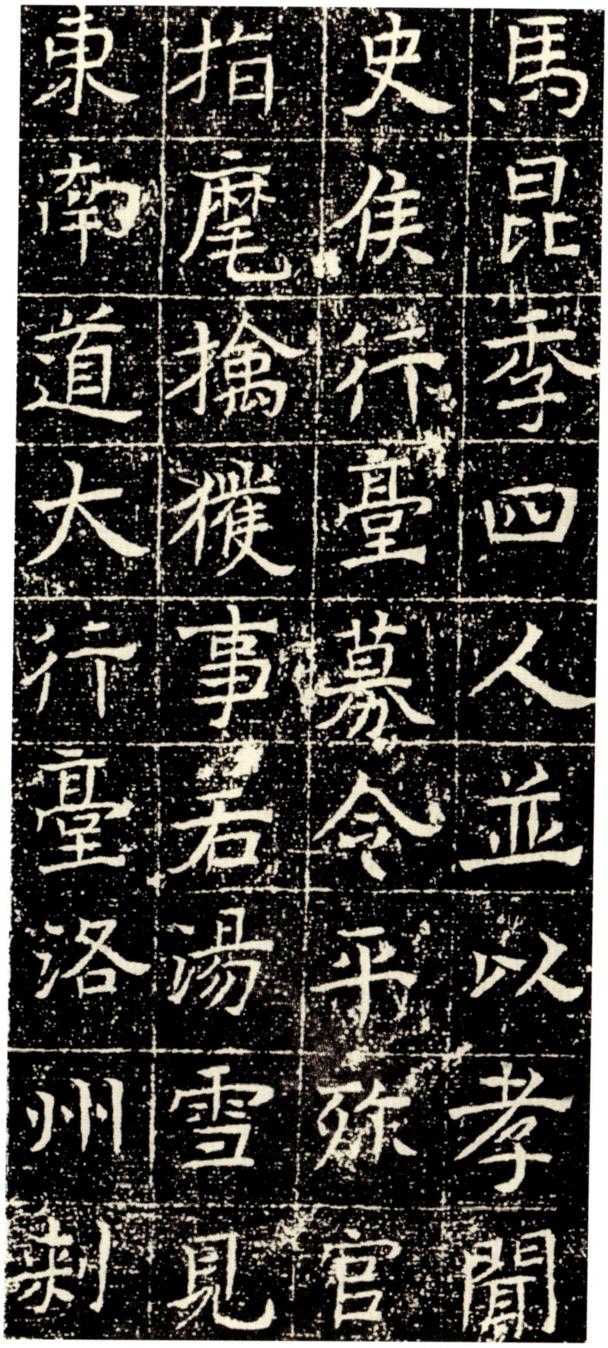

啓法寺碑

隋

碑原在湖北襄樊市，今已佚。

刻于仁壽二年（公元602年）。此選爲局部。

郭休墓志

隋

河南洛陽市三里橋出土。

志高38、寬38厘米。

隸書十六行，每行十六字（末二行十七字）。刻于仁壽二年（公元602年）。此選爲局部。

蘇慈墓志

隋

陝西蒲城縣出土。

楷書三十七行，每行三十七字。刻于仁壽三年（公元603年）。此選爲局部。

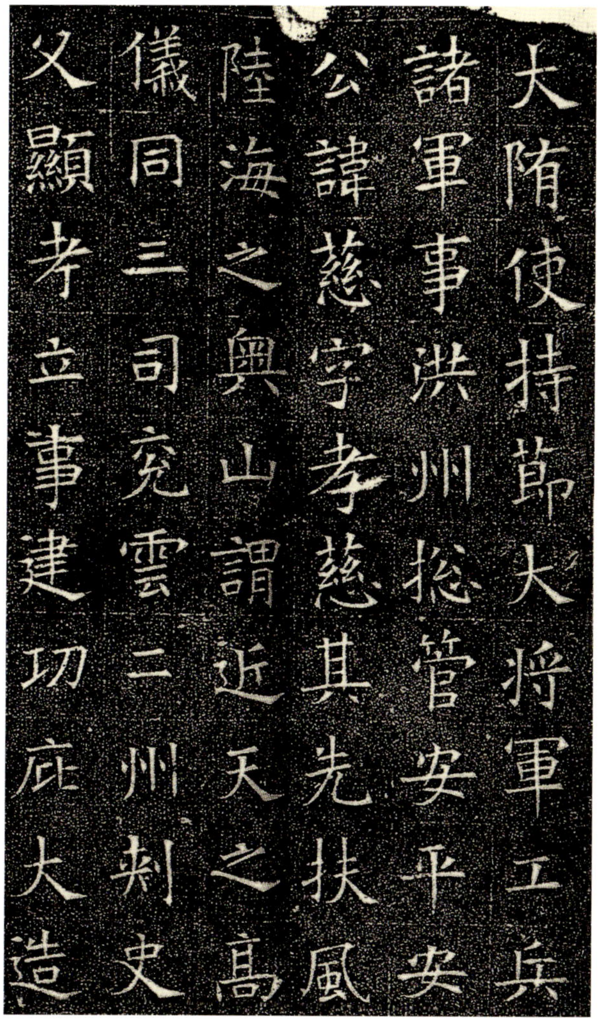

張貴男墓志

隋

河北邯鄲市出土。

全志拓片高58、寬58厘米。

楷書二十六行，每行二十六字。刻于大業二年（公元606年）。此選爲局部。

吕胡墓志

隋

河南洛陽市出土。

全志高41.5、寬42厘米。

楷書二十四行，每行二十四字。刻于大業五年（公元609年）。此選爲局部。

現藏陝西省西安碑林博物館。

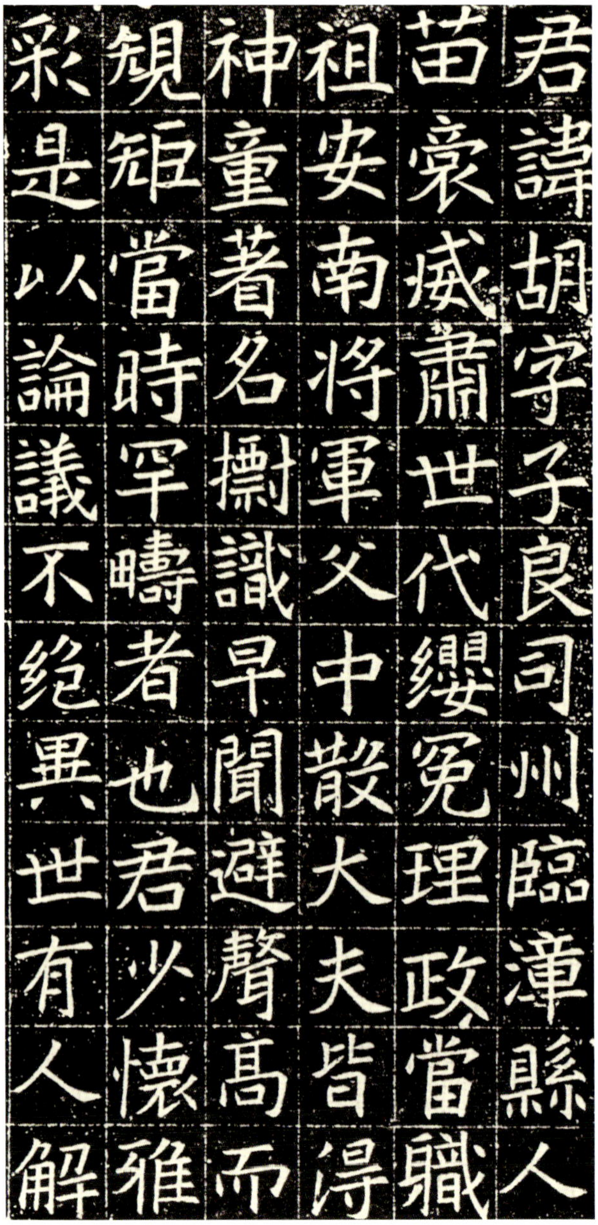

常醜奴墓志

隋

志石原在陝西興平市崇寧寺，後寺廢志佚。

楷書二十七行，每行二十七字。刻于大業三年（公元607年）。此選爲局部。

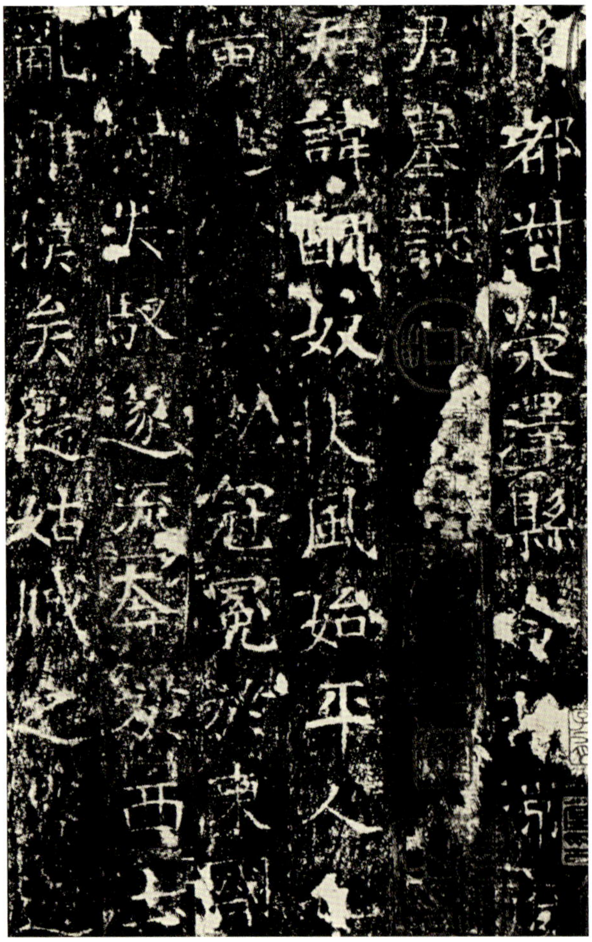

寧贊碑

隋

廣西欽州市七星坪出土。

楷書三十行，每行二十九字。刻于大業五年（公元609年）。此選爲局部。

現藏廣東省博物館。

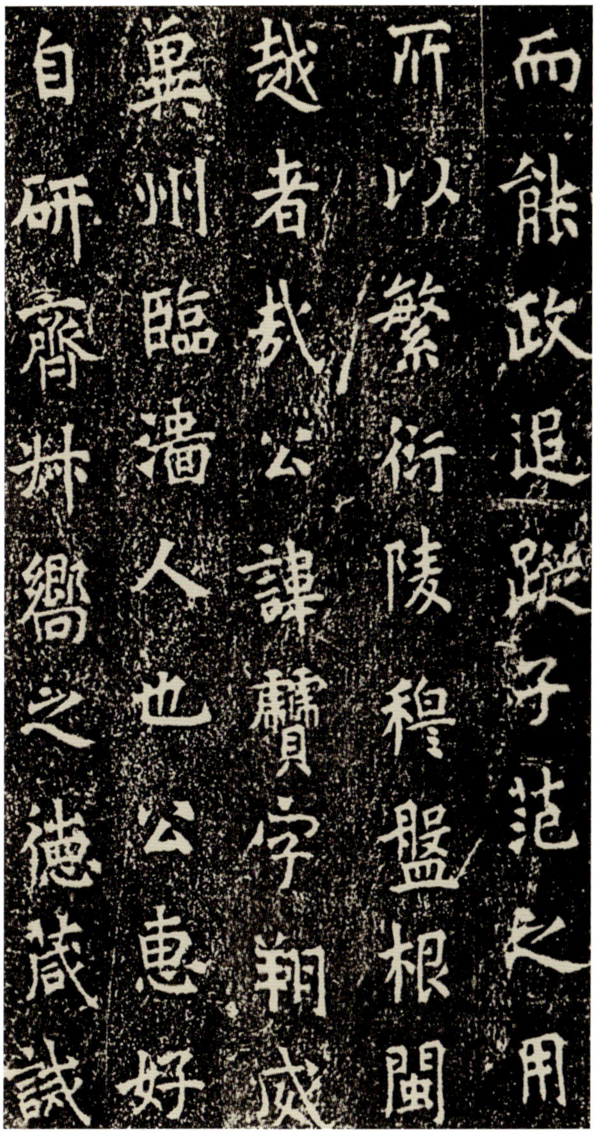

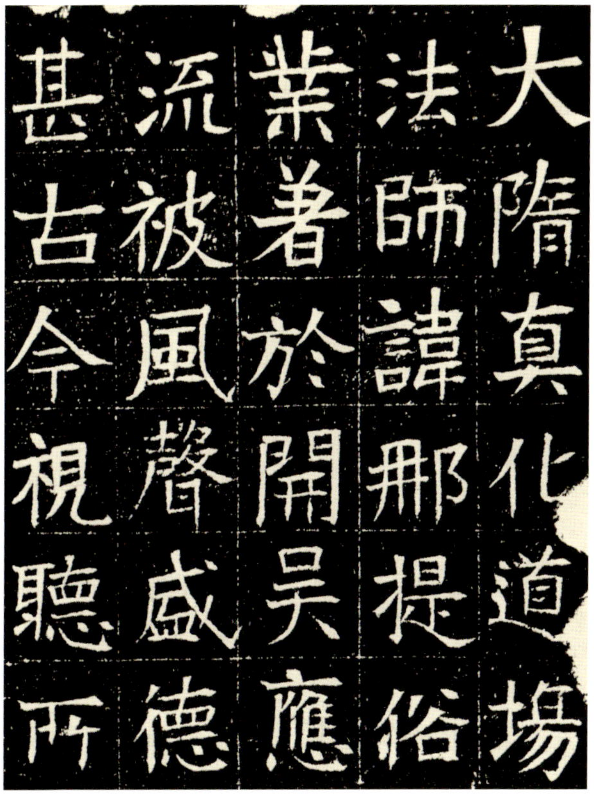
大隋真化道場
法師諱那提俗
業著於開吴應
流被風聲盛德
甚古今視聽所

尼那提墓志

隋

陝西西安市長安區韋曲鎮出土。

志高29、寬29厘米。

楷書十九行，每行十九字。刻于大業九年（公元613年）。此選爲局部。

現藏陝西省西安碑林博物館。

張盈妻蕭餝性墓志

隋
河南洛陽市出土。
全志拓片高53.5、寬53.5厘米。
楷書二十四行，每行二十四字。刻于大業九年（公元613年）。此選爲局部。
現藏河南博物院。

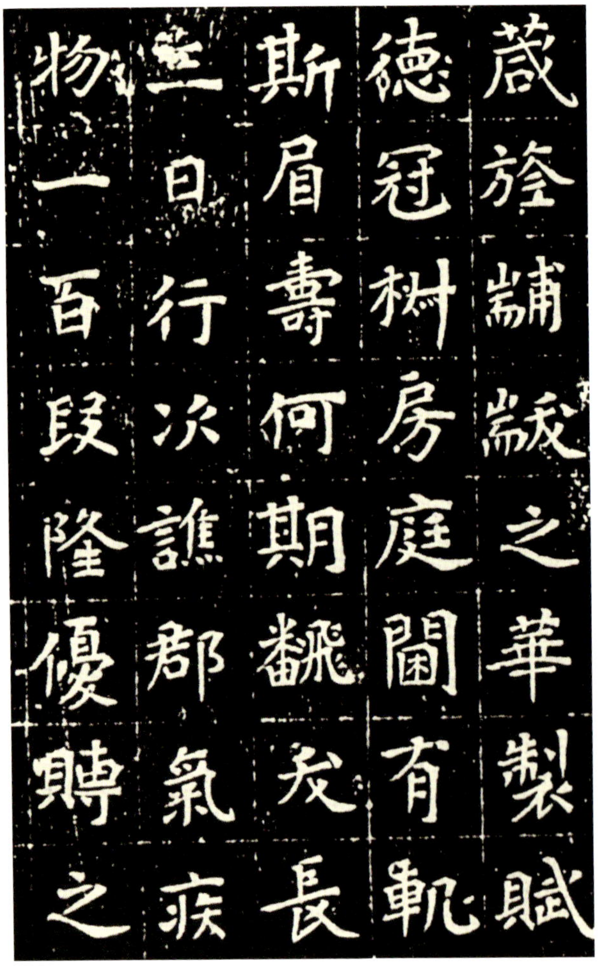

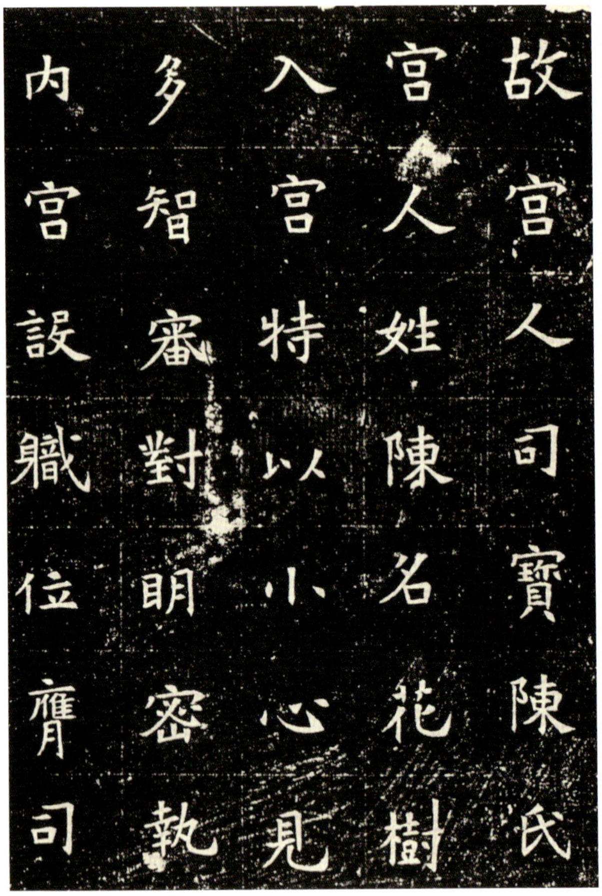
故宮人司寶陳氏
宮人姓陳名花樹
入宮特以小心見
多智審對明密執
内宮設職位膺司

宮人陳花樹墓志

隋
河南洛陽市出土。
志高42.3、寬42厘米。
楷書十三行，每行十四字。刻于大業十年（公元614年）。此選爲局部。
現藏陝西省西安碑林博物館。

元智墓志

隋

陝西西安市出土。

志高44.7、寬44.5厘米。

楷書三十七行，每行三十七字。刻于大業十一年（公元615年）。此選爲局部。

現藏故宮博物院。

大隋故朝請大夫夷陵郡太守
太僕卿元公之墓誌銘
君諱字智河南洛陽人魏
昭成皇帝之後也軒丘肇其得
姓下洛啓其興王道盛中原業
光四表其後國華民譽瓊萼瑶

元智妻姬氏墓志

隋

陝西西安市出土。

志高48.5、寬48.5厘米。

楷書二十七行，每行二十七字。刻于大業十一年（公元615年）。此選爲局部。

現藏故宮博物院。

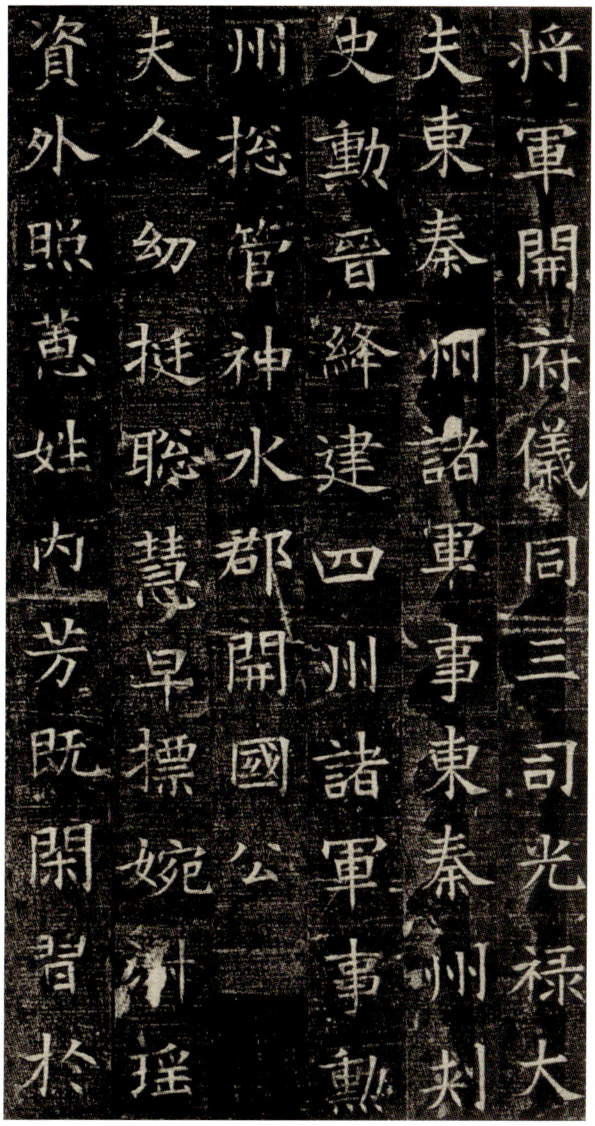
將軍開府儀同三司光祿大
夫東秦州諸軍事東秦州刺
史勳晉絳建四州諸軍事勳
州揔管神水郡開國公
夫人幼挺聰慧早標婉
資外照蕙姓內芳既閑習於

尉富娘墓志

隋
陝西西安市出土。
楷書二十三行，每行二十四字。刻于大業十一年（公元615年）。此選爲局部。

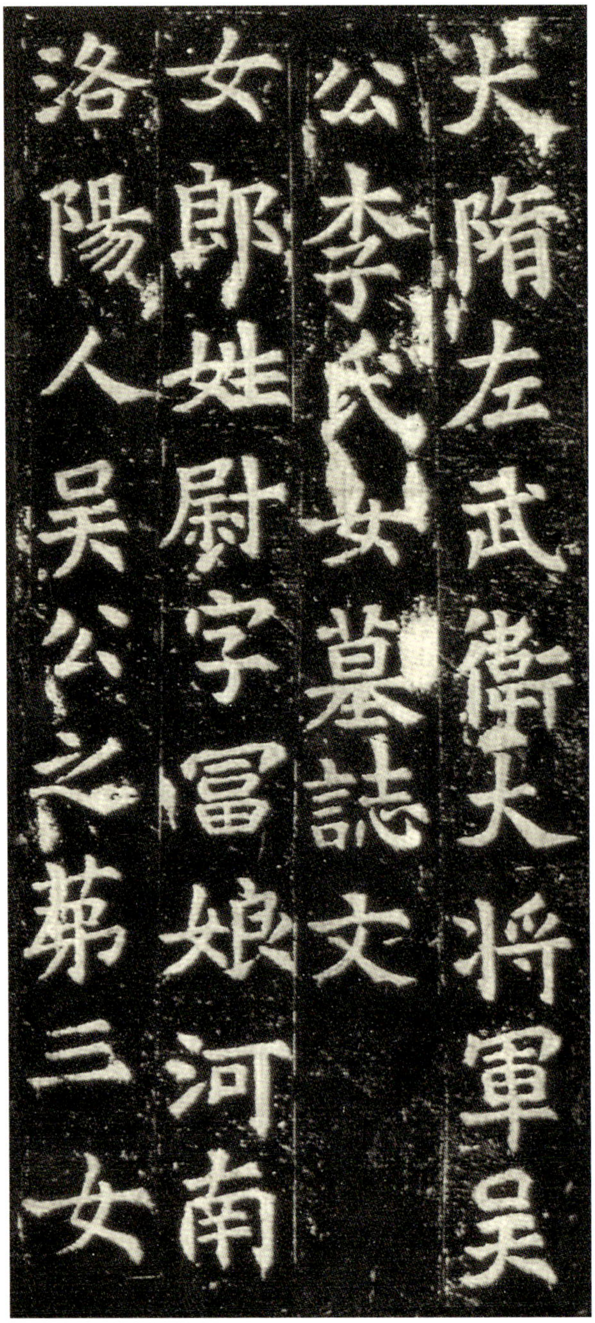
大隋左武衛大將軍吳
公李氏女墓誌文
女郎姓尉字富娘河南
洛陽人吳公之第三女

程諧墓志

隋
河南洛陽市前海資村出土。
志高44.7、寬44.5厘米。
楷書二十四行，每行二十四字。刻于大業十一年（公元615年）。此選爲局部。
現藏陝西省西安碑林博物館。

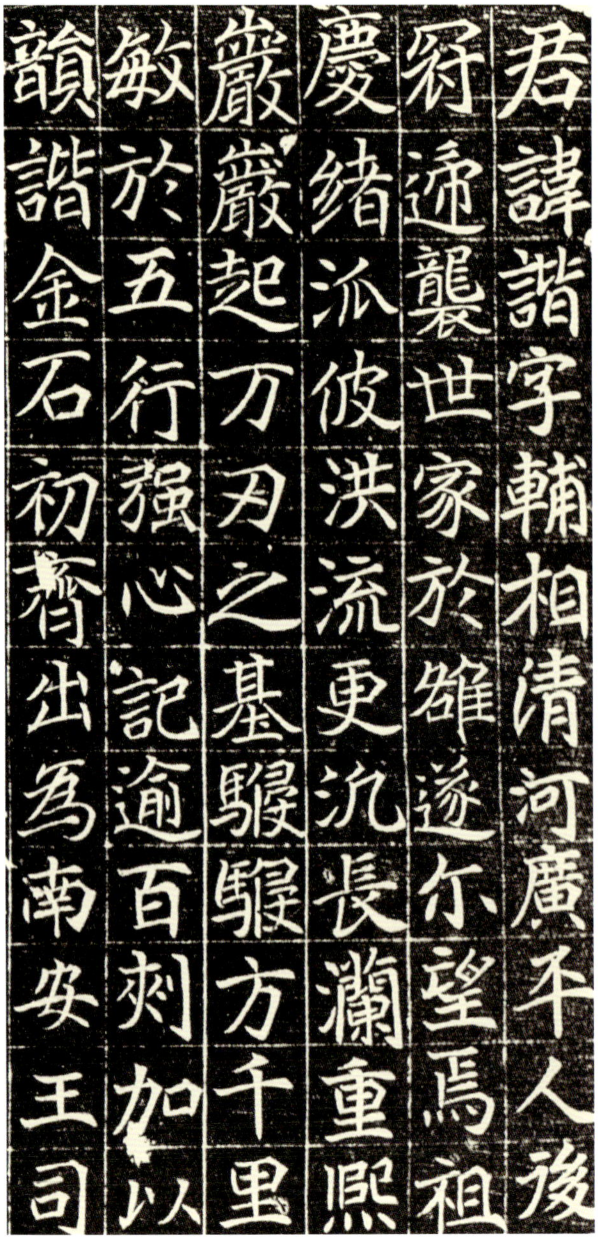
君諱諧字輔相清河廣平人後
裔遜襲世家於雒遂爾望焉祖
慶緒派彼洪流更沉長瀾重熙
巖巖起万刃之基騄騄方千里
敏於五行強心記逾百刻加以
韻諧金石初齊出爲南安王司

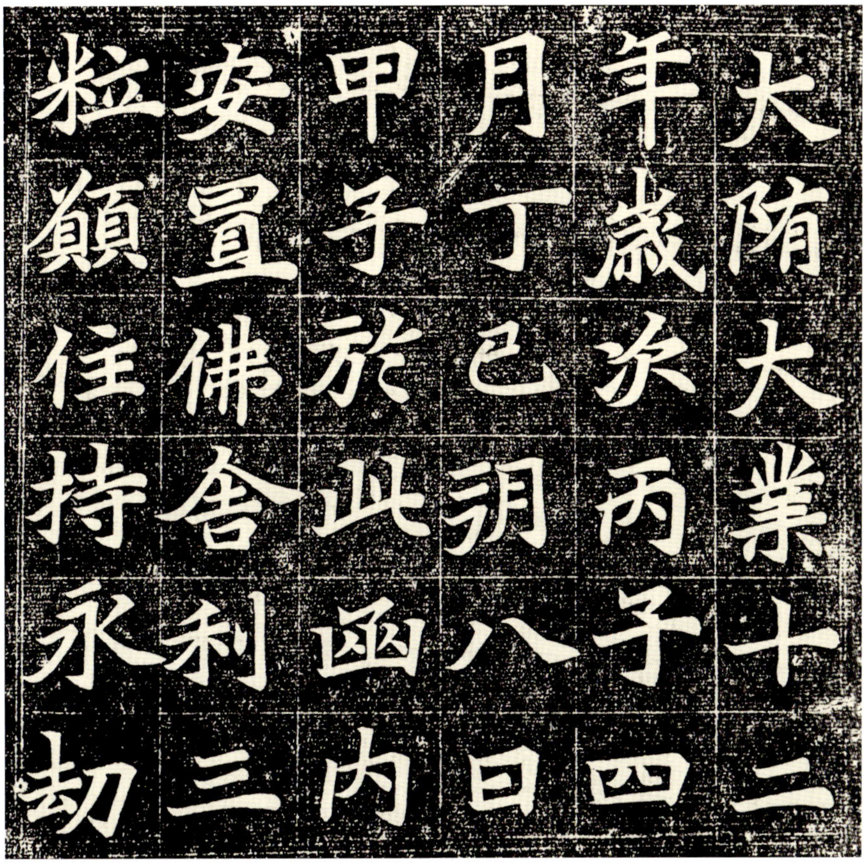
大隋大業十二
年歲次丙子四
月丁巳朔八日
甲子於此函內
安置佛舍利三
粒願住持永劫

舍利函題記

隋

出于北京房山區石經山雷音洞。

高30、寬30厘米。

刻于大業十二年（公元616年）。

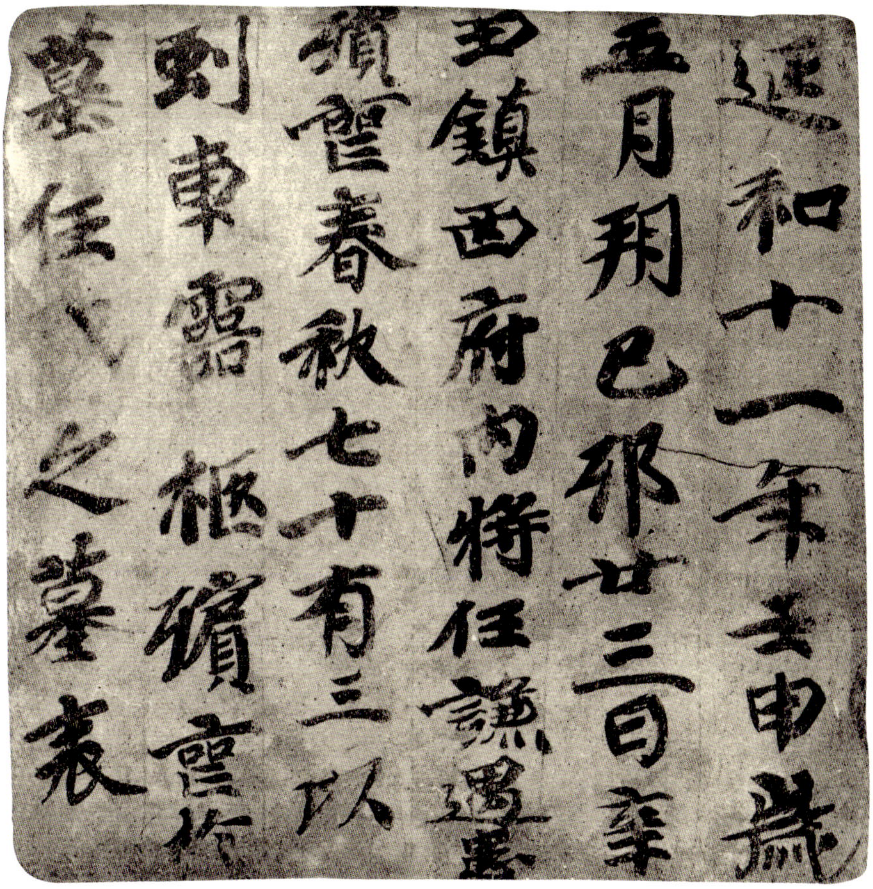

任謙墓表

麴氏高昌

新疆吐魯番市雅爾崖古墓出土。

高40、寬40厘米。

書于高昌延和十一年（公元612年）。

歐陽詢（公元557－641年）

潭州臨湘（今湖南長沙）人。字信本。由陳、隋入唐，高祖時纍遷給事中，貞觀初，官至太子率更令、弘文館學士，封渤海縣男，世稱“歐陽率更”。其書法初學王羲之及北齊劉珉，後漸變其體，自成面目，人稱“歐體”，對後世書學影響很大。與虞世南、褚遂良和薛稷并稱“初唐四大家”。著有《付善奴傳授訣》、《用筆論》和《三十六法八訣》，參與編撰《藝文類聚》等。

房彥謙碑

唐

歐陽詢

碑在山東章丘市。

楷書三十六行，每行七十八字。刻于貞觀五年（公元631年）。此選爲局部。

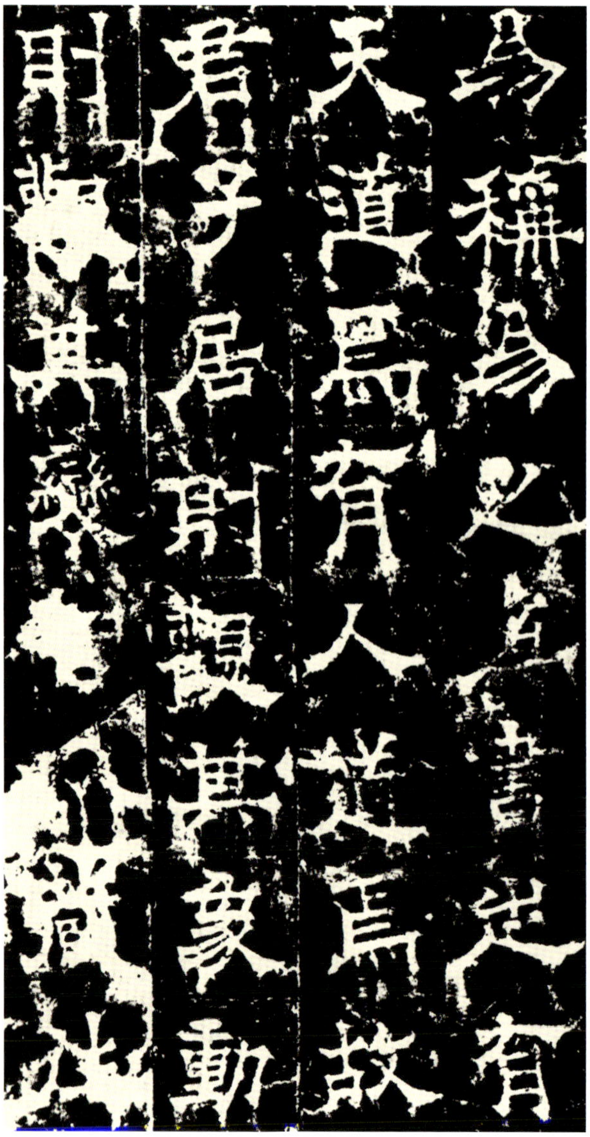

化度寺碑

唐

歐陽詢

石原在陝西終南山佛寺中，但宋代石已佚。

楷書三十一行，每行三十三字。刻于貞觀五年（公元631年）。

此選爲敦煌藏經洞所發現拓本。

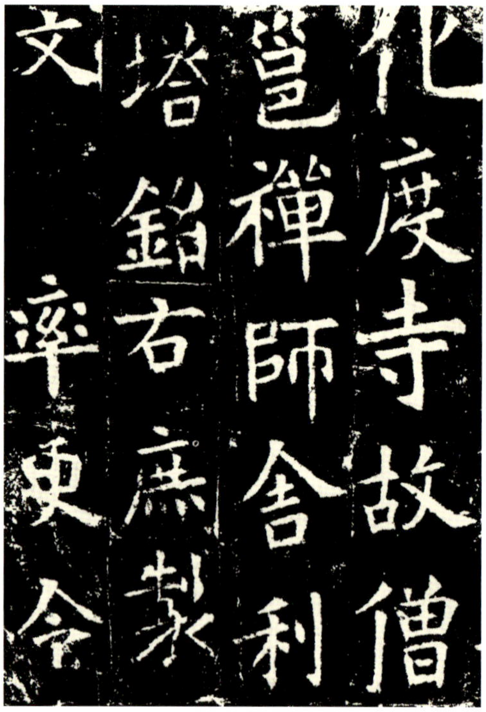

化度寺碑局部之一

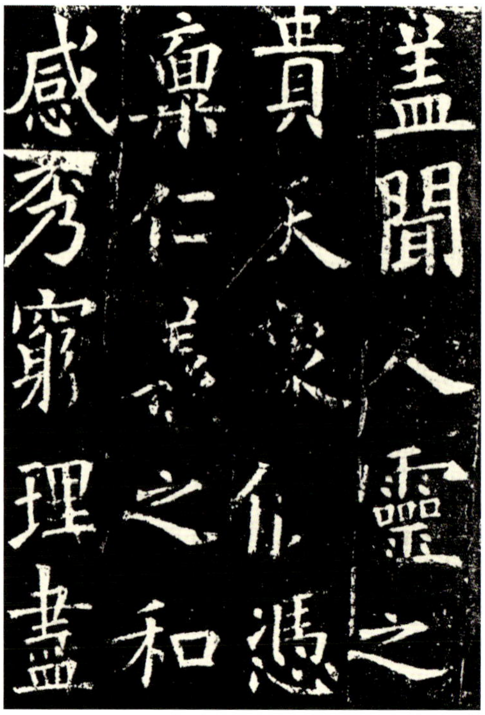

化度寺碑局部之二

九成宮碑

唐

歐陽詢

碑現在陝西麟游縣。

楷書二十四行，每行四十九字。刻于貞觀六年（公元632年）。

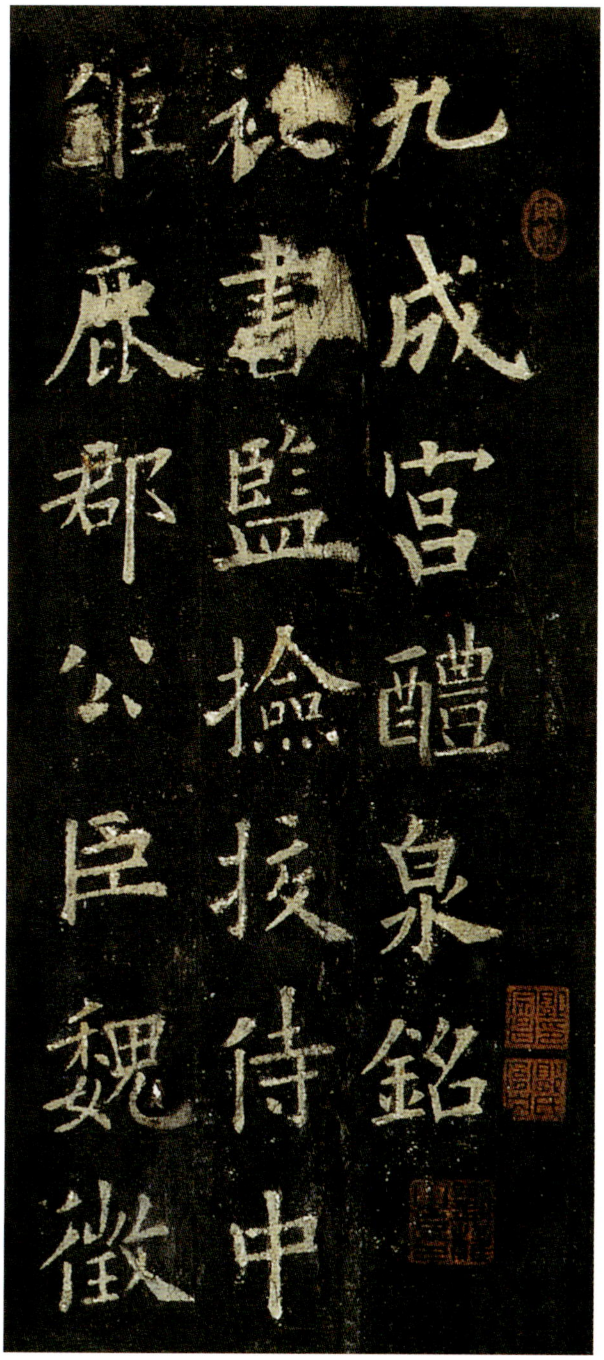
九成宮醴泉銘
祕書監檢校侍中
鹿郡公臣魏徵

九成宮碑局部之一

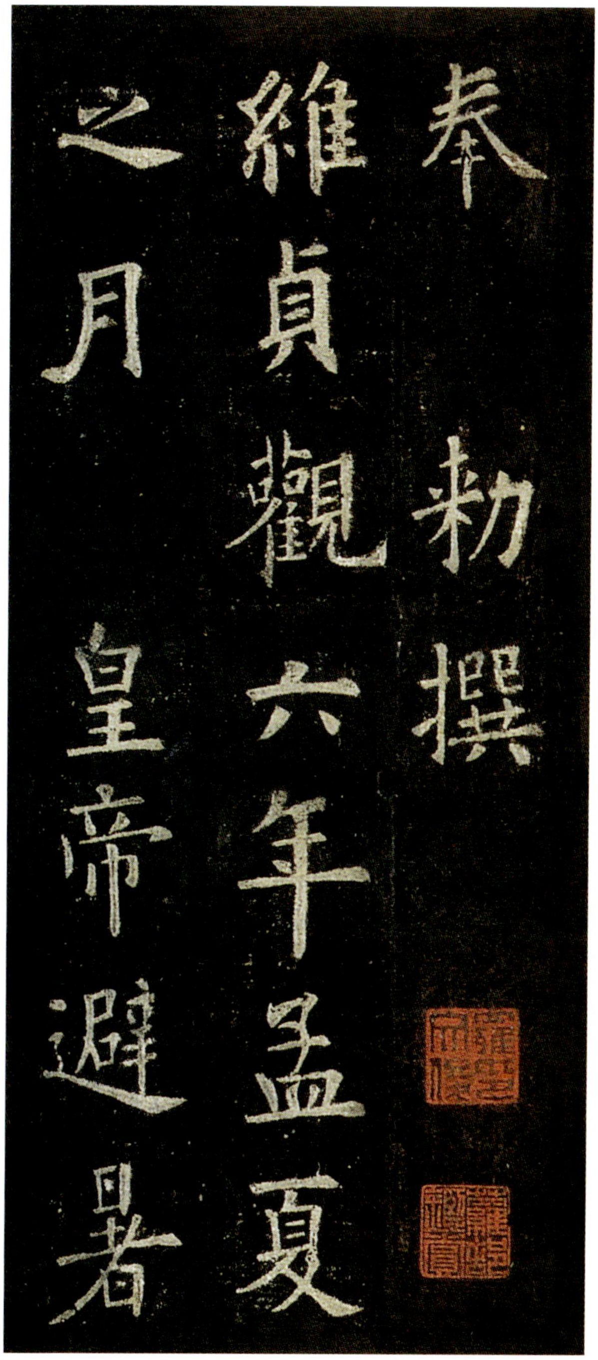
奉 勑撰
維貞觀六年孟夏
之月 皇帝避暑

九成宮碑局部之二

皇甫誕碑

唐

歐陽詢

楷書二十八行，每行五十九字。刻于貞觀十七年（公元643年）。此選爲局部。

現藏陝西省西安碑林博物館。

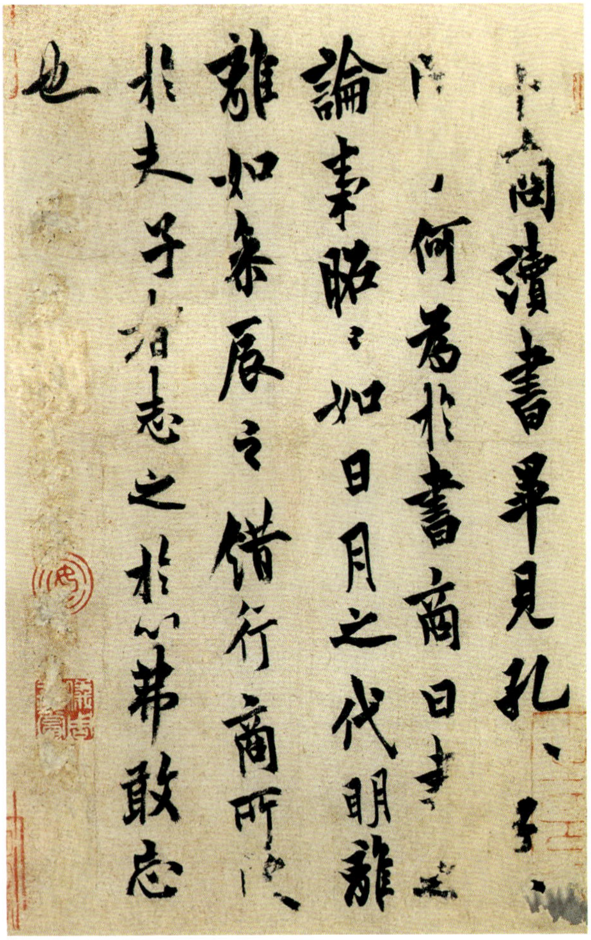

卜商帖

唐

歐陽詢

高25.2、寬16.5厘米。

紙本。行楷六行五十三字。

唐人摹本。

現藏故宮博物院。

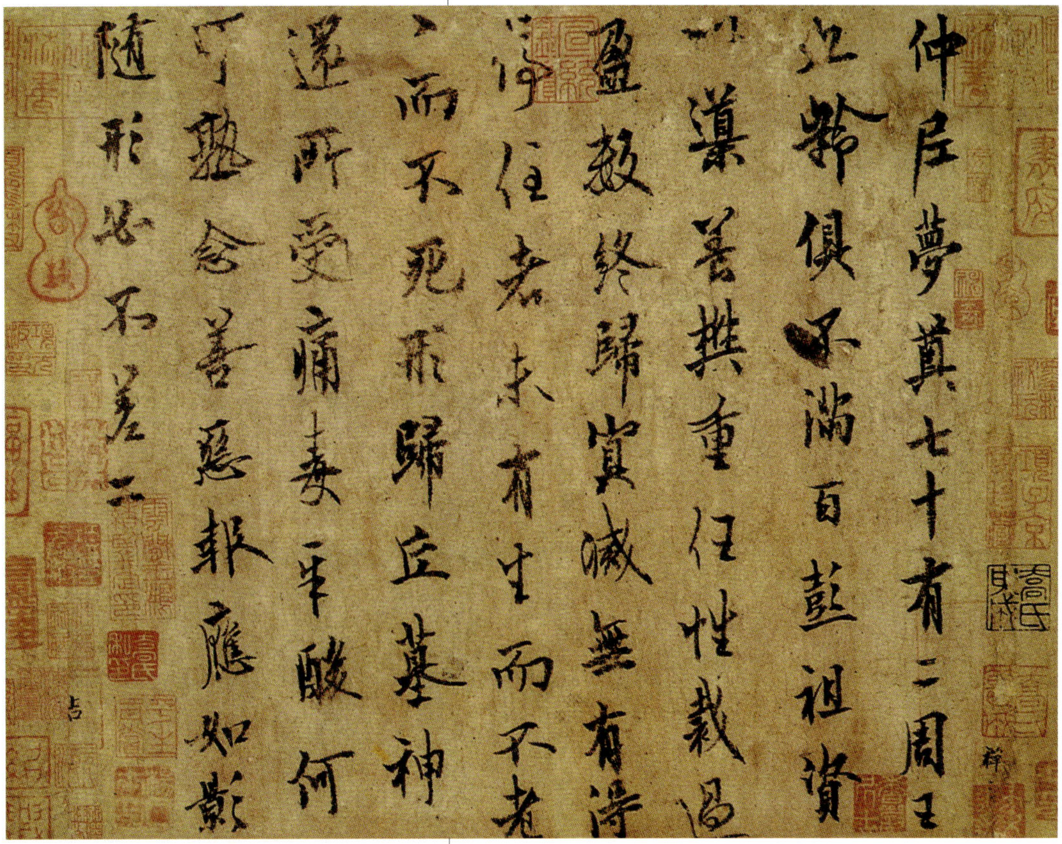

夢奠帖

唐

歐陽詢

高25.5、寬31厘米。

紙本。行書九行七十八字。

現藏遼寧省博物館。

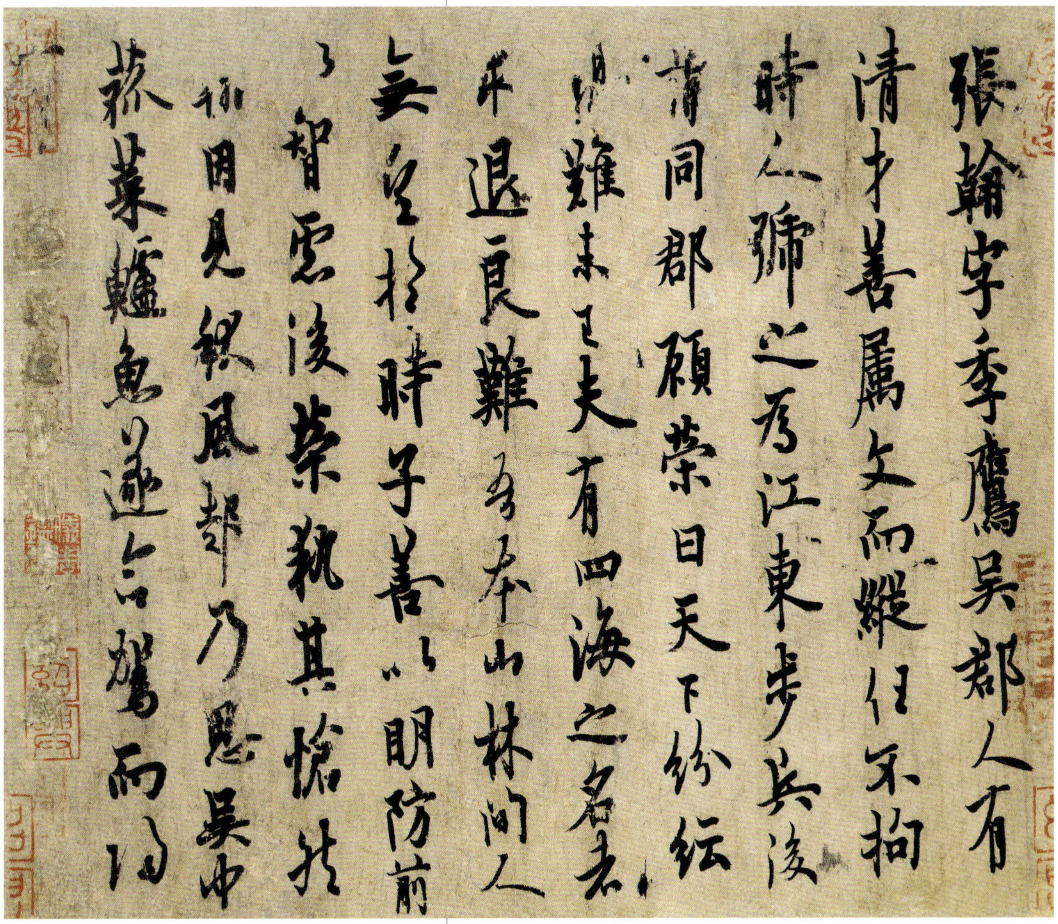

張翰帖

唐

歐陽詢

高25.1、寬31.7厘米。

紙本。行書十行九十八字。

唐人摹本。

現藏故宮博物院。

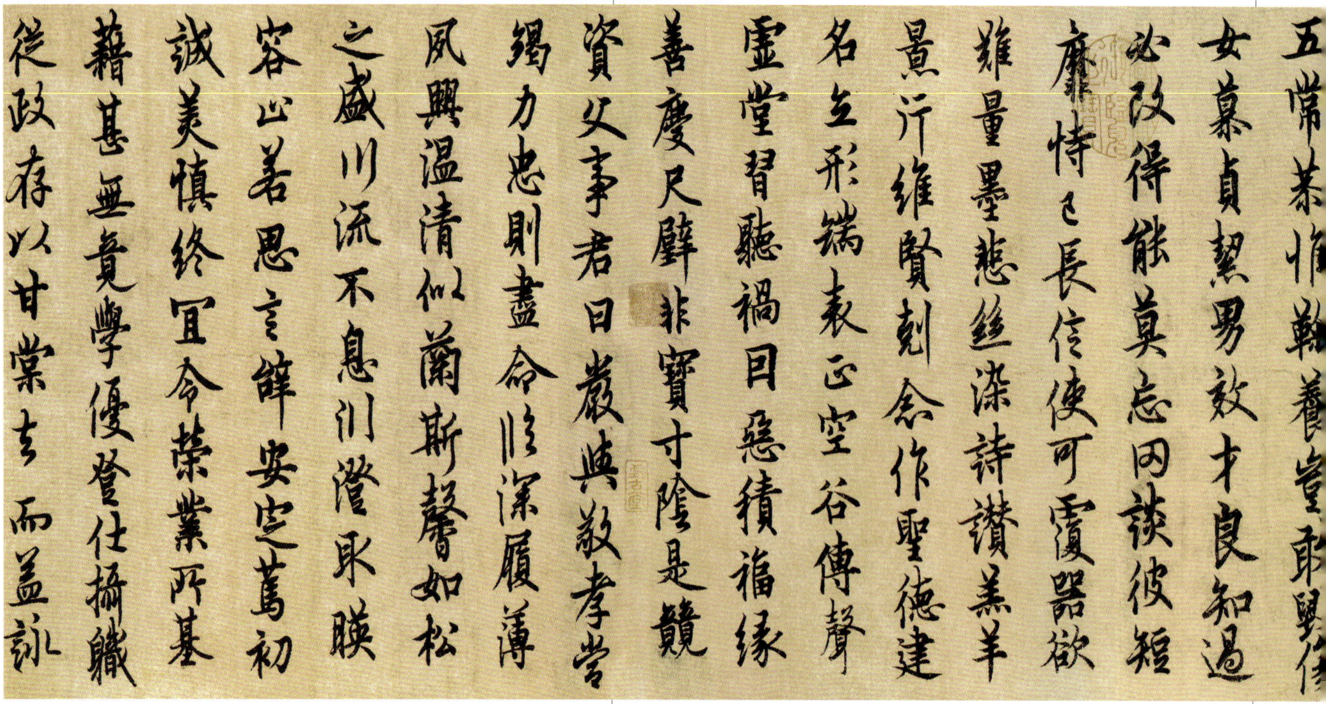

千字文

唐

歐陽詢

紙本。行書一百零四行。

唐宋人摹本。此選爲局部。

現藏遼寧省博物館。

虞世南（公元558－638年）

越州餘姚（今屬浙江）人。字伯施。初仕陳、隋，入唐官至秘書監，封永興縣子，世稱“虞永興”或“虞秘監”。精擅書法，得智永親自傳授書學，繼承了“二王”的書風，世稱“虞體”。編有《北堂書鈔》一百六十卷，著有《筆髓論》、《書旨述》。

汝南公主墓志

唐

虞世南

高25.9、寬38.4厘米。

紙本。行書十八行，每行九至十五字。

宋人摹本。

現藏上海博物館。

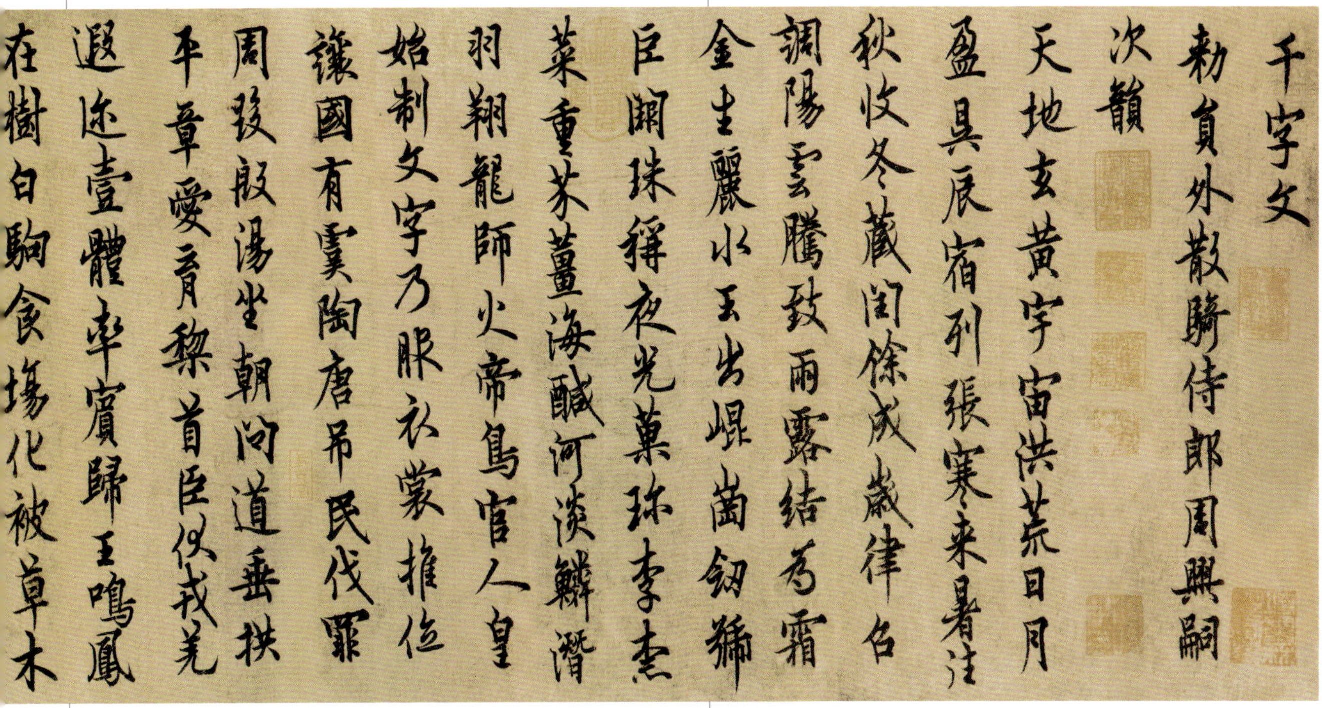
千字文
勑員外散騎侍郎周興嗣
次韻
天地玄黃宇宙洪荒日月
盈昃辰宿列張寒來暑往
秋收冬藏閏餘成歲律呂
調陽雲騰致雨露結爲霜
金生麗水玉出崐岡劍號
巨闕珠稱夜光果珍李柰
菜重芥薑海鹹河淡鱗潛
羽翔龍師火帝鳥官人皇
始制文字乃服衣裳推位
讓國有虞陶唐弔民伐罪
周發殷湯坐朝問道垂拱
平章愛育黎首臣伏戎羌
遐邇壹體率賓歸王鳴鳳
在樹白駒食場化被草木

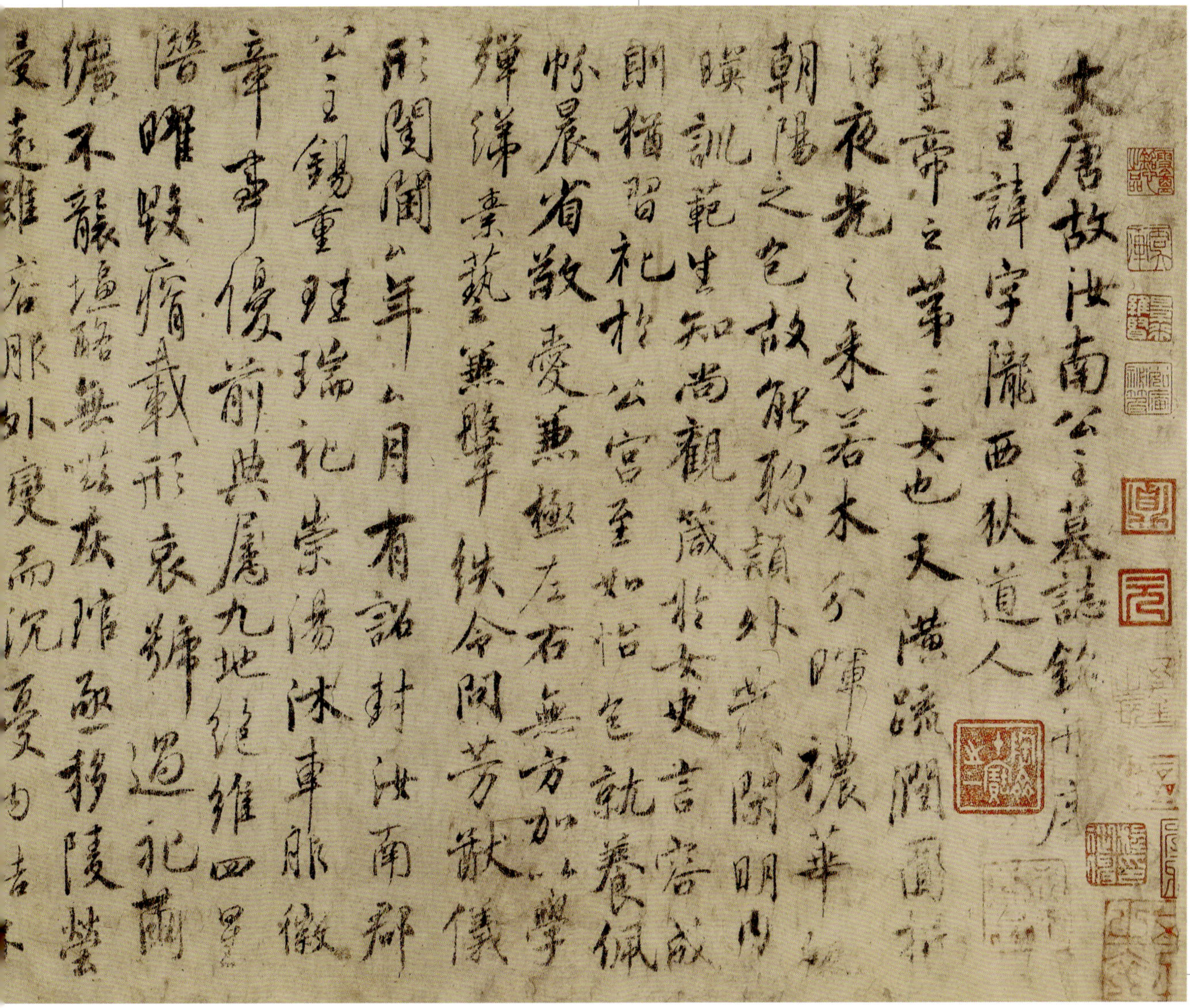

孔子廟堂碑

唐

虞世南

碑高400、寬150厘米。

楷書三十五行，每行六十四字。刻于武德九年（公元626年）。此選爲局部。

原碑已毁佚。

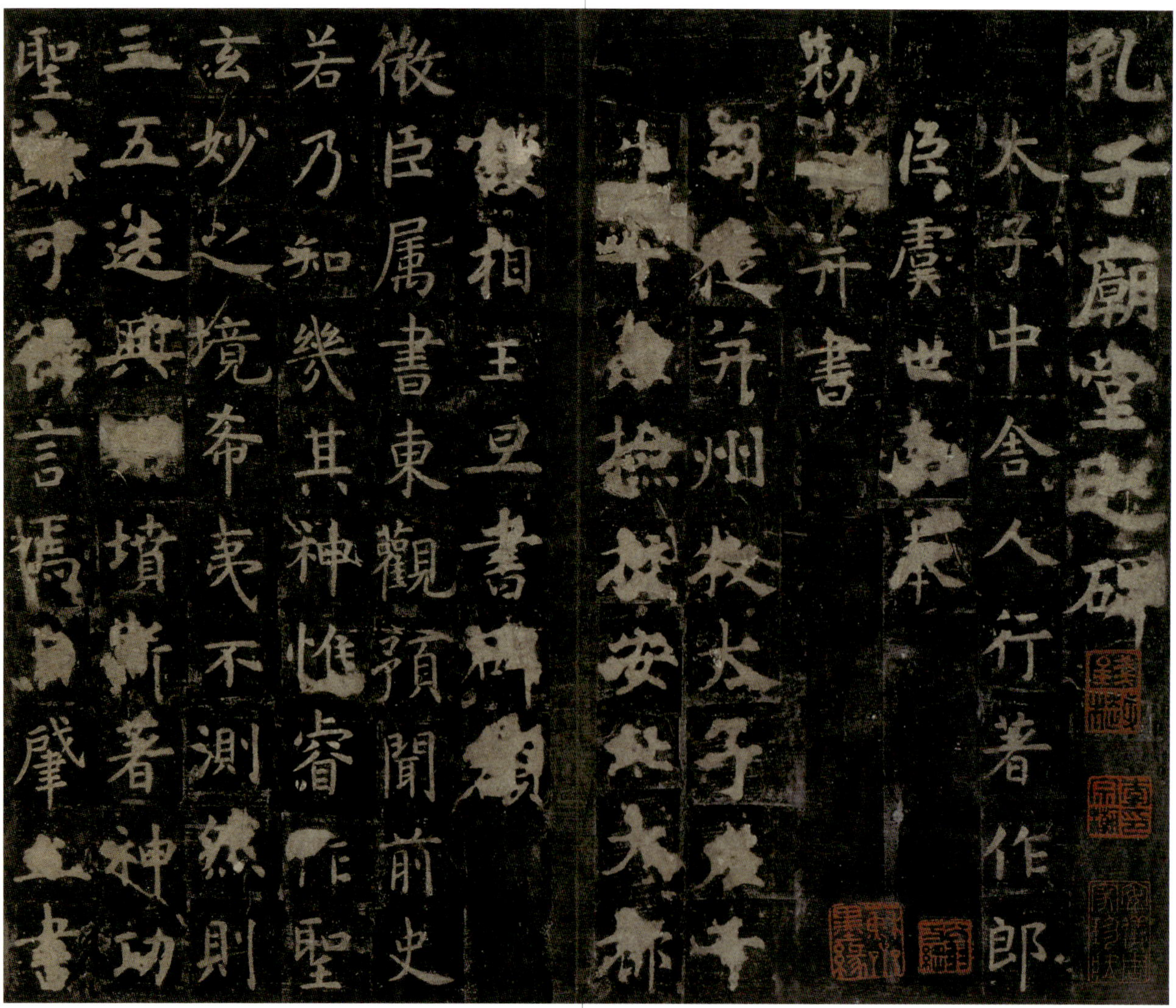
孔子廟堂之碑
太子中舍人行著作郎
臣虞世南奉
勅并書
徽臣屬書東觀預聞前史
若乃知幾其神惟睿作聖
玄妙之境希夷不測然則

豳州昭仁寺碑

唐

虞世南（傳）

碑現在陝西長武縣。

楷書四十行，每行八十字。此選爲局部。

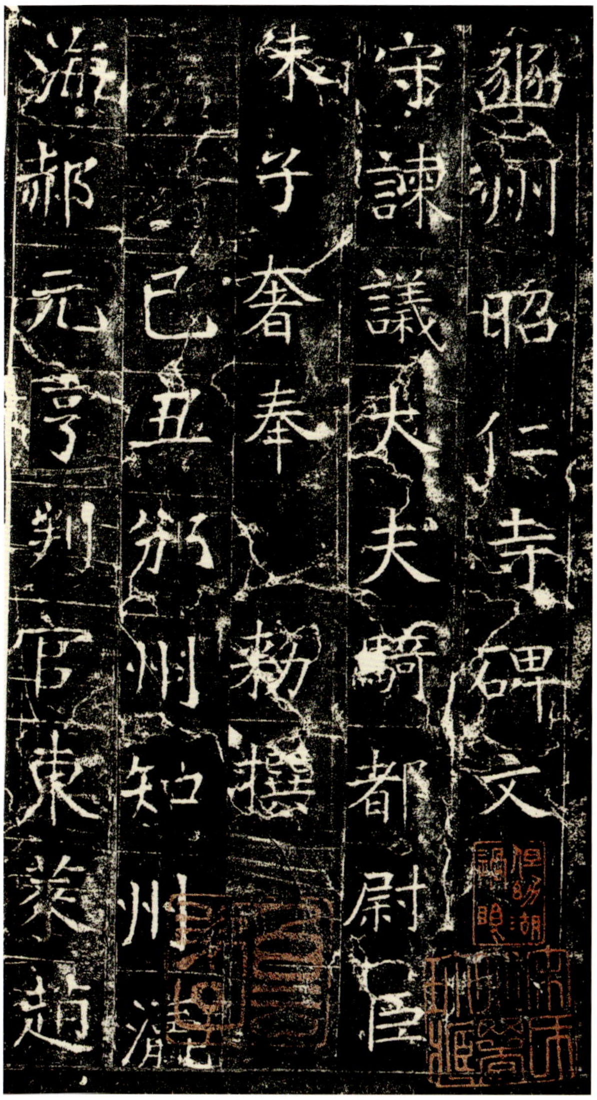

顏師古（公元581－645年）

雍州萬年（今陝西西安）人。字籀，唐代著名學者、文學家和書法家。著有《急就章注》、《漢書注》等。

等慈寺碑

唐

顏師古（傳）

高346.6、寬153.3厘米。

碑文楷書三十二行，每行六十五字。碑文刻于貞觀十一年或十五年（公元637或641年）。此選爲局部。

現藏河南省鄭州市博物館。

陸柬之（公元585－638年）

吴郡（今江蘇蘇州）人。虞世南之甥。官至朝散大夫、太子司儀郎。少隨其舅學書，後又從歐陽詢學書，善隸、行書。後傳筆法于其甥張旭。

文賦

唐

陸柬之

高26.6、寬370厘米。

紙本。行書一百四十四行。此選爲局部。

現藏臺北故宫博物院。

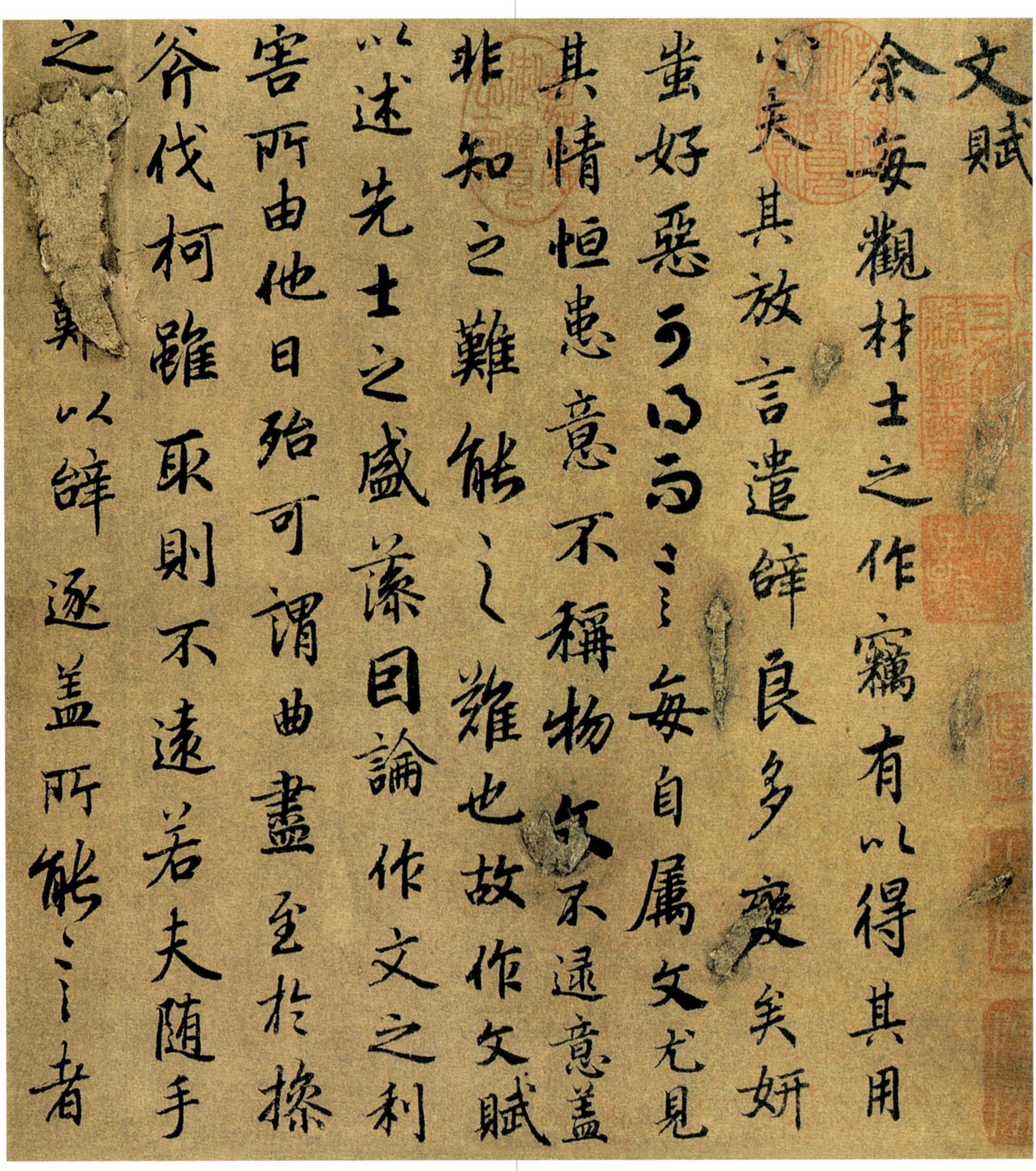

褚遂良（公元596－658或659年）

錢塘（今浙江杭州）人。字登善。貞觀時，歷任起居郎、諫議大夫、中書令等，高宗即位後，任禮部尚書、左僕射、知政事。封河南郡公，人稱“褚河南”。高宗立武則天爲后，他堅决反對，遭貶斥而死。工書法，尤擅隸楷、行書。初學虞世南，後取法王羲之，又師以疏瘦見稱的史陵，别開生面，形成了獨特的風格。

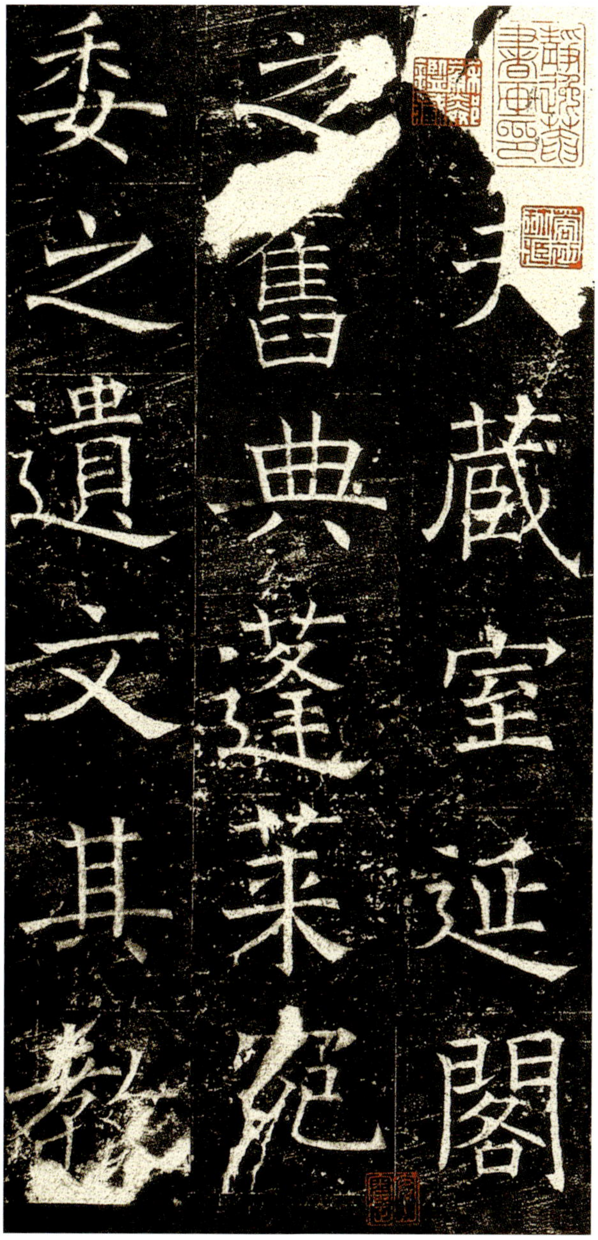
天藏室延閣
之舊典蓬萊
委之遺文其

伊闕佛龕碑

唐

褚遂良

刻于河南洛陽市龍門山賓陽洞摩崖。

碑高252、寬154厘米。

楷書三十三行，每行五十字。刻于貞觀十五年（公元641年）。此選爲局部。

孟法師碑

唐

褚遂良

凡二十頁，每頁四行，計七百六十九字。刻于貞觀十六年（公元642年）。此選爲局部。

原石久佚。現僅存清臨川李宗瀚舊藏剪裱唐拓孤本傳世，存于日本三井紀念美術館。

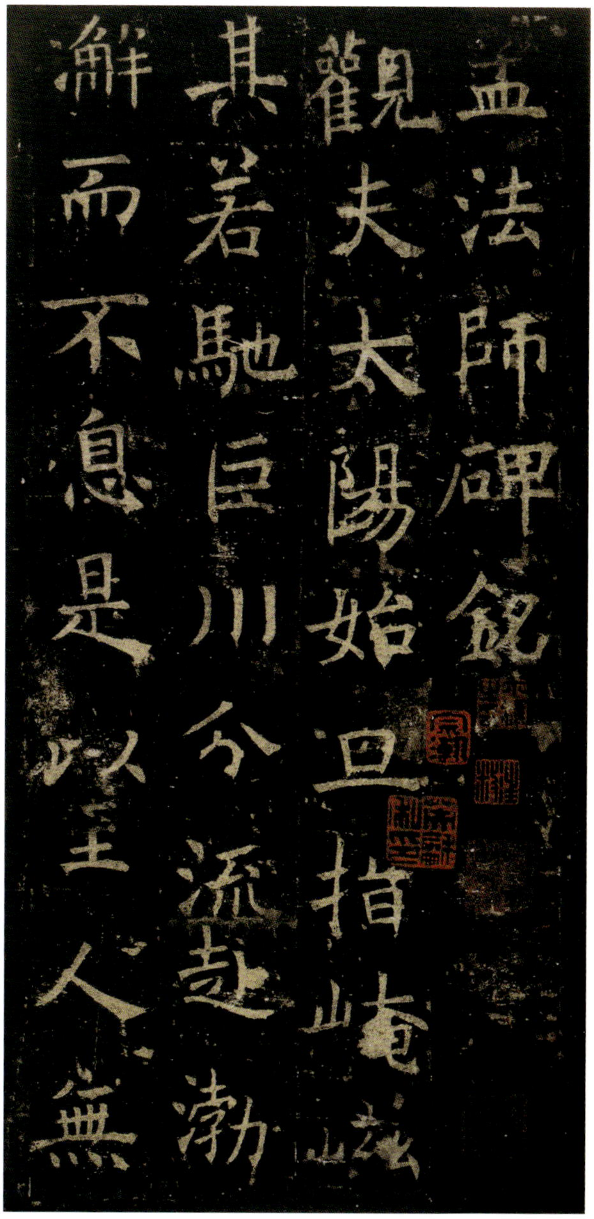
孟法師碑銘
觀夫太陽始旦指崦嵫
其著馳巨川分流赴渤
澥而不息是以至人無

雁塔聖教序

唐

褚遂良

凡二石，分嵌于陝西西安市大雁塔下南門東西兩側龕間。

前石刻序，楷書二十一行，每行四十二字；後石刻記，楷書二十行，每行四十字。刻于永徽四年（公元653年）。此選爲前石局部。

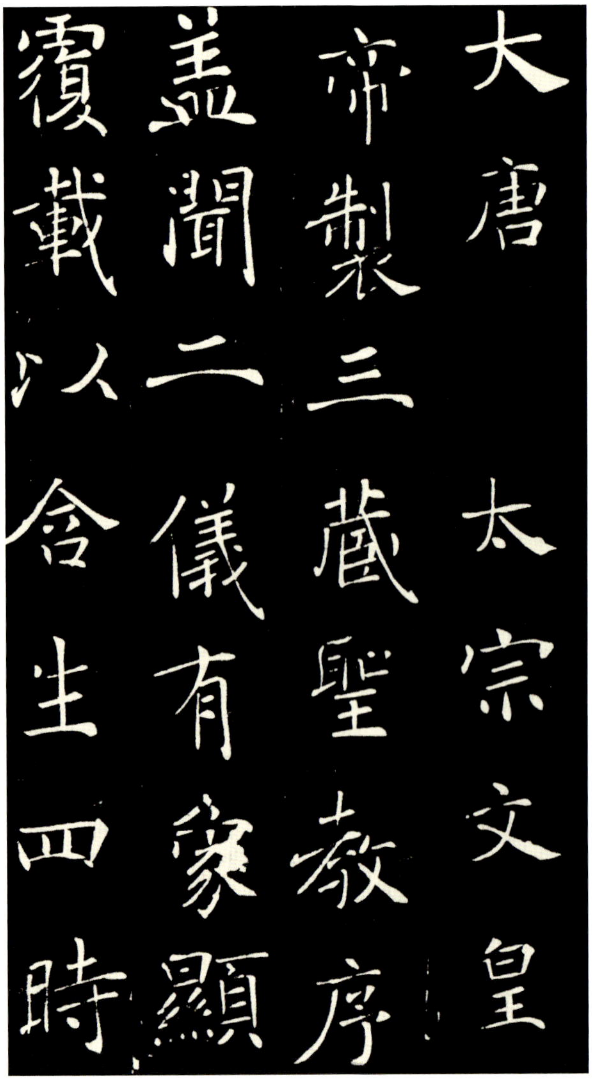
大唐　太宗文皇
帝製三藏聖教序
蓋聞二儀有象顯
覆載以含生四時

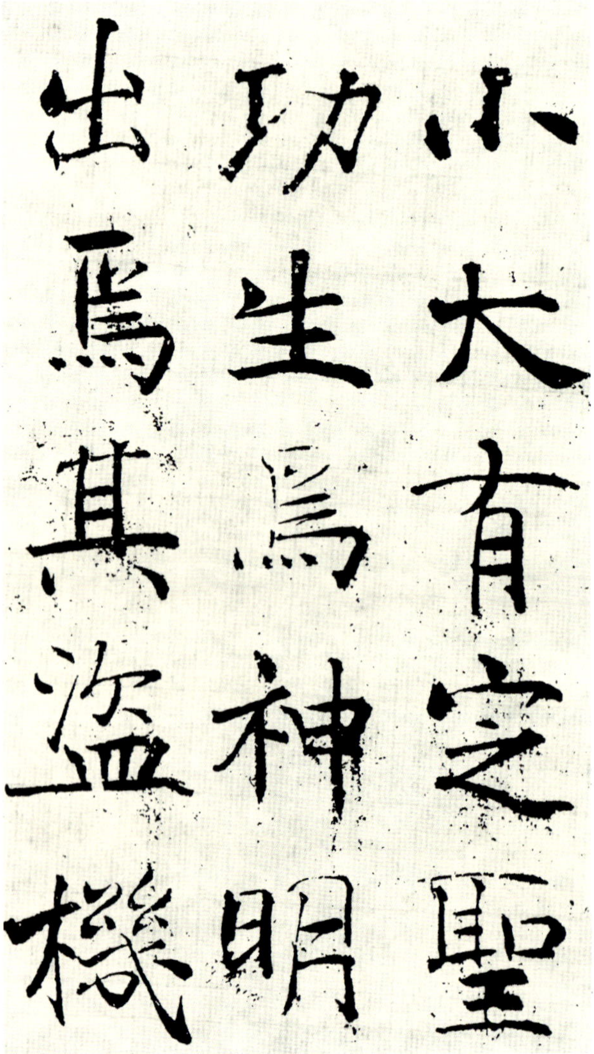
小大有定聖
功生焉神明
出焉其盜機

大字陰符經

唐

褚遂良

紙本。楷書九十六行，四百六十一字。此選爲局部。或爲宋人臨本。

倪寬贊

唐

褚遂良

高25.6、寬175.6厘米。

紙本。楷書五十行，每行七字。

唐宋人臨本。此選爲局部。

現藏臺北故宮博物院。

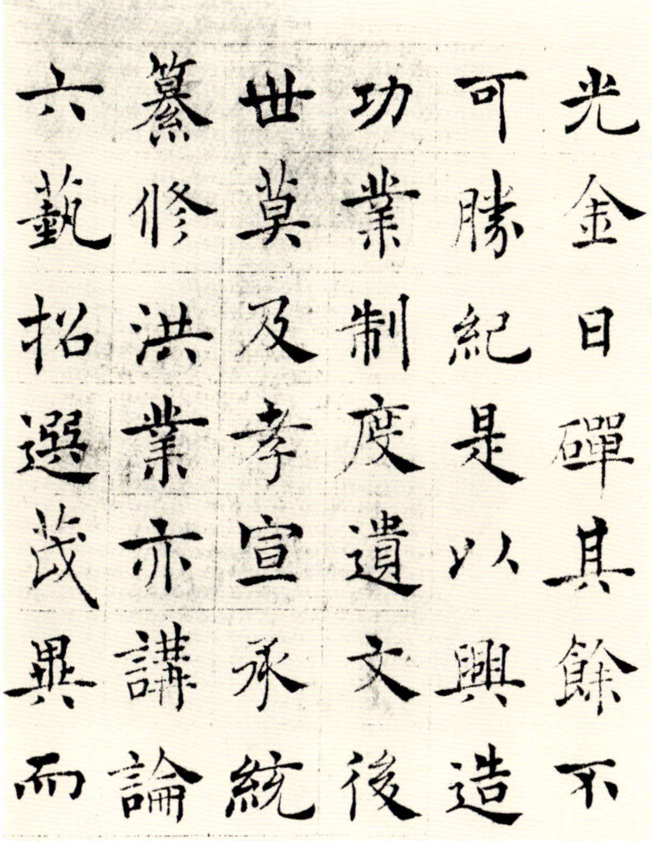

光金日磾其餘不
可勝紀是以興造
功業制度遺文後
世莫及孝宣承統
纂修洪業亦講論
六藝招選茂異而

國銓

生卒年不詳。楚（今湖南、湖北一帶）人，唐貞觀年間經生，曾摹過《蘭亭序》。

善見律經卷（右圖）

唐

國銓

高22.6、寬468.8厘米。

紙本。楷書二百七十五行。書于貞觀二十二年（公元648年）。此選爲局部。

現藏故宮博物院。

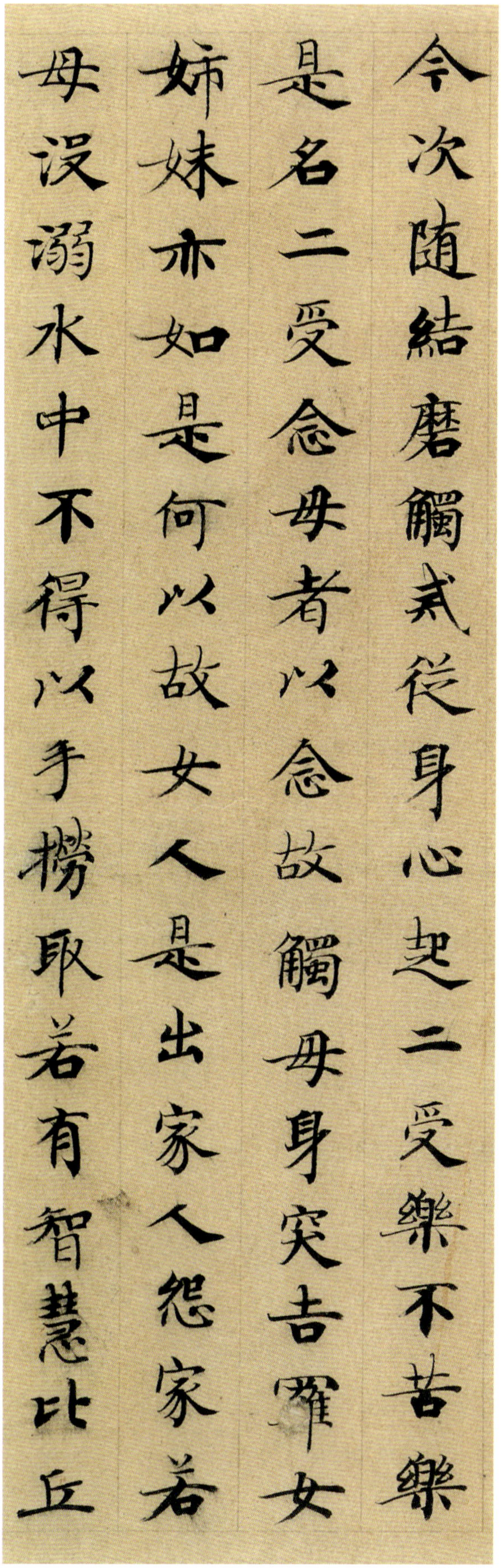

令次隨結磨觸式從身心起二受樂不苦樂
是名二受念母者以念故觸母身突吉羅女
姊妹亦如是何以故女人是出家人怨家若
母沒溺水中不得以手撈取若有智慧比丘

李世民（公元598－649年）

即唐太宗。通文學，尤擅書法，工真、草、飛白書。極力推崇王羲之書法，造成唐代尊崇王羲之書風的形成，對後世書法的發展影響甚大。著有《筆法訣》、《論書》、《指意》和《王羲之傳論》等。

温泉銘

唐

李世民

出于甘肅敦煌市莫高窟藏經洞。

刻于貞觀二年（公元628年）。存行書四十八行，缺上半，爲唐拓孤本。此選爲局部。

現藏法國巴黎博物館。

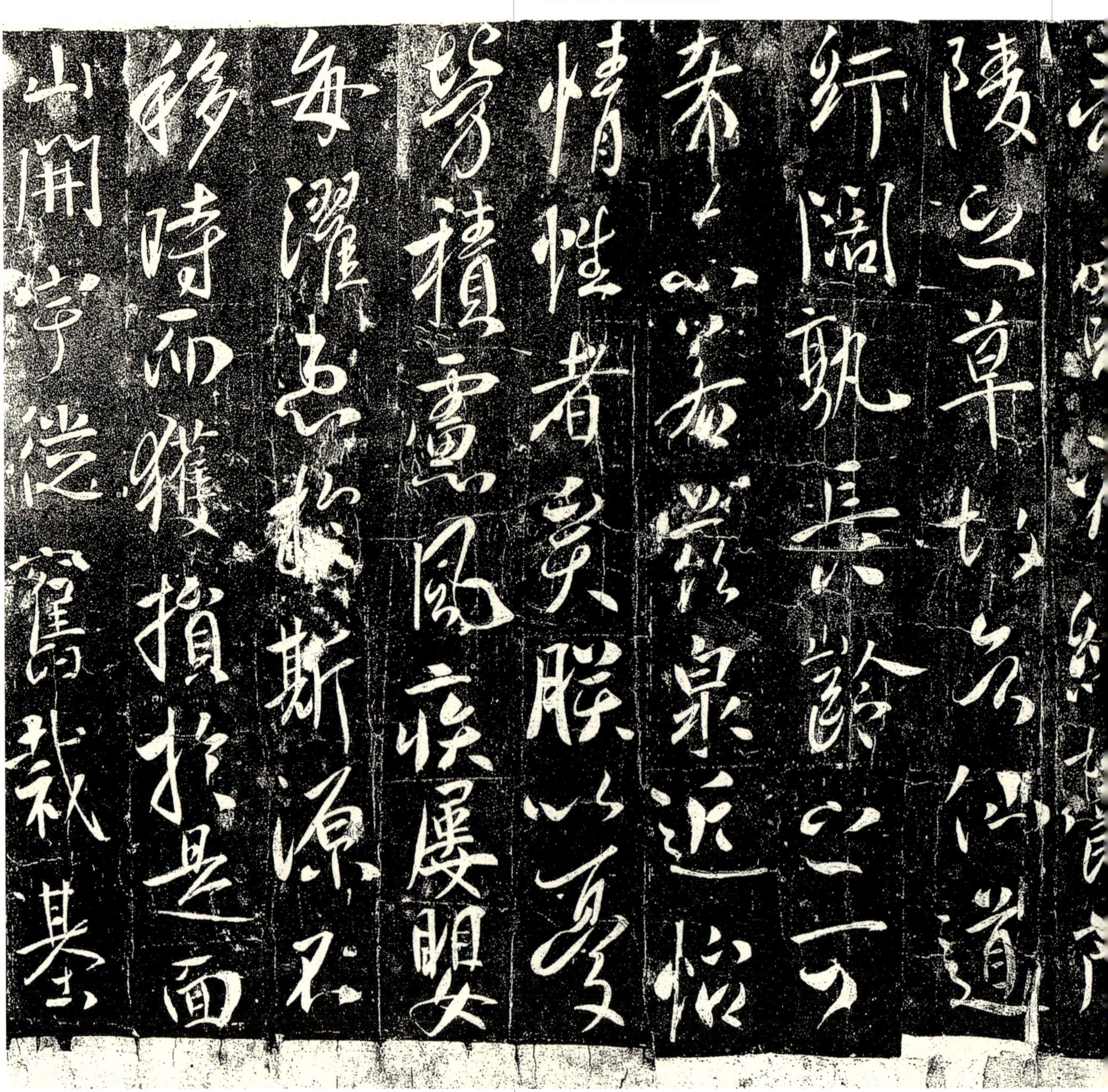

晉祠銘

唐

李世民

碑在山西太原市晉祠。

行書二十八行，每行四十四至五十字不等。刻于貞觀二十一年（公元647年）。此選爲局部。

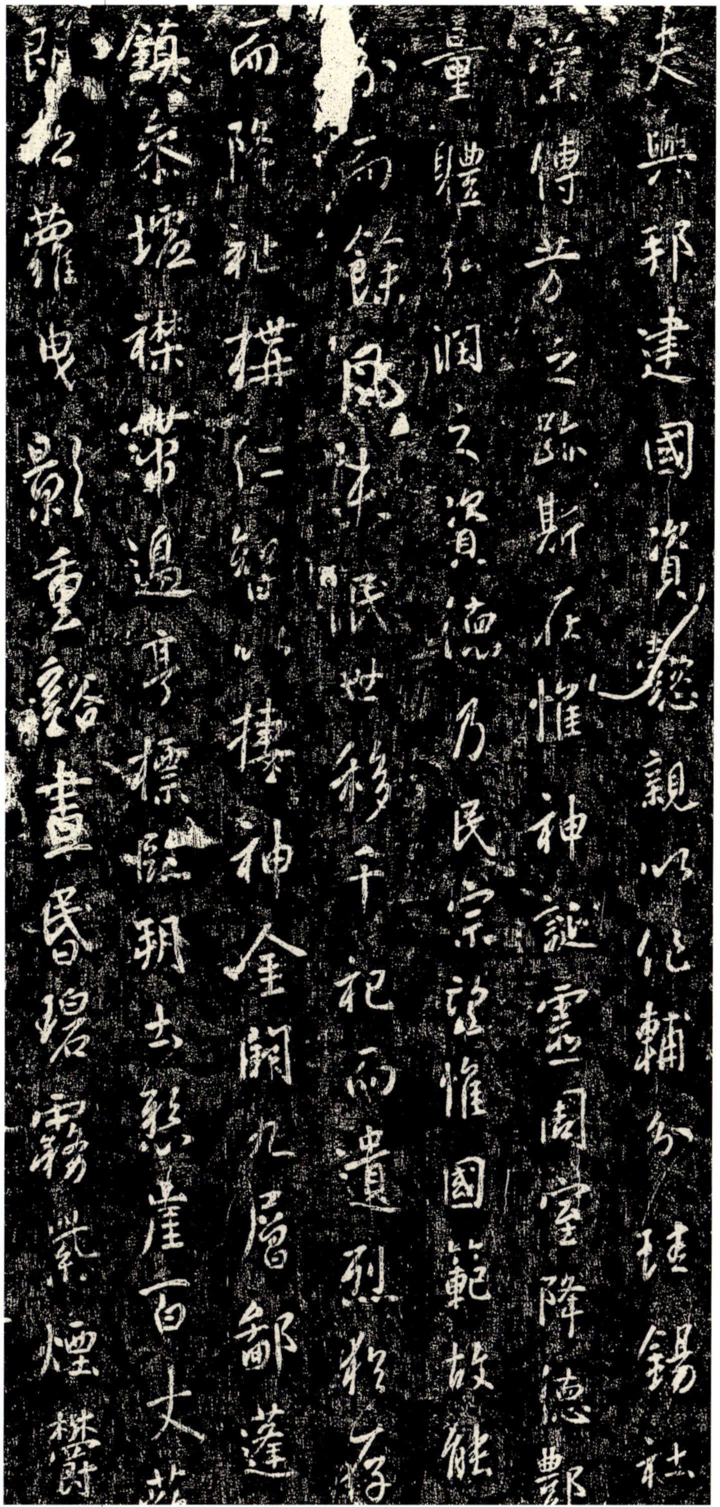

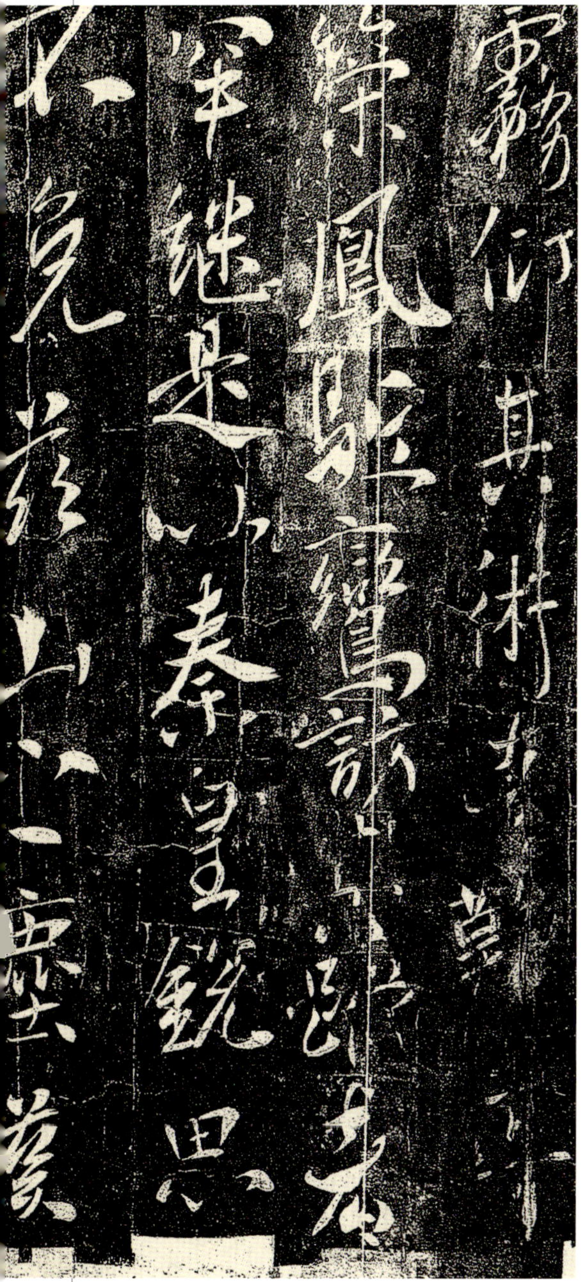

竇懷哲

生卒年不詳，爲唐太宗之女蘭陵公主駙馬。

蘭陵長公主碑

唐

竇懷哲

碑在陝西禮泉縣昭陵。

楷書三十一行，每行七十字。刻于顯慶四年（公元659年）。此選爲局部。

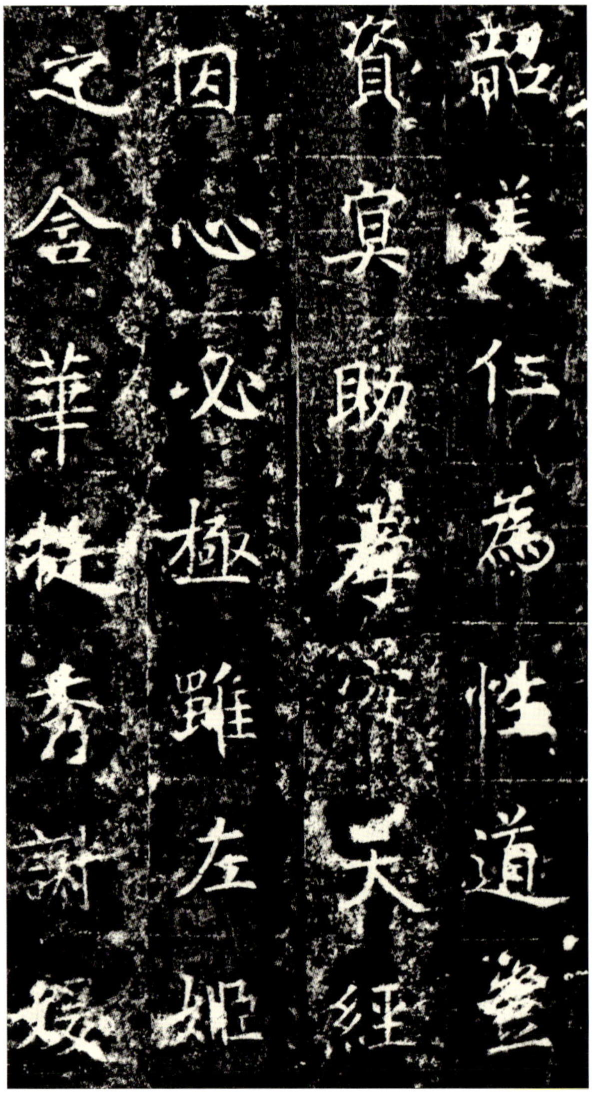

李懷琳

生卒年不詳。洛陽（今屬河南）人。唐太宗時待詔文林館。

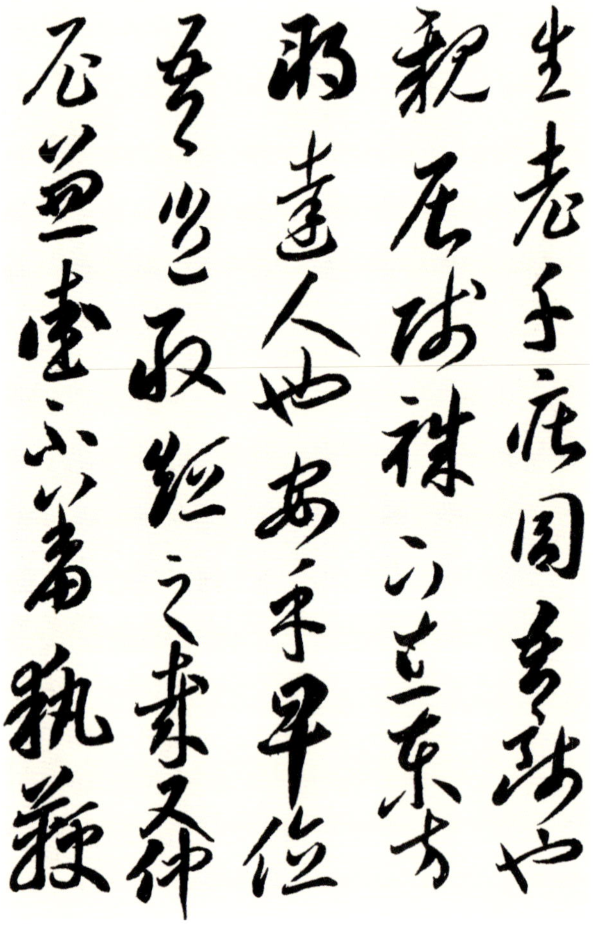

絶交書

唐

李懷琳

紙本。草書一百五十九行，一千二百零九字。

唐摹本。此選爲局部。

現藏日本。

裴守真

生年不詳，卒于武則天長安年間（公元701－704年）。絳州聞喜（今山西聞喜北）人。

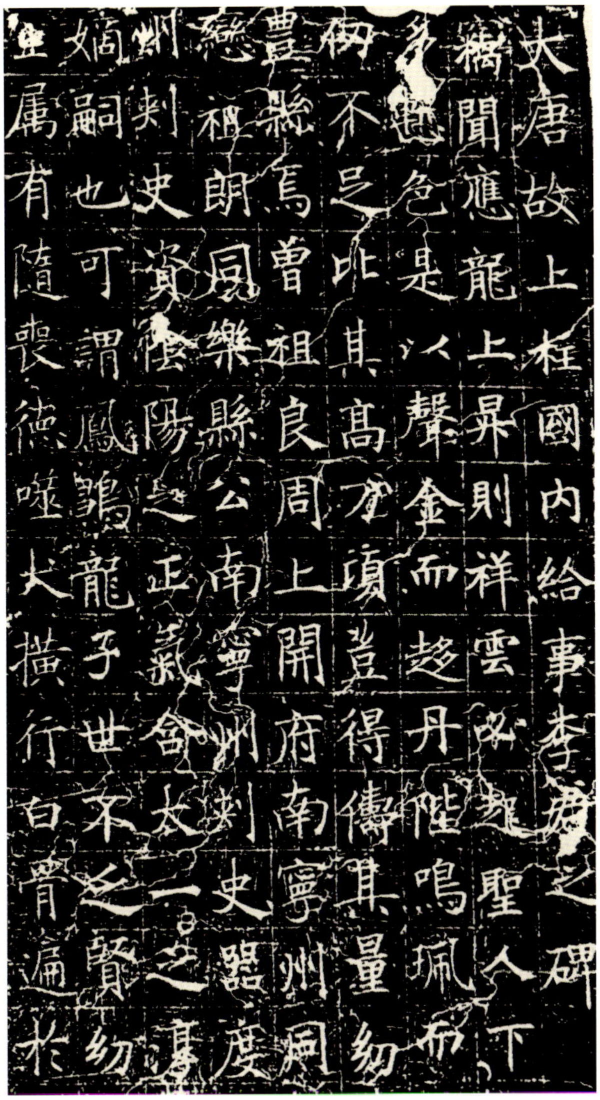

李慇碑

唐

裴守真

陝西西安市長安區郭家灘出土。

碑高232、寬87厘米。

刻于貞觀二十二年（公元648年）。此選爲局部。

現藏陝西省西安碑林博物館。

敬　客

生卒年不詳。唐高宗時人。

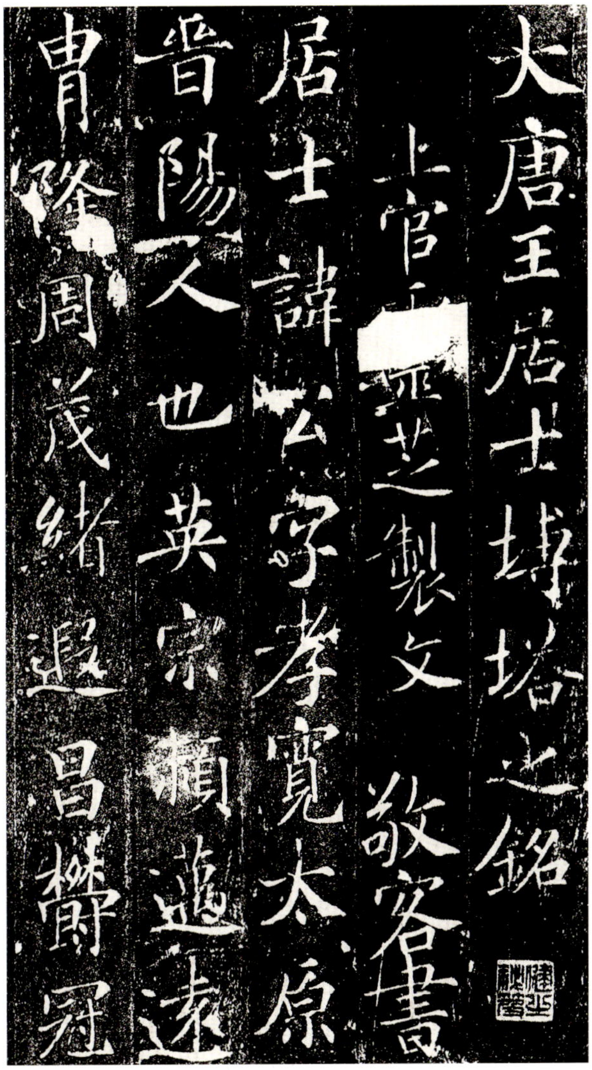

王居士磚塔銘

唐

敬客

楷書十七行，每行十七字。刻于顯慶三年（公元658年）。此選爲局部。

原磚出土不久即被椎碎，全拓甚爲罕見。

歐陽通（公元？－691年）

潭州臨湘（今湖南長沙）人。字通師。歐陽詢第四子。自幼喪父，纍遷中書舍人、殿中監，轉司禮卿，封渤海縣子。後因反對立武承嗣爲太子被害。

大唐故翻經大德益州
多寶寺道因法師碑
文并序
中臺司藩大夫隴西
李儼字仲思製文

道因法師碑

唐

歐陽通

高302、寬132厘米。

楷書三十四行，滿行七十三字。刻于龍朔三年（公元663年）。此選爲局部。

現藏陝西省西安碑林博物館。

泉男生墓志

唐

歐陽通

河南洛陽市出土。

楷書四十六行，每行四十七字。刻于調露元年（公元679年）。此選爲局部。

現藏河南博物院。

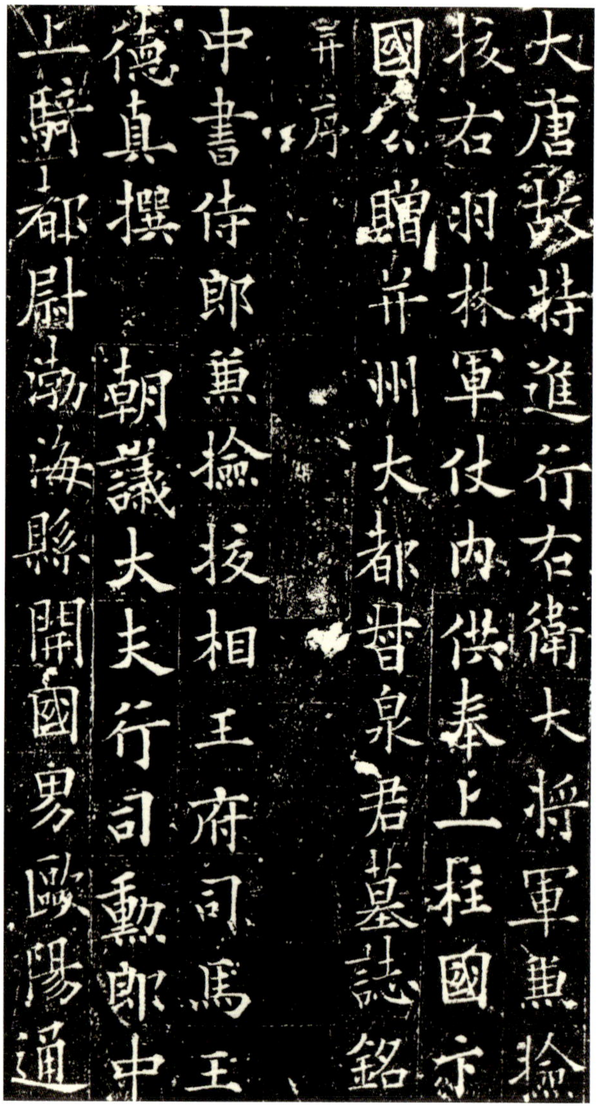
大唐故特進行右衛大將軍兼檢
校右羽林軍仗內供奉上柱國卞
國公贈并州大都督泉君墓誌銘
并序
中書侍郎兼檢校相王府司馬王
德真撰 朝議大夫行司勳郎中
上騎都尉渤海縣開國男歐陽通

王玄宗

生卒年不詳。祖籍琅玡臨沂（今山東臨沂北），後居江都（今江蘇揚州），隱于嵩山。號“太和先生”，精黄老之學。

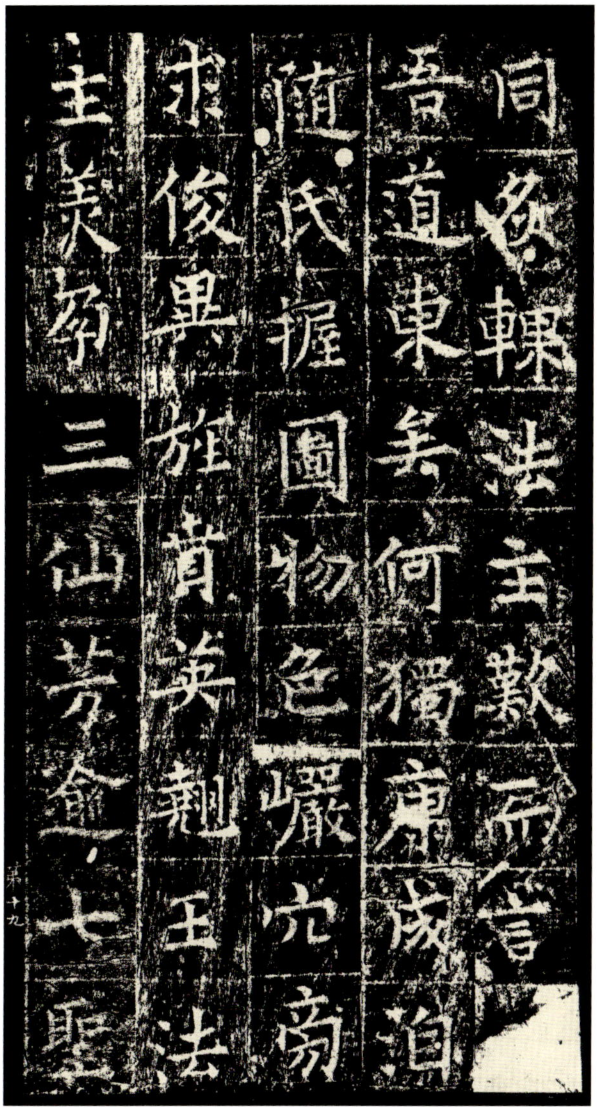

王洪範碑

唐

王玄宗

刻于乾封二年（公元667年）。此選爲局部。

碑原在江蘇茅山華陽觀。明毁于火灾。

王知敬

生卒年不詳。懷州河内（今河南沁陽）人。武后時爲麟臺少監。工正行書，尤善草書。

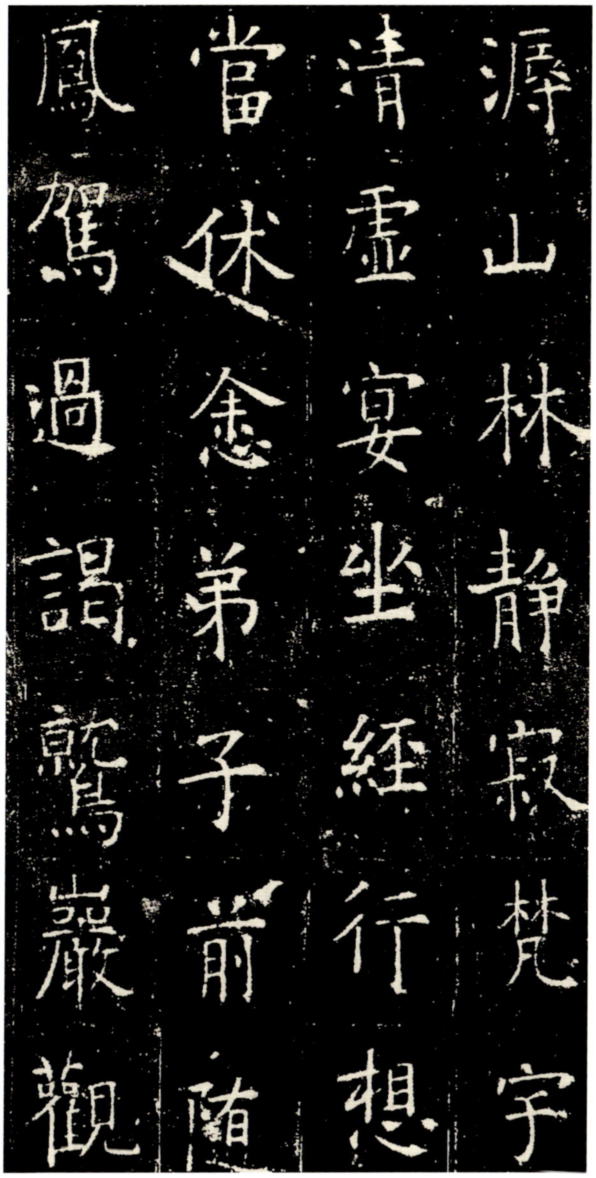

天后御製詩書碑

唐

王知敬

楷書十八行，每行二十六字。刻于永淳二年（公元683年）。此選爲局部。

原石在河南登封市少林寺。

武則天（公元624－705年）

并州文水（今山西文水東）人。高宗時立爲后，後廢睿宗，改國號爲周。工行草、飛白書。

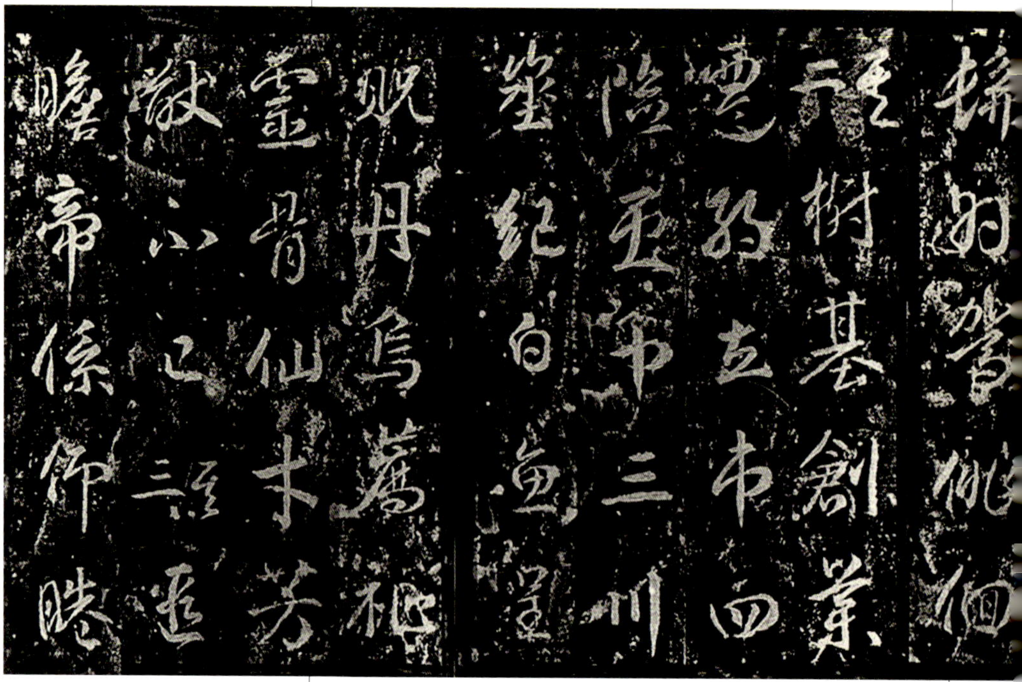

昇仙太子碑

唐

武則天

聖曆二年（公元699年）

立于河南省偃師市緱山升仙觀舊址，石碑現在緱山仙君廟。

高670、寬155厘米。

行書三十三行，滿行六十六字。此選爲局部。

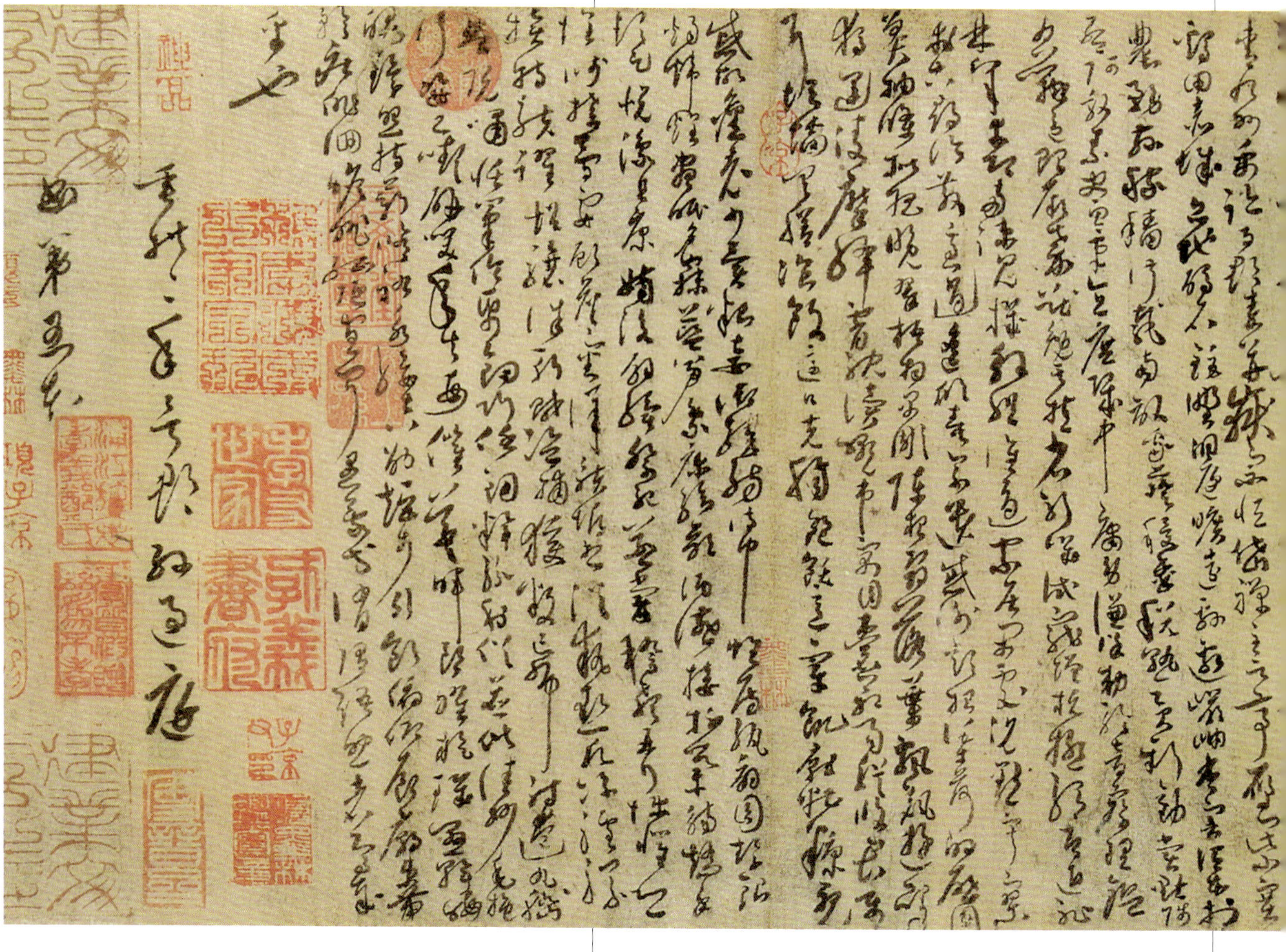

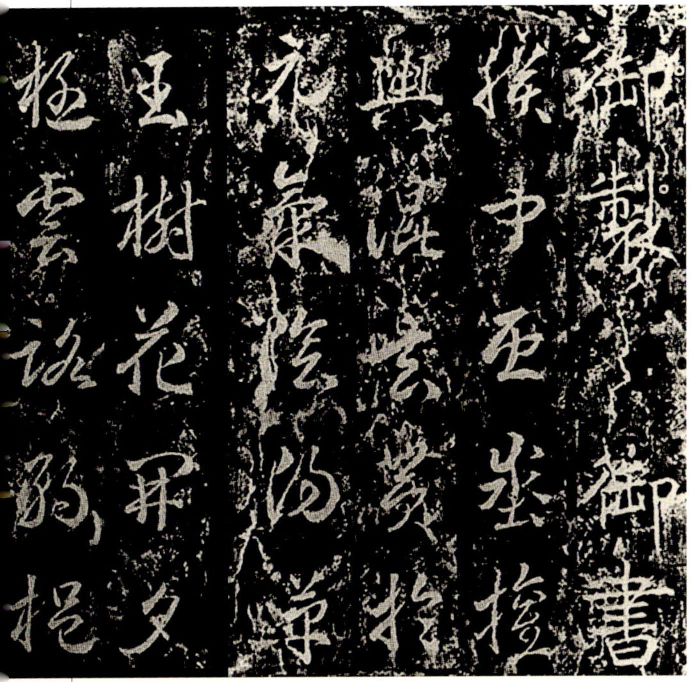

孫過庭（公元648－702年）

汴州陳留（今河南開封南）人，自署吴郡（今江蘇蘇州），又作富陽（今屬浙江）人。名虔禮，以字行。曾官右衛胄曹參軍、率府録事參軍。工書法，并擅書法理論。正、行、草諸體皆精，尤以草書著名，師法“二王”。著有《書譜》一卷，今存上卷。

千字文

唐

孫過庭

高25.7、寬82.5厘米。

紙本。草書四十六行。

現藏遼寧省博物館。

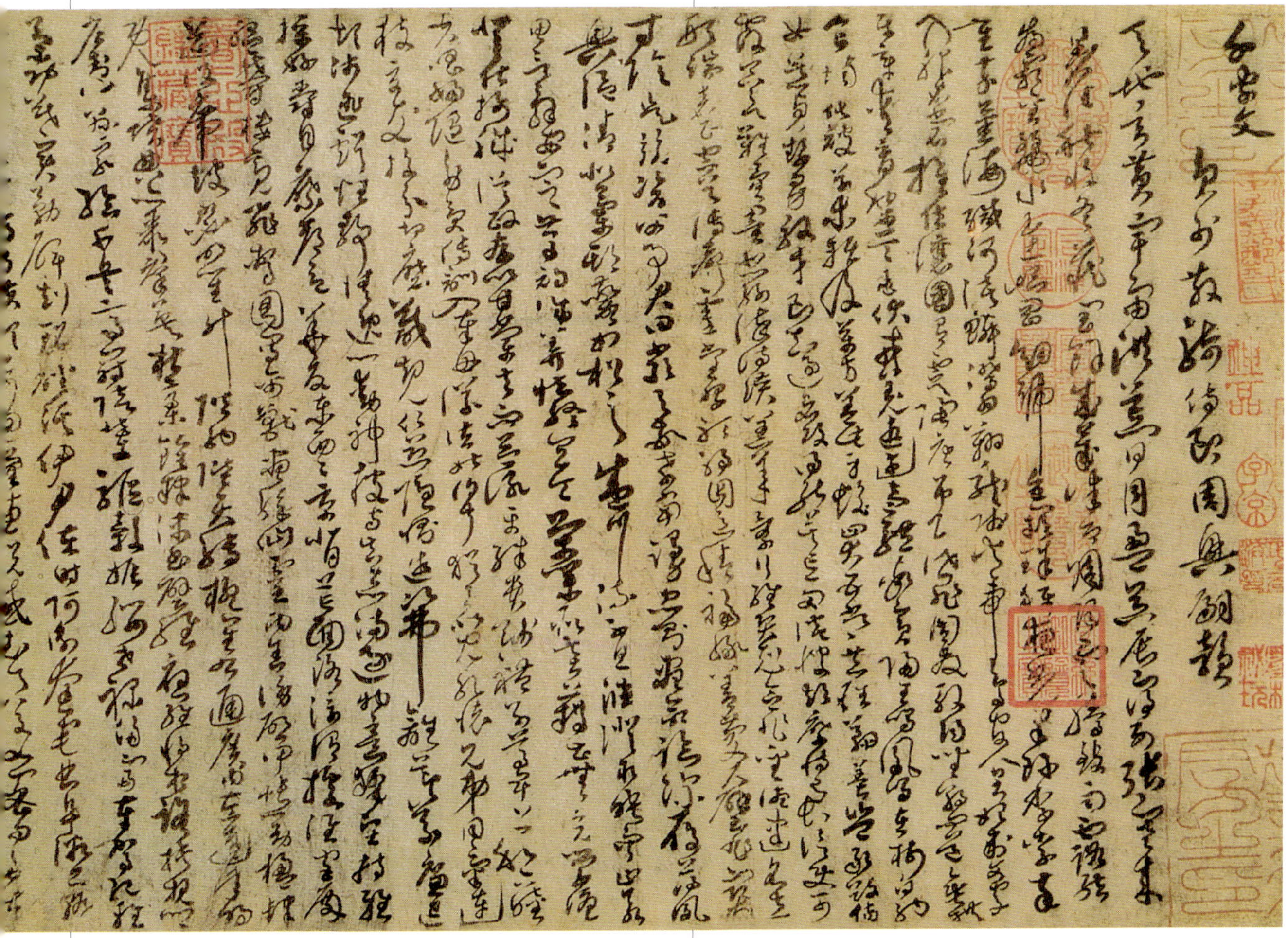

書譜

唐

孫過庭

高27.2、寬898.24厘米。

紙本。草書三百五十一行，共三千五百餘字。此選爲局部。

現藏臺北故宮博物院。

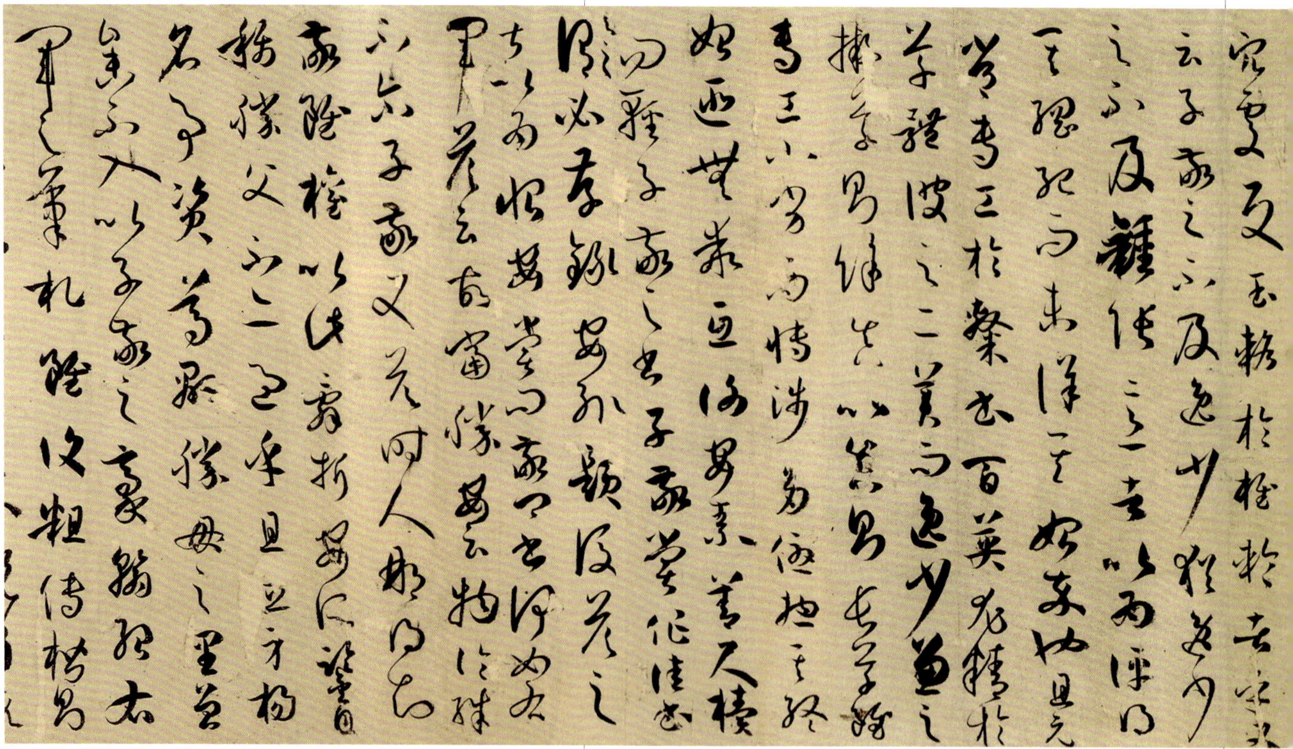

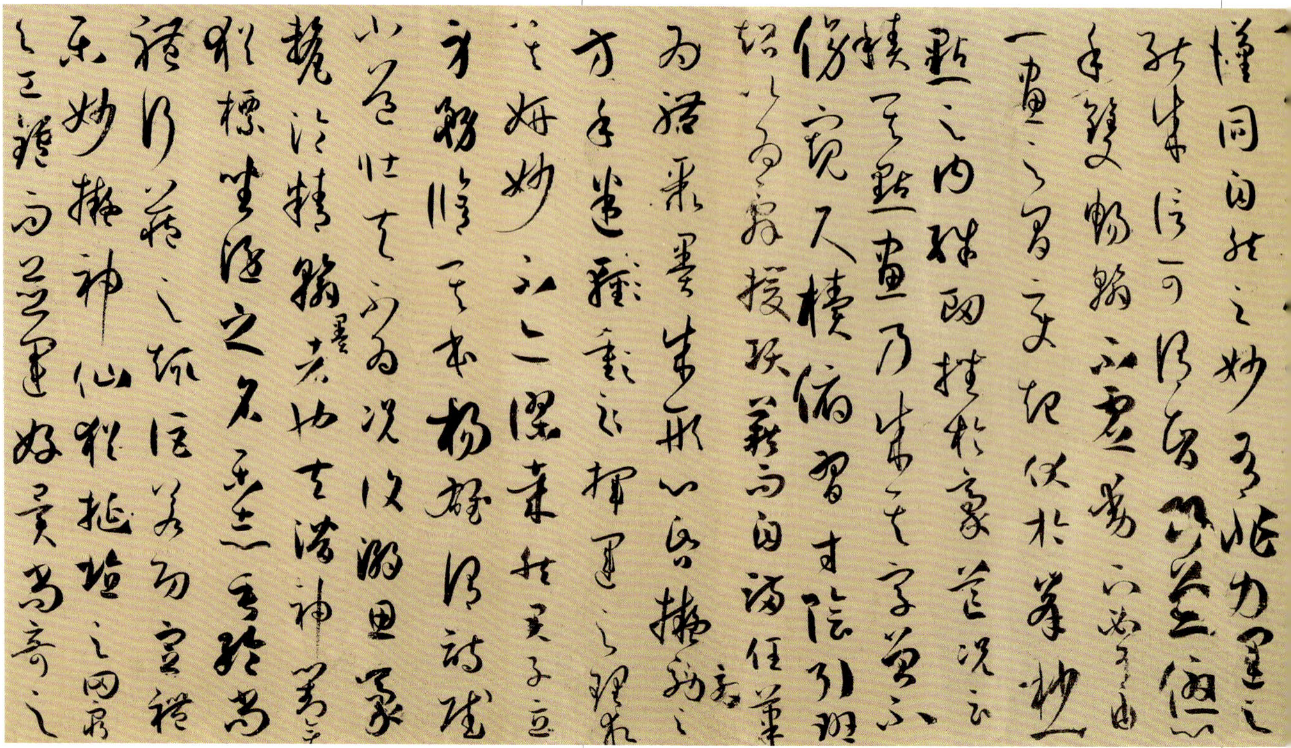

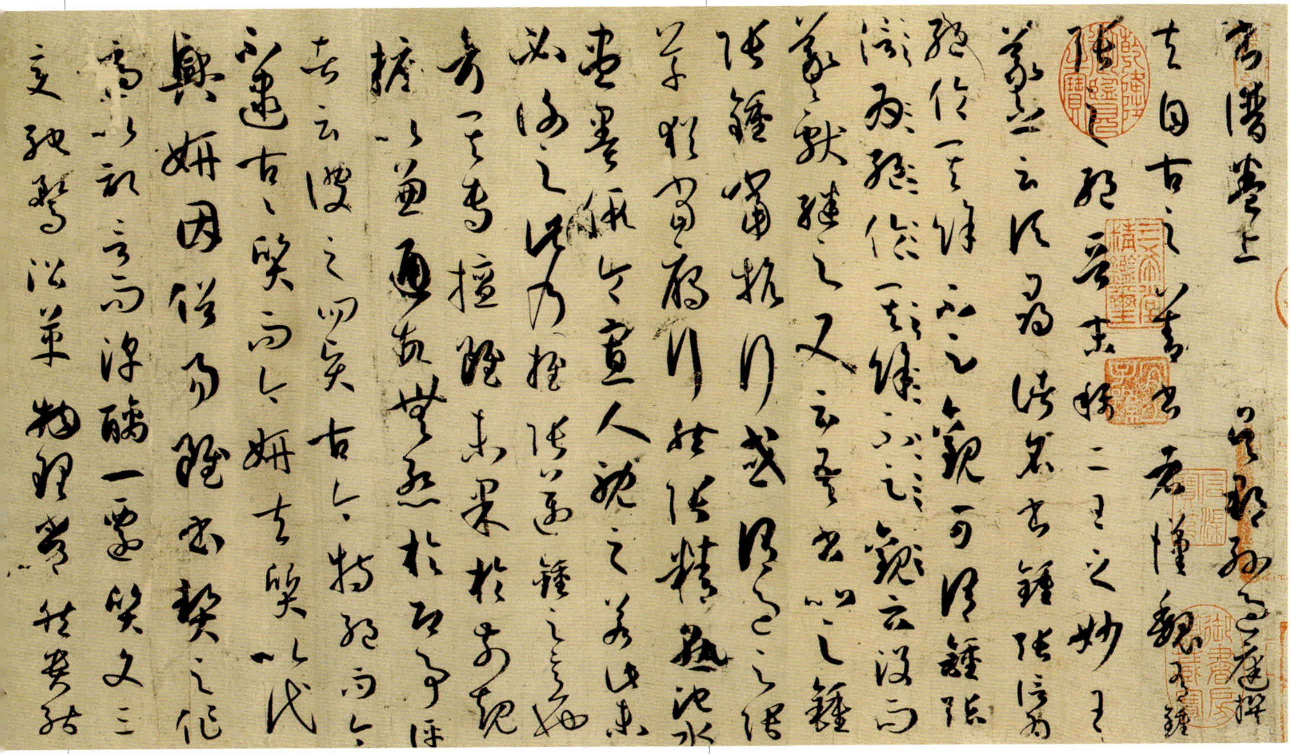

書譜局部之一

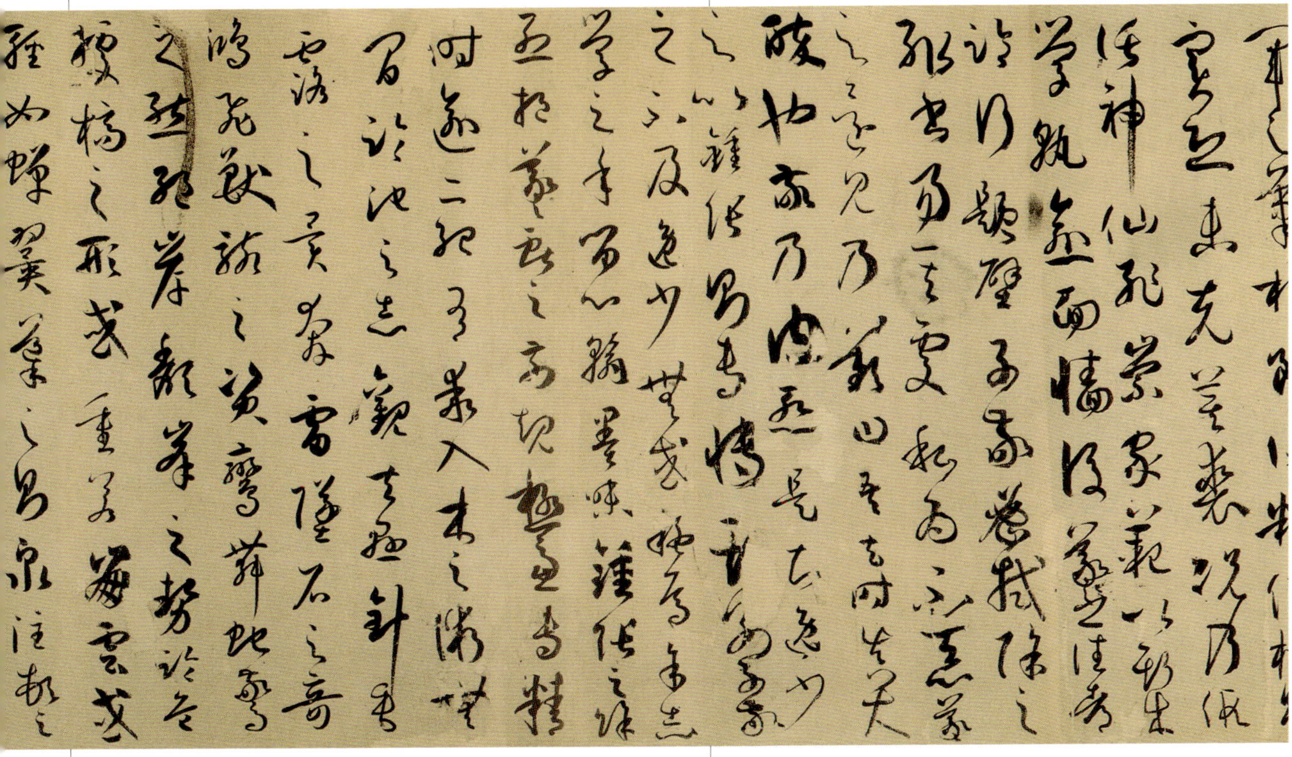

書譜局部之二

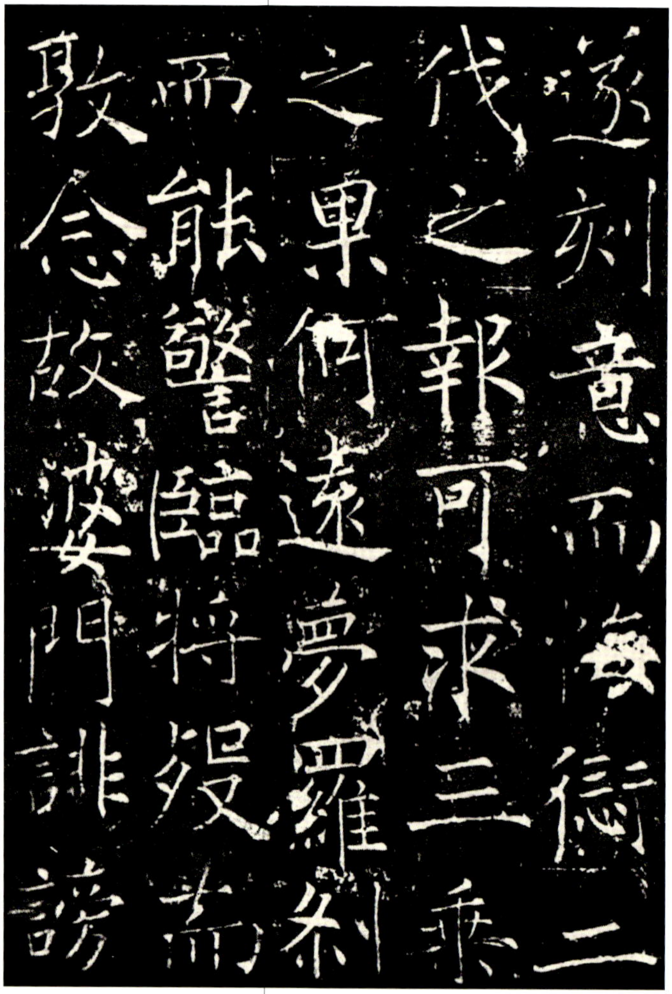

薛稷（公元649–713年）

蒲州汾陰（今山西萬榮西南）人。字嗣通。官至太子少保、禮部尚書，人稱“薛少保”。與薛曜是從祖兄弟。宋徽宗所創“瘦金體”應受二薛書體的影響。

信行禪師碑

唐

薛稷

碑立于神龍二年（公元706年）。此選爲局部。

原石久佚，僅存孤本拓本傳世，據傳此拓片現藏日本。

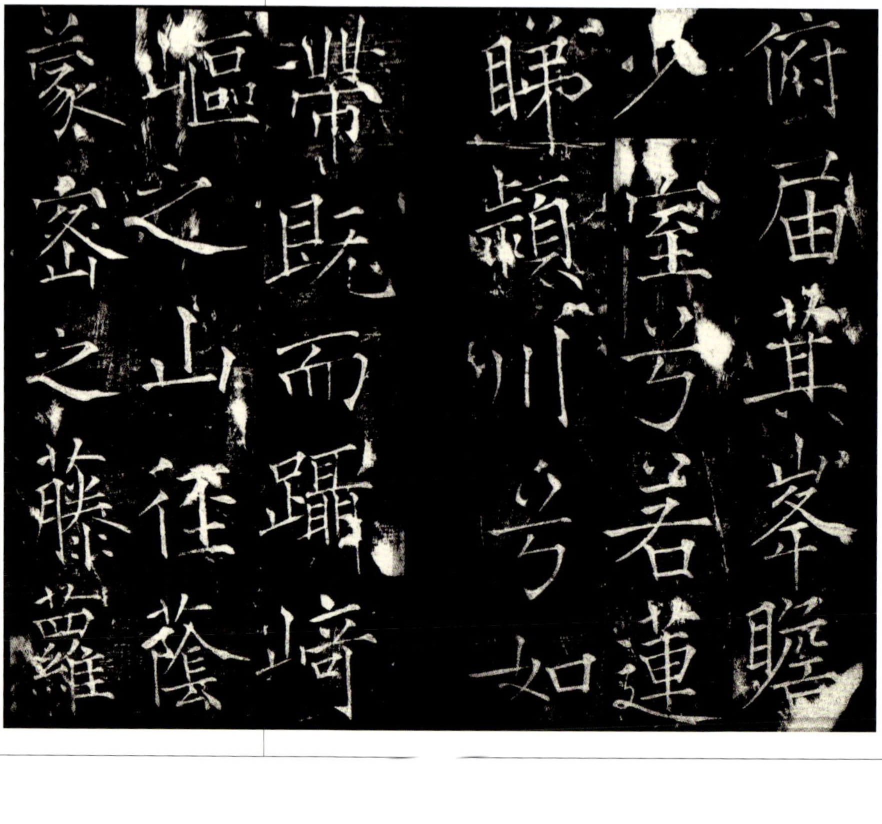

薛曜

生卒年不詳。蒲州汾陰（今山西萬榮西南）人。約活動于武則天時期（公元684－704年）。曾官正諫大夫、奉宸大夫，封汾陰縣開國男。

夏日游石淙詩

唐

薛曜

爲摩崖刻石，久視元年（公元700年）刻于河南登封市石淙山北崖。

楷書三十九行，每行四十二字。

此選爲局部。

尹元凱（公元? – 727年）

瀛州樂壽（今河北獻縣）人。號裕明子。工篆書。

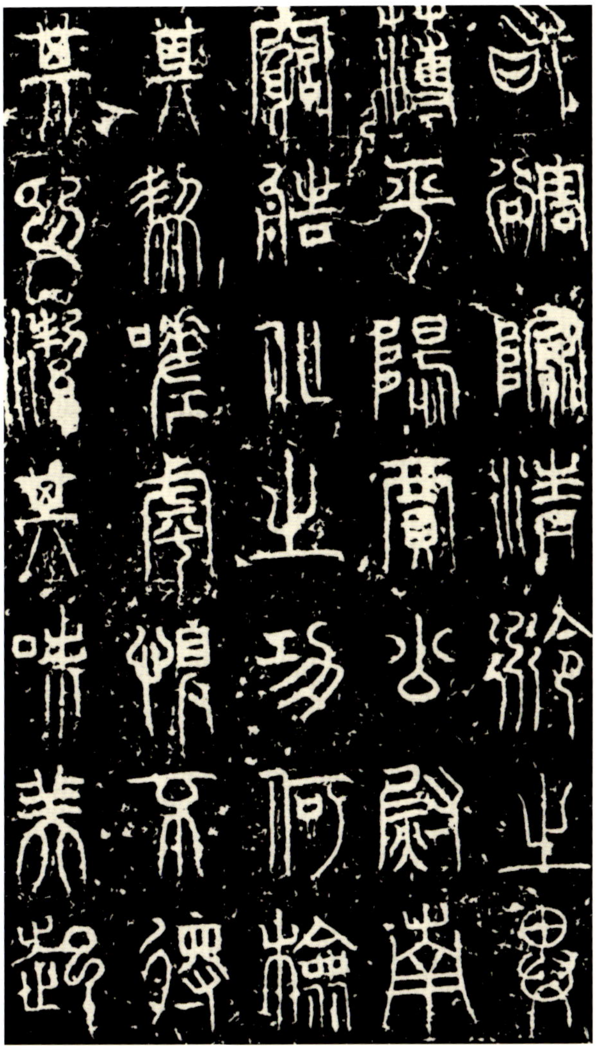

美原神泉詩序碑

唐

尹元凱

碑原在陝西富平縣美原鎮。

碑高182、寬65厘米。

篆書十七行，每行二十五字。刻于垂拱四年（公元688年）。此選爲局部。

現藏陝西省西安碑林博物館。

鍾紹京

生卒年不詳。虔州贛縣（今江西贛州）人。字可大。鍾繇十世孫。初以工書直鳳閣，後官至中書令，封越國公。

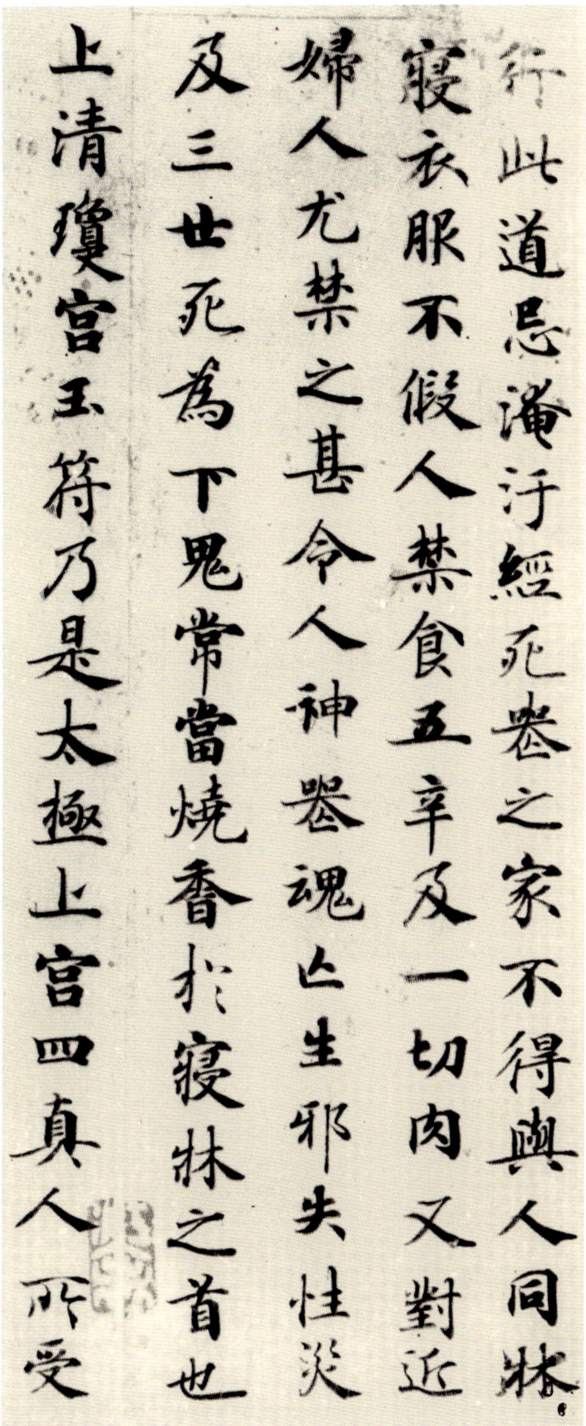
行此道忌淹汙經死喪之家不得與人同牀
寢衣服不假人禁食五辛及一切肉又對近
婦人尤禁之甚令人神喪魂亡生邪失性災
及三世死為下鬼常當燒香於寢牀之首也
上清瓊宮玉符乃是太極上宮四真人所受

靈飛經

唐

鍾紹京

紙本。現存四十三行，共六百二十五字。此選爲局部。

現藏美國私人處。

賀知章（公元659－744年）

越州永興（今浙江杭州市蕭山區）人。字季真，一字維摩，自號四明狂客。工書法，精擅草書。工詩，爲唐代著名詩人。

孝經

唐

賀知章

高26、寬263.1厘米。

紙本。草書，每行四至十六字不等，共一千八百餘字。

此選爲局部。

現藏日本宫内廳。

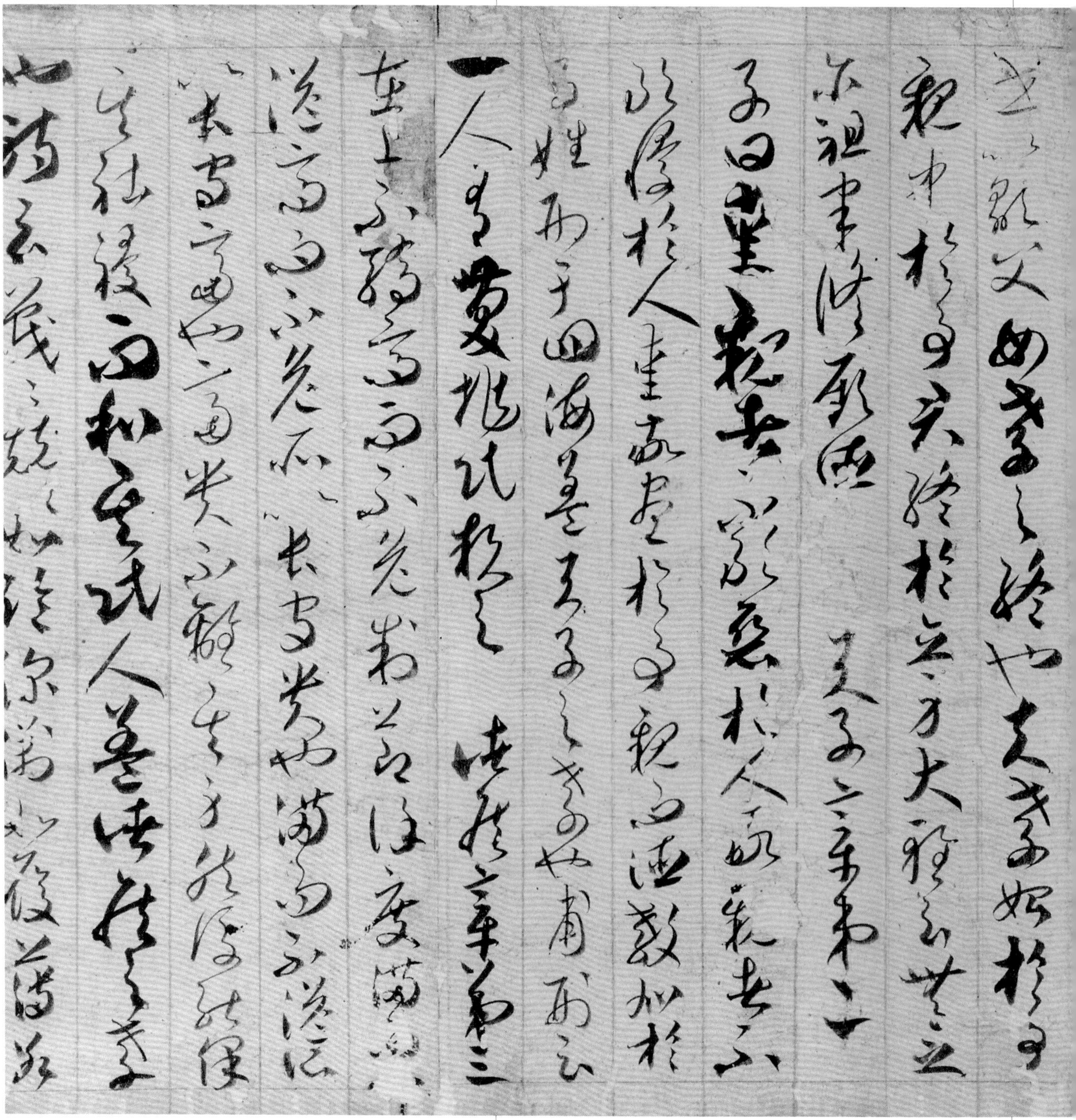

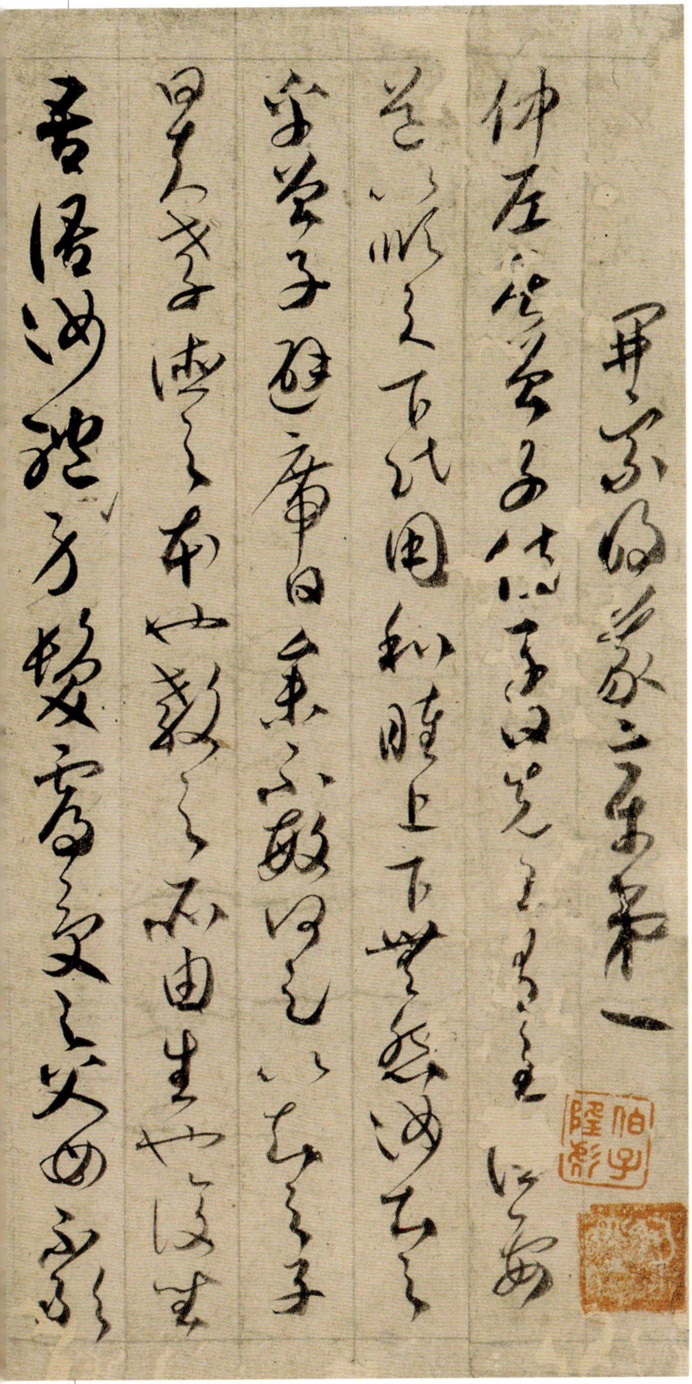

姜晞

生卒年不詳。開元初年官居左散騎常侍。

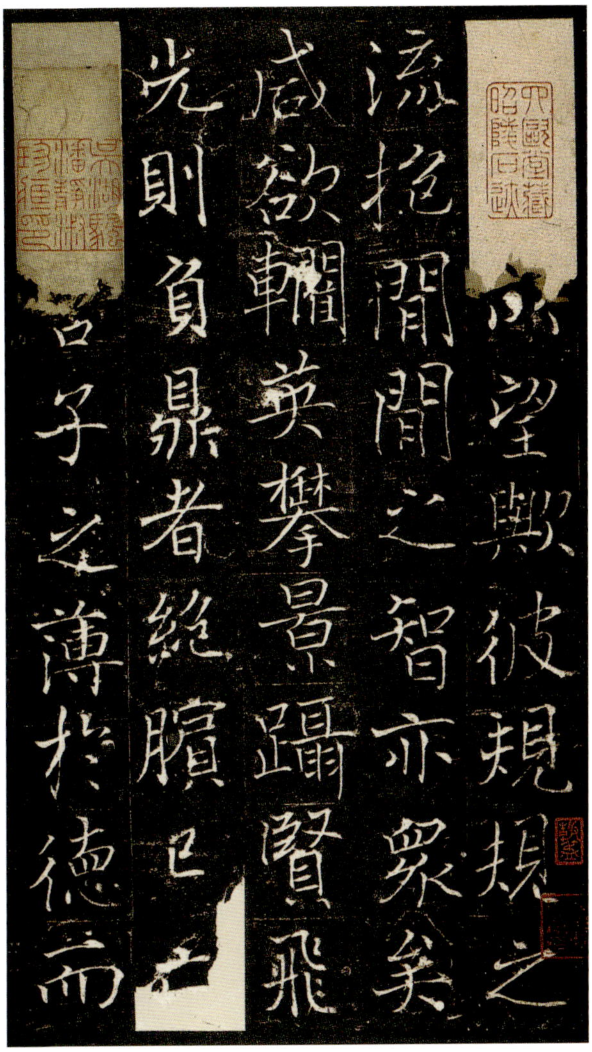

姜遐碑

唐

姜晞

楷書三十三行，每行三十三至三十五字不等。刻于天授二年（公元691年）。此選爲局部。

碑石今存陝西省禮泉縣。

徐嶠之

生卒年不詳。越州（今浙江紹興）人。字維岳。工楷、行書。

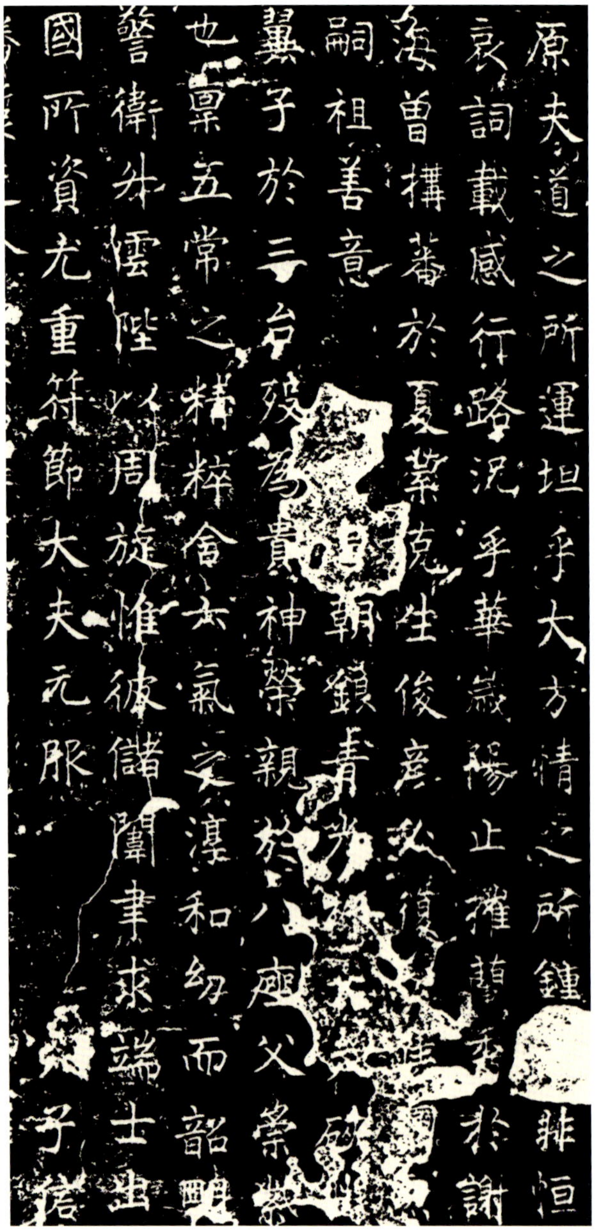

姚彝神道碑

唐

徐嶠之

高262、寬121厘米。

楷書三十二行，滿行三十二字，現存六百六十七字。刻于開元九年（公元716年）。此選爲局部。

原石現在河南省陝縣温塘劉秀山。

裴　漼（約公元666－736年）

絳州聞喜（今山西聞喜北）人。玄宗開元中官吏部尚書，至太子賓客。工楷書。

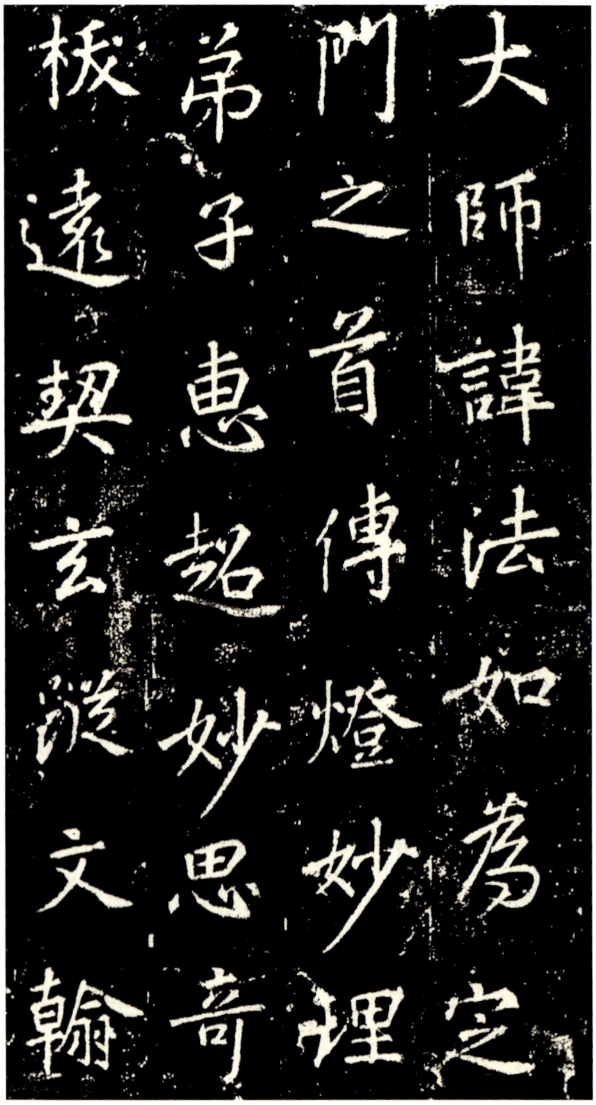

少林寺碑

唐

裴漼

刻于開元十六年（公元728年）。此選爲局部。

碑在河南省登封市少林寺。

張 旭

生卒年不詳。吴縣（今江蘇蘇州）人。字伯高。初官常熟尉，後官至金吾長史（一作率府長史），世稱“張長史”。工書法，精通楷法，尤以草書最爲知名。相傳他往往醉後呼喊狂走，然後落筆作書，人稱“張顛”。其草書與李白詩歌、裴旻劍舞并爲當時“三絶”。

郎官石記序

唐

張旭

全篇四百二十一字。刻于開元二十九年（公元741年）。

原碑已毁。此爲宋拓本，現藏上海博物館。

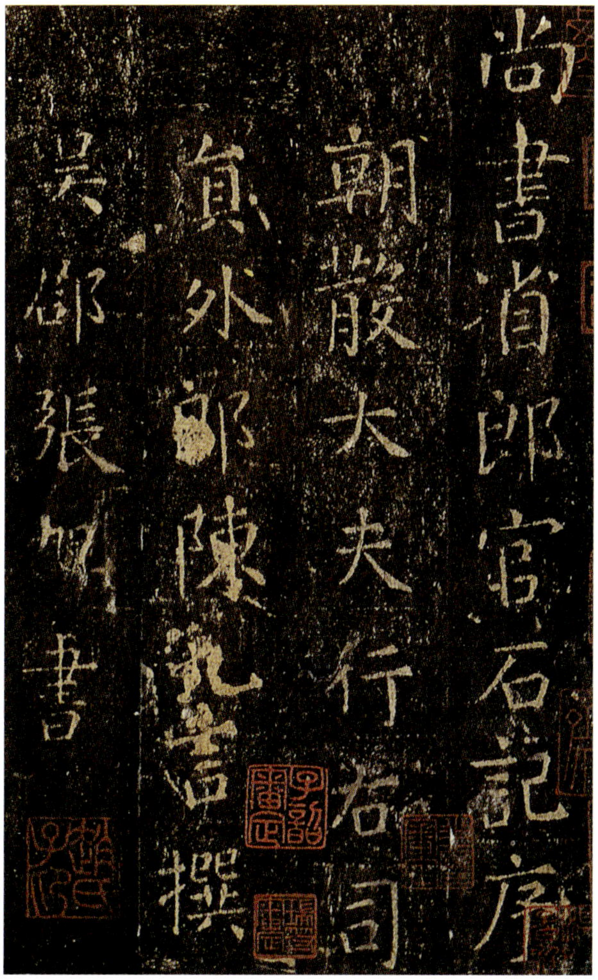
尚書省郎官石記序
朝散大夫行右司
員外郎陳九言撰
吳郡張旭書

郎官石記序局部之一

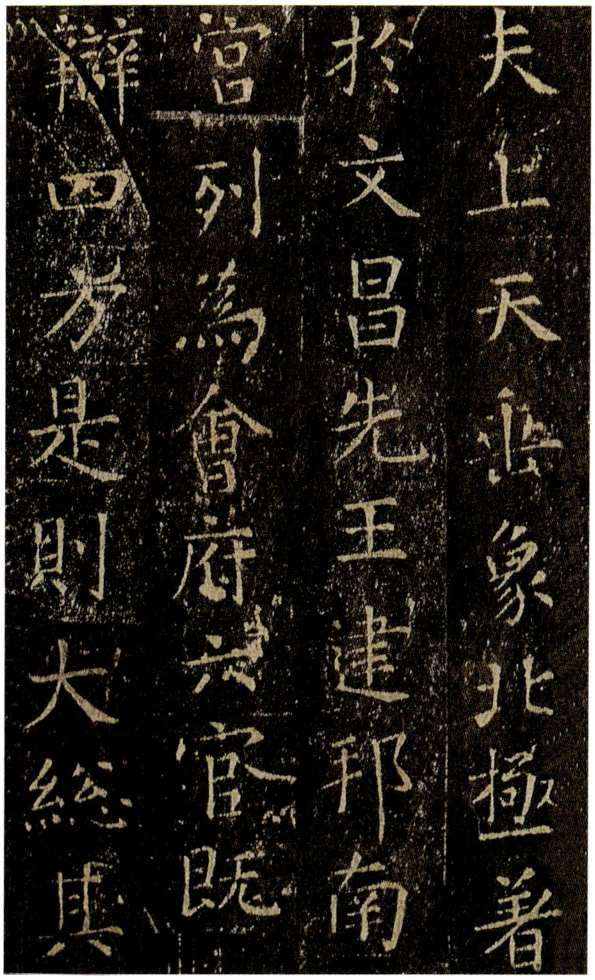
夫上天垂象北極著
於文昌先王建邦南
宮列為會府尚官既
辯四方是則大總其

郎官石記序局部之二

古詩四帖

唐
張旭（傳）
高29.5、寬195.2厘米。
紙本。
文中“丹”字應爲“玄”字，因避宋諱而致，故應爲宋人書。
現藏遼寧省博物館。

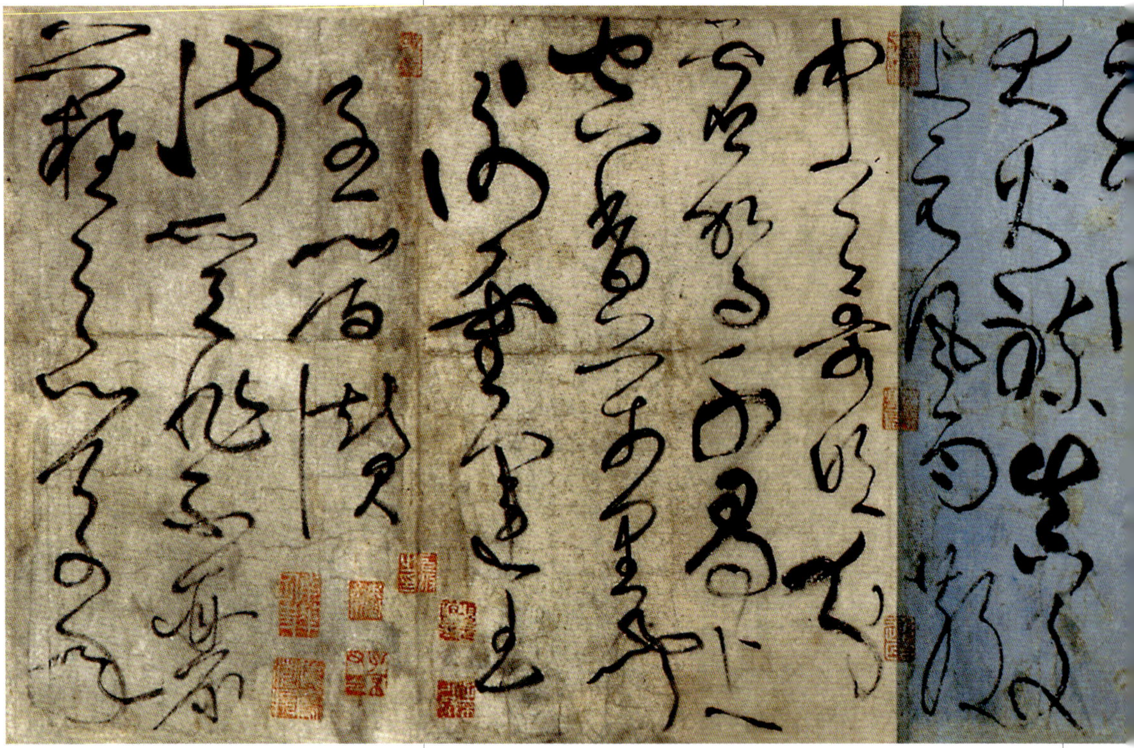

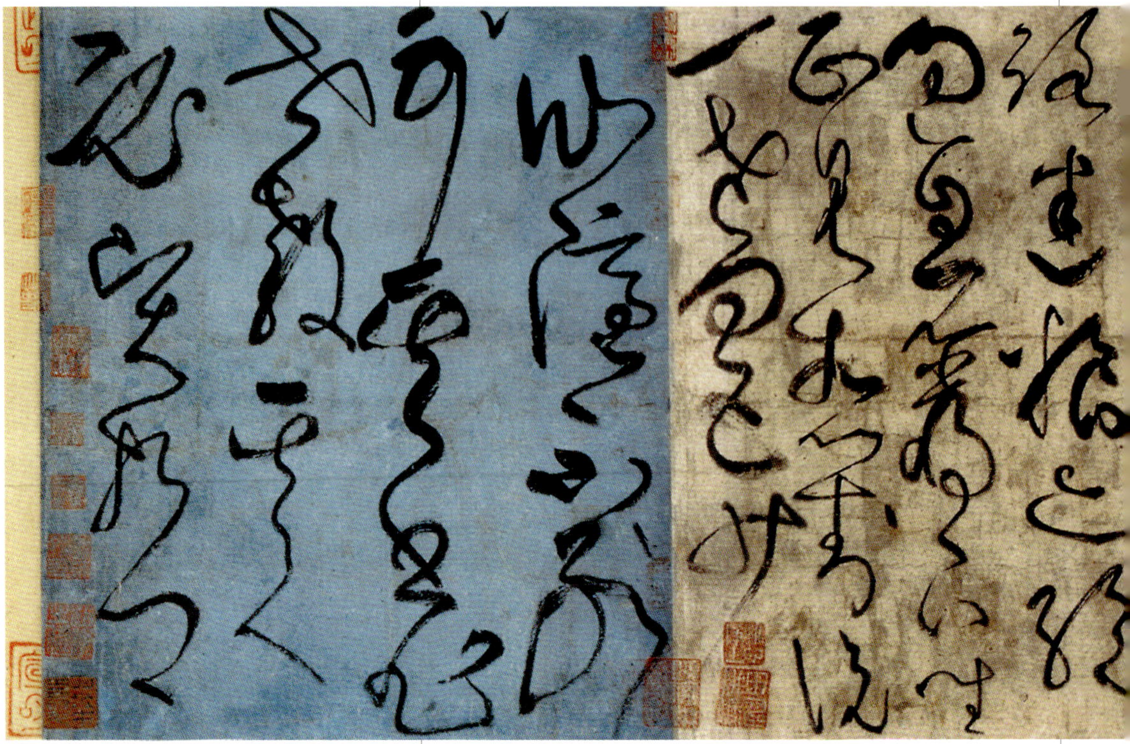

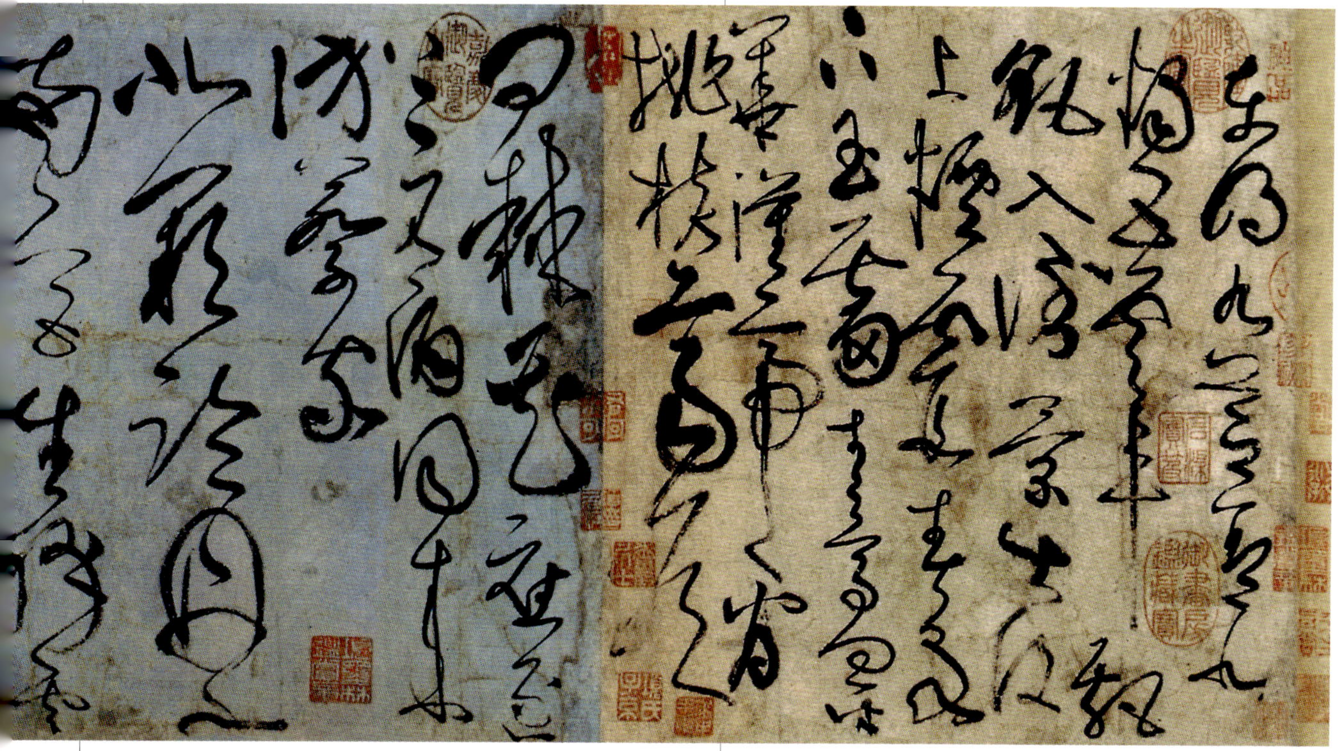

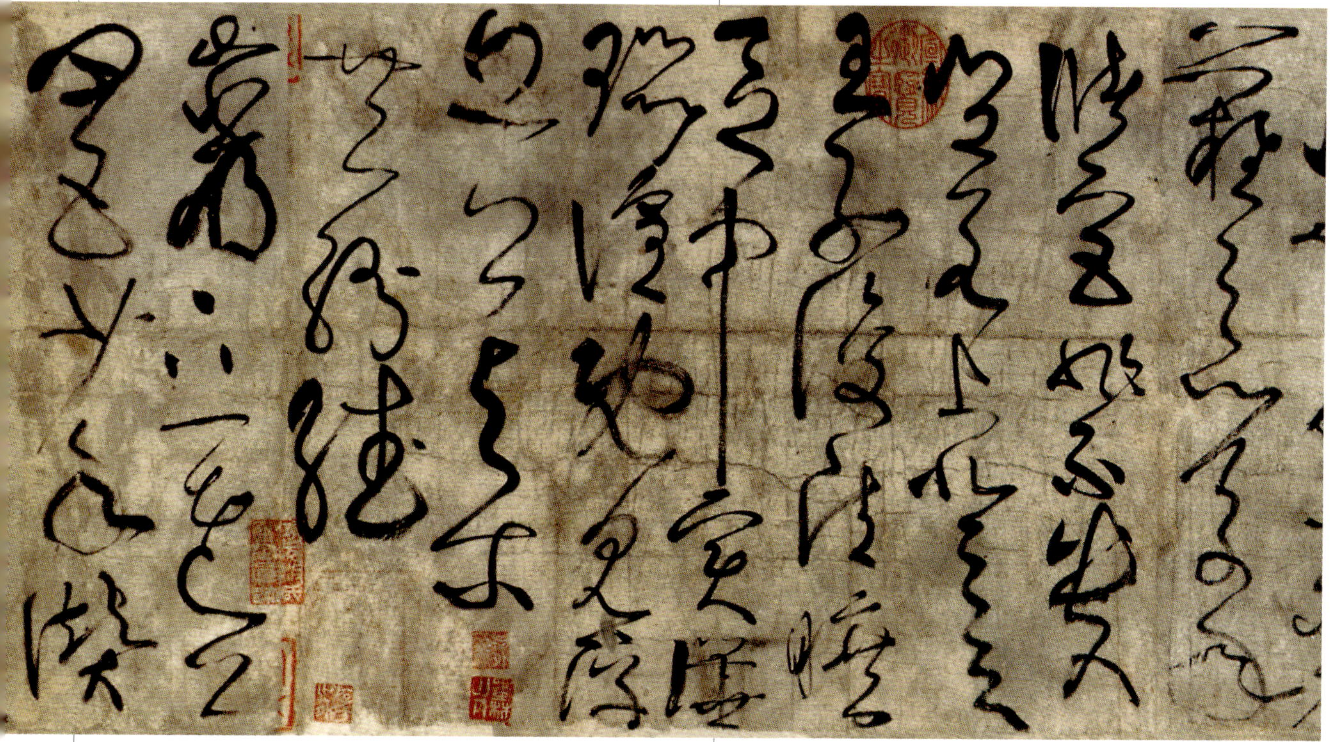

嚴仁墓志

唐

張旭

河南偃師市出土。

志石方形，邊高52.5厘米。

有界格，楷書二十一行，滿行二十一字，共計四百三十字。刻于天寶元年（公元742年）。

現藏河南省偃師商城博物館。

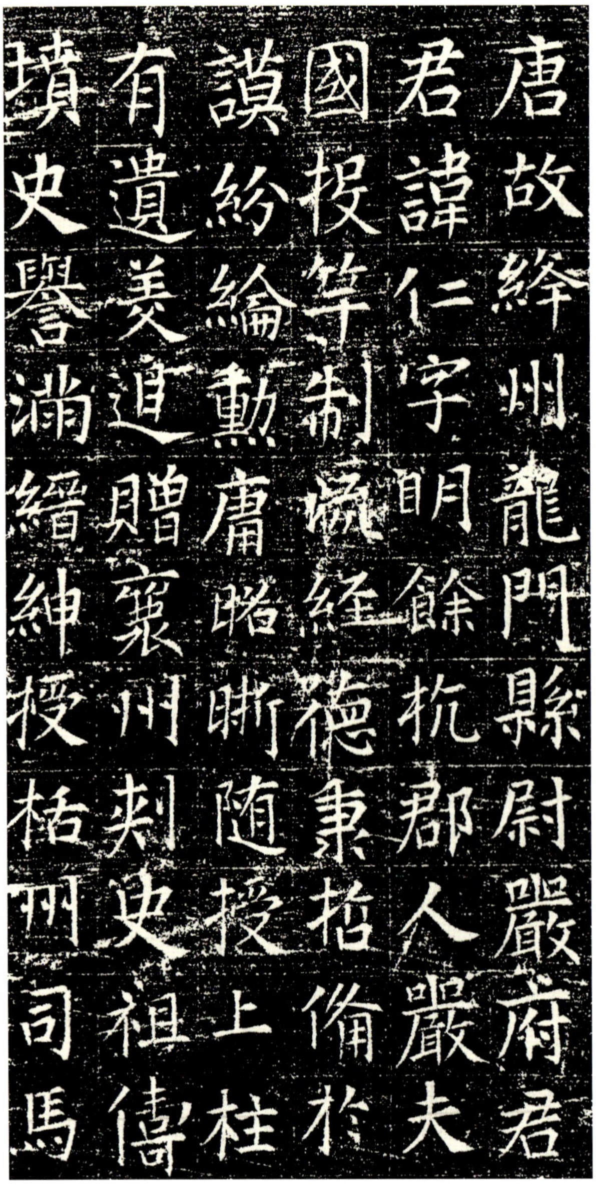
唐故絳州龍門縣尉嚴府君
君諱仁字明餘杭郡人嚴夫
有遺美追贈襄州刺史祖儔

嚴仁墓志局部之一

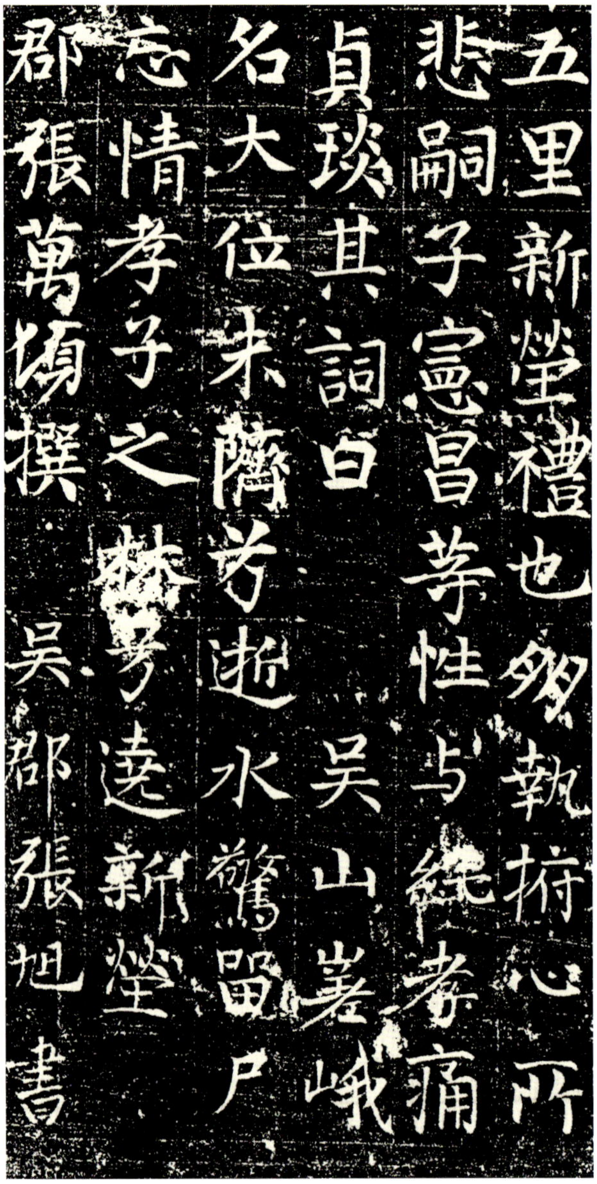
郡張萬頃撰
吴郡張旭書

嚴仁墓志局部之二

李　邕（公元678－747年）

揚州江都（今江蘇揚州）人。字泰和。初被薦爲左拾遺，歷任汲郡、北海太守，人稱“李北海”。工書，尤擅以行楷寫碑。爲人剛正不阿，天寶元年被誣，爲李林甫害死。

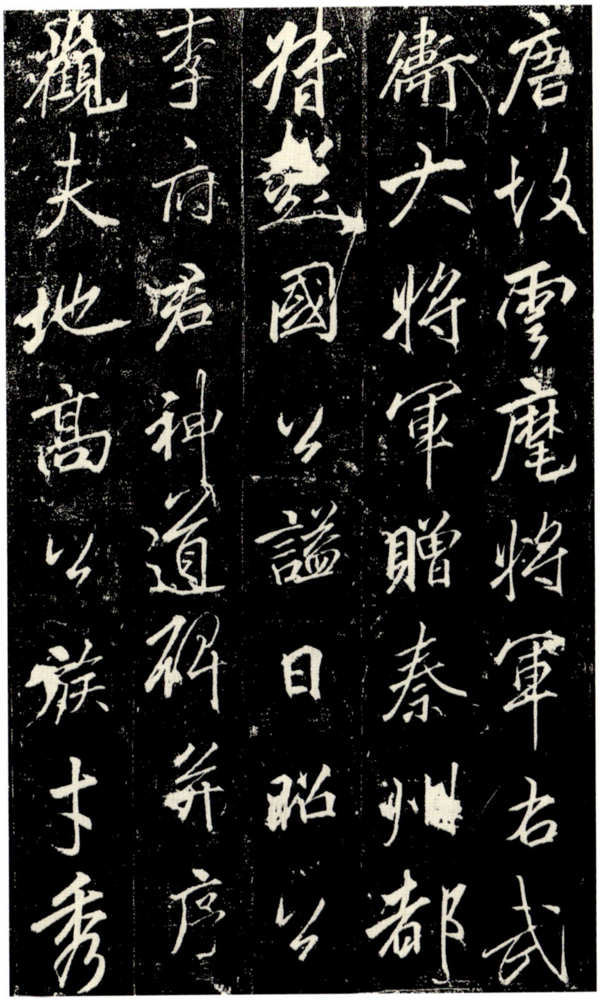

雲麾將軍李思訓碑

唐

李邕

行書三十行，每行七十字。刻于開元八年（公元720年）。此選爲局部。

原石現存陝西省蒲城縣。

麓山寺碑

唐

李邕

又名《岳麓寺碑》。行書二十八行，滿行五十六字。刻于開元十八年（公元730年）。此選爲局部。

原石現存湖南省長沙市岳麓公園。

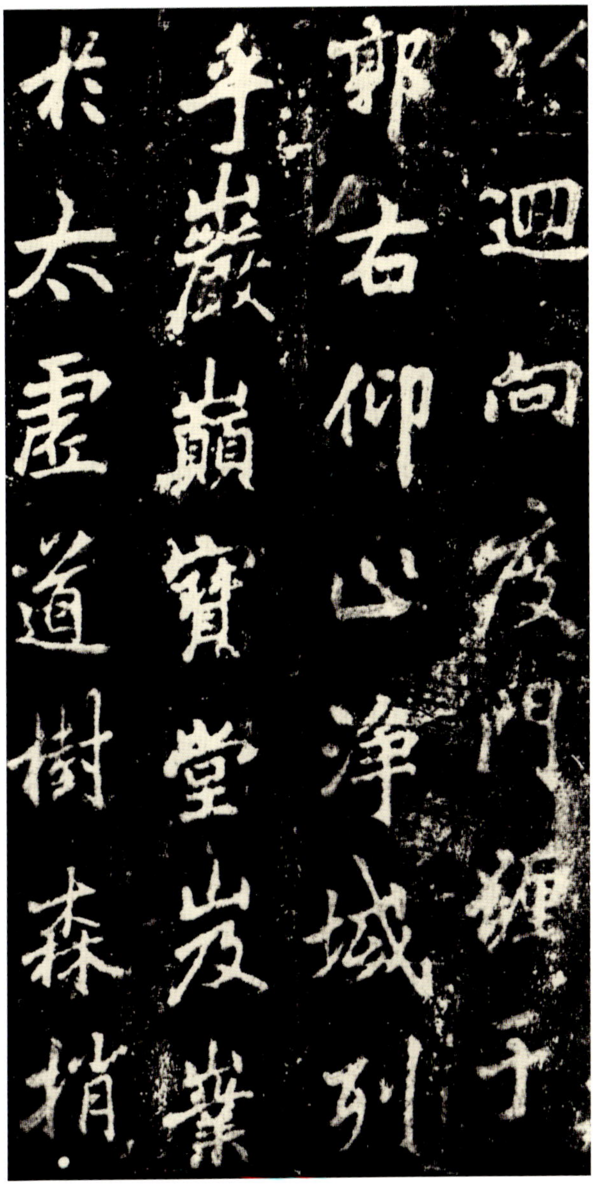

雲麾將軍李秀碑

唐

李邕

原石早已裂成多塊。刻于天寶元年（公元742年）。此選爲局部。

現僅存二石，藏于北京文丞相祠。

靈岩寺碑

唐

李邕

天寶元年（公元742年）立于靈岩寺，寺在今山東濟南市長清區。此選爲局部。

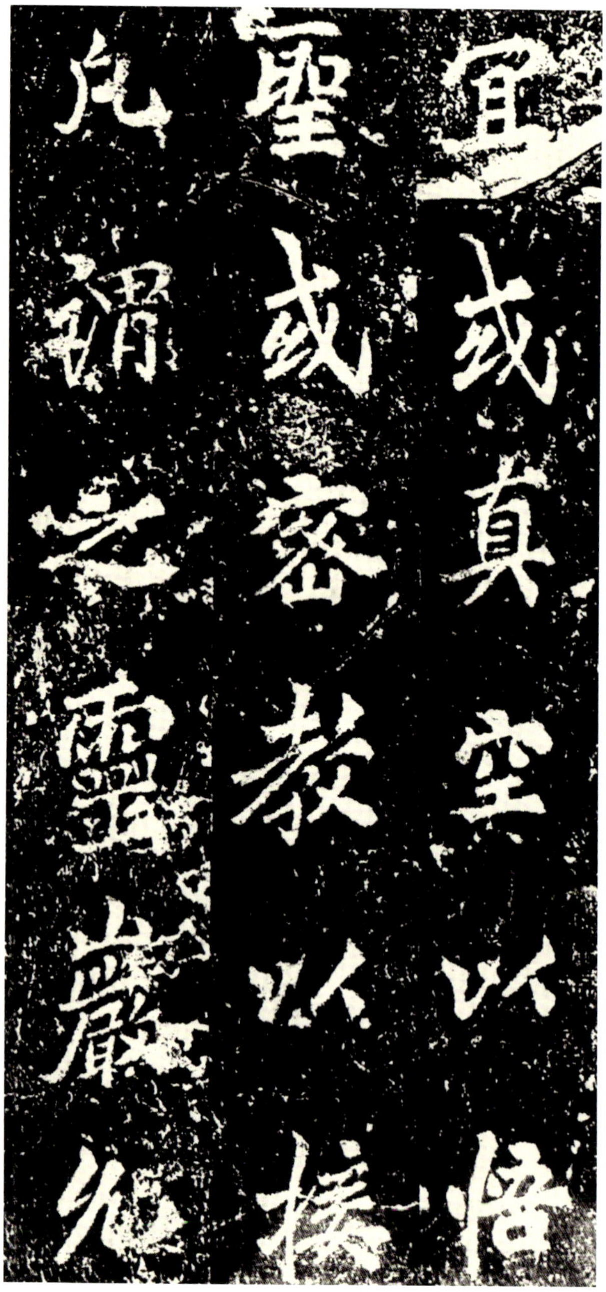

李隆基（公元685－762年）

即唐玄宗，史稱“明皇”。公元713–756年在位。書法善隸書、章草。

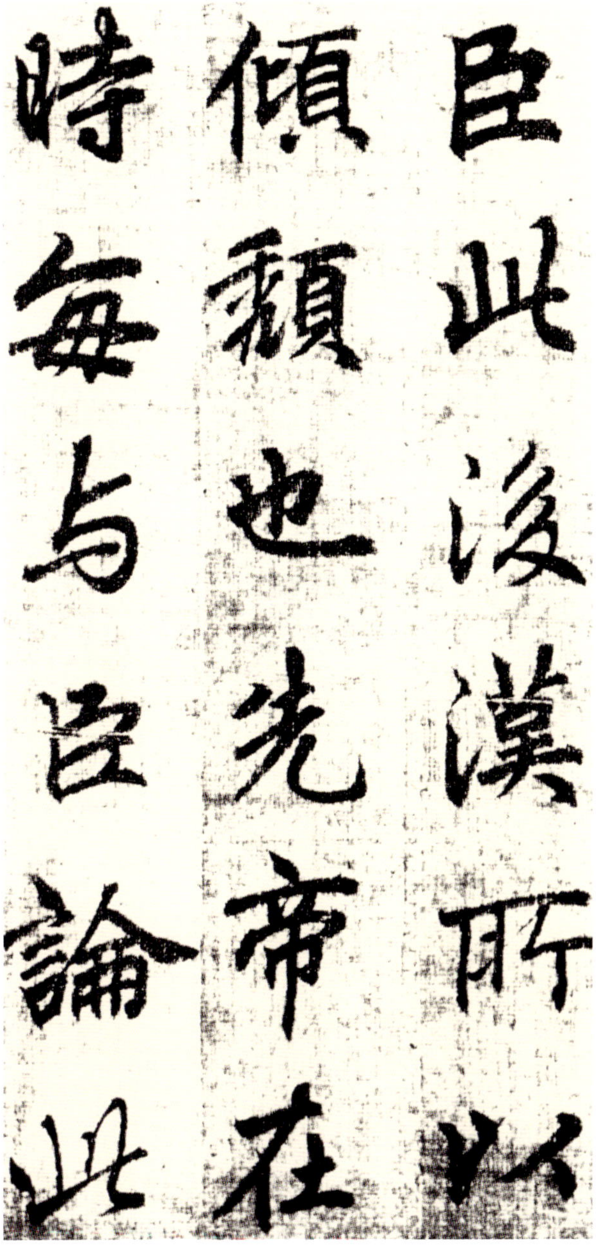
臣此後漢所以
傾頹也先帝在
時每與臣論此

出師表

唐

李邕（傳）

紙本。此選爲局部。

現藏臺北故宫博物院。

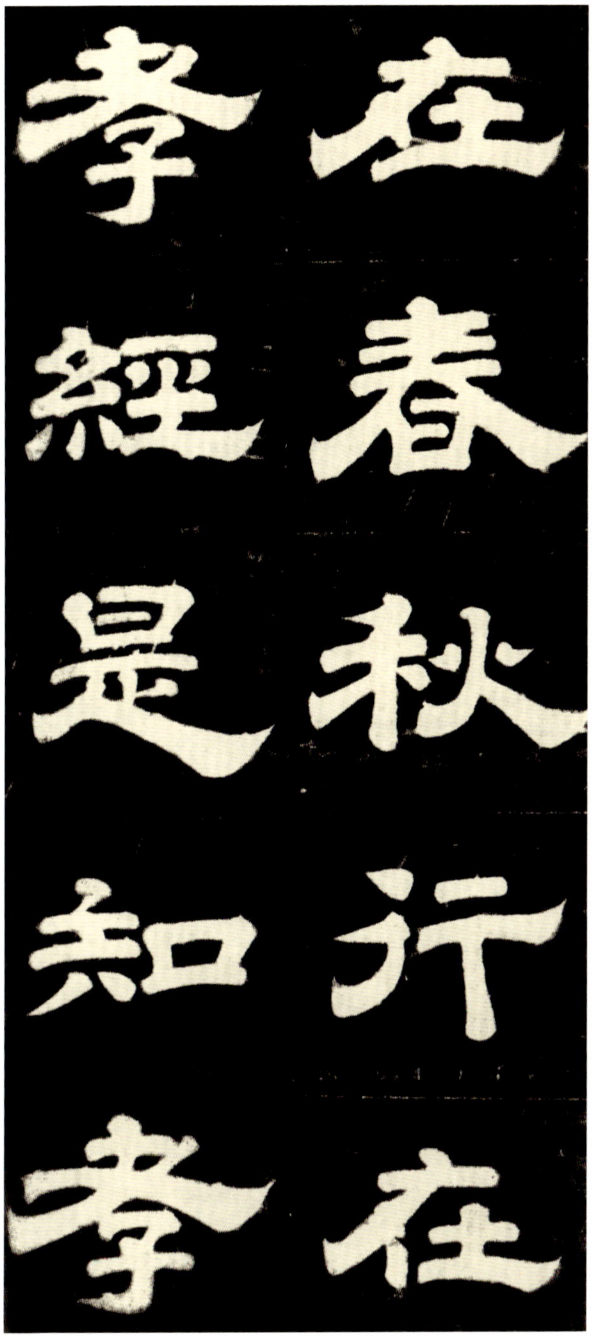
在春秋行在
孝經是知孝

石臺孝經

唐

李隆基

碑由四塊各高590、寬120厘米的細石合而刻成。刻于天寶四年（公元745年）。此選爲局部。

現藏陝西省西安碑林博物館。

鶺鴒頌

唐
李隆基
高26、寬192厘米。
紙本。行書四十四行。此選爲局部。
現藏臺北故宮博物院。

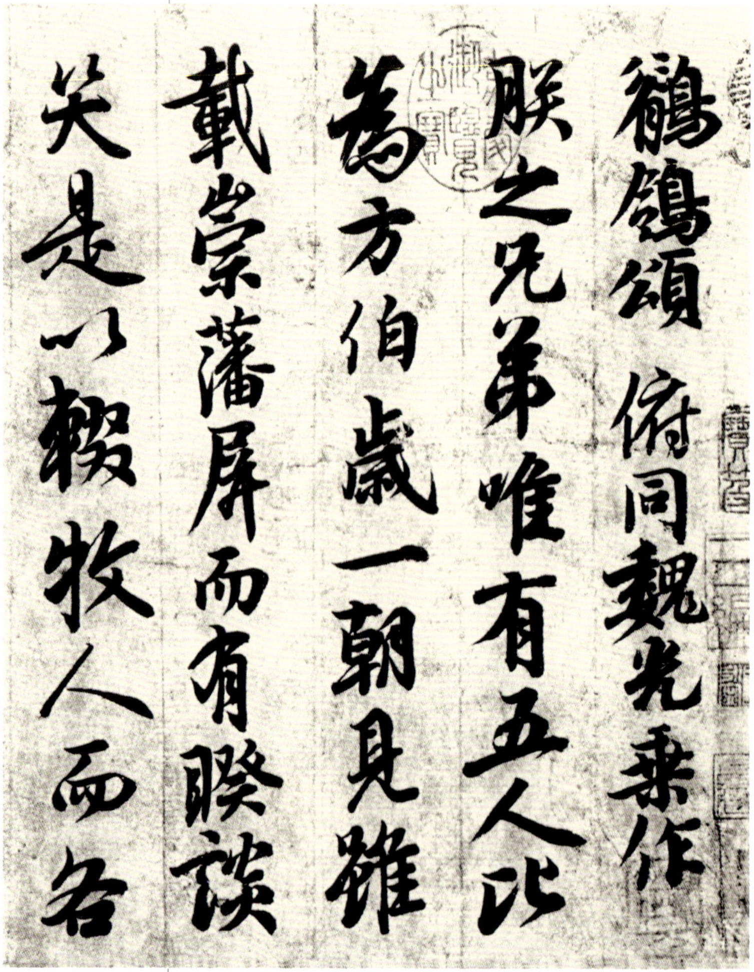
鶺鴒頌 俯同魏光乘作
朕之兄弟唯有五人比
為方伯歲一朝見雖
載崇藩屏而有睽談
笑是以輟牧人而各

李　白（公元701－762年）

字太白，號青蓮居士，人稱“謫仙”。詩名震天下，有“詩仙”之譽。亦工書法，爲詩名所掩。

上陽臺帖

唐
李白
高28.5、寬38厘米。
紙本。草書五行，二十五字。
現藏故宮博物院。

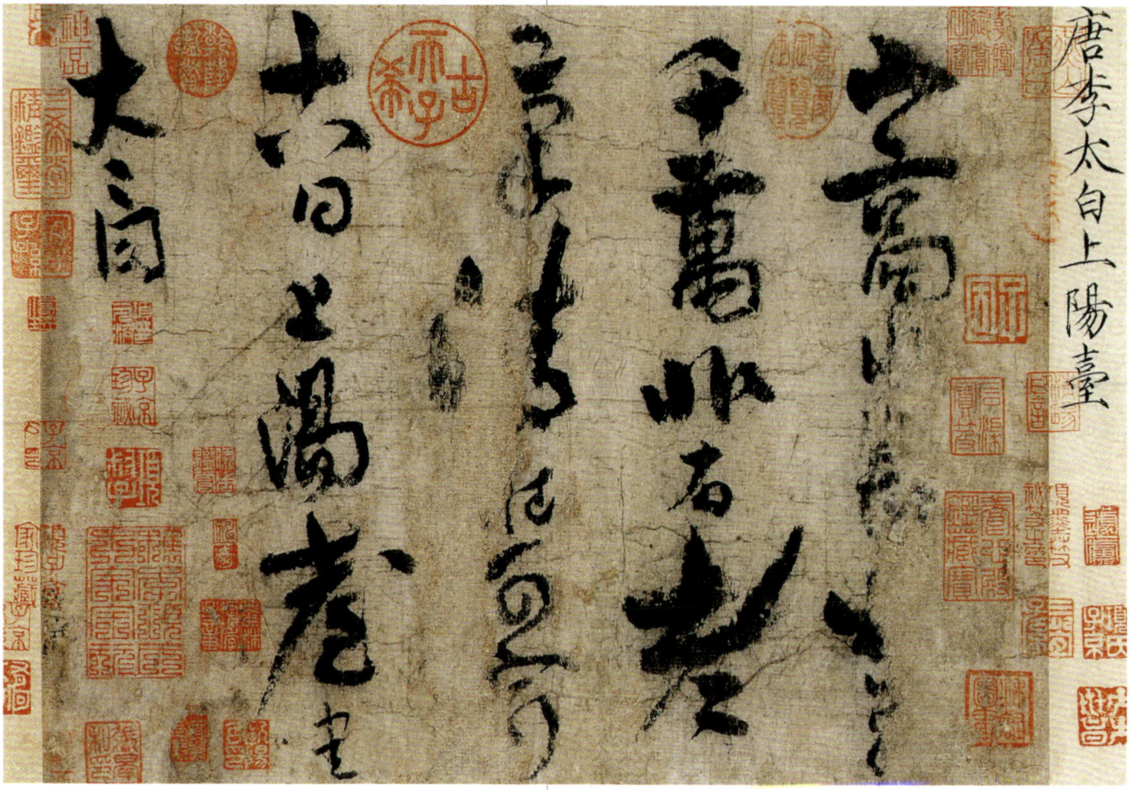
唐李太白上陽臺

蘇靈芝

生卒年不詳，開元天寶年間人。武功（今陝西武功西）人。以行書聞名。

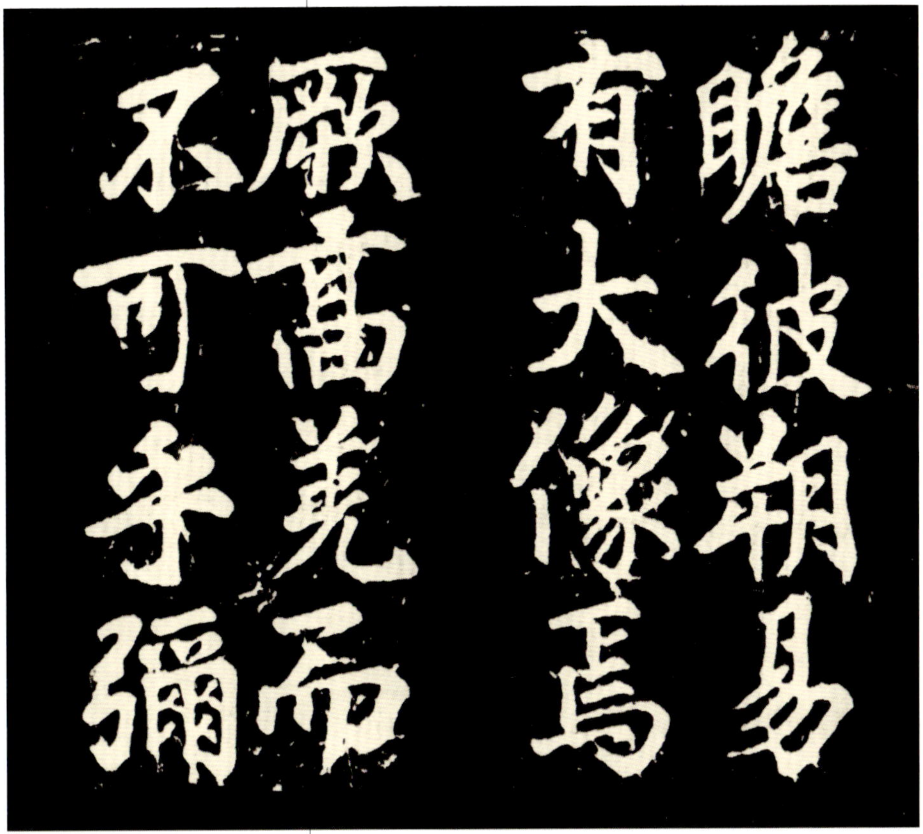

易州鐵像頌

唐

蘇靈芝

碑立于河北易縣。

高322.3、寬161.3厘米。

行書十八行，每行三十六字。刻于開元二十七年（公元739年）。此選爲局部。

田仁琬德政碑

唐

蘇靈芝

刻于開元二十八年（公元740年）。

碑原立于河北易縣，後移至河北省保定市。

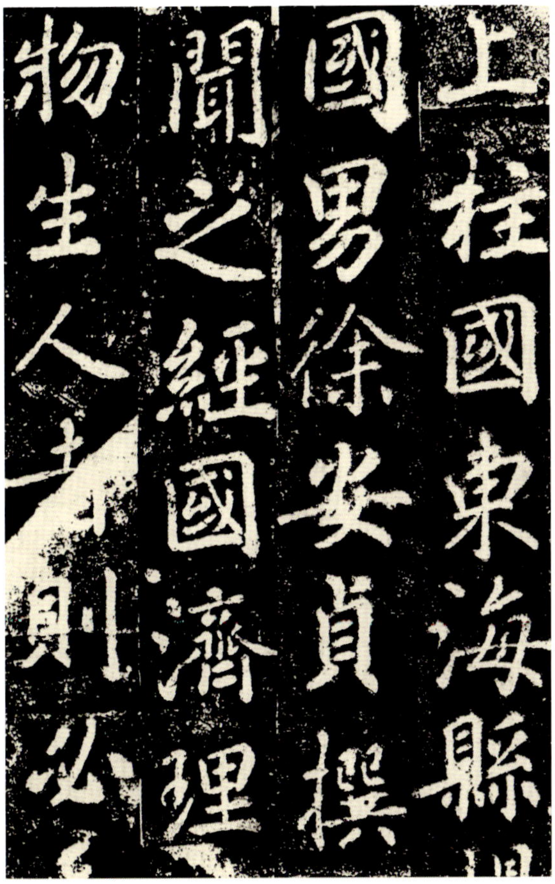

田仁琬德政碑局部之一

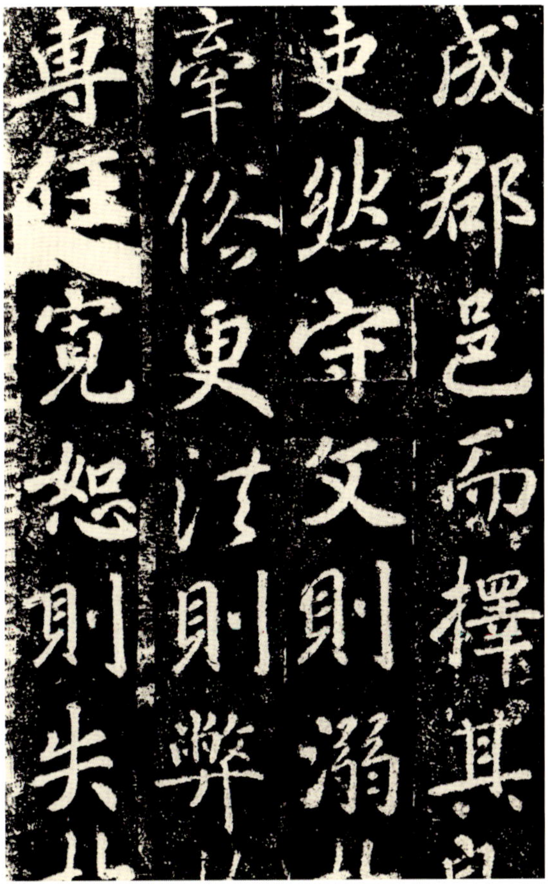

田仁琬德政碑局部之二

徐　浩（公元703－782年）

越州（今浙江紹興）人。字季海。官至太子少師，封會稽公，人稱“徐會稽”。工書法，得其父徐嶠之真傳，善楷、隸書。

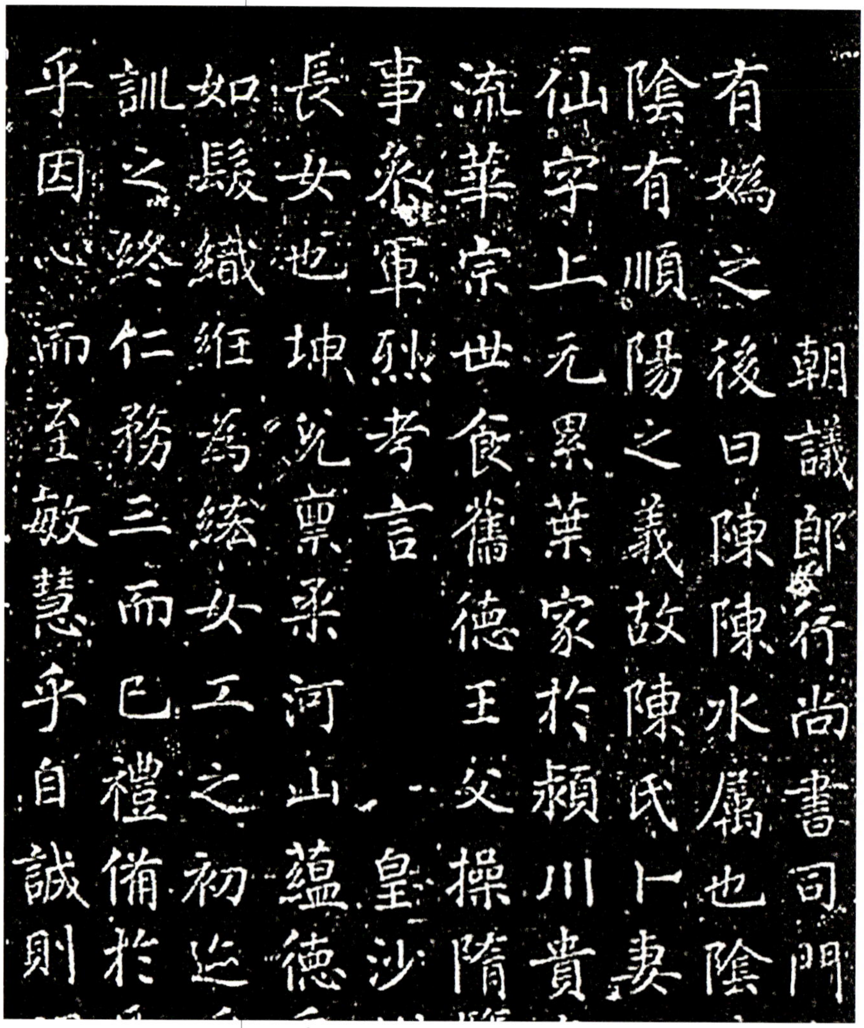

陳尚仙墓志

唐

徐浩

河南洛陽市紅山鄉出土。

高72、寬70厘米。

楷書二十五行，滿行二十五字。

刻于開元二十四年（公元736年）。此選爲局部。

不空和尚碑

唐

徐浩

高305、寬99厘米。

楷書二十四行，每行四十八字。

刻于建中二年（公元781年）。此選爲局部。

現藏陝西省西安碑林博物館。

張庭珪墓志

唐

徐浩

河南伊川縣高山鄉出土。

志高80、寬80厘米。

隸書三十四行，滿行三十七字，共一千一百八十二字。

此選爲局部。

現藏河南省伊川縣博物館。

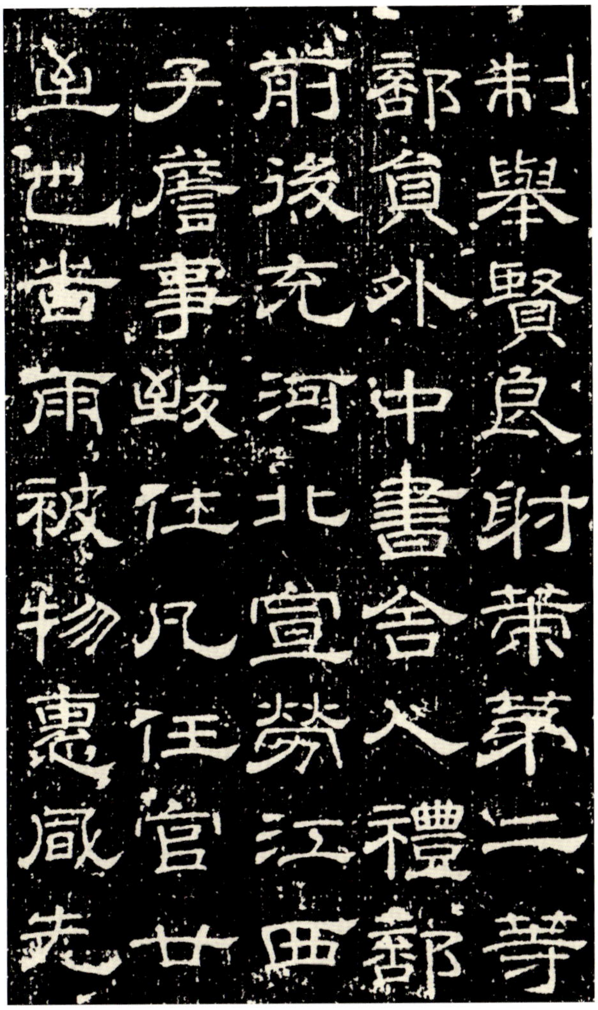

嵩陽觀記

唐

徐浩

高900、寬204厘米。

隸書二十五行，每行五十三字。刻于天寶三年（公元744年）。此選爲局部。

碑今在河南省登封市嵩陽書院。

李　凑

生卒年不詳。著名書家李邕之侄。

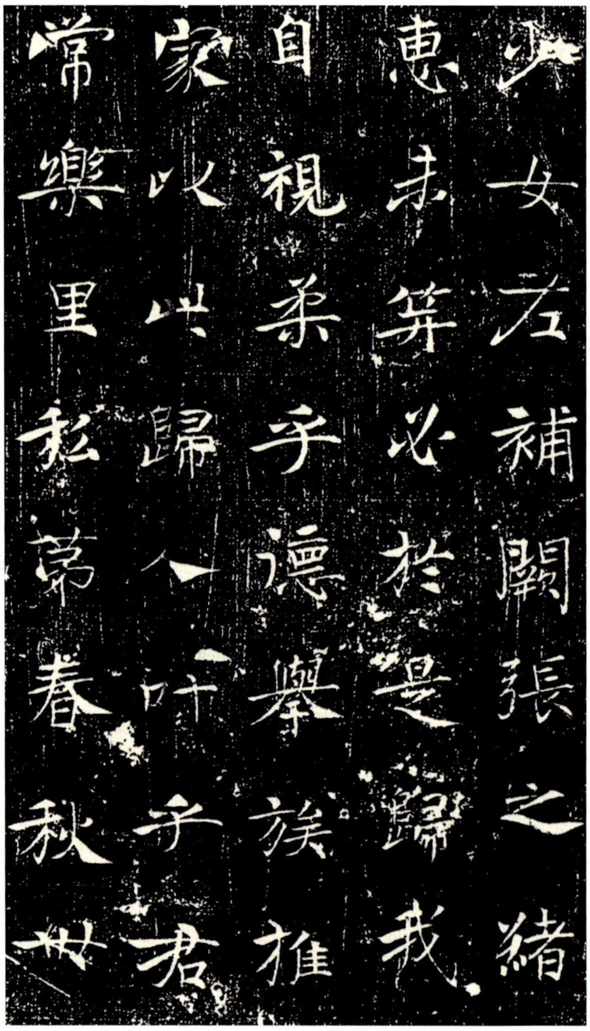

順節夫人墓志

唐

李凑

高44.5、寬44.5厘米。

楷書十七行，每行十六字。刻于天寶十一年（公元752年）。此選爲局部。

現藏河南省新安縣千唐志齋博物館。

胡霈然

生卒年不詳。爲唐代開元天寶年間隸書名家。

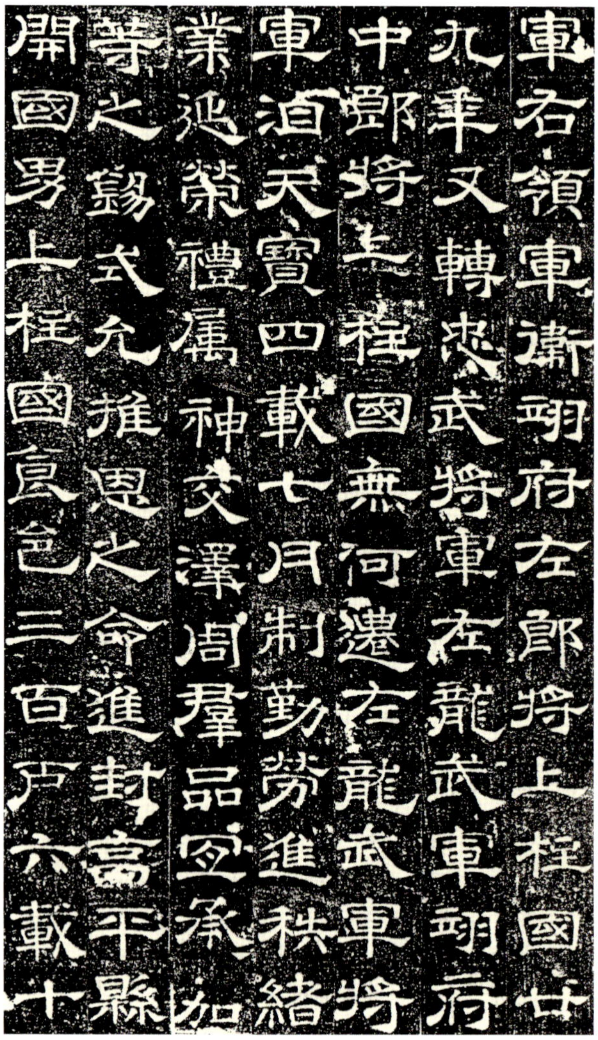

曹仁墓志

唐

胡霈然

河南伊川縣呂店鄉出土。

高59.5、寬59.5厘米。

隸書三十四行，滿行三十九字。刻于天寶十三年（公元754年）。此選爲局部。

梁昇卿

生卒年不詳，活躍于唐玄宗開元年間。官至廣州都督。善隸書。

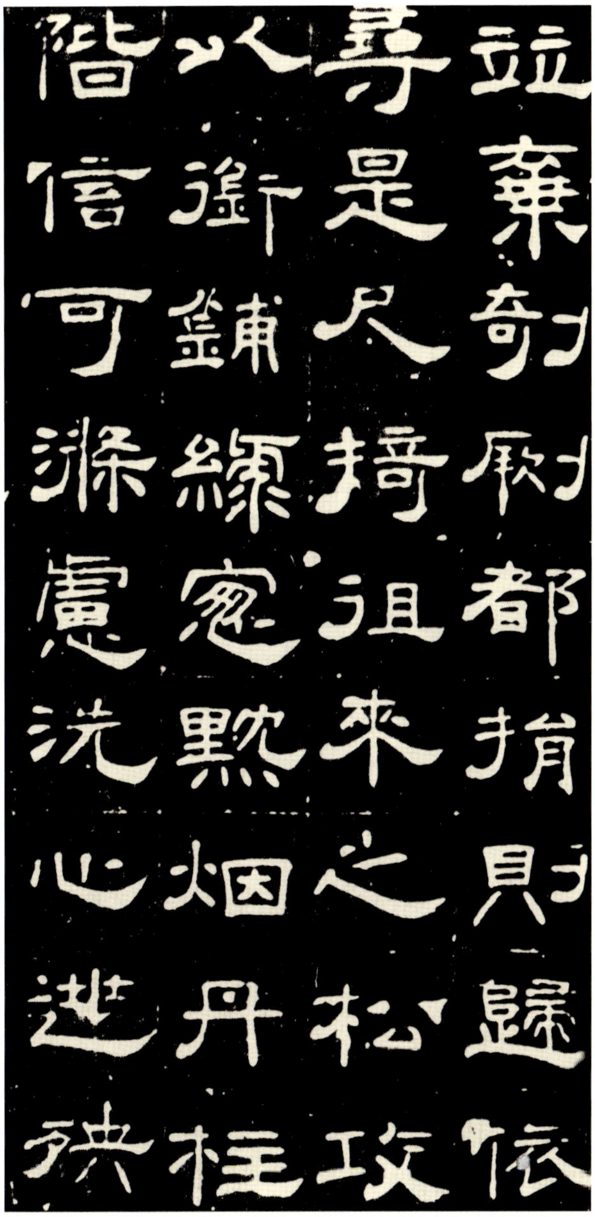

御史臺精舍碑

唐

梁昇卿

碑高145、寬65厘米。

隸書十八行，每行三十五字。刻于開元十一年（公元723年）。此選爲局部。

現藏陝西省西安碑林博物館。

張説墓志

唐

梁昇卿

河南伊川縣呂店鄉出土。

志高79、寬79厘米。

隸書三十二行，滿行三十三字。刻于開元十八年（公元730年）。此選爲局部。

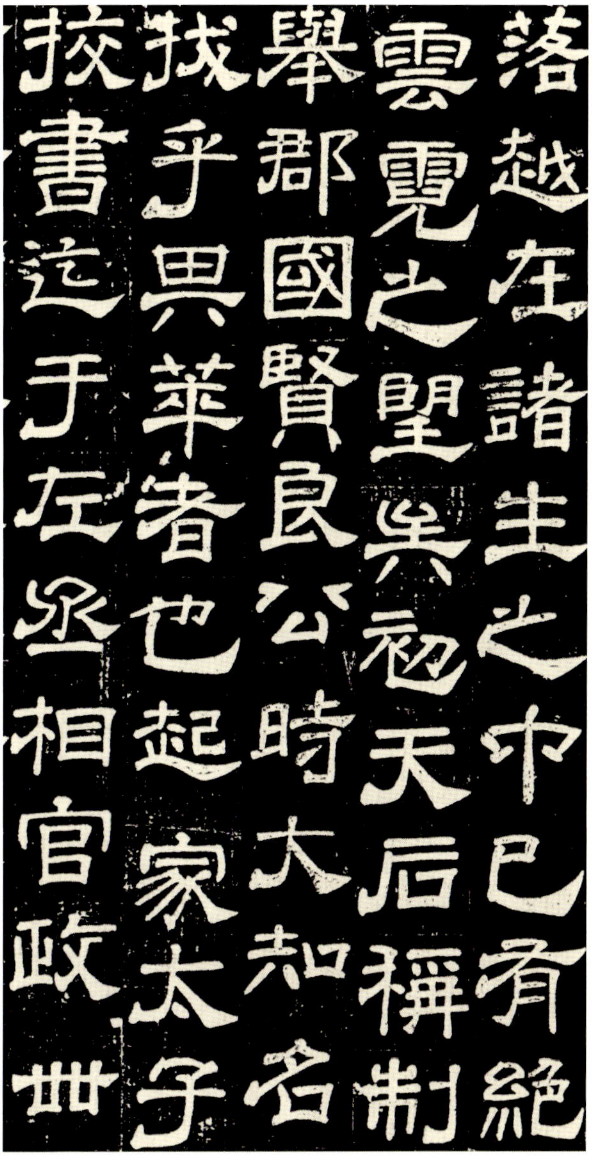

史惟則

生卒年不詳。主要活動于玄宗、肅宗兩朝，吴郡（今江蘇蘇州）人。善篆、隸，尤以隸書著名。

大智禪師碑

唐

史惟則

碑高202、寬112厘米。

隸書三十二行，每行六十一字。刻于開元二十四年（公元736年）。此選爲局部。

現藏陝西省西安碑林博物館。

韓擇木

生卒年不詳。昌黎（今屬河北）人。唐玄宗開元時，官至工部尚書、右散騎常侍，人稱“韓常侍”。善隸、楷書。

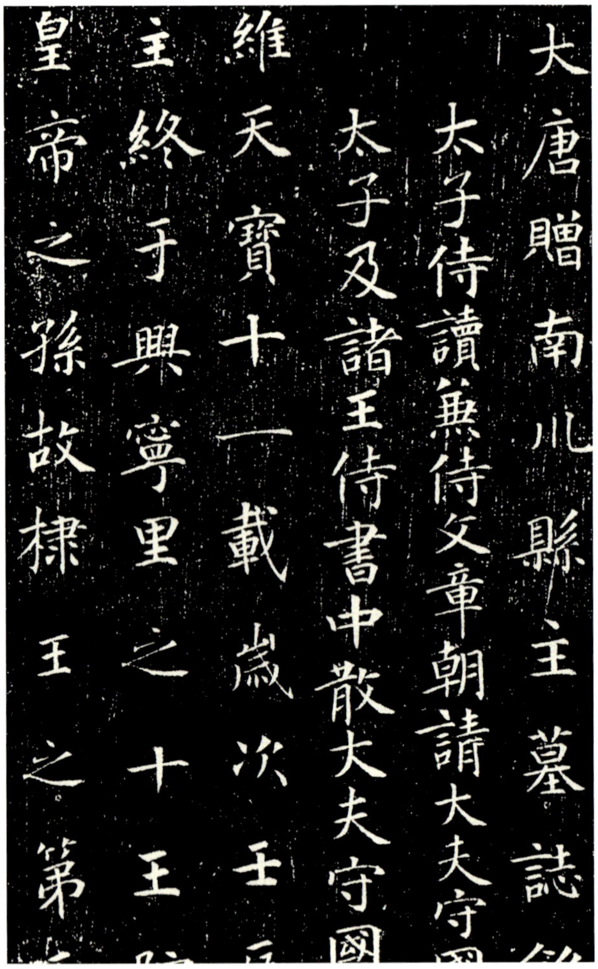
大唐贈南川縣主墓誌
太子侍讀兼侍文章朝請大夫守
太子及諸王侍書中散大夫守
維天寶十一載歲次壬
主終于興寧里之十王
皇帝之孫故棣王之第

南川縣主墓志

唐

韓擇木

高、寬均61厘米。

楷書二十一行，每行二十二字。刻于天寶十一年（公元752年）。此選爲局部。

現藏陝西歷史博物館。

顔真卿（公元709－785年）

琅玡臨沂（今山東臨沂北）人。五世祖顔之推時遷居京兆萬年（今陝西西安），字清臣。開元進士，官殿中侍御史，因被楊國忠排擠，出任平原太守，世稱“顔平原”。後入京，官吏部尚書、太子太師，封魯國公，故又稱“顔魯公”。德宗時，李希烈叛亂，顔真卿前往勸諭，爲李緇死，謚文忠。擅書法，其楷書對後世影響極大，被稱爲“顔體”。

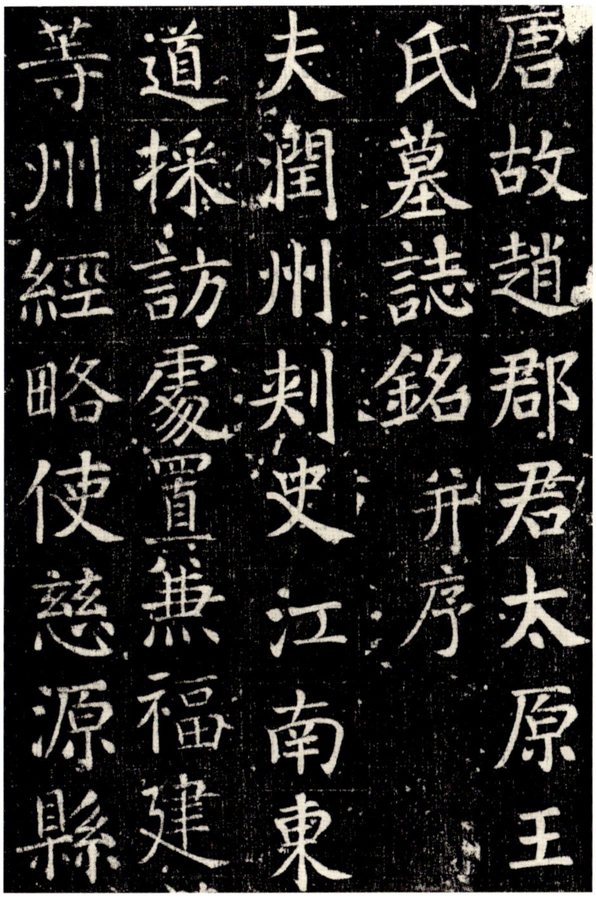
唐故趙郡君太原王
氏墓誌銘并序
夫潤州刺史江南東
道採訪處置兼福建
等州經略使慈源縣

王琳墓志

唐

顔真卿

河南洛陽市龍門鎮張溝村出土。

志面高90、寬90.5厘米。

志文三十二行，滿行三十二字，有淺界格。刻于開元二十九年（公元741年）。此選爲局部。

現藏河南洛陽師範學院。

郭虚己墓志

唐

顔真卿

河南偃師市首陽山鎮出土。

高104.8、寬106厘米。

楷書三十五行，滿行三十四字，刻于天寶八年（公元749年）。此選爲局部。

現藏河南省偃師商城博物館。

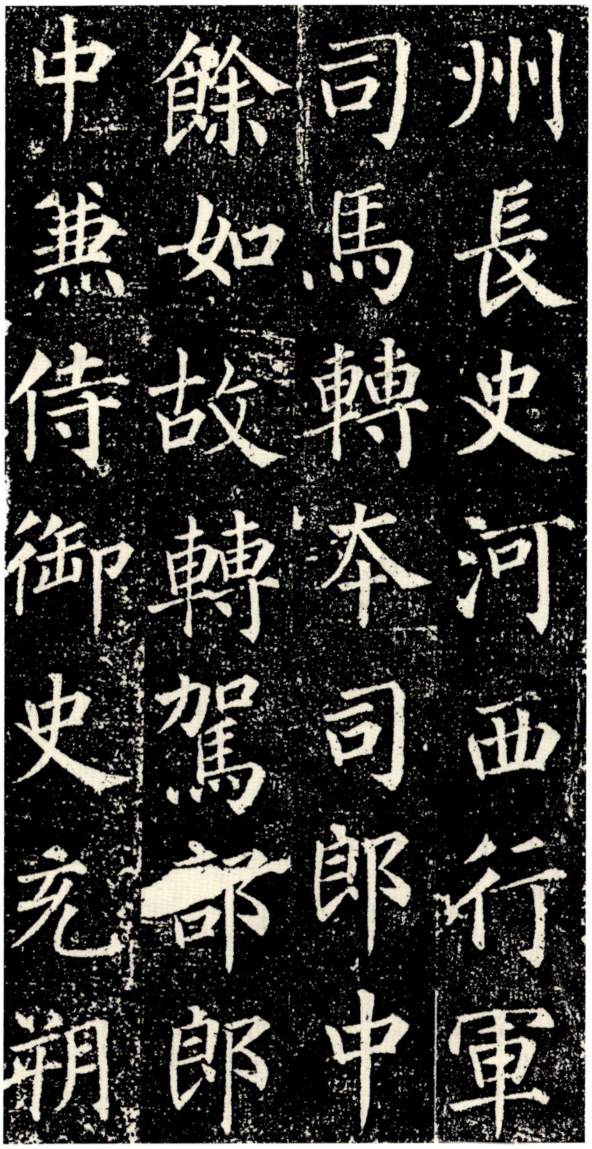
州長史河西行軍
司馬轉夲司郎中
餘如故轉駕部郎
中兼侍御史充朔

多寶塔感應碑

唐

顏真卿

高260.3、寬140厘米。

楷書三十四行，每行六十六字。刻于天寶十一年（公元752年）。

原石現存陝西省西安碑林博物館。

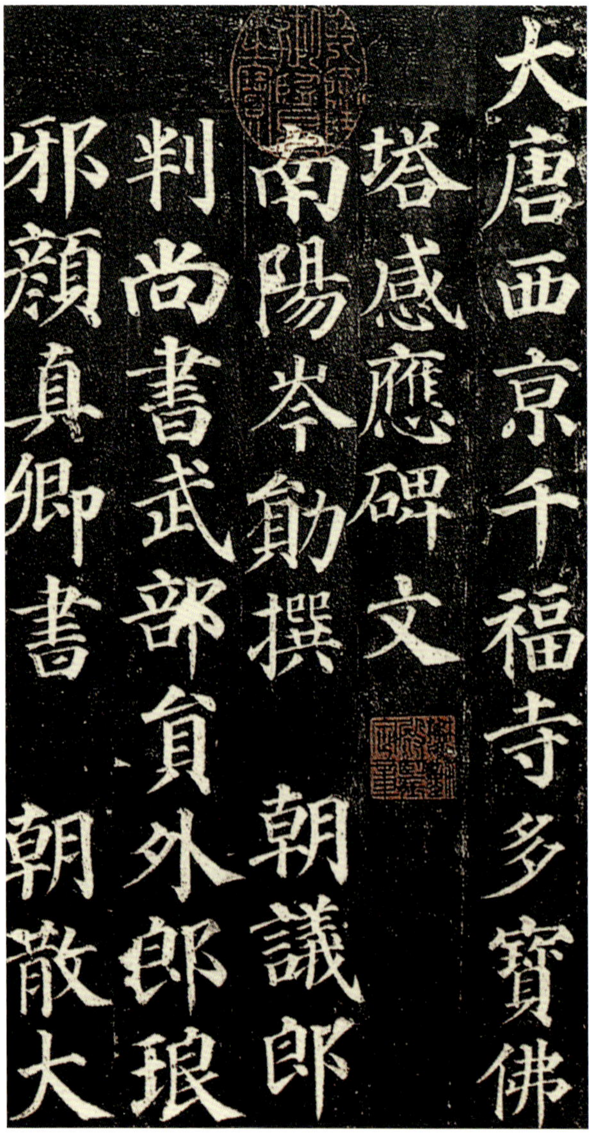
大唐西京千福寺多寶佛
塔感應碑文
南陽岑勛撰 朝議郎
判尚書武部員外郎琅
邪顏真卿書 朝散大

多寶塔感應碑局部之一

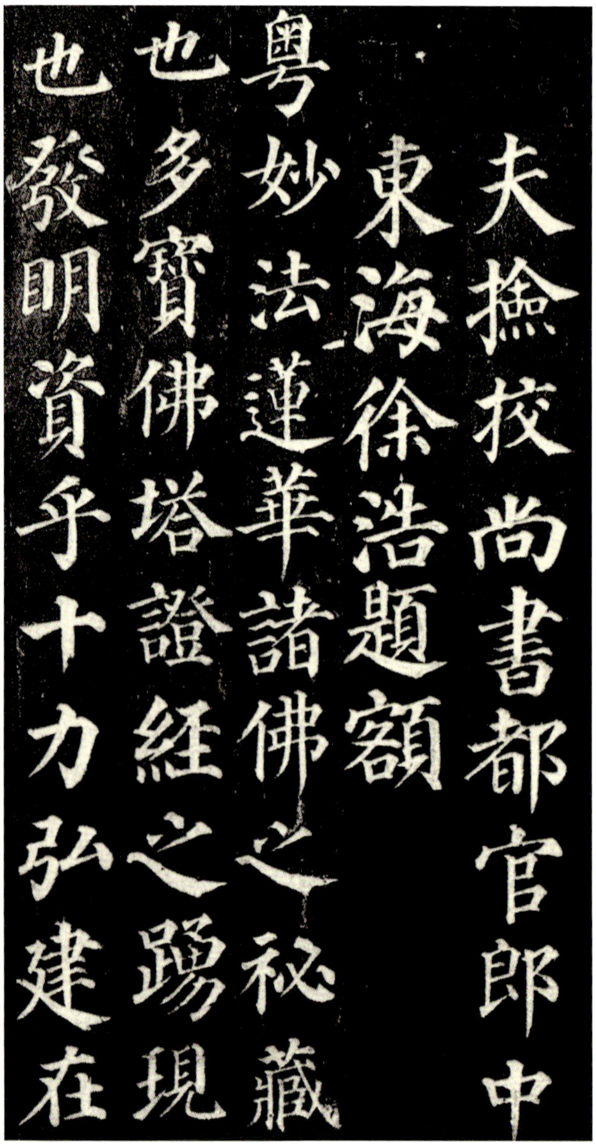
夫撿挍尚書都官郎中
東海徐浩題額
粵妙法蓮華諸佛之祕藏
也多寶佛塔證經之踴現
也發明資乎十力弘建在

多寶塔感應碑局部之二

漢太中大
夫東方先
生畫贊幷

東方朔畫贊碑局部之一

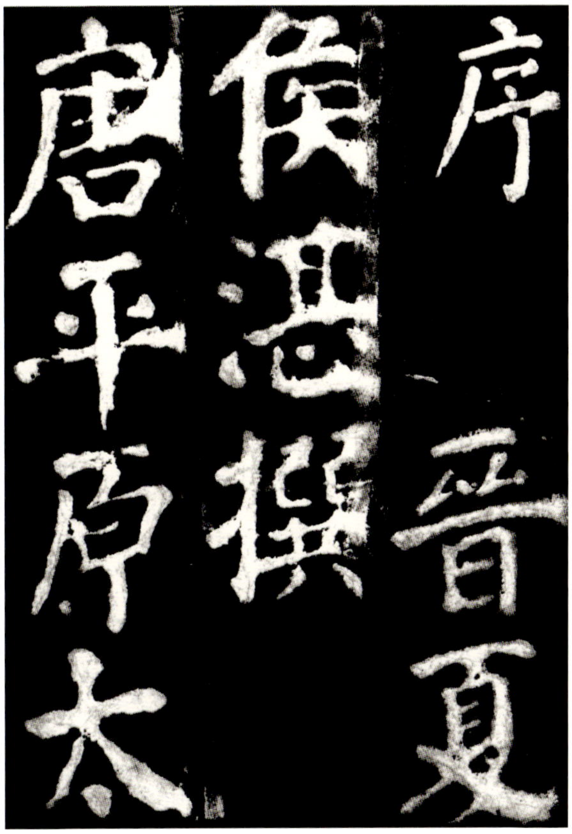
序
晉夏
侯湛撰
唐平原太

東方朔畫贊碑局部之二

東方朔畫贊碑

唐

顔真卿

高340、寬151.6厘米。楷書，碑陽碑陰各十五行，左右各三行，每行三十字。刻于天寶十三年（公元754年）。

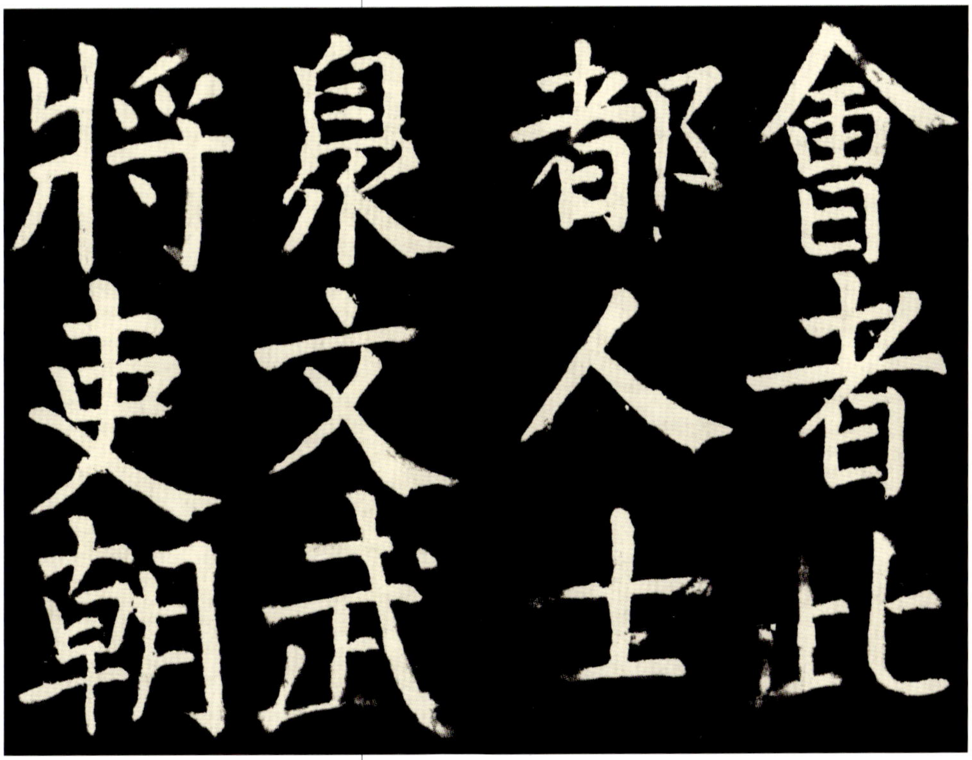
會者此
都人士
泉文武
將吏朝

八關齋會報德記

唐

顔真卿

碑原立于河南商丘市。楷書四十行，滿行二十八字。刻于大曆七年（公元772年）。此選爲局部。

祭侄文稿

唐

顔真卿

高28.8、寬75.5厘米。

紙本。行書二十三行，共二百三十五字。書于乾元元年（公元758年）。

現藏臺北故宮博物院。

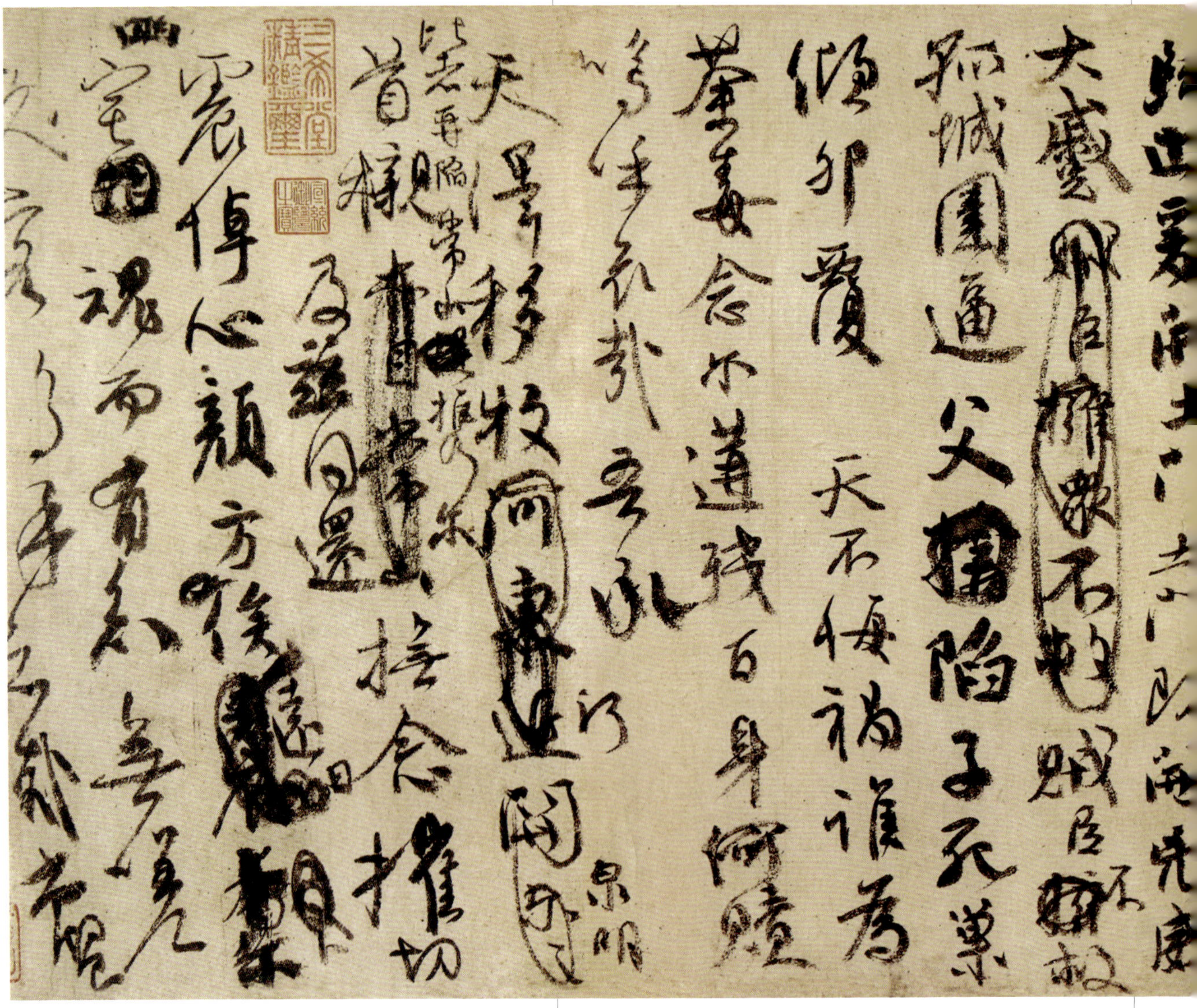

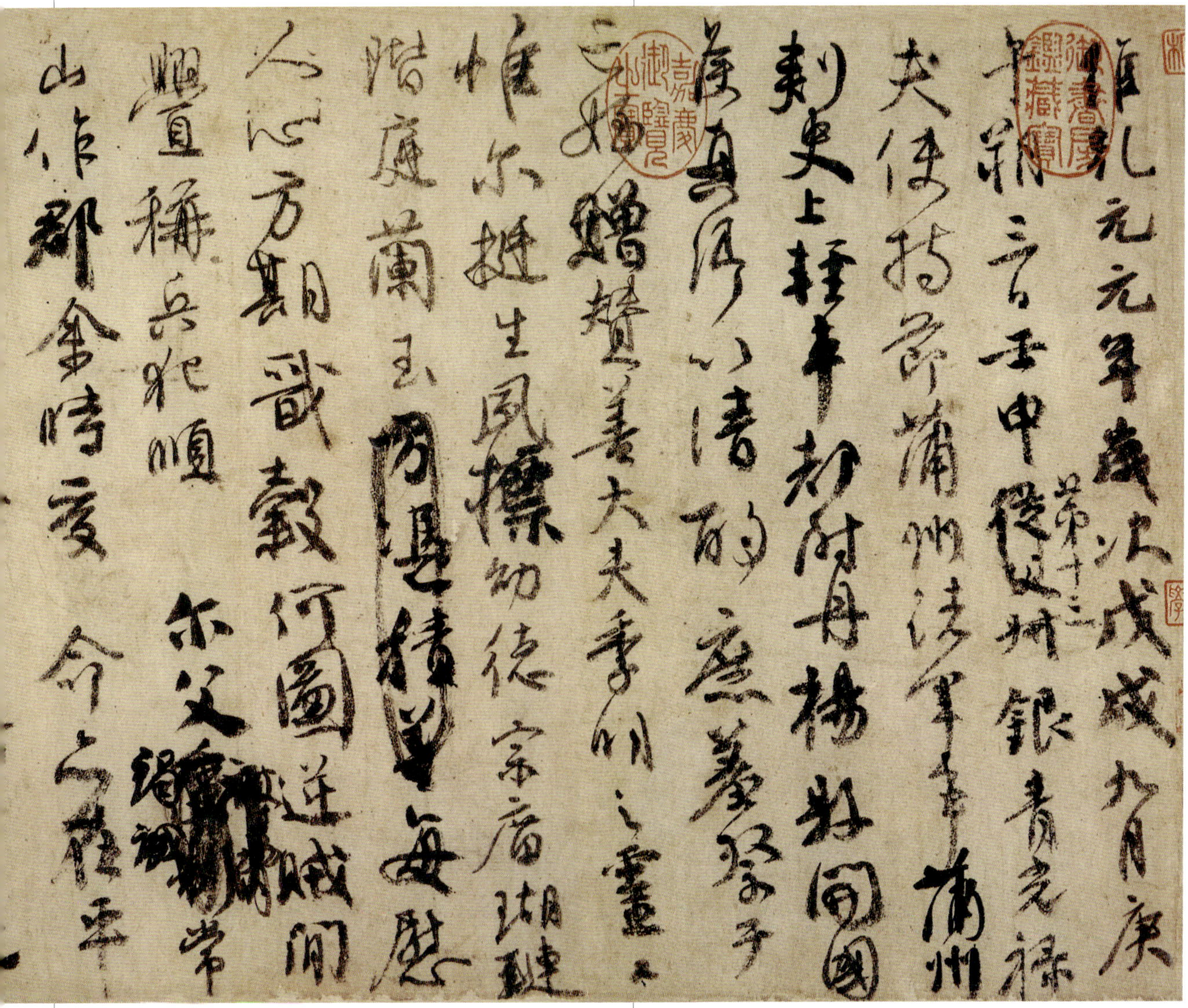

争座位帖

唐

顏真卿

又名《論座帖》、《與郭僕射書》。真迹原有七紙，行書六十四行。書于廣德二年（公元764年）。真迹久佚。

刻石今存陝西省西安碑林博物館。

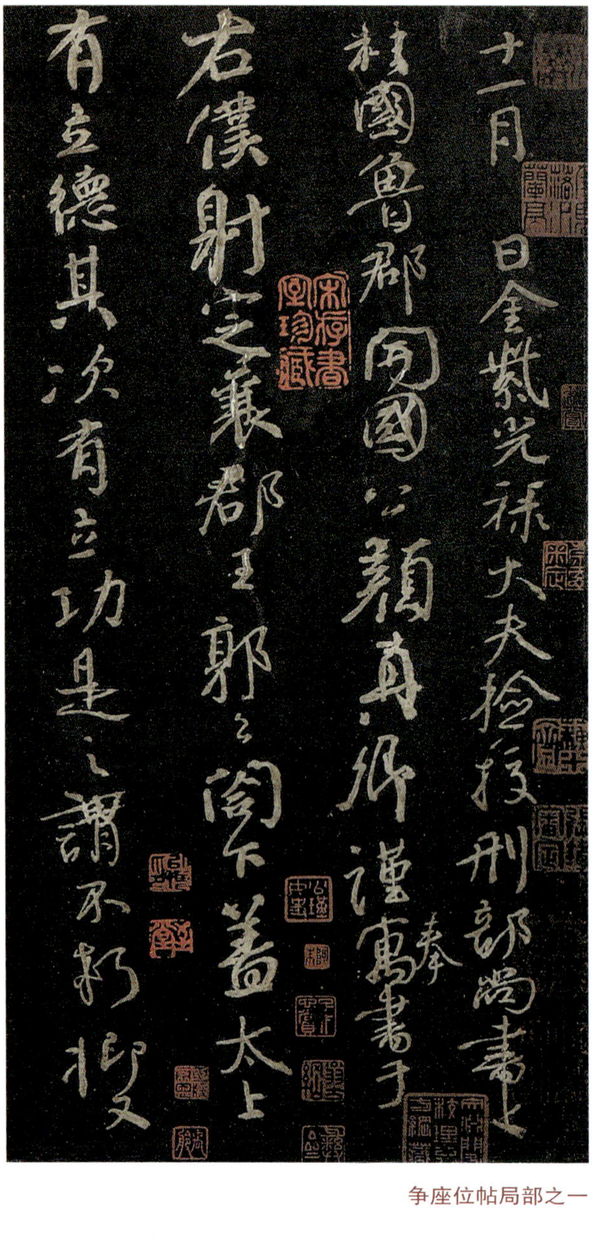

争座位帖局部之一

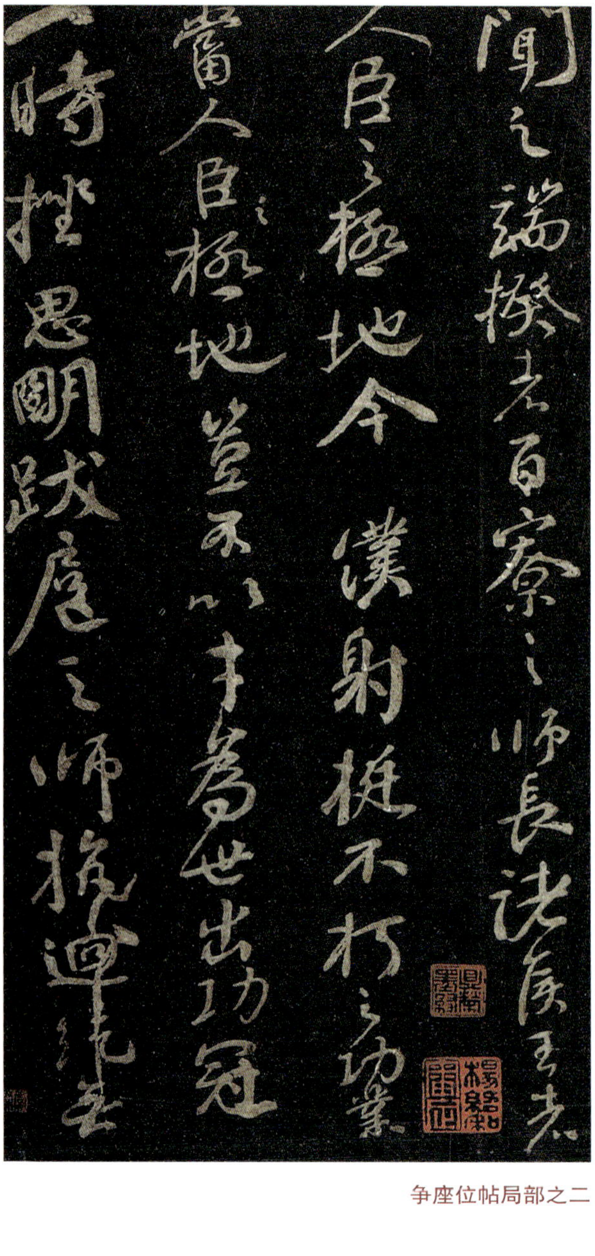

争座位帖局部之二

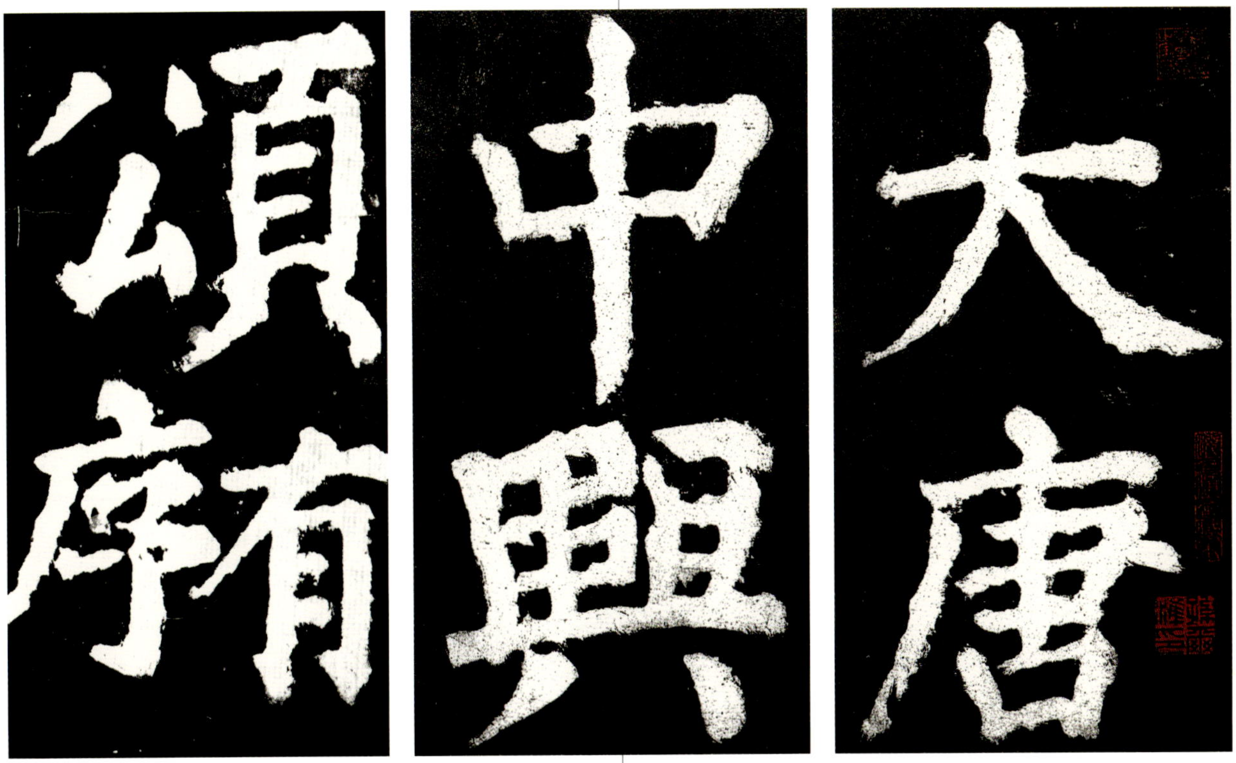
大唐
中興
頌有
序

中興頌

唐

顔真卿

高416.6、寬422.3厘米。

大曆六年（公元771年）刻于湖南省祁陽縣浯溪崖壁上。此選爲局部。

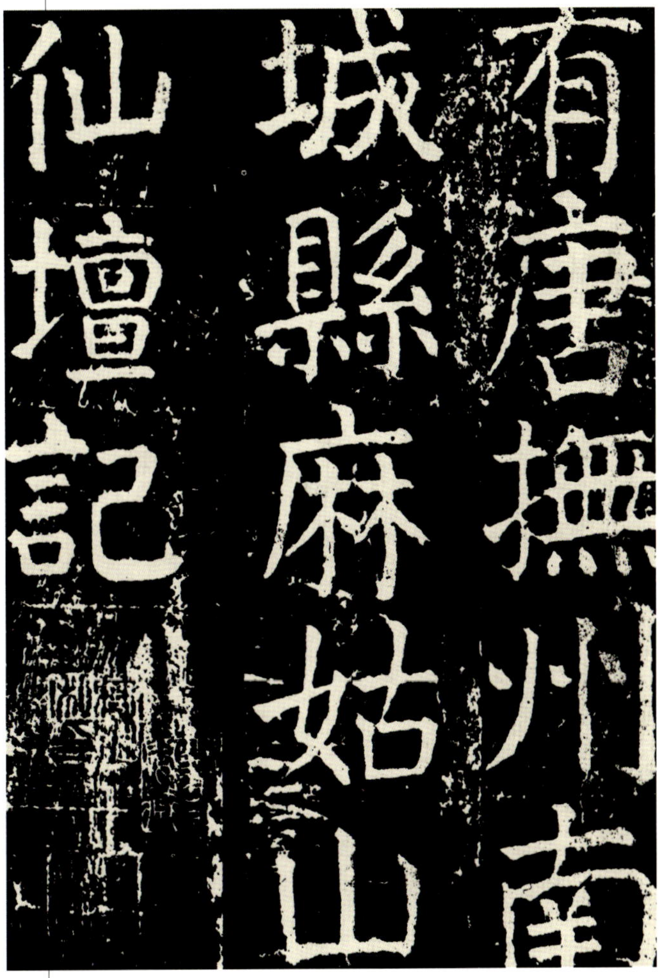
有唐撫州南
城縣麻姑山
仙壇記

麻姑仙壇記

唐

顔真卿

刻于大曆六年（公元771年）。

碑原立于江西南城縣，明代毀于火灾。此選爲局部。

小字麻姑仙壇記

唐

顏真卿

小楷四十六行，每行二十字。此選爲局部。

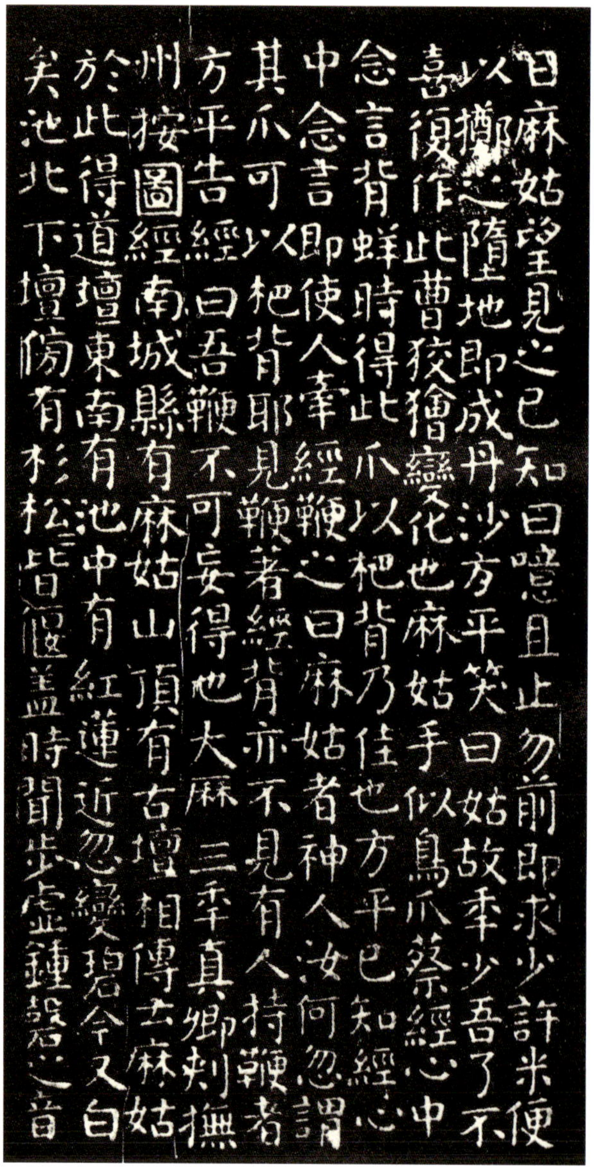
曰麻姑望見之已知曰噫且止勿前即求少許米便
以擲之墮地即成丹沙方平笑曰姑故年少吾了不
喜復作此曹狡獪變化也麻姑手似鳥爪蔡經心中
念言背蛘時得此爪以杷背乃佳也方平已知經心
中念言即使人牽經鞭之曰麻姑者神人汝何忽謂
其爪可以杷背耶見鞭著經背亦不見有人持鞭者
方平告經曰吾鞭不可妄得也大曆三年真卿刺撫
州按圖經南城縣有麻姑山頂有古壇相傳云麻姑
於此得道壇東南有池中有紅蓮近忽變碧今又白
矣池北下壇傍有杉松皆偃蓋時聞步虛鐘磬之音

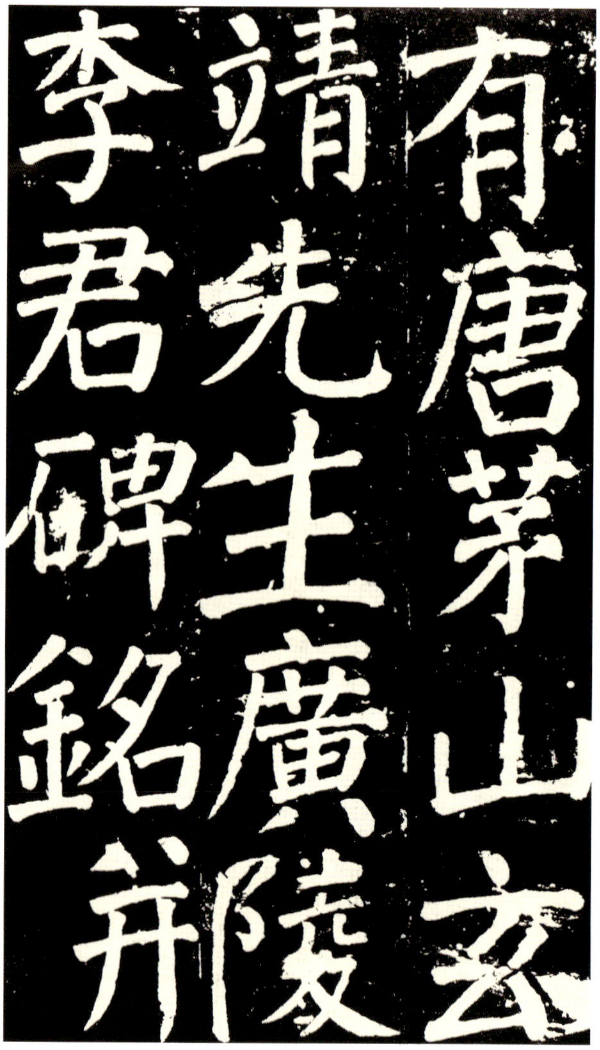
有唐茅山玄
靖先生廣陵
李君碑銘并

李玄靖碑

唐

顏真卿

碑原立于江蘇茅山華陽觀。

楷書四十六行，滿行三十九字。刻于大曆十二年（公元777年）。此選爲局部。

顔勤禮碑

唐

顔真卿

陝西西安市社會路出土。

高268、寬92厘米。

楷書四十四行，滿行三十八字。刻于大曆十四年（公元779年）。此選爲局部。

現藏陝西省西安碑林博物館。

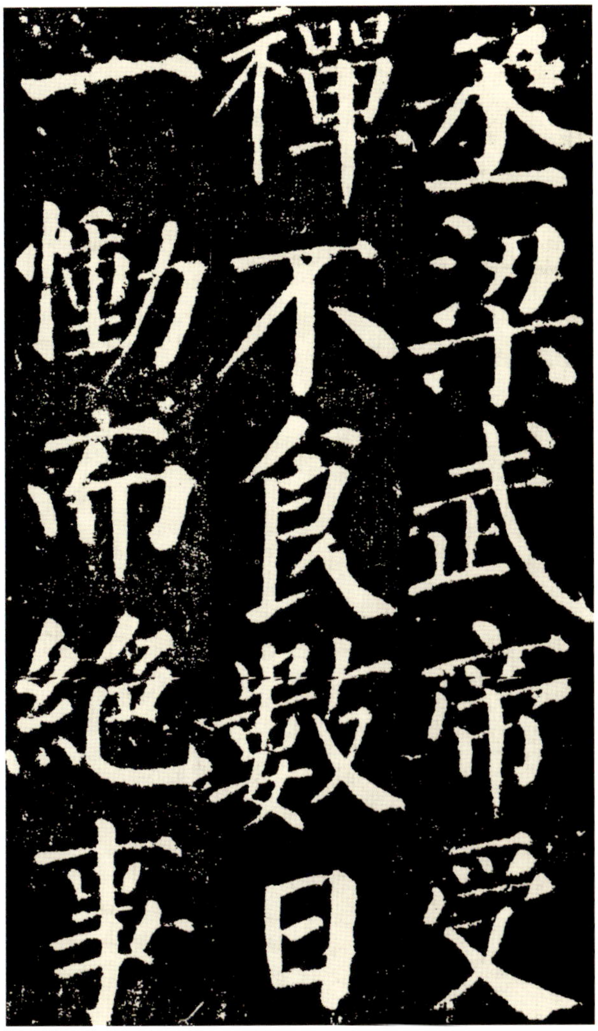
丞梁武帝受
禪不食數日
一慟而絕事

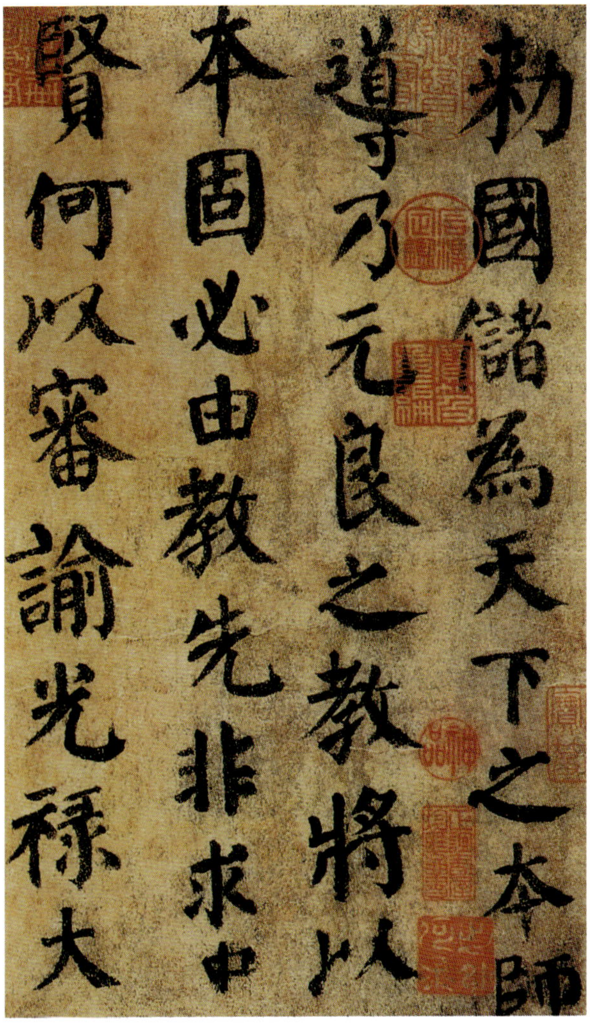
敕國儲爲天下之本師
導乃元良之教將以
本固必由教先非求中
賢何以審諭光祿大

自書告身

唐

顔真卿

紙本。

楷書三十三行，共二百五十三字。書于建中元年（公元780年）。此選爲局部。

現藏日本東京臺東區立書道博物館。

顏氏家廟碑

唐

顏真卿

高330、寬130厘米。

碑四面刻文。碑陽與碑陰各二十四行，每行四十七字。兩側各六行，每行五十二字。刻于建中元年（公元780年）。

現藏陝西省西安碑林博物館。

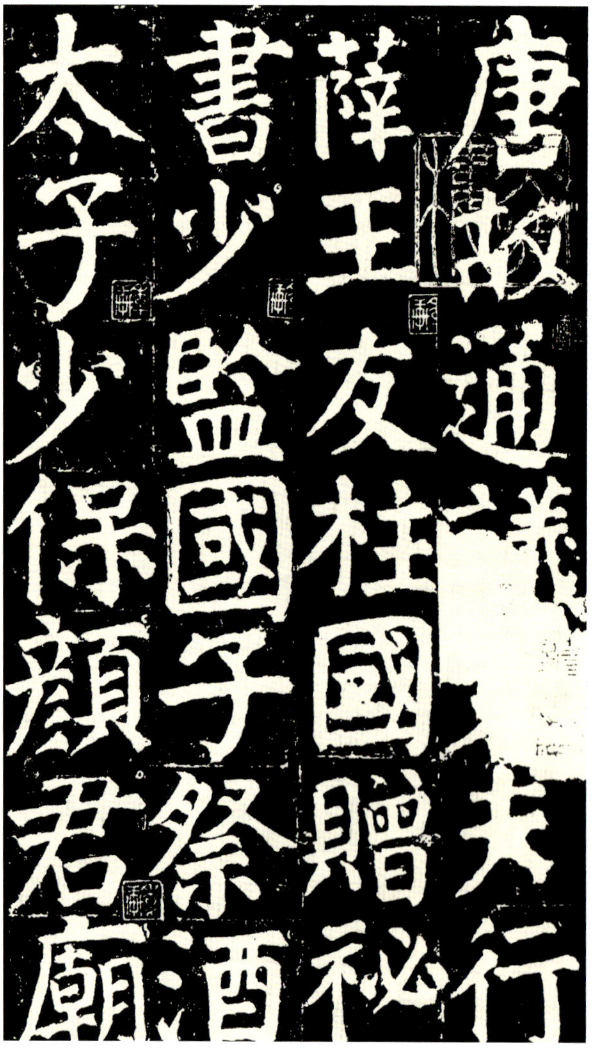
唐故通議大夫行
薛王友柱國贈秘
書少監國子祭酒
太子少保顏君廟

顏氏家廟碑局部之一

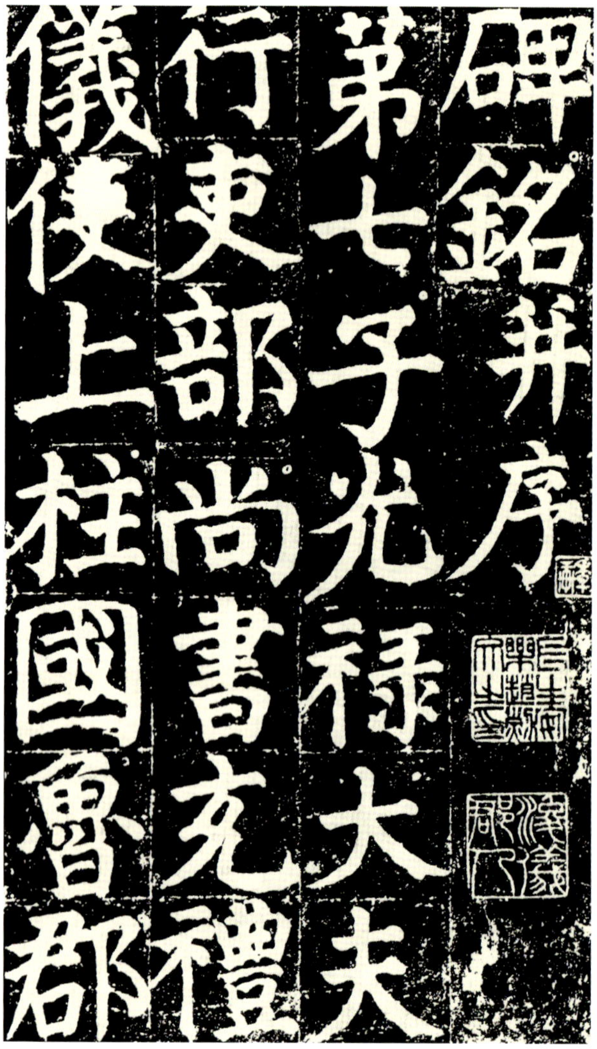
碑銘并序
第七子光祿大夫
行吏部尚書充禮
儀使上柱國魯郡

顏氏家廟碑局部之二

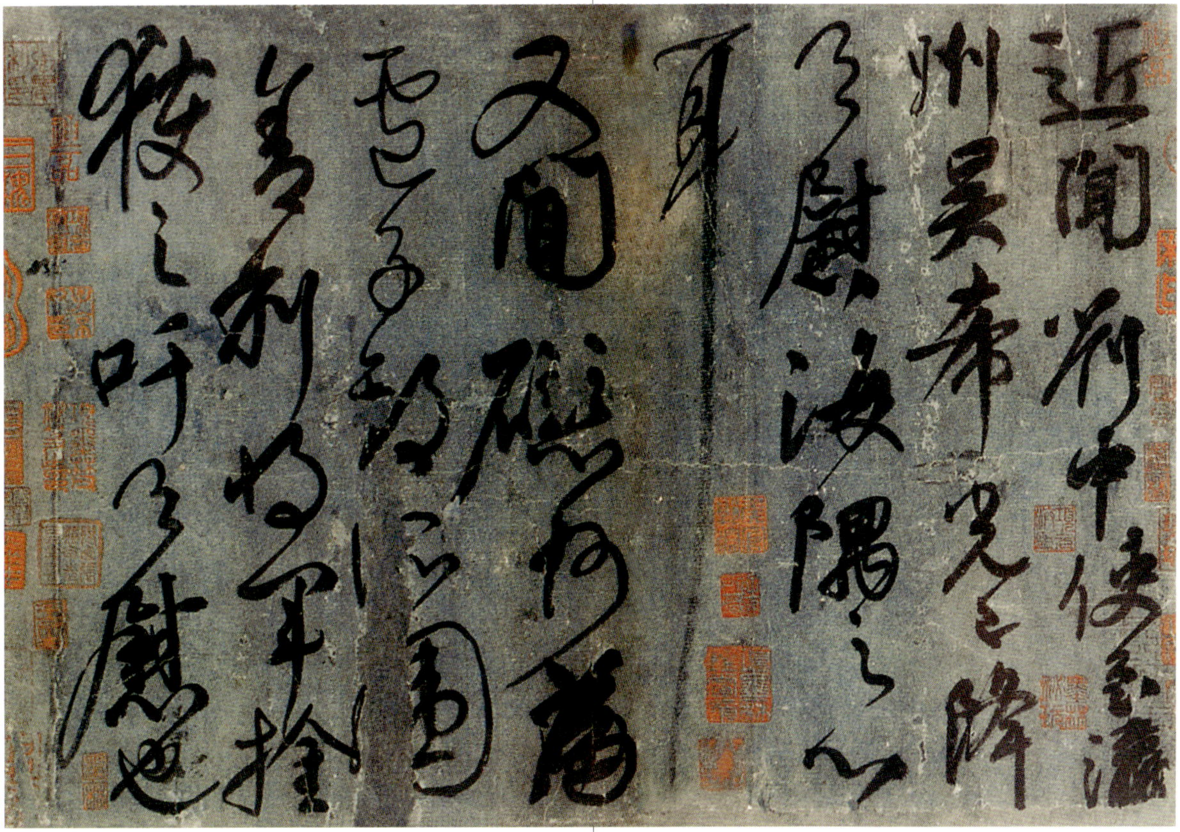

劉中使帖（上圖）

唐

顏真卿

紙本。行書八行，計四十一字。

現藏臺北故宮博物院。

湖州帖

唐

顏真卿

高26.9、寬50.2厘米。

紙本。行書八行，計四十八字。

宋米芾臨本。

現藏故宮博物院。

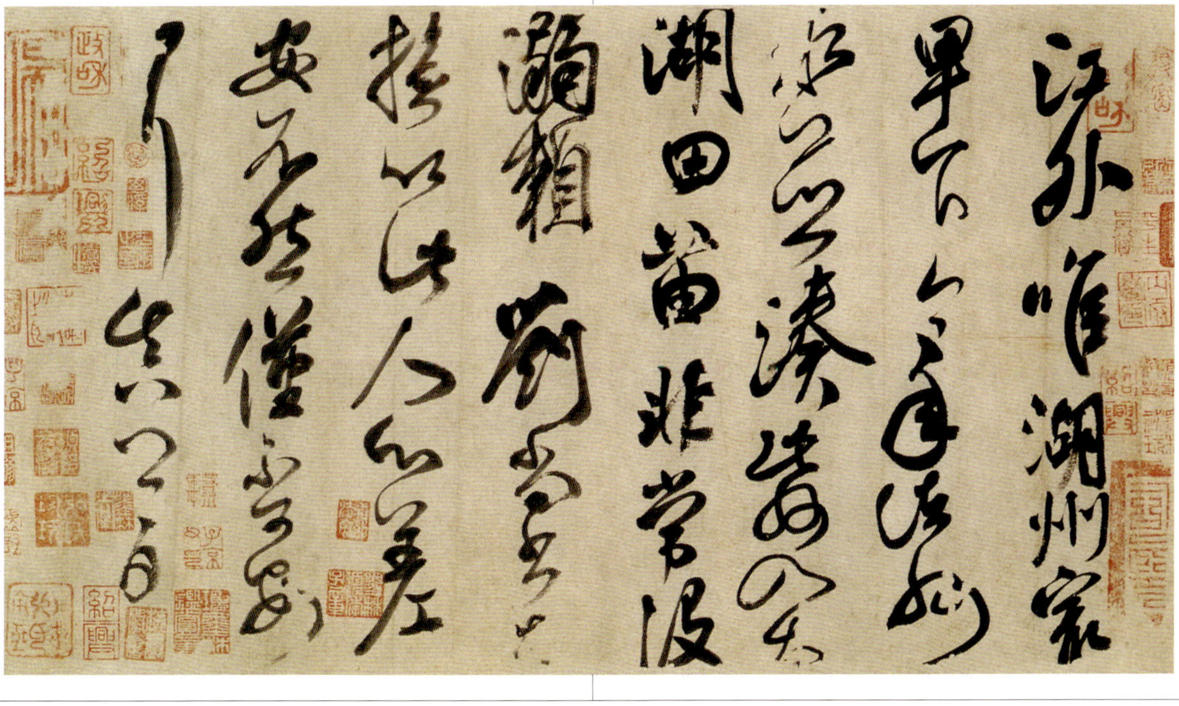

送裴將軍詩帖

唐

顏真卿（傳）

行草二十七行。

原迹久佚，僅有刻本存世。

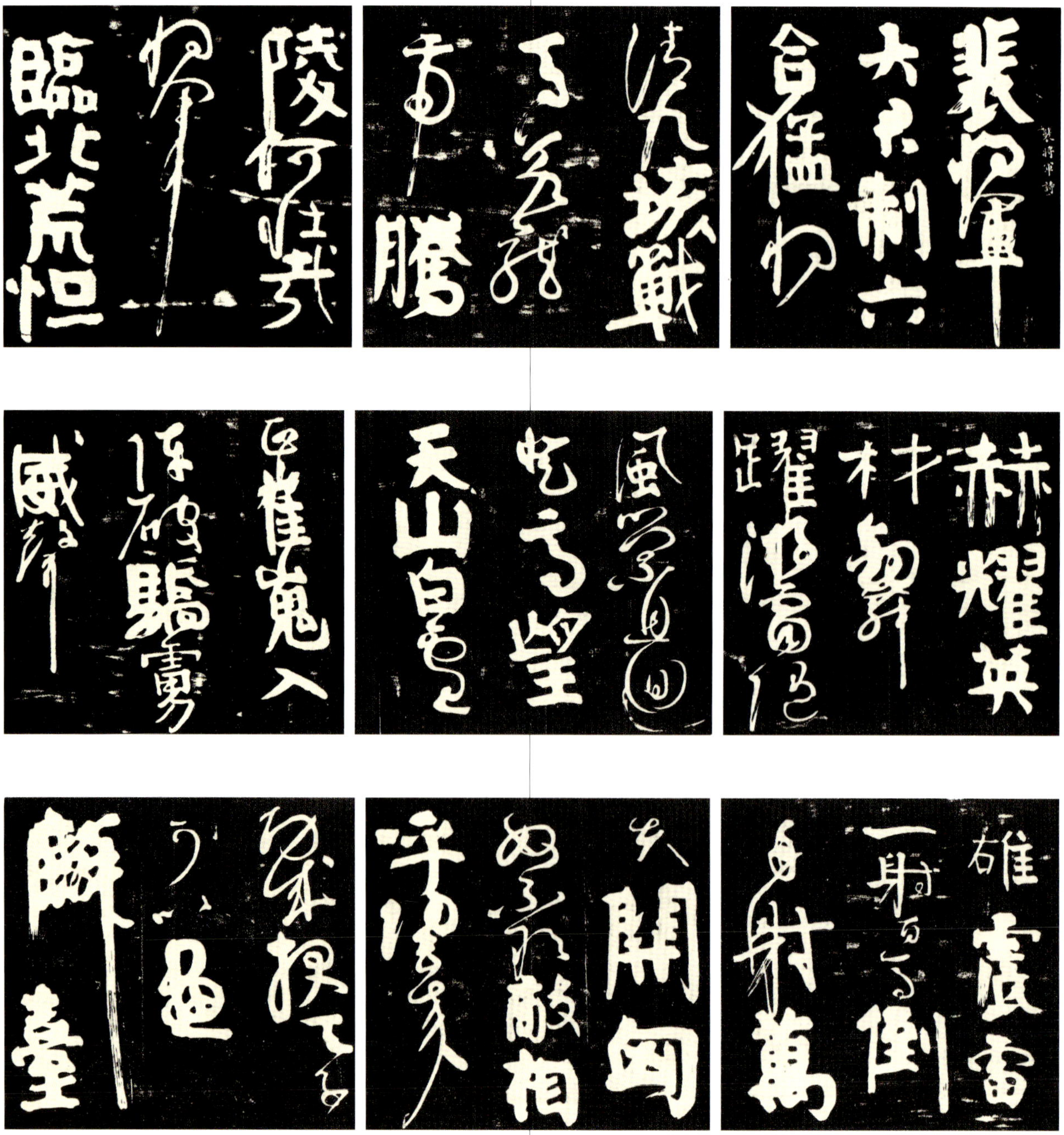

竹山堂連句詩帖

唐

顏真卿

高28.2、寬13.7厘米。

絹本。原爲整幅，後人割裱成册，共十五開。

唐人臨本。此選爲局部。

現藏故宫博物院。

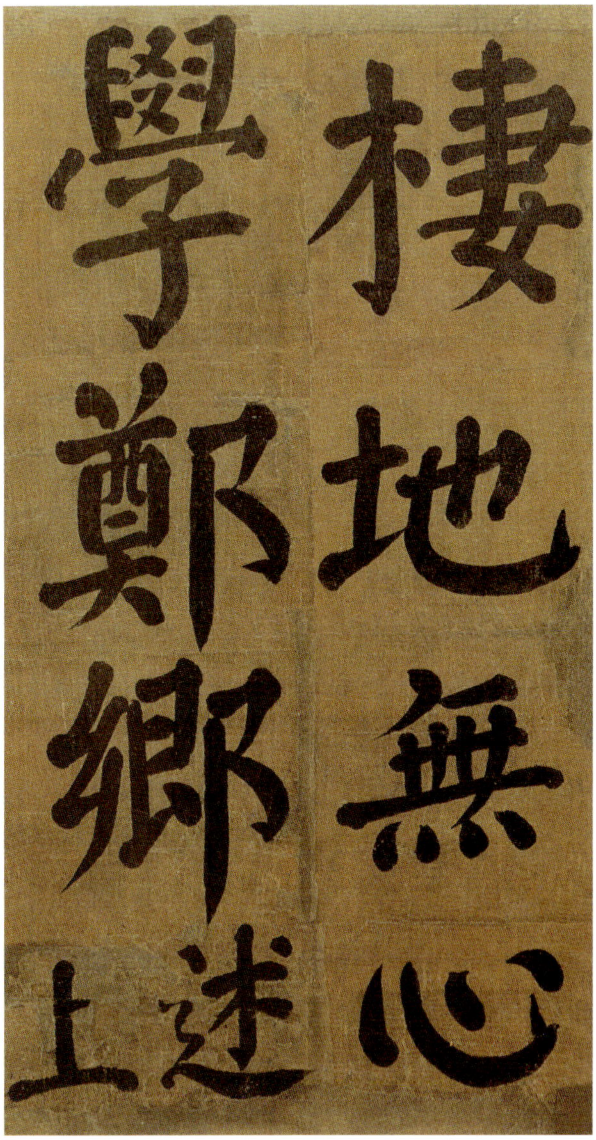
棲地無心
學鄭鄉述
上

懷　素（公元725－785年）

潭州長沙（今屬湖南）人。俗姓錢，字藏真。其書法遠宗張芝，近師張旭，同時兼收“二王”筆意，又曾得顏真卿、鄔彤指點，聚衆長而成一代狂草大師。

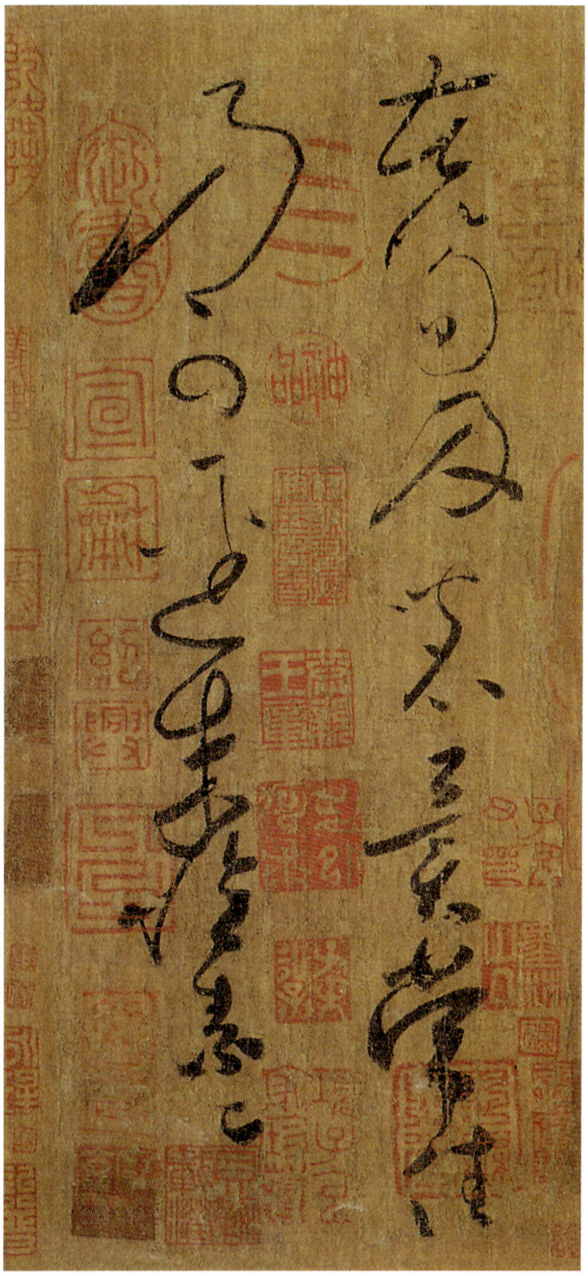

苦筍帖

唐

懷素

高25.1、寬12厘米。

絹本。

現藏上海博物館。

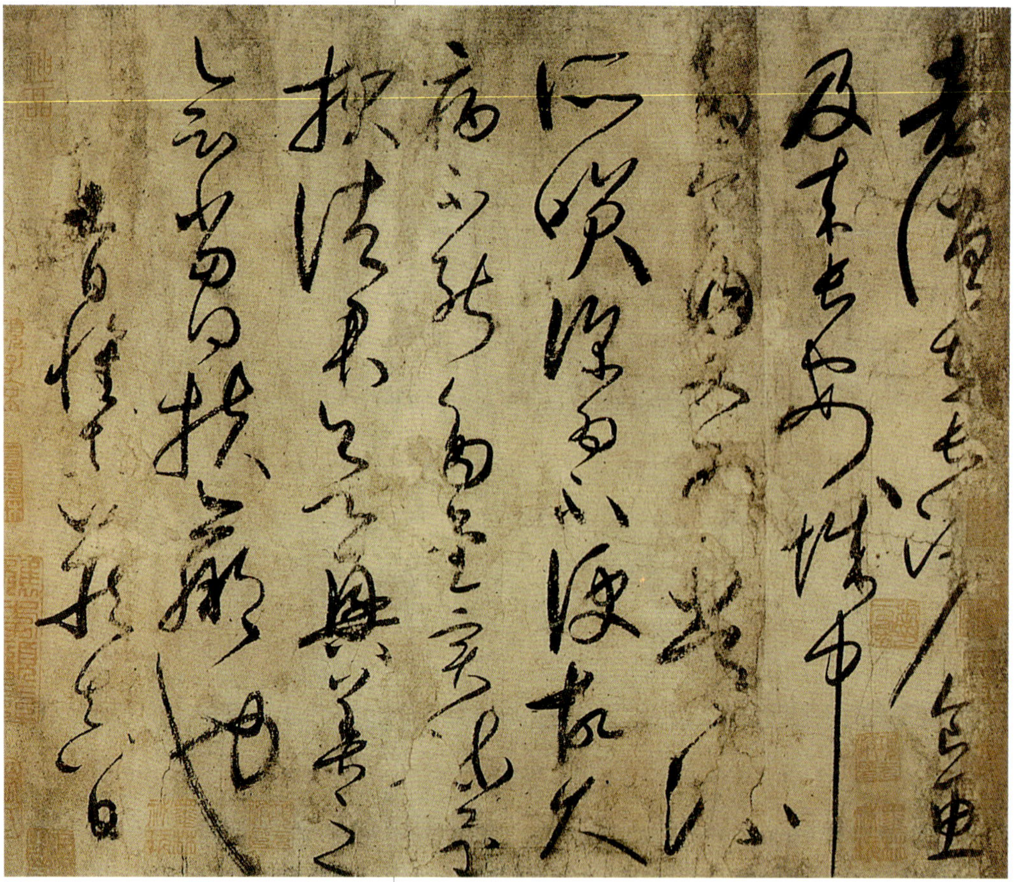

食魚帖

唐
懷素
高29、寬51.5
厘米。
紙本。草書八行，
計五十六字。
或爲宋人臨本。
現藏私人處。

小草千字文

唐
懷素
絹本。草書八十四行。此選爲局部。
現藏日本。

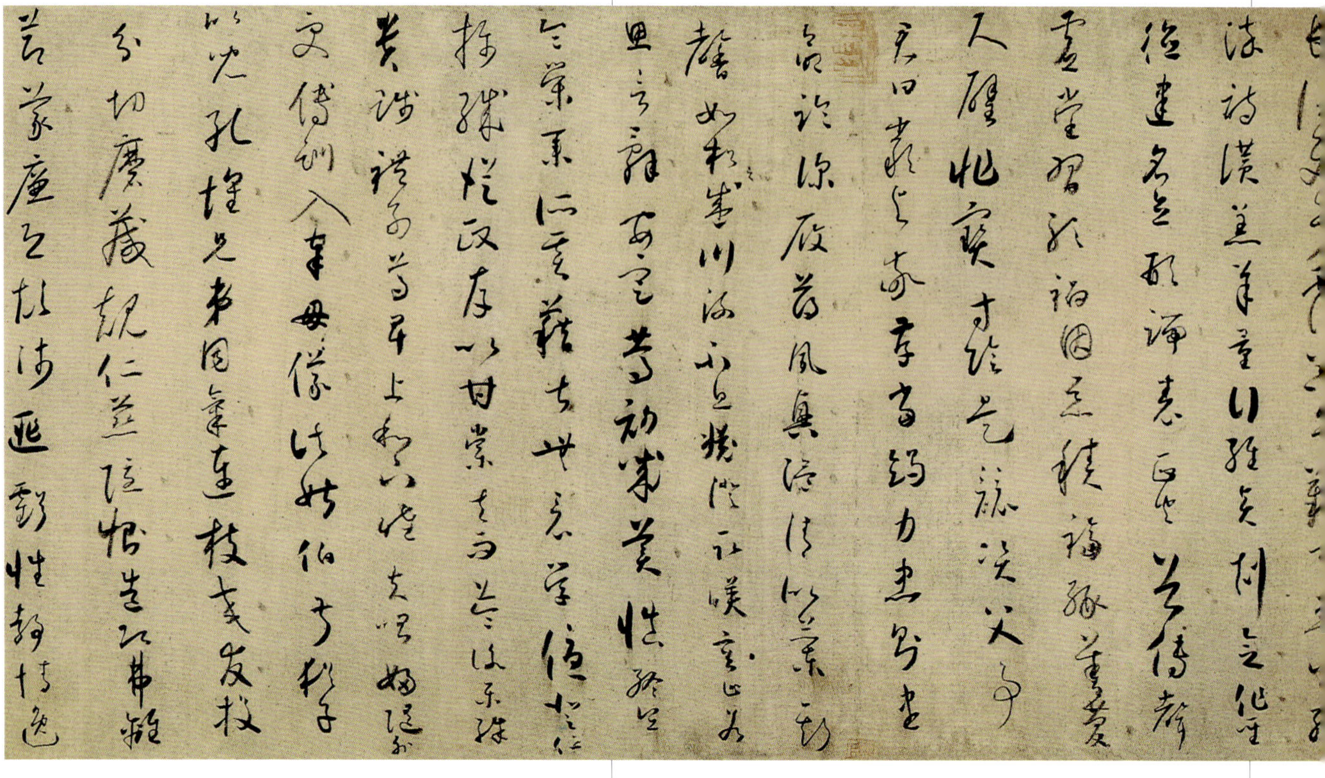

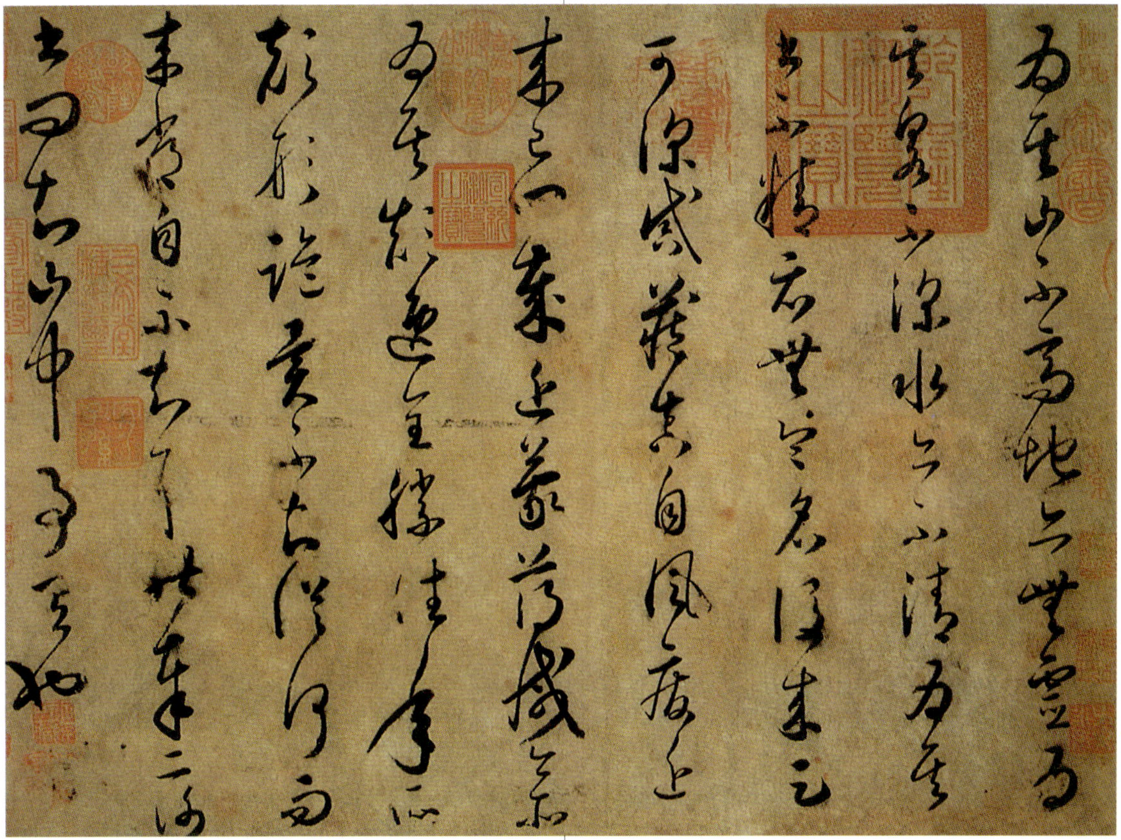

論書帖（上圖）

唐

懷素

高38.5、寬40.5厘米。

紙本。草書九行，計八十五字。

宋人臨本。

現藏遼寧省博物館。

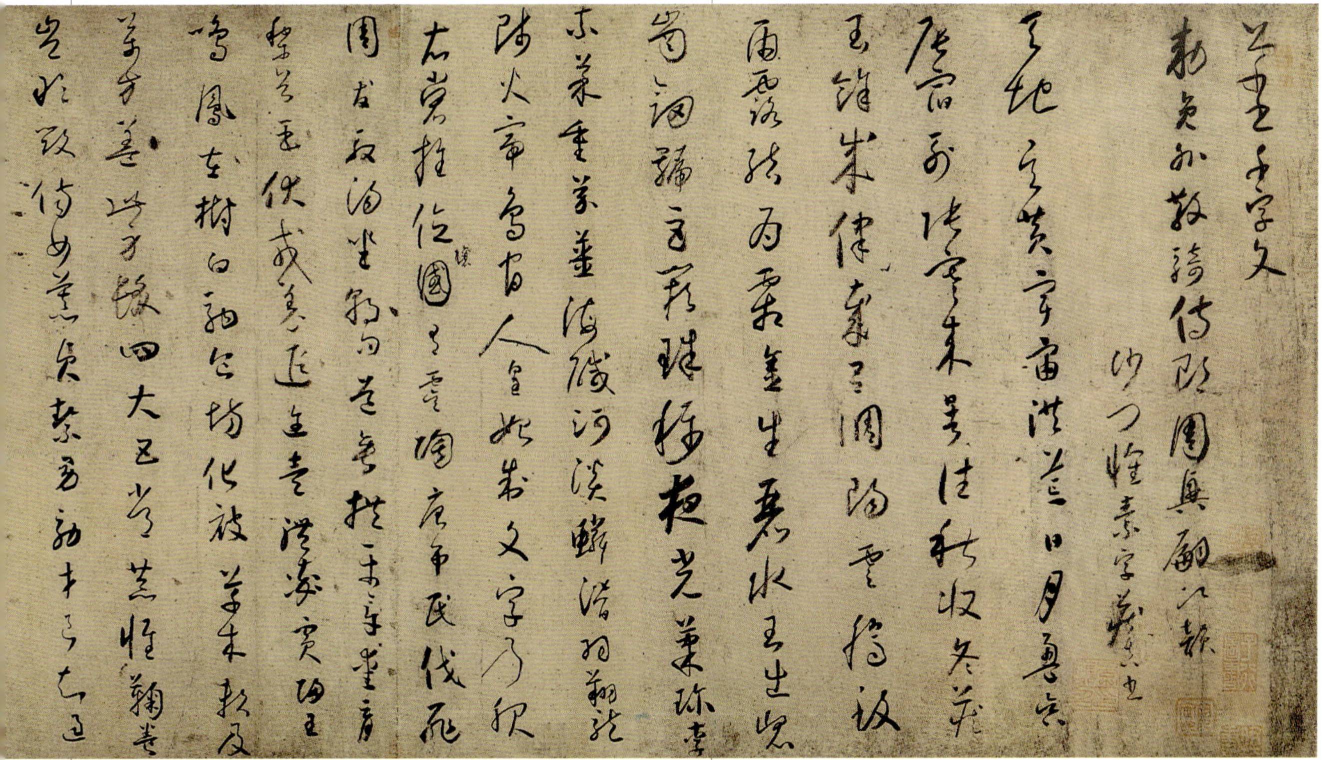

自叙帖

唐

懷素

高28.3、寬755厘米。

紙本。草書一百二十六行（前六行宋人補書）。

此選爲局部。

現藏臺北故宫博物院。

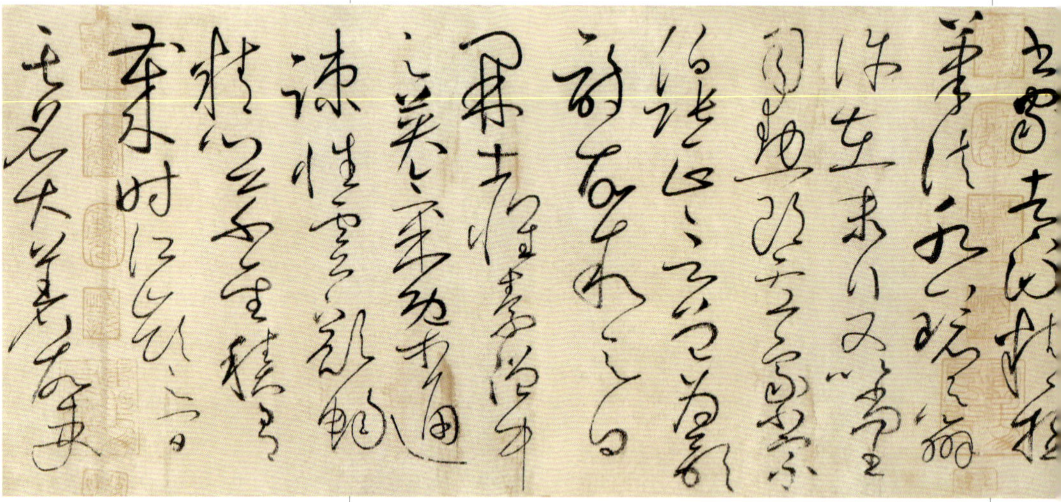

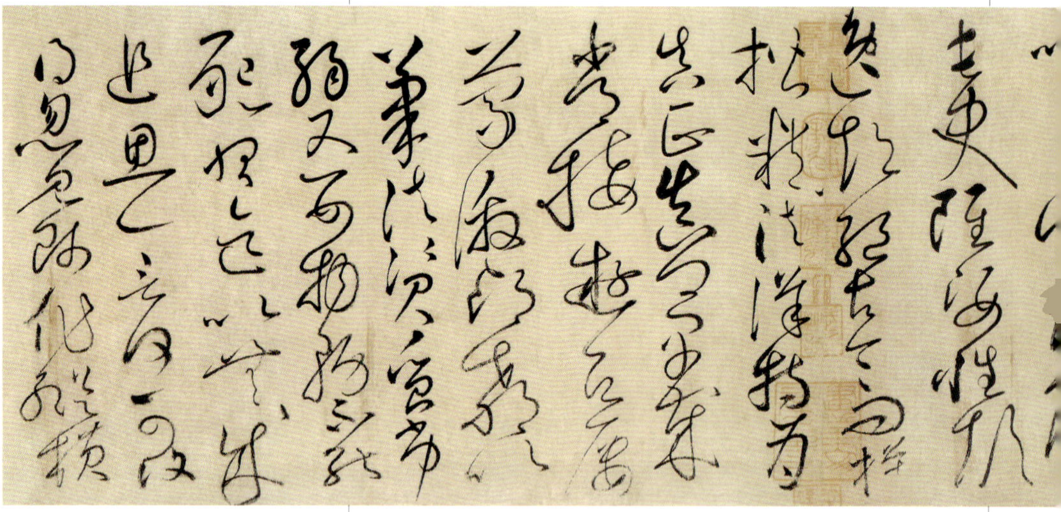

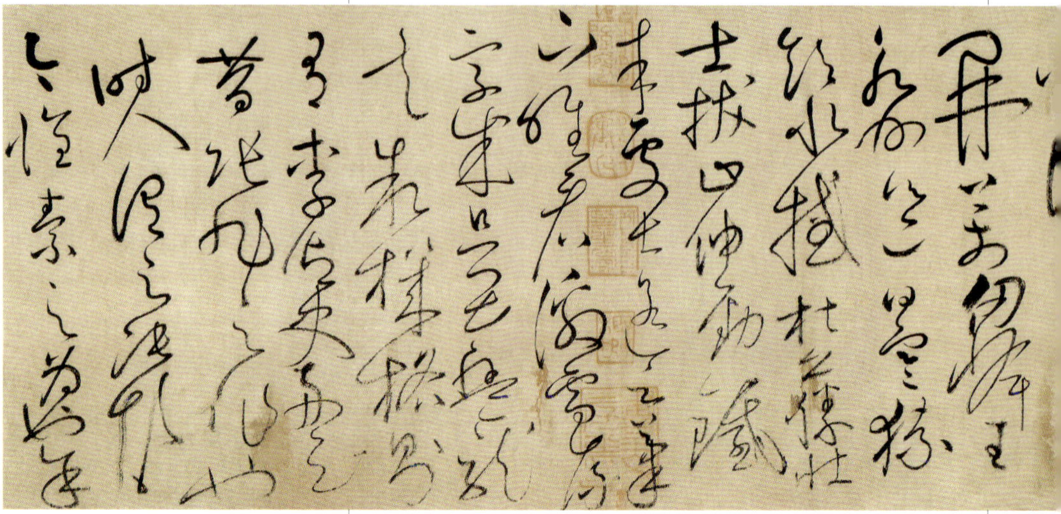

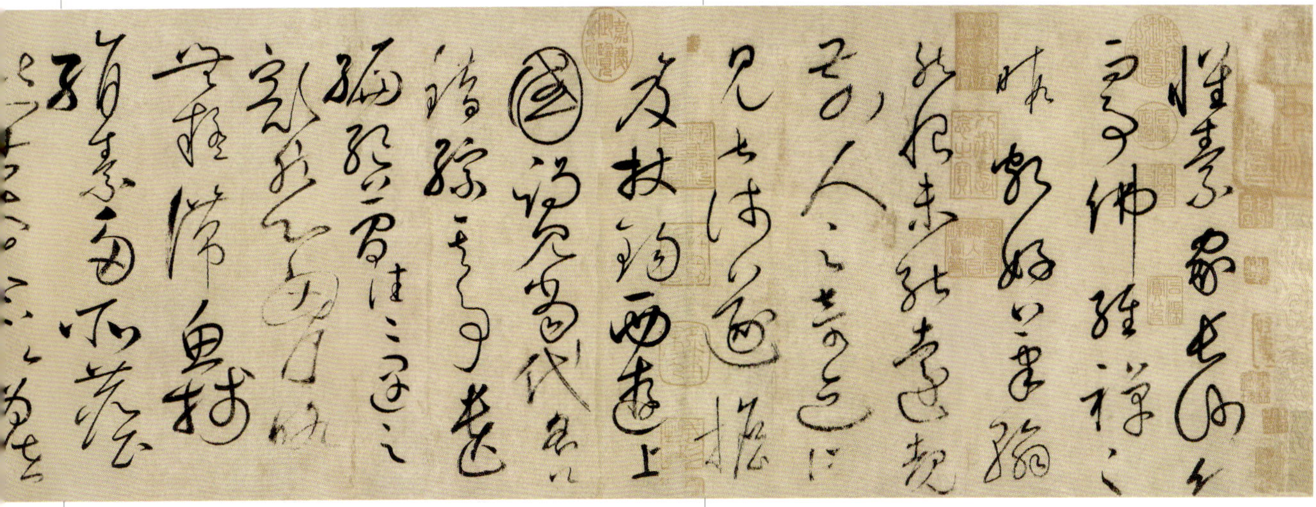

自叙帖局部之一

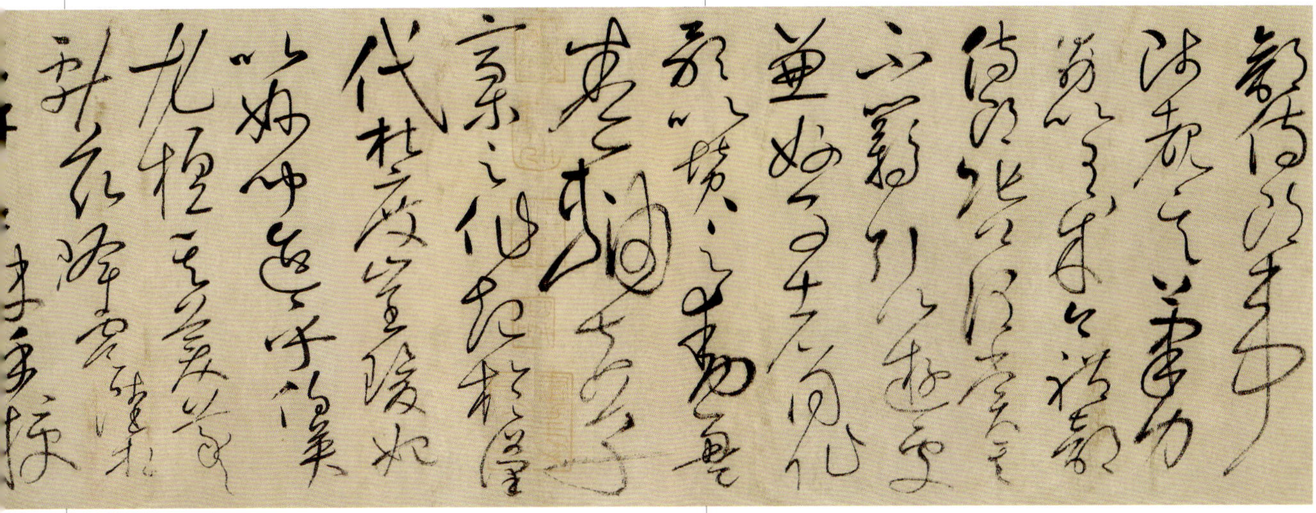

自叙帖局部之二

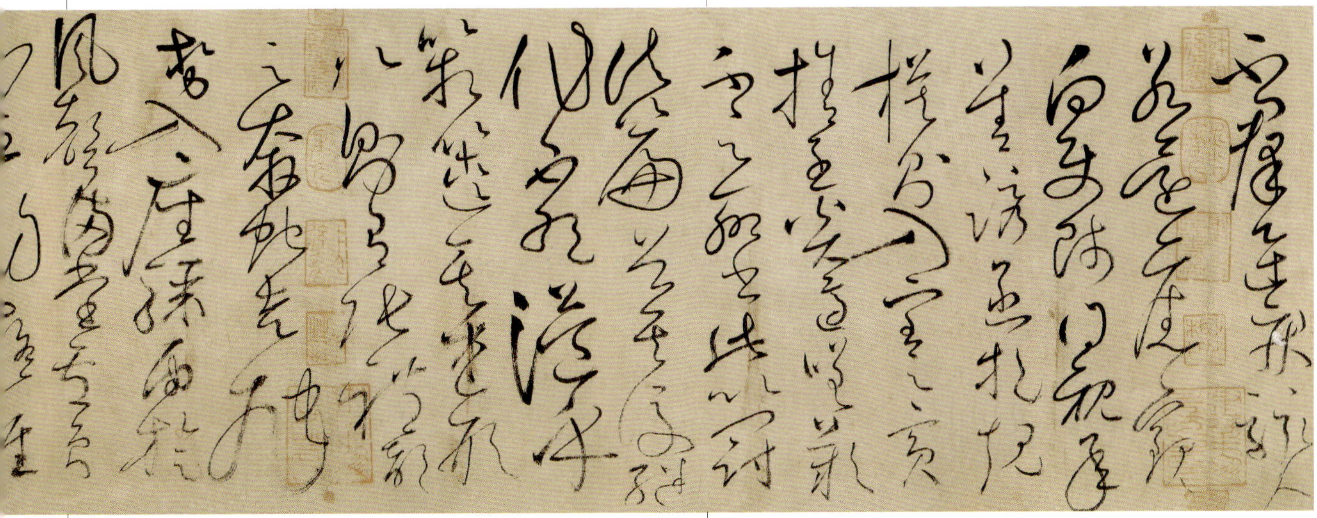

自叙帖局部之三

張少悌

生卒年不詳。唐天寶年間書法家，書學王羲之。

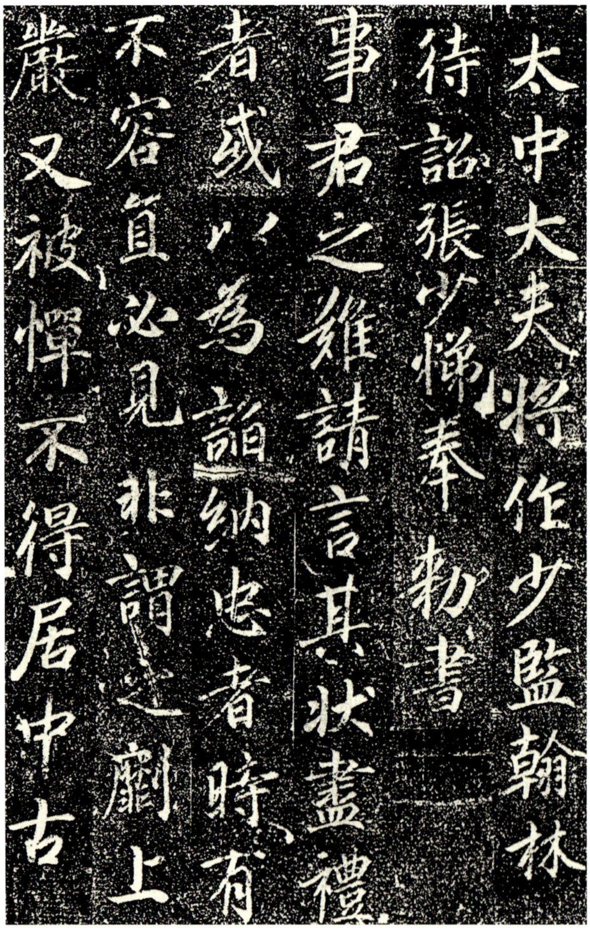

高力士墓志

唐

張少悌

陝西蒲城縣出土。

高77.5、寬115厘米。

行書四十五行，滿行三十四字，刻于寶應二年（公元763年）。此選爲局部。

盧　曉

生卒年不詳。活動于代宗、德宗年間。善隸書。

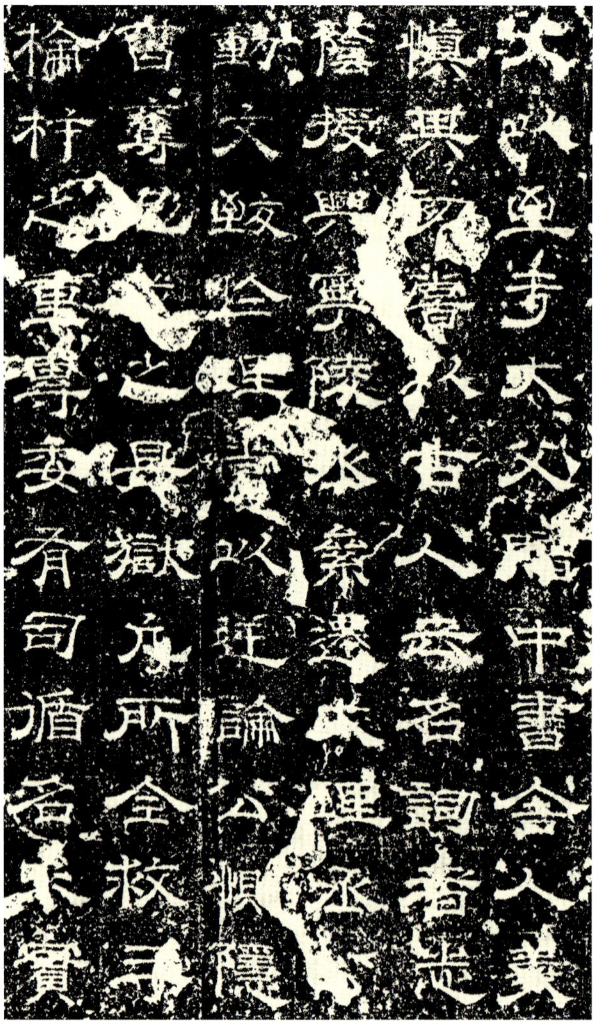

裴遵慶神道碑

唐

盧曉

碑在河南伊川縣彭婆鄉許營村萬安山。

高321厘米。

隸書二十九行，滿行五十九字。刻于大曆十一年（公元776年）。此選爲局部。

李陽冰

生卒年不詳。趙郡（今河北趙縣）人。字少温。唐乾元年間官縉雲令，后遷當塗令，官至將作監。善詞章，工書法，以篆書著稱。

三墳記碑

唐

李陽冰

碑高152、寬131厘米。

兩面刻，篆書二十三行，每行二十字。刻于大曆二年（公元767年）。

現藏陝西省西安碑林博物館。

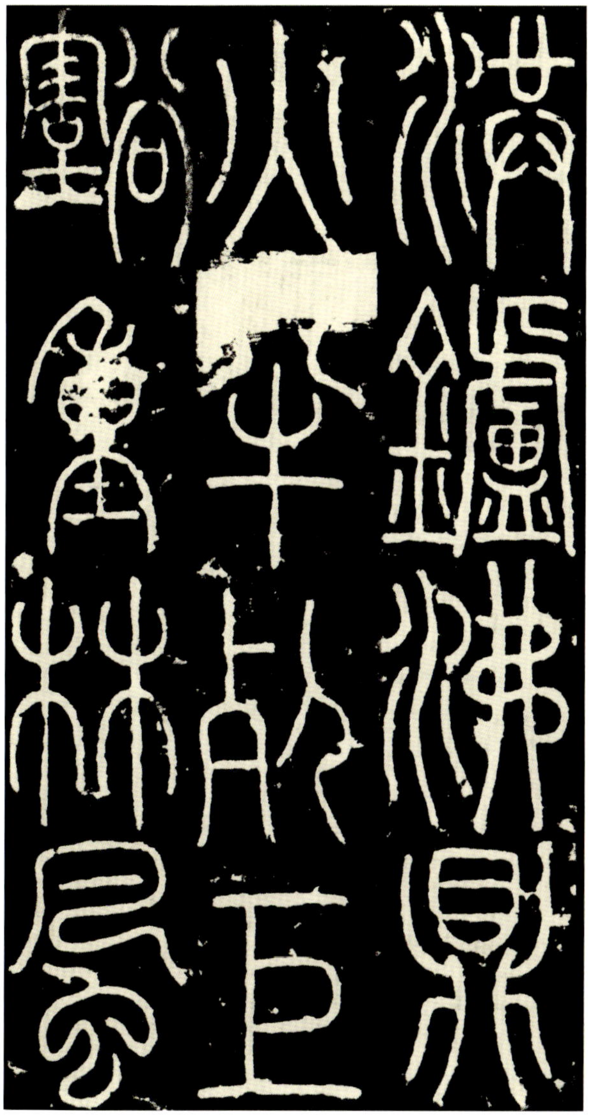

三墳記碑局部之一

三墳記碑局部之二

滑臺新驛記

唐

李陽冰

篆書三百一十二字。刻于大曆九年（公元774年）。

原石在河南滑縣，已佚。

滑臺新驛記局部之一

滑臺新驛記局部之二

柳公綽（公元763－830年）

京兆華原（今陝西銅川市耀州區）人。字寬，小字起之。柳公權之兄。官至河東節度使，授兵部尚書，工楷書。

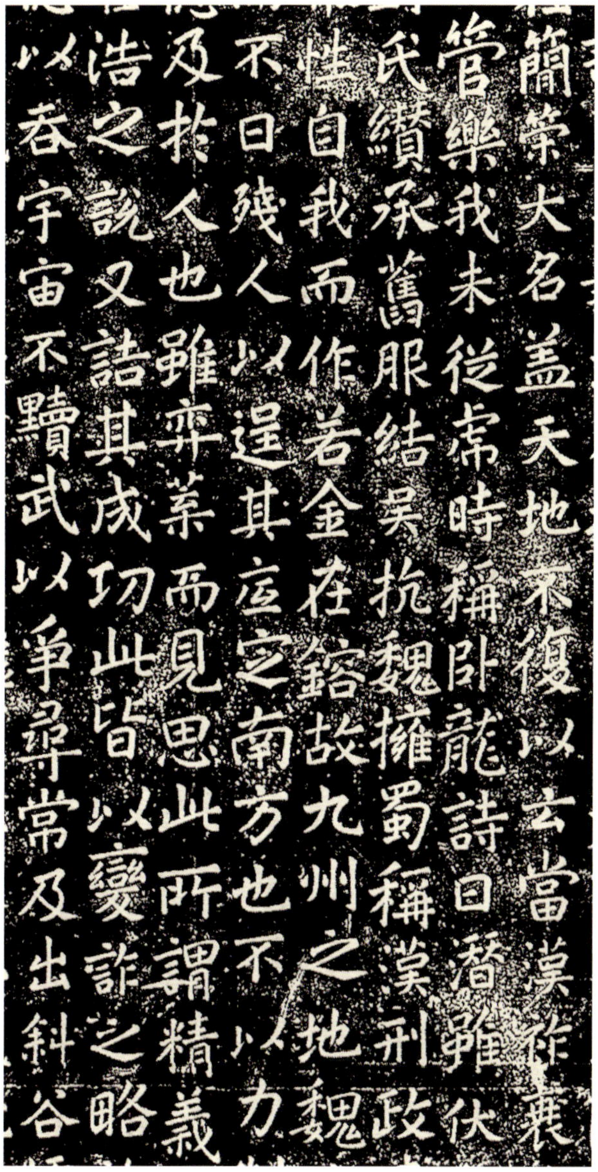

武侯祠堂碑

唐

柳公綽

元和四年（公元809年）立于四川成都市武侯祠。

高272.3、寬136厘米。

楷書二十四行，每行十五至五十字。此選爲局部。

沈傳師（公元769－827年）

吴郡（今江蘇蘇州）人。字子言。官至尚書右丞、吏部侍郎。善楷、行書。

中書舍人史館
修撰賜紫金魚
袋沈傳師書
羅池廟者故刺史

柳州羅池廟碑

唐

沈傳師

刻于長慶元年（公元821年）。此選爲局部。

此碑早佚，傳世僅存宋拓孤本。

柳公權（公元778－865年）

京兆華原（今陝西銅川市耀州區）人。字誠懸。憲宗元和初進士，累拜侍書學士、工部侍郎、太子少師，後以太子太保致仕，封河東郡公，世稱“柳河東”。工書法，楷書尤精擅，創造了自己獨特的藝術風格，世稱“柳體”。

蒙詔帖

唐
柳公權
高26.8、寬57.4厘米。
紙本。
宋人臨本。
現藏故宮博物院。

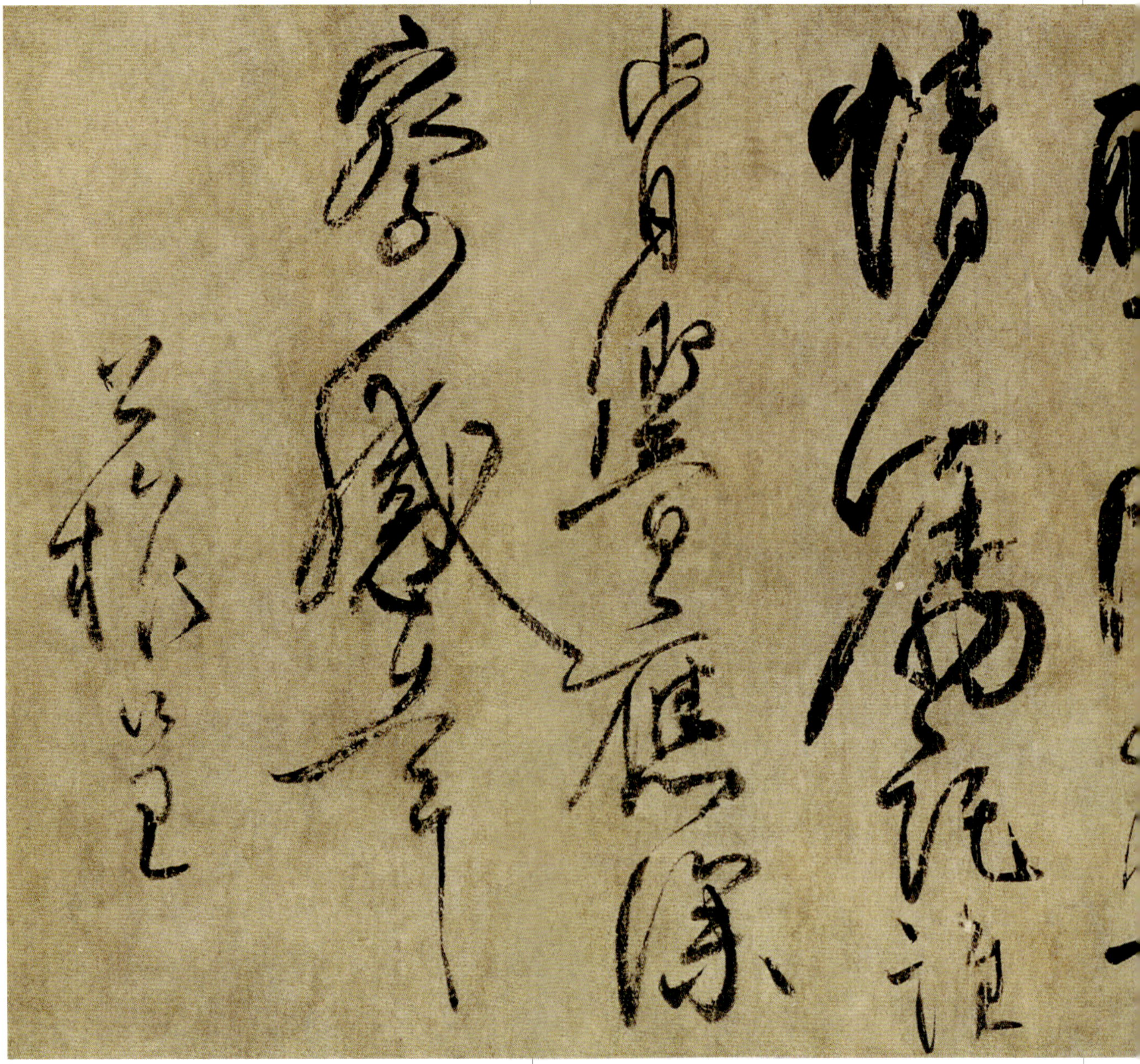

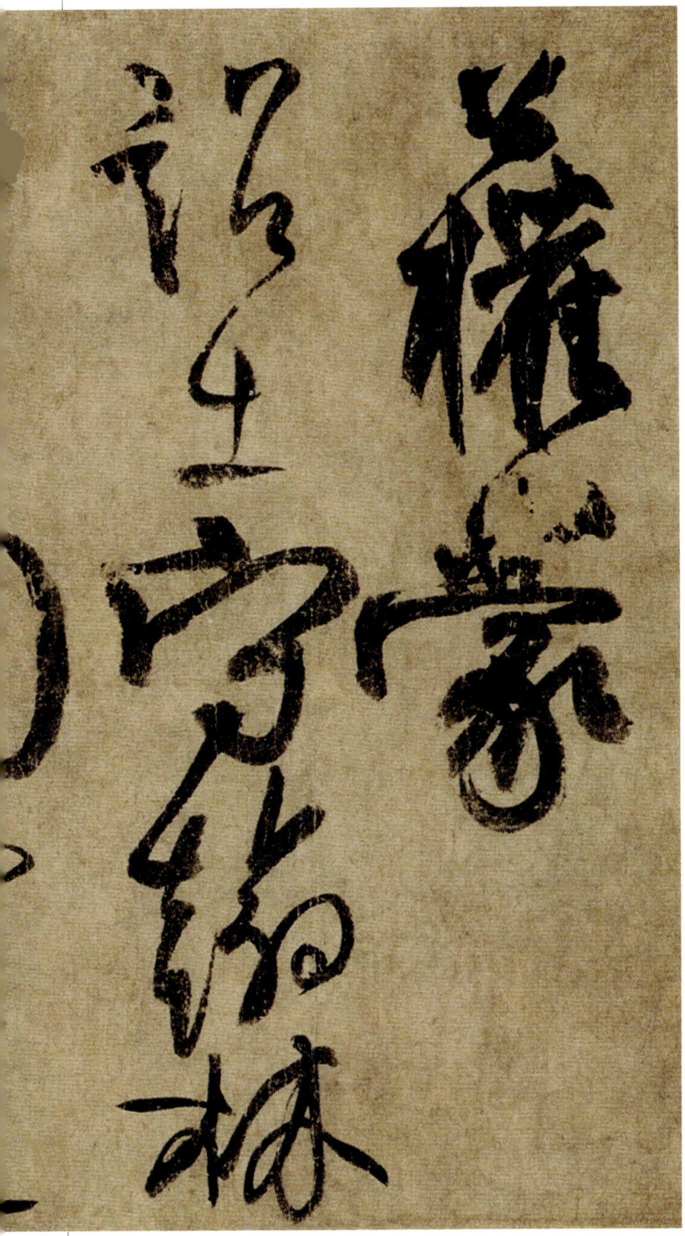

送梨帖跋

唐
柳公權
紙本。
原作下落不明。

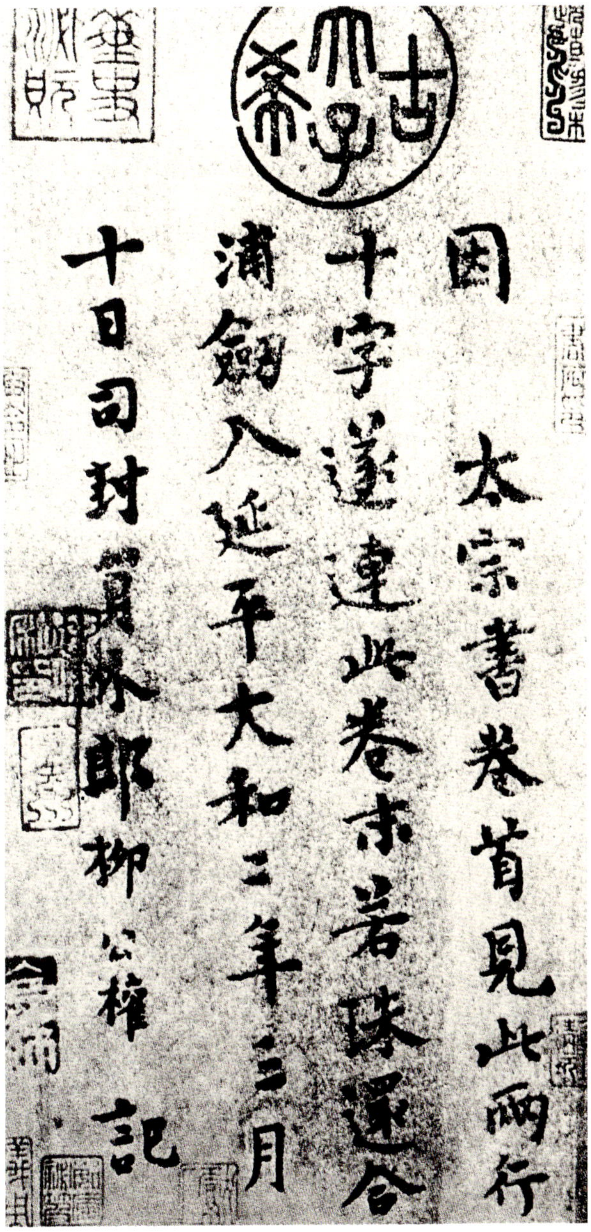
因
太宗書卷首見此兩行
十字遂連此卷末若珠還合
浦劍入延平大和二年三月
十日司封員外郎柳公權記

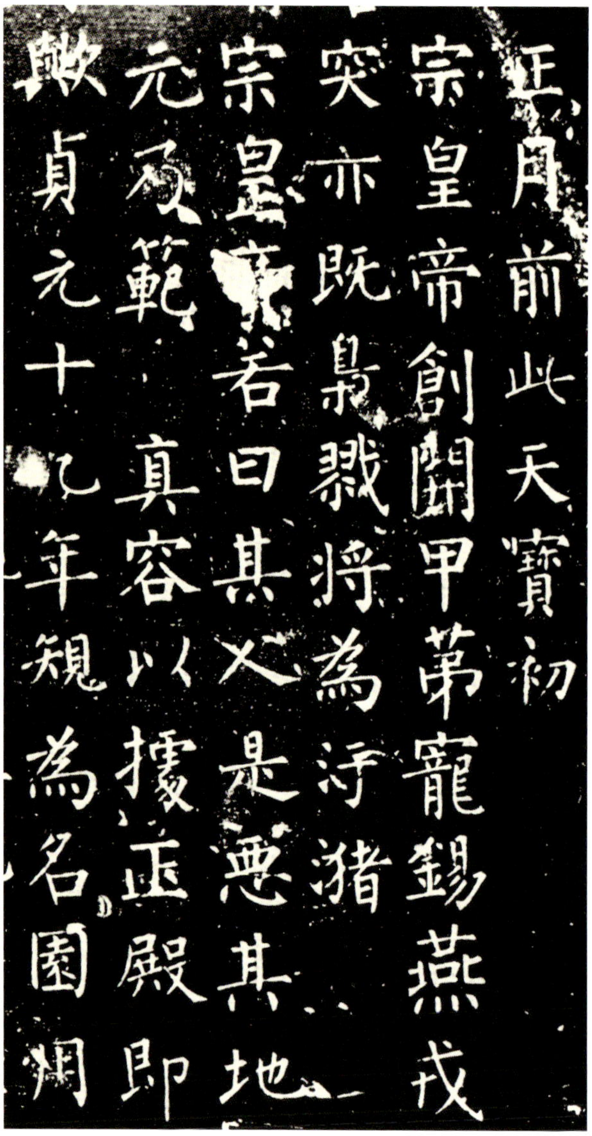

迴元觀鐘樓銘

唐

柳公權

陝西西安市太乙路出土。

高124、寬60厘米。

楷書四十一行，滿行二十字。刻于開成元年（公元836年）。此選爲局部。

現藏陝西省西安碑林博物館。

苻璘神道碑

唐

柳公權

楷書。拓本計六十三面，面四行，每行七字。刻于開成三年（公元838年）。此選爲局部。

碑存陝西省富平縣。

玄秘塔碑

唐

柳公權

碑高386、寬120厘米。

楷書二十八行，每行五十四字。刻于會昌元年（公元841年）。

現藏陝西省西安碑林博物館。

唐故左街僧錄内
供奉
教談論
引駕大德安
國寺上座賜紫

玄秘塔碑局部之一

大達法師玄秘
塔碑銘并序
南西道都團
練觀察處置等

玄秘塔碑局部之二

神策軍碑

唐

柳公權

刻于會昌三年（公元843年）。

原石已佚。僅存北京圖書館藏南宋裝裱本上半册。

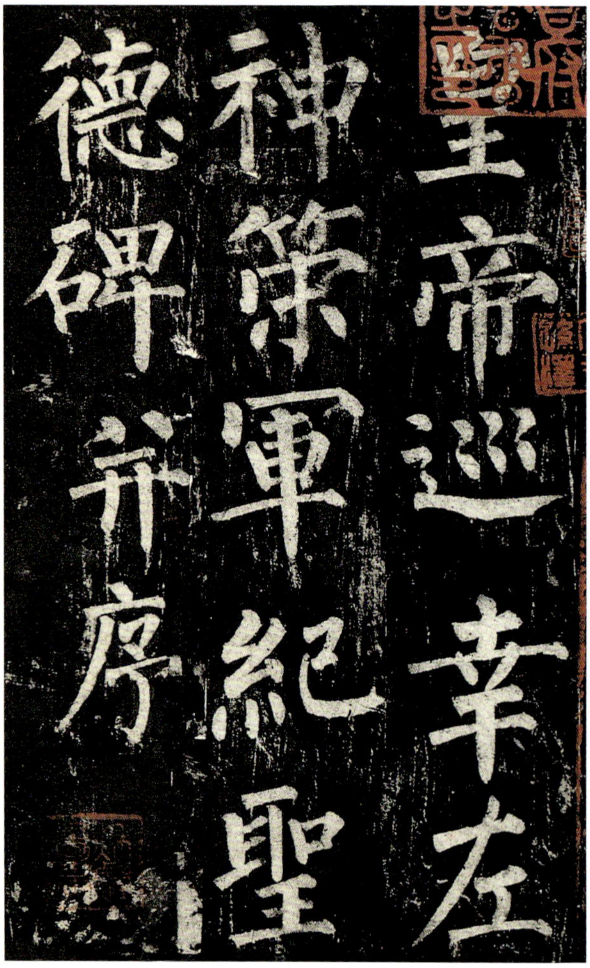
皇帝巡幸左
神策軍紀聖
德碑并序

神策軍碑局部之一

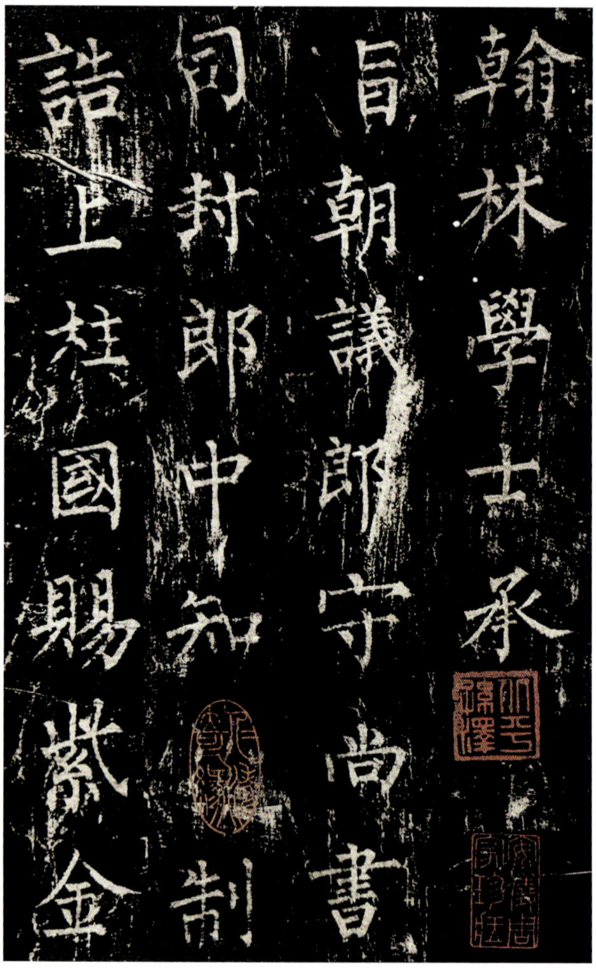
翰林學士承
旨朝議郎守尚書
司封郎中知制
誥上柱國賜紫金

神策軍碑局部之二

金剛經

唐
柳公權
豎刻楷書十二行，每行十一字。
原石毀于宋代。後于敦煌藏經洞發現唐拓孤本。此選爲局部。
現藏法國巴黎博物館。

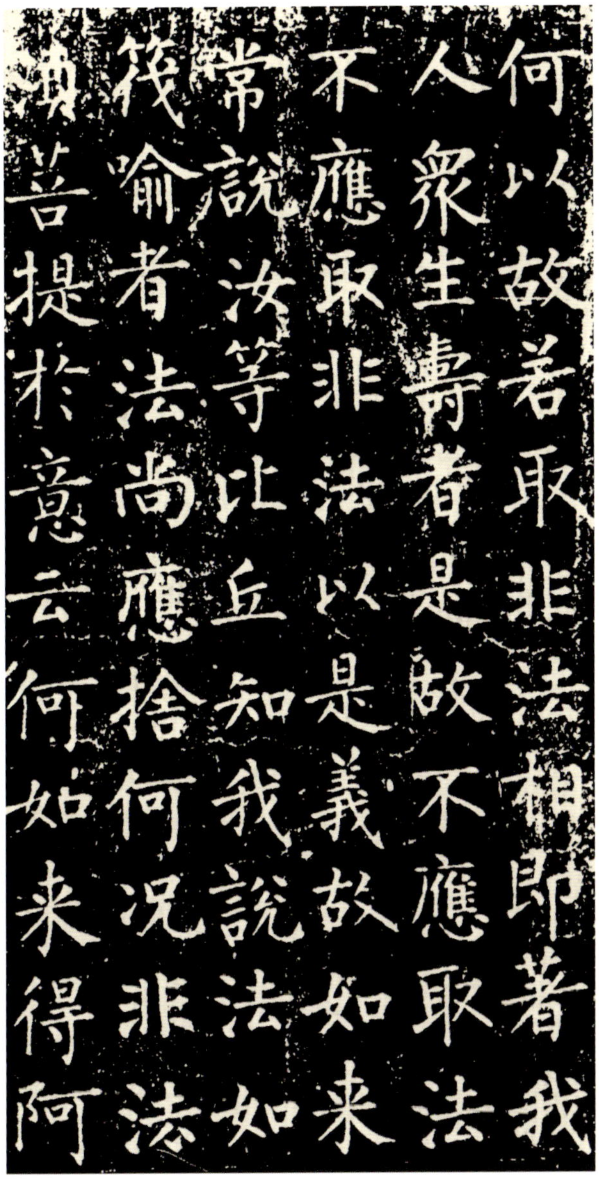
何以故若取非法相即著我
人衆生壽者是故不應取法
不應取非法以是義故如来
常說汝等比丘知我說法如
筏喻者法尚應捨何况非法
須菩提於意云何如来得阿

裴　休（公元791－864年）

孟州濟源（今屬河南）人。字公美，長慶年間進士、賢良方正，爲監察御史，大中六年拜相，后罷爲宣武軍節度使，封河東縣子，贈太尉。能文章，工書法，尤善楷書。

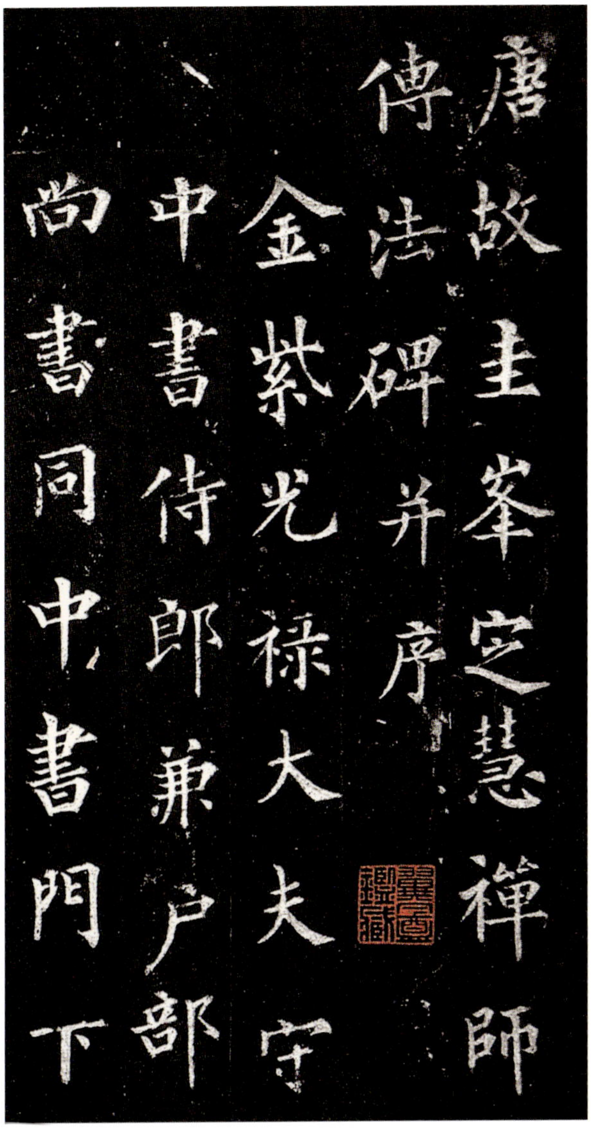
唐故圭峯定慧禪師
傳法碑并序
金紫光禄大夫守
中書侍郎兼户部
尚書同中書門下

圭峰禪師碑

唐
裴休
高208、寬93厘米。
碑在陝西户縣。
楷書三十六行，每行六十五字。刻于大中九年（公元855年）。此選爲局部。

杜　牧（公元803－852年）

京兆萬年（今陝西西安）人。字牧之。唐大和二年（公元828年）進士，后舉賢良方正。曾爲監察御史、左補闕史館修撰，武宗時官至中書舍人。善詩文，爲晚唐著名詩人。

張好好詩

唐

杜牧

高28.1、寬161厘米。

麻紙本。行書四十八行，每行八字。書于大和九年（公元835年）。

現藏故宫博物院。

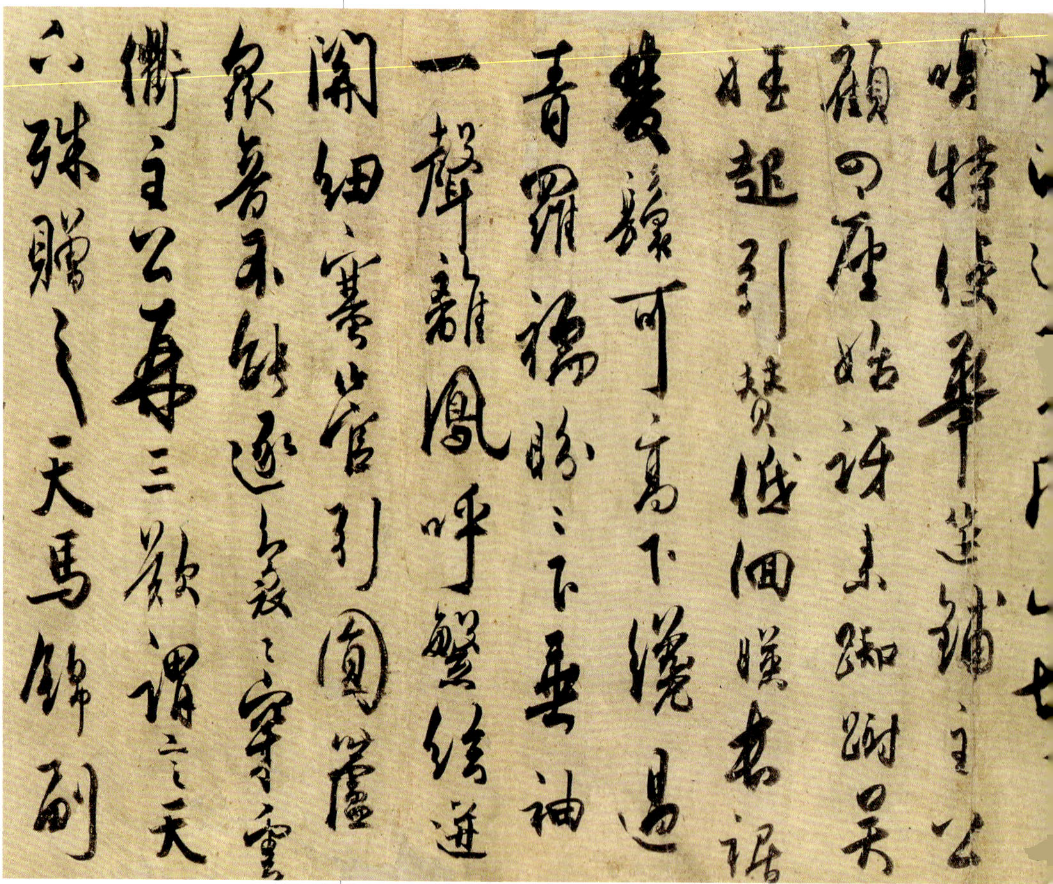

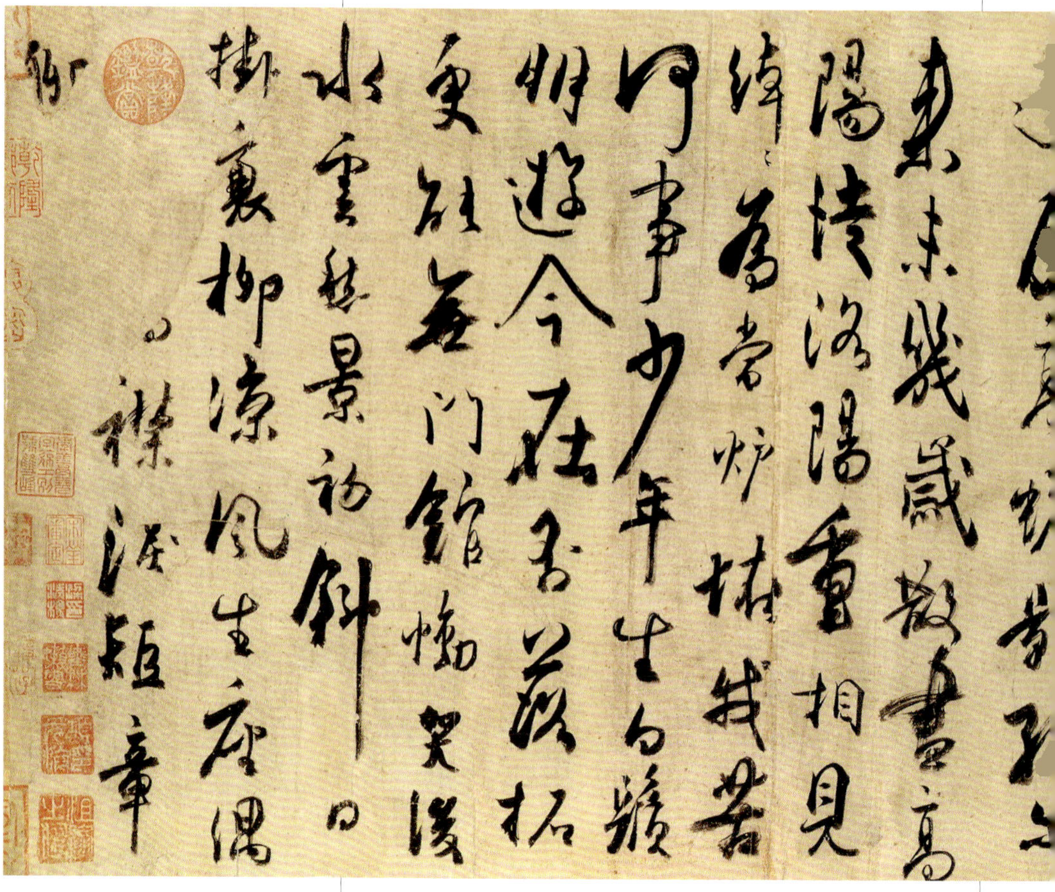

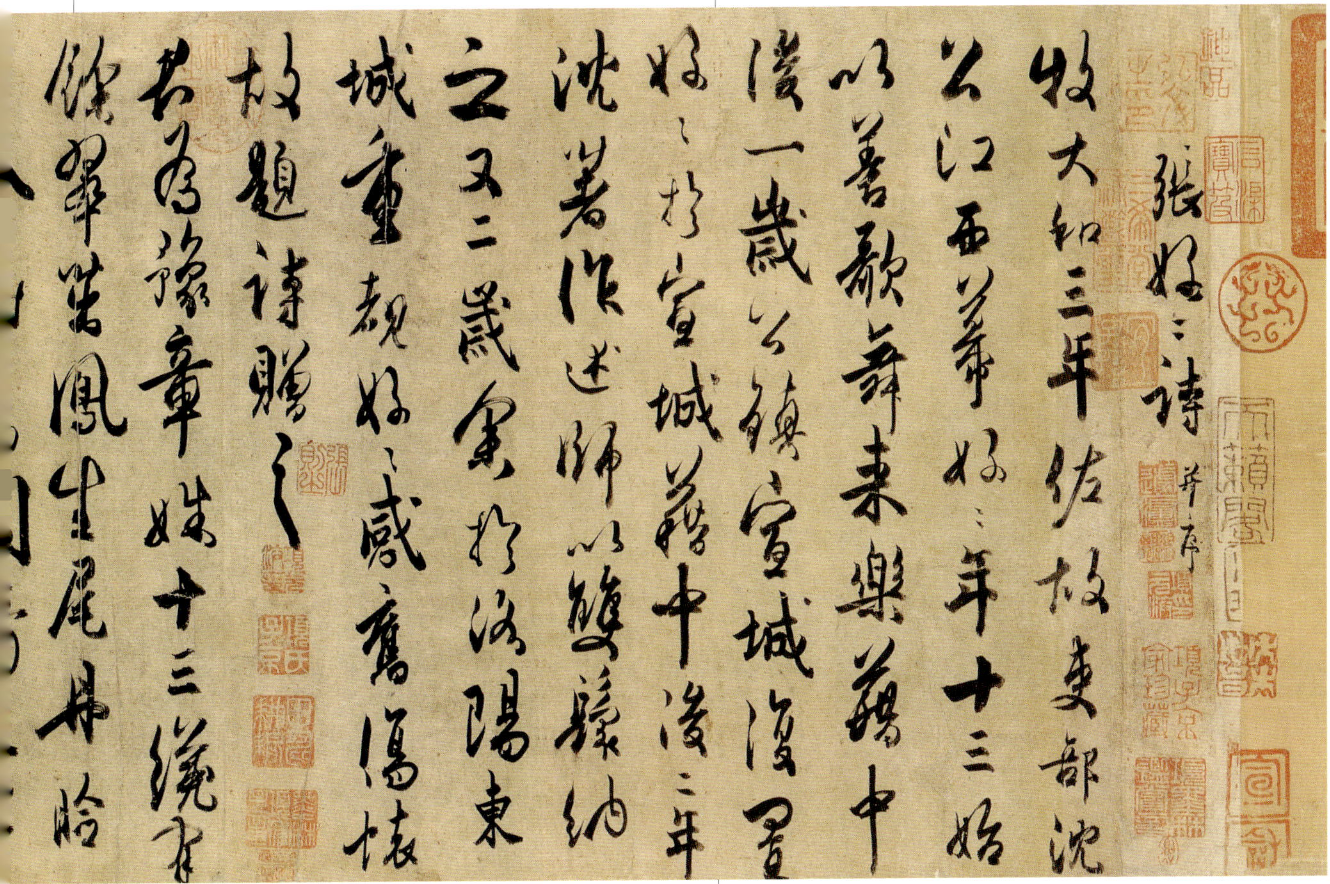

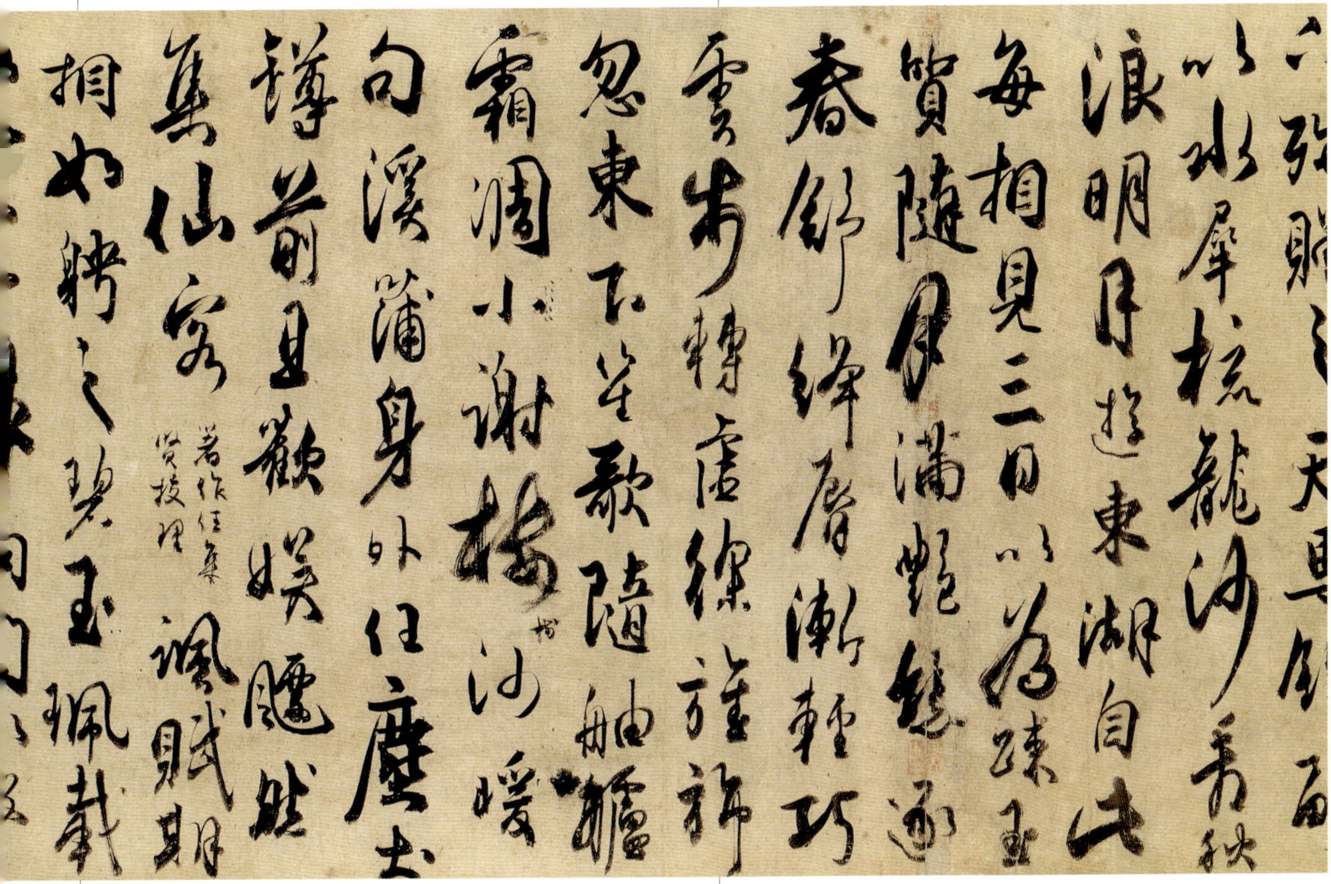

高　閑（公元810－?年）

烏程（今浙江湖州）人。宣宗嘗召入，賜紫衣，后歸湖州開元寺。工書法，尤善草書，頗負盛名。師法懷素。

千字文殘卷

唐
高閑
高30.8、寬311.3厘米。
紙本。殘存后半部五十二行。
現藏上海博物館。

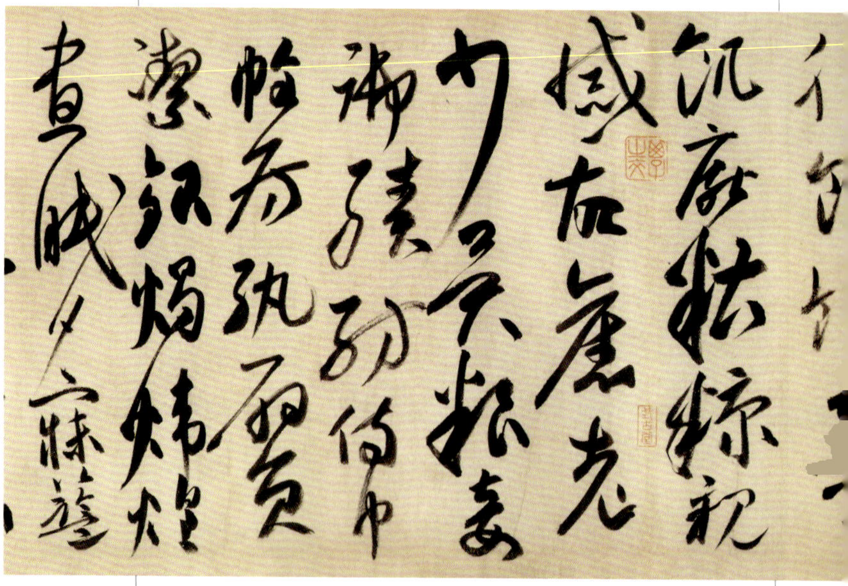

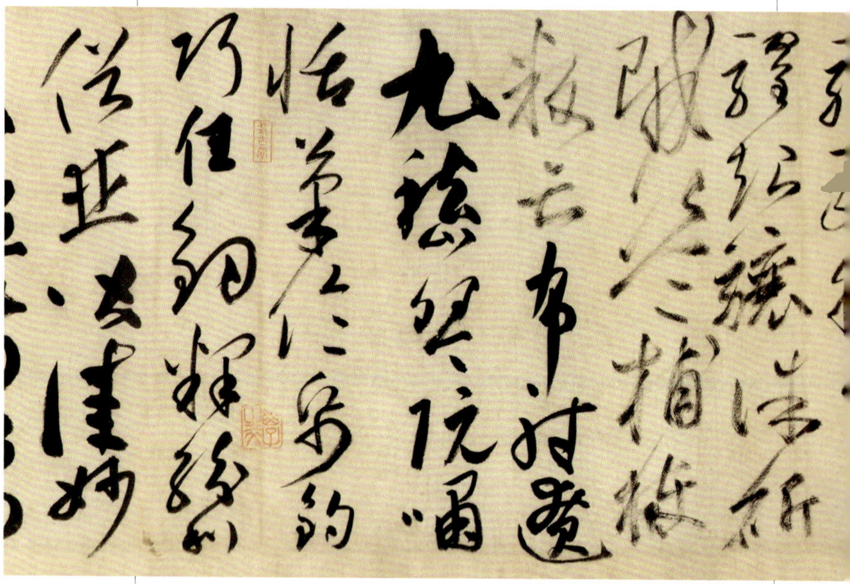

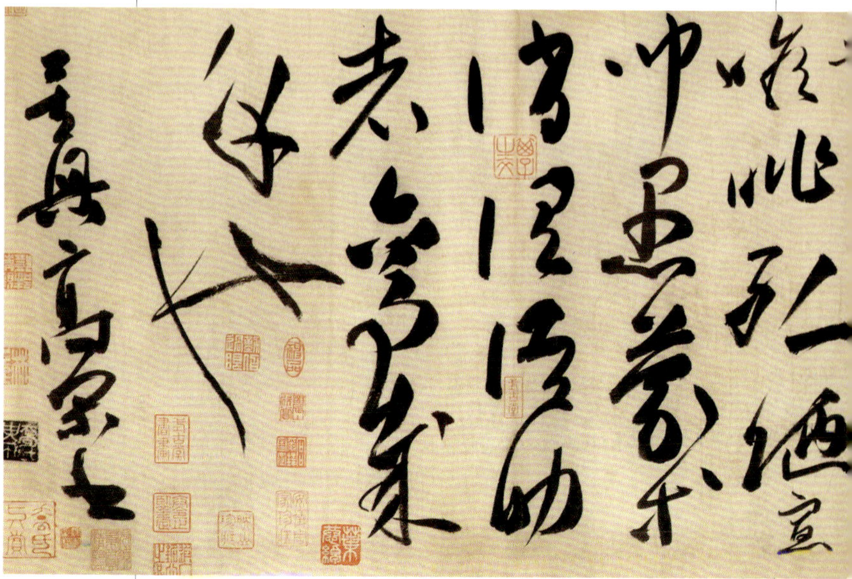

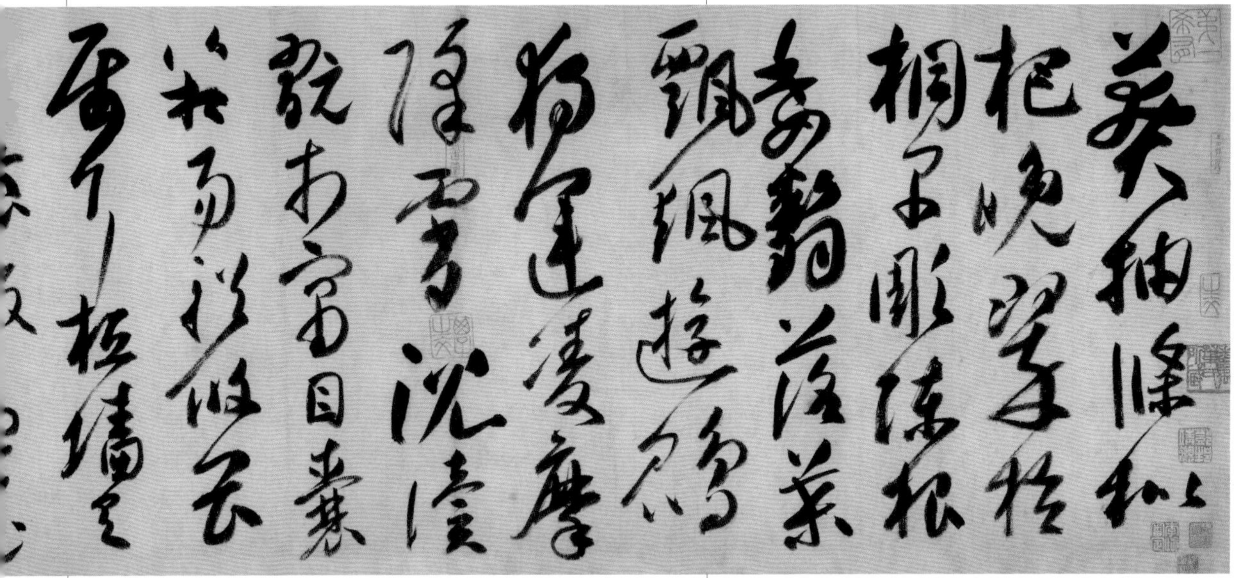

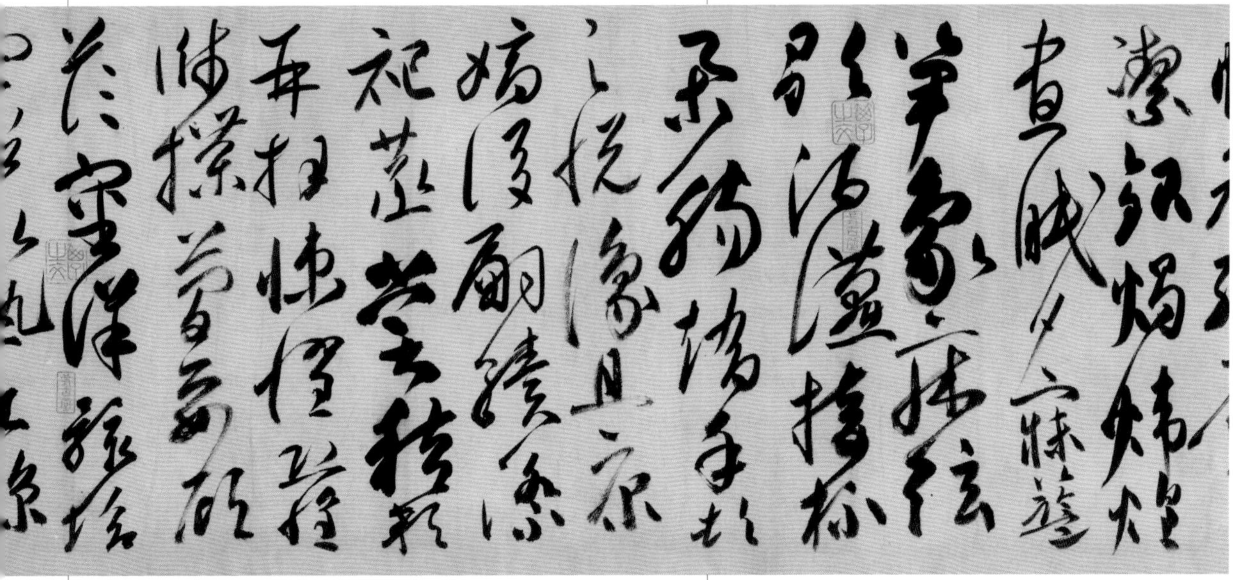

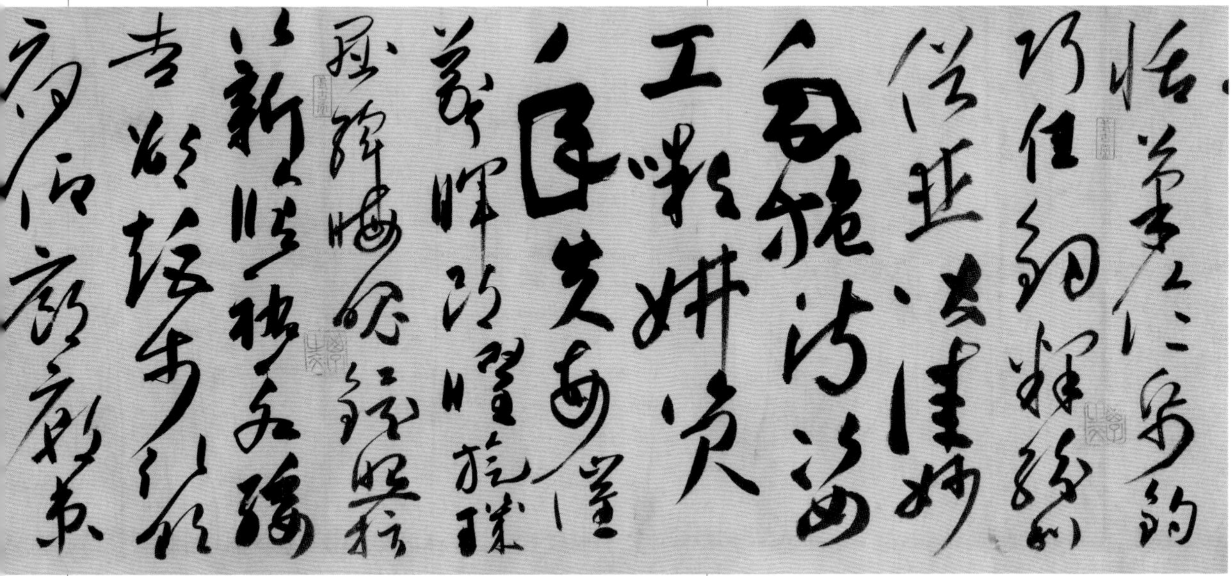

吴彩鸞

生卒年不詳。唐代女書法家。洪州武寧（今屬江西）人。自言爲西山吴真君之女。書《唐韵》以售，賴以維持生計。

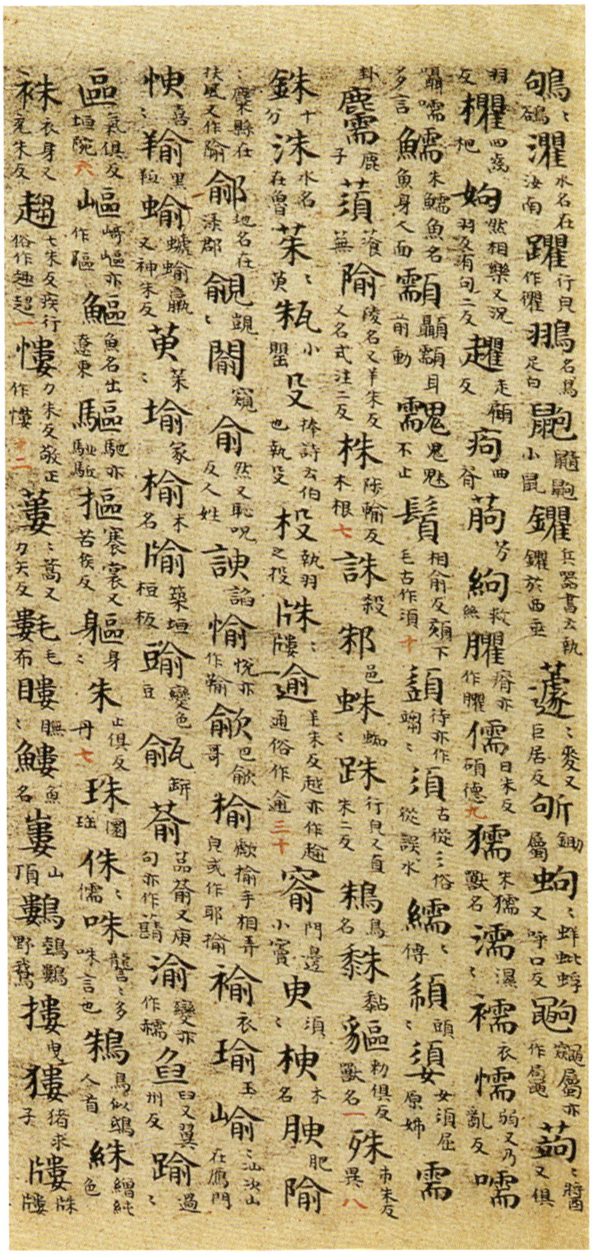

唐韵

唐

吴彩鸞

每頁高26.1、寬47.3厘米。

紙本龍鱗裝，共二十四葉。此選爲局部。

現藏故宫博物院。

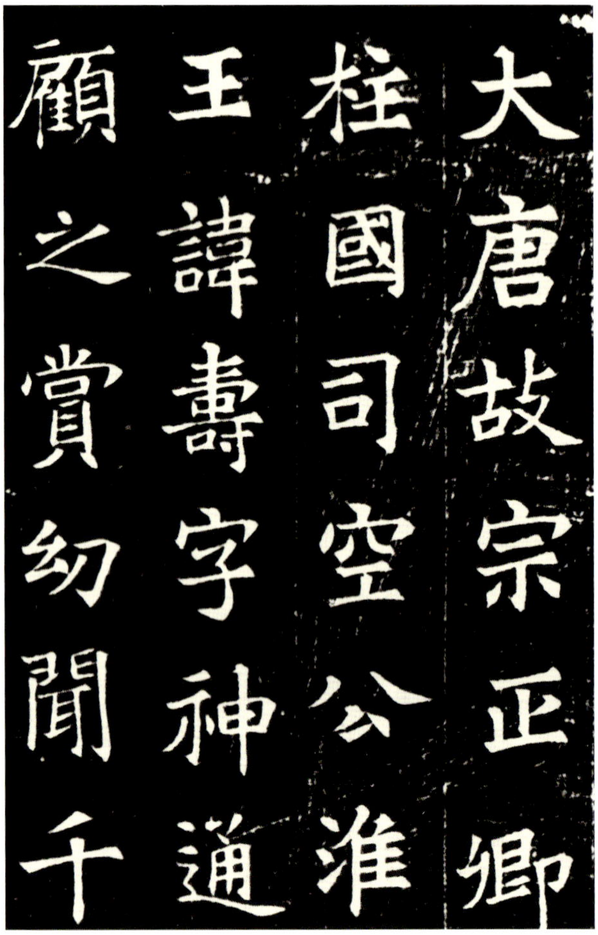
大唐故宗正卿
柱國司空公淮
王諱壽字神通
顧之賞幼聞千

李壽墓志

唐

陝西三原縣焦村出土。

高86、寬72厘米。

楷書三十行，每行三十七字。刻于貞觀四年（公元630年）。此選爲局部。

現藏陝西省西安碑林博物館。

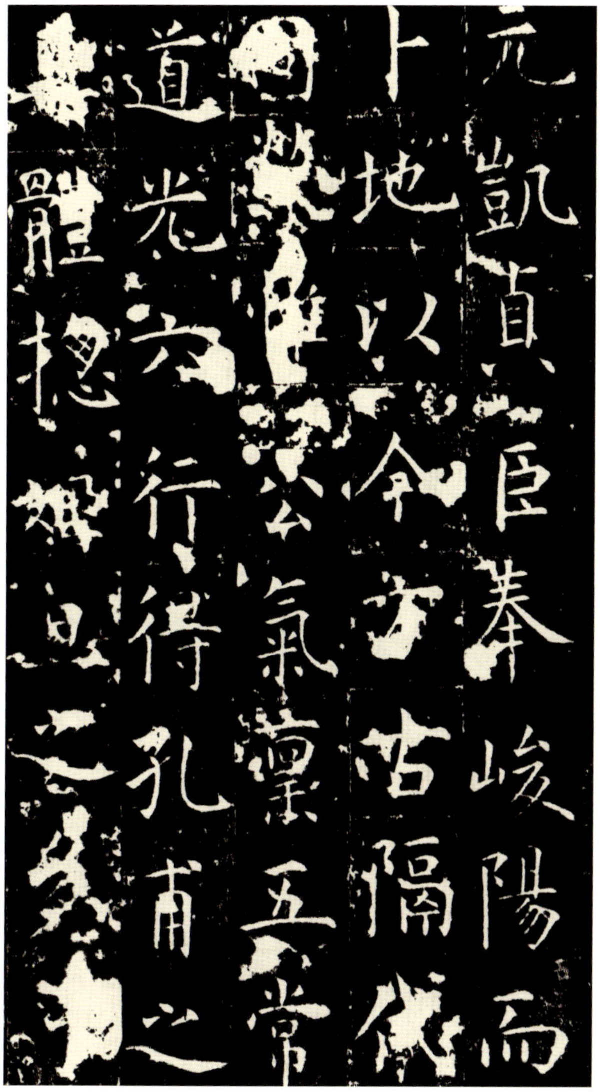

孔祭酒碑

唐

碑在陝西禮泉縣昭陵南十里。

楷書三十五行，每行七十六字。刻于貞觀二十二年（公元648年）。此選爲局部。

樂文義墓志

唐

刻于顯慶元年（公元656年）。此選爲局部。

河南洛陽市出土。

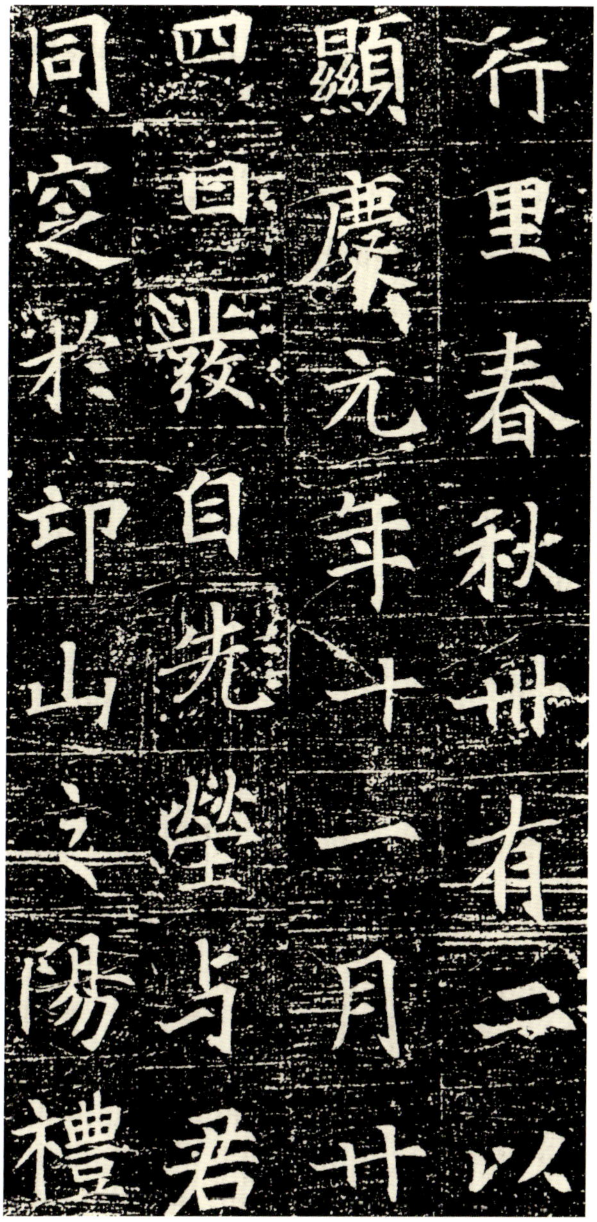
行里春秋卌有二以
顯慶元年十一月廿
四日殯自先塋与君
同窆於邙山之陽禮

崔敦禮碑

唐

刻于顯慶元年（公元656年）。

碑石今存陝西省禮泉縣，大半殘泐。此選爲局部。

裴皓墓志

唐

山西聞喜縣東鎮倉底村出土。

刻于龍朔三年（公元663年）。此選爲局部。

現藏山西省聞喜縣博物館。

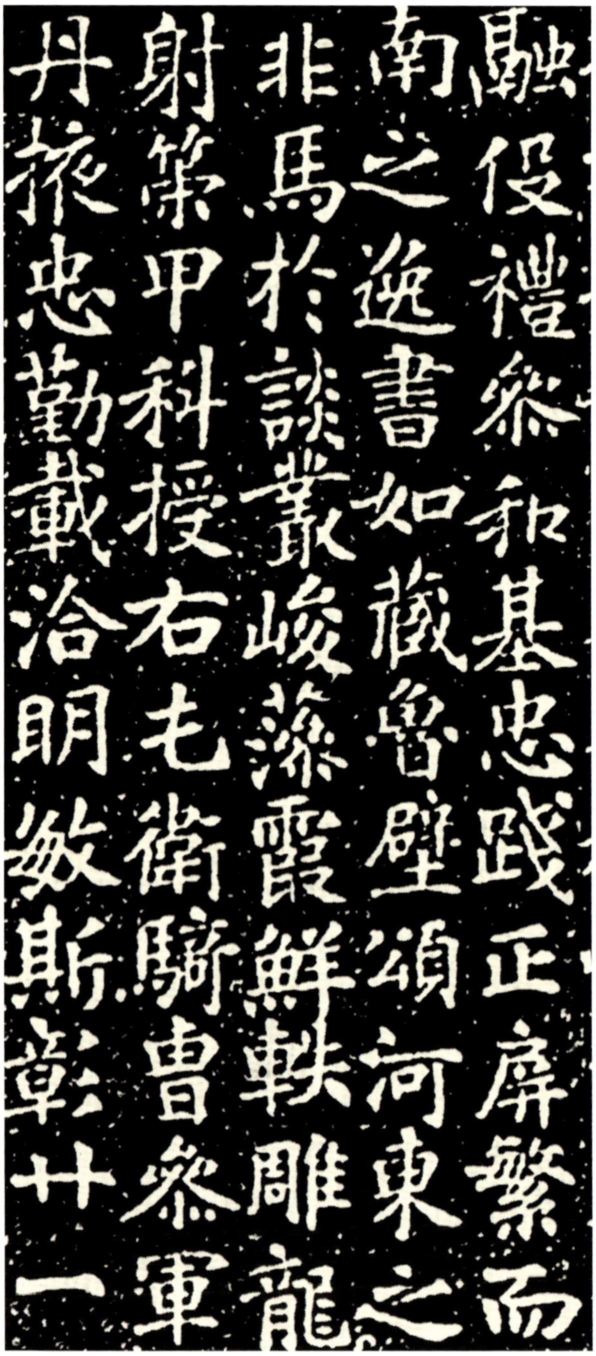

靖徹及妻王氏合葬墓志

唐

河南洛陽市出土。

刻于乾封三年（公元668年）。此選爲局部。

現藏河南省開封市博物館。

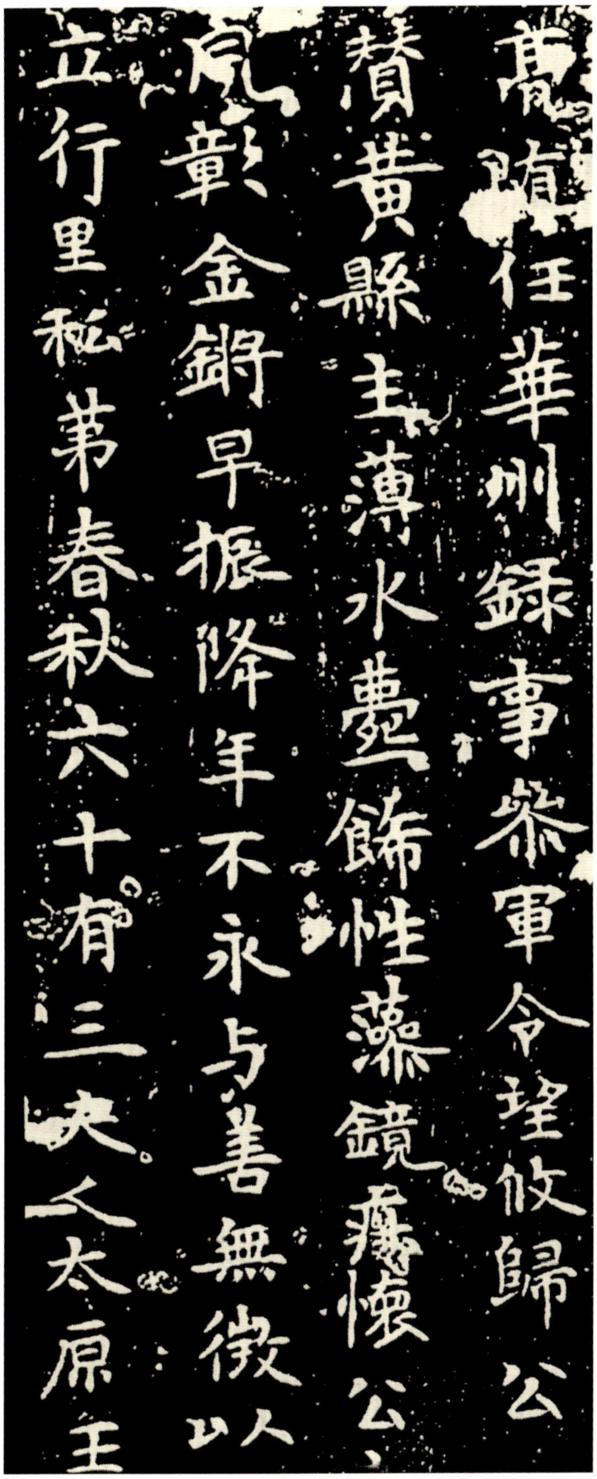

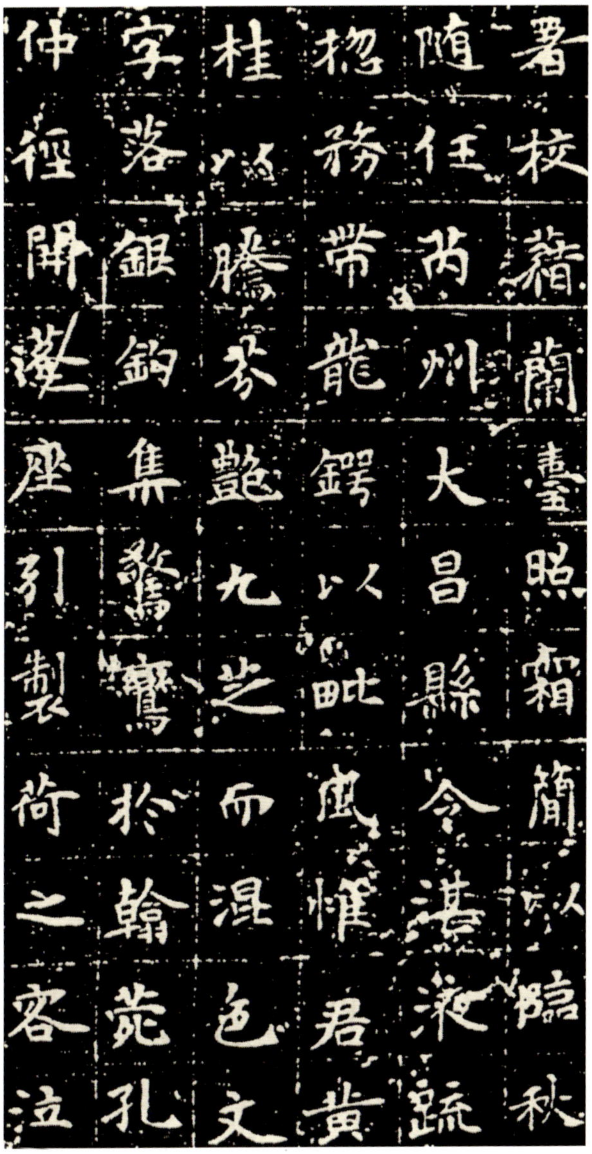

李子如及夫人韓氏合葬墓志

唐

河南洛陽市出土。

刻于咸亨三年（公元672年）。此選爲局部。

現藏河南省開封市博物館。

梁寺并夫人唐惠兒墓志

唐

陝西西安市出土。

刻于垂拱四年（公元688年）。此選爲局部。

原石已碎。

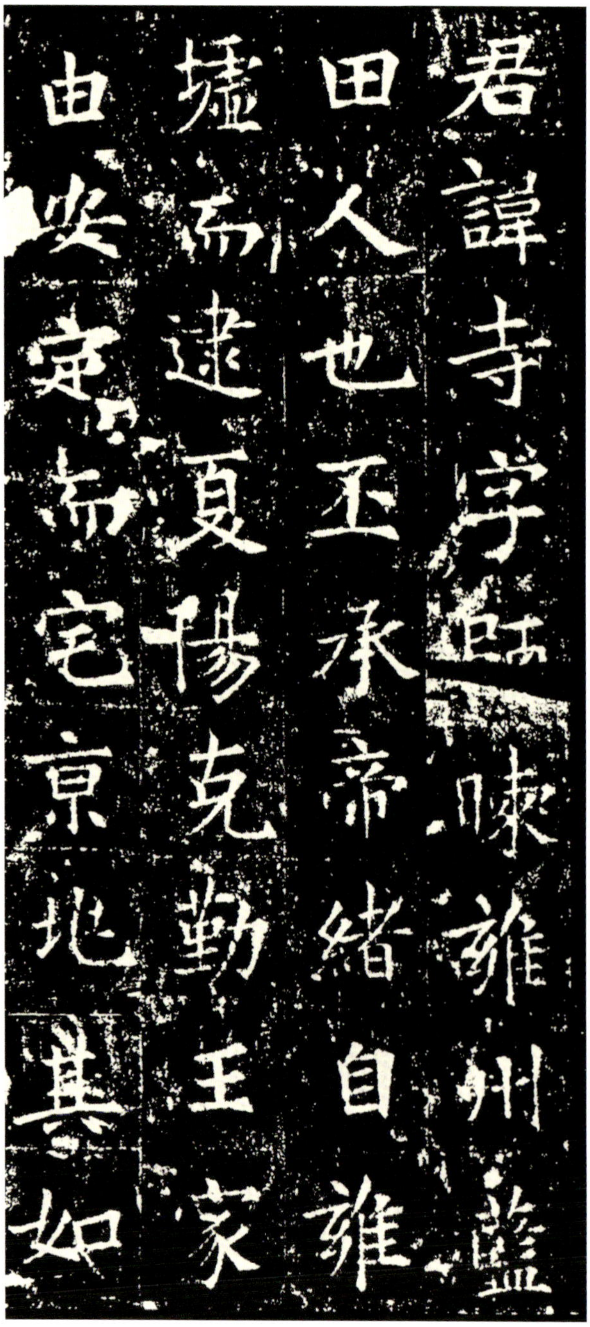

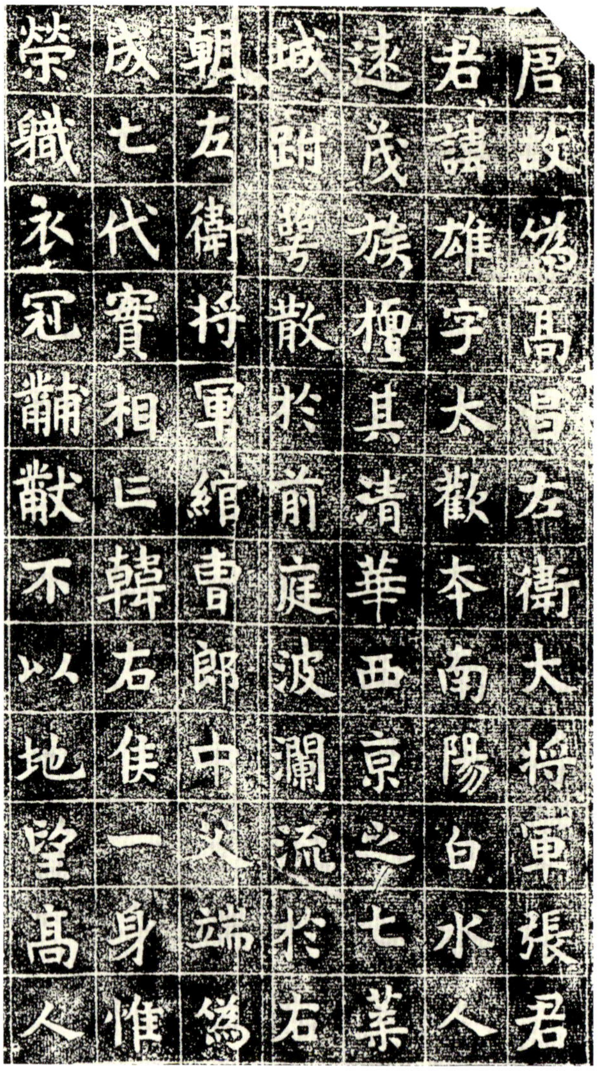

張雄與夫人麴氏墓志

唐

新疆吐魯番市阿斯塔那206號墓出土。

全志高74.5、寬74.5厘米。

楷書三十行，每行三十字。刻于永昌元年（公元689年）。此選爲局部。

現藏新疆維吾爾自治區博物館。

馬神威墓志

唐

志高71.5、寬73厘米。

楷書三十七行，每行三十七字。刻于久視元年（公元700年）。此選爲局部。

現藏河南省偃師商城博物館。

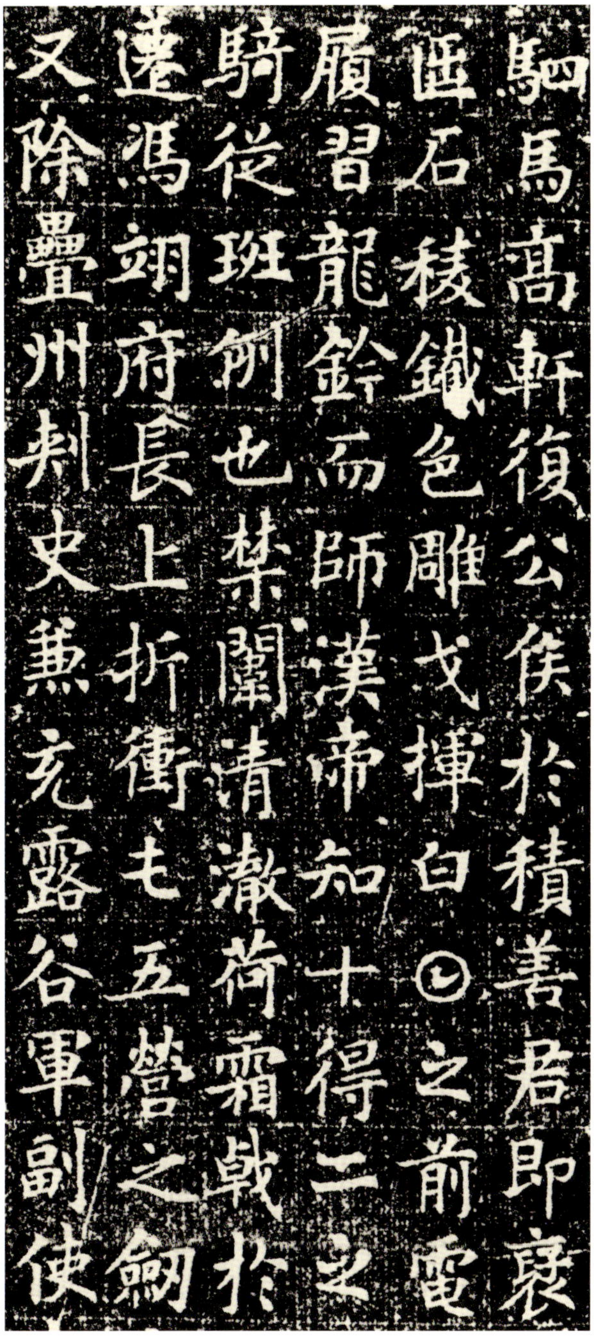

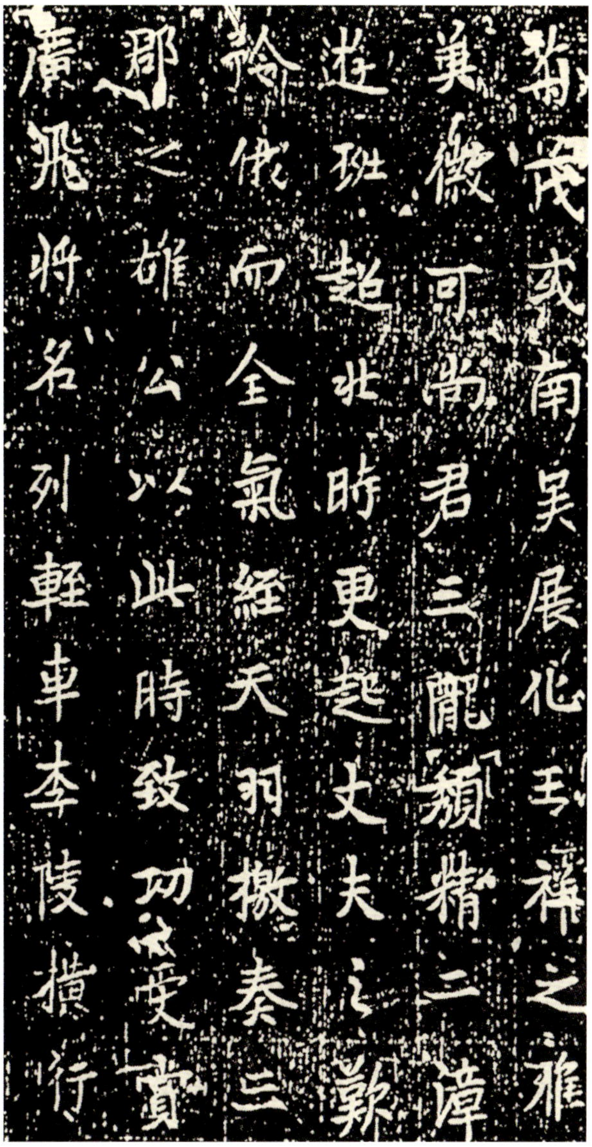

朱君滿及妻李氏合祔墓志

唐

山西長治市出土。

刻于開元二年（公元714年）。此選爲局部。

現藏山西博物院。

興福寺半截碑

唐

碑存下截，殘高81、寬104厘米。

釋大雅集東晋王羲之書而成，又名《吴文碑》。

行書三十五行，每行二十三至二十五字。刻于開元九年（公元721年）。此選爲局部。

現藏陜西省西安碑林博物館。

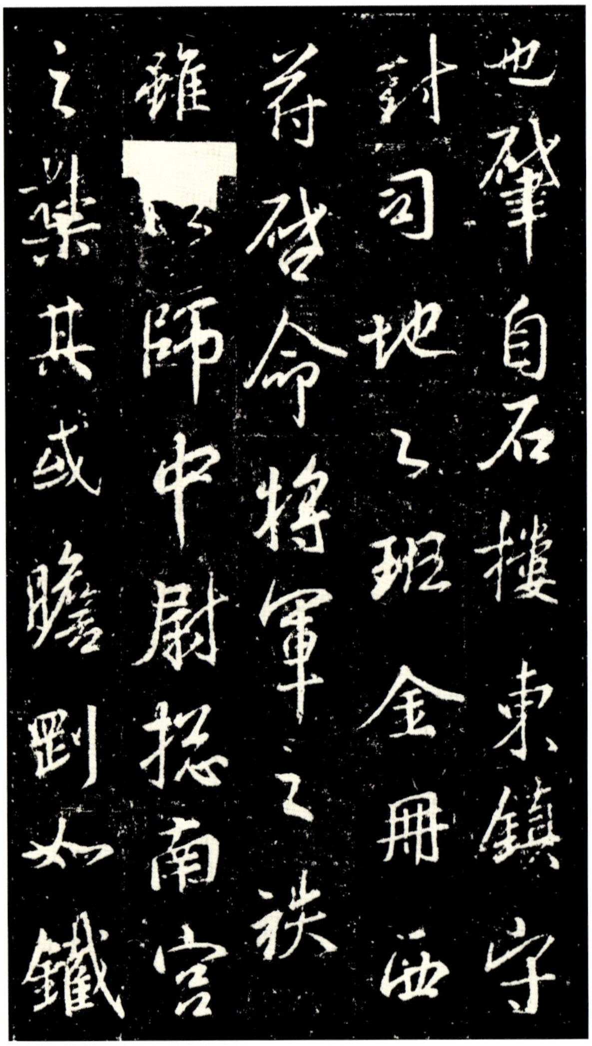

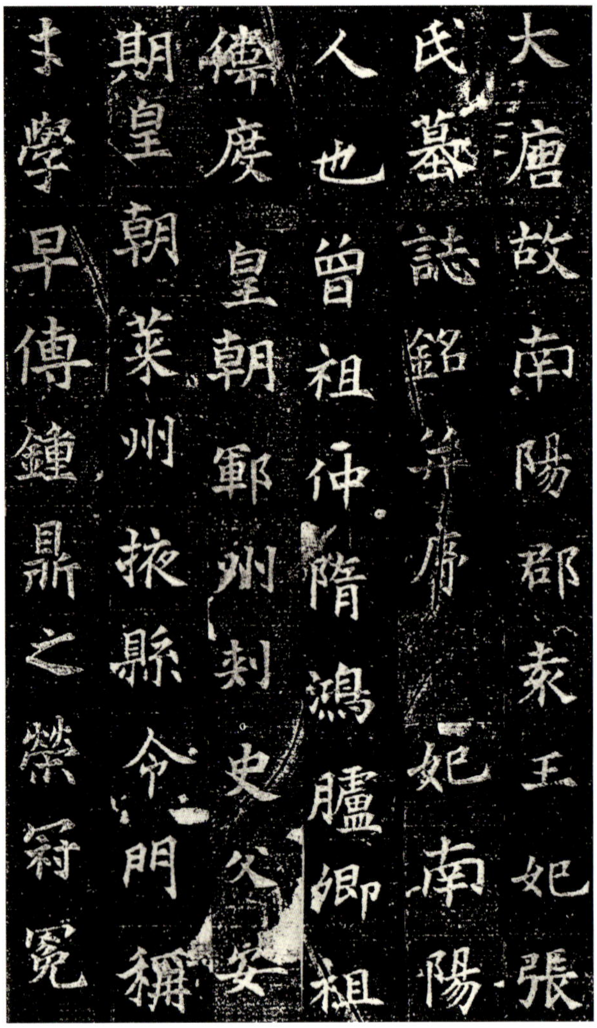

張氏墓志

唐

河南伊川縣吕店鄉梁溝村出土。

高70、寬69.5厘米。

楷書二十九行，滿行三十一字。刻于開元二十年（公元732年）。此選爲局部。

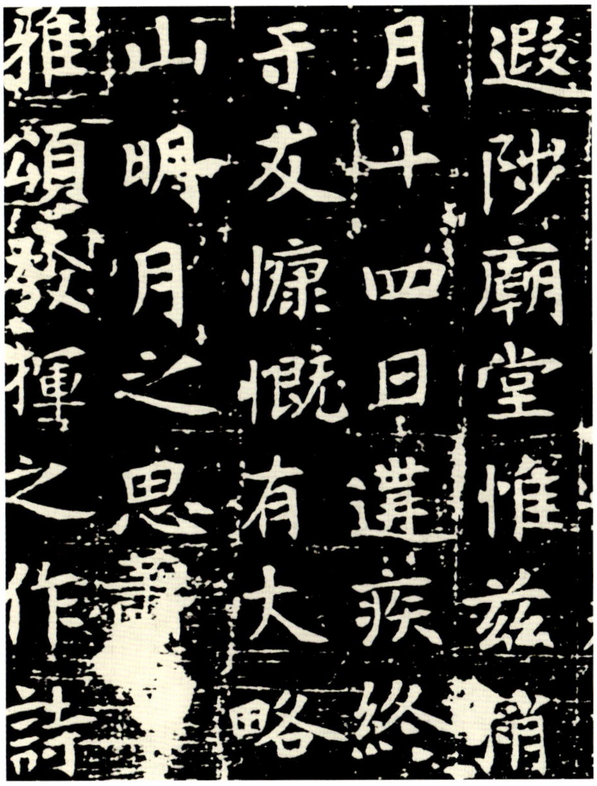

王之渙墓志

唐

河南洛陽市出土。

楷書二十四行，每行二十四字。刻于天寶二年（公元743年）。此選爲局部。

峿臺銘

唐

原石在湖南祁陽縣。

篆書十四行，每行十七字。刻于大曆二年（公元767年）。此選爲局部。

楊元卿墓志

唐

河南伊川縣城關鎮浥澗村出土。

高92、寬92厘米。

楷書三十八行，滿行三十九字，共計一千三百二十三字。刻于大和八年（公元834年）。此選爲局部。

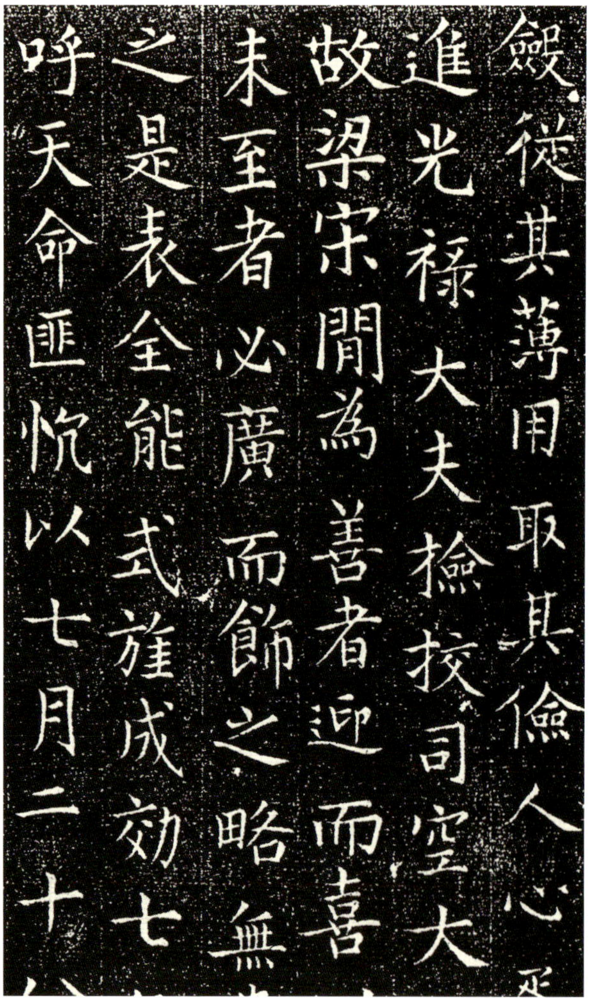
斂從其薄用取具儉人心
進光禄大夫檢校司空大
故梁宋間爲善者迎而喜
未至者必廣而飾之略無
之是表全能式旌成効七
呼天命匪忱以七月二十

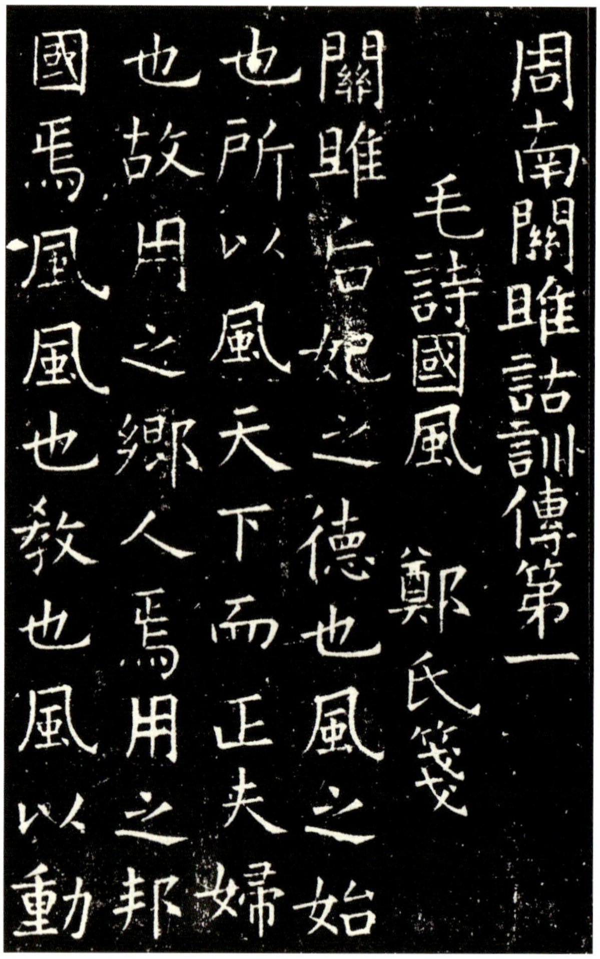
周南關雎詁訓傳第一
毛詩國風　鄭氏箋
關雎后妃之德也風之始
也所以風天下而正夫婦
也故用之鄉人焉用之邦
國焉風風也教也風以動

開成石經

唐

碑身高202、寬92厘米。

共二百二十七石。每碑刻字八列，一般每列三十余行，每行約十字。刻于開成二年（公元837年）。此選爲局部。

現藏陝西省西安碑林博物館。

大唐三藏聖教序

唐

釋懷仁集東晉王羲之書而成。

行書三十行，每行八十五至八十六字。此選爲局部。

現藏陝西省西安碑林博物館。

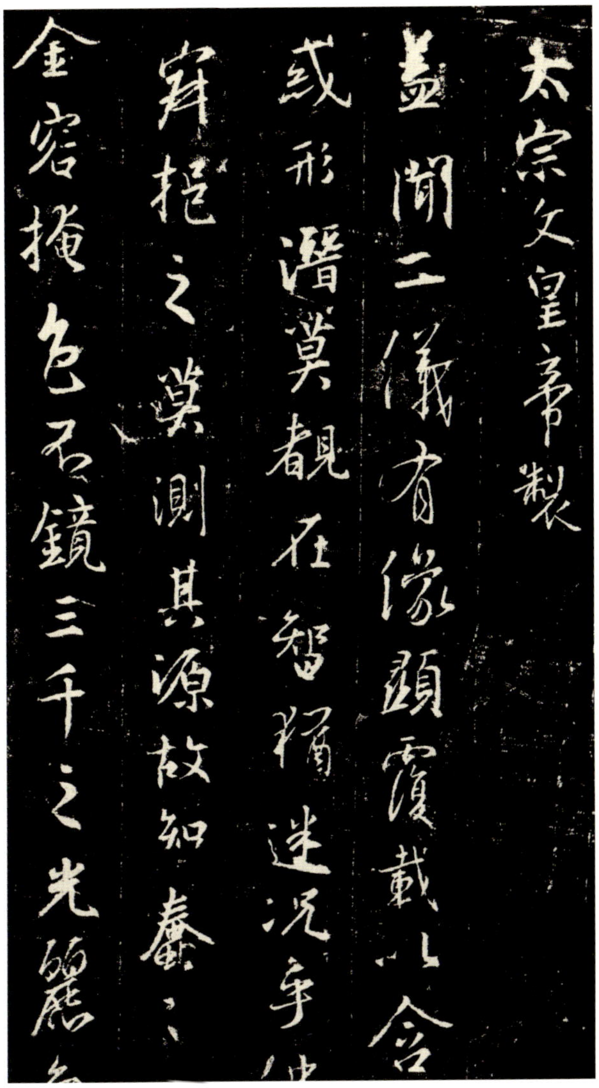

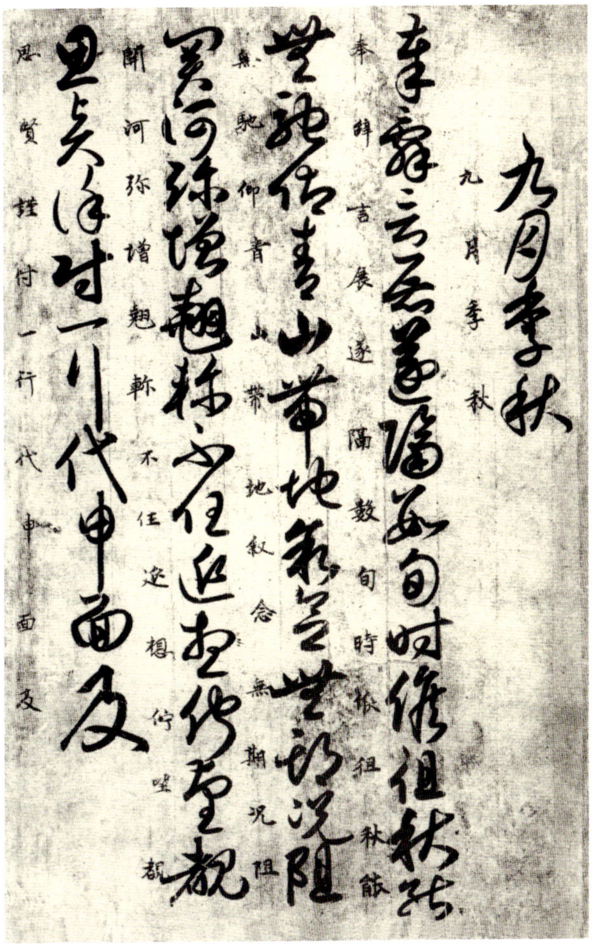

月儀帖

唐

紙本。

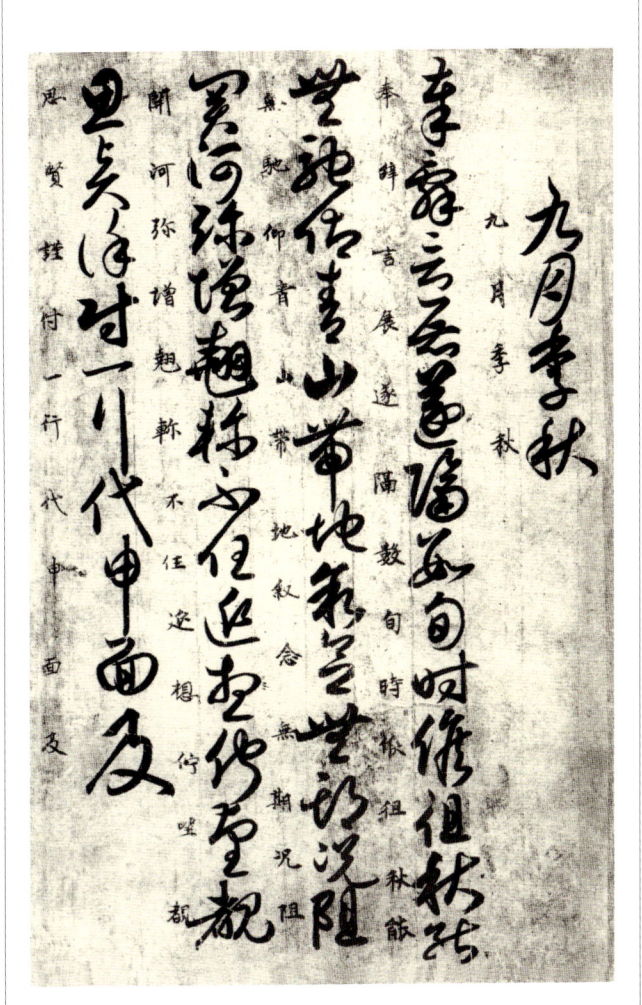

草書五十三行，五百四十一字。行間小楷釋文五十四行，五百四十四字。此選爲局部。

現藏臺北故宫博物院。

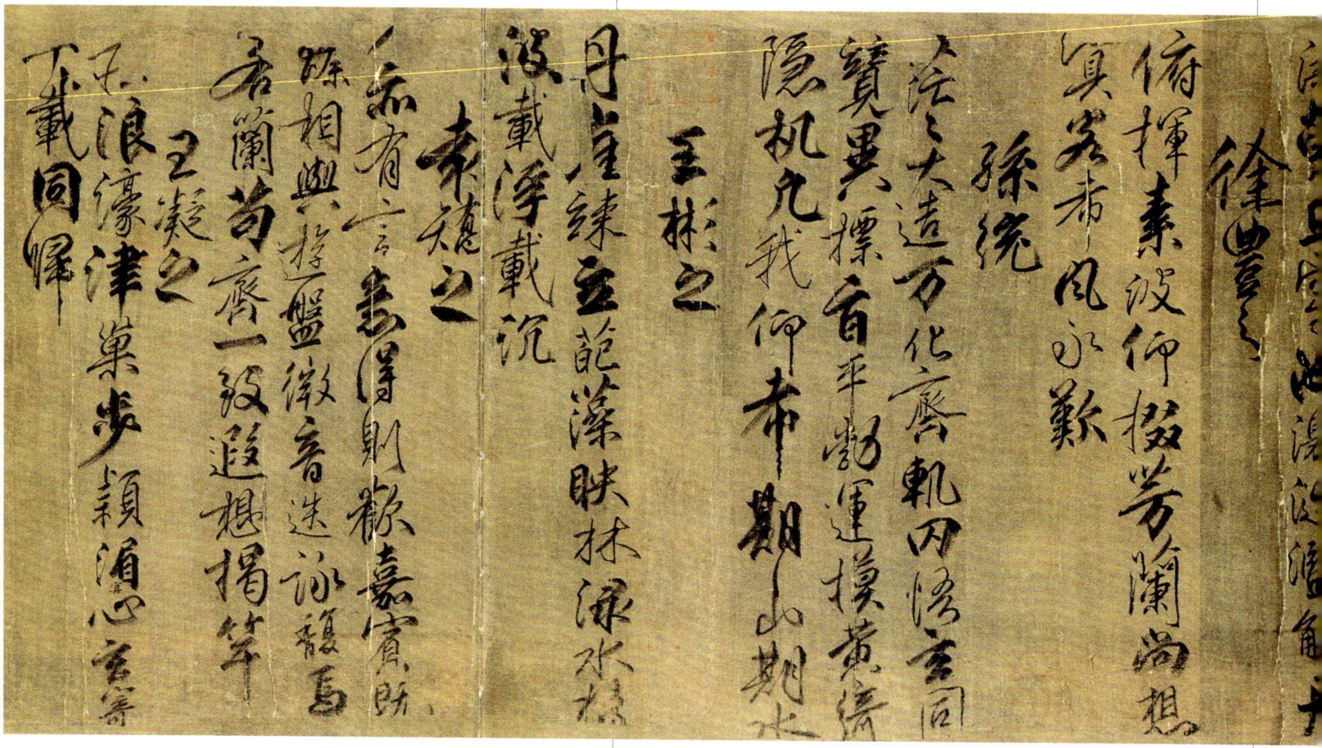

蘭亭詩（上圖）

唐

高26.5、寬365.3厘米。

絹本。此選爲局部。

現藏故宮博物院。

說文木部鈔本殘卷局部之一

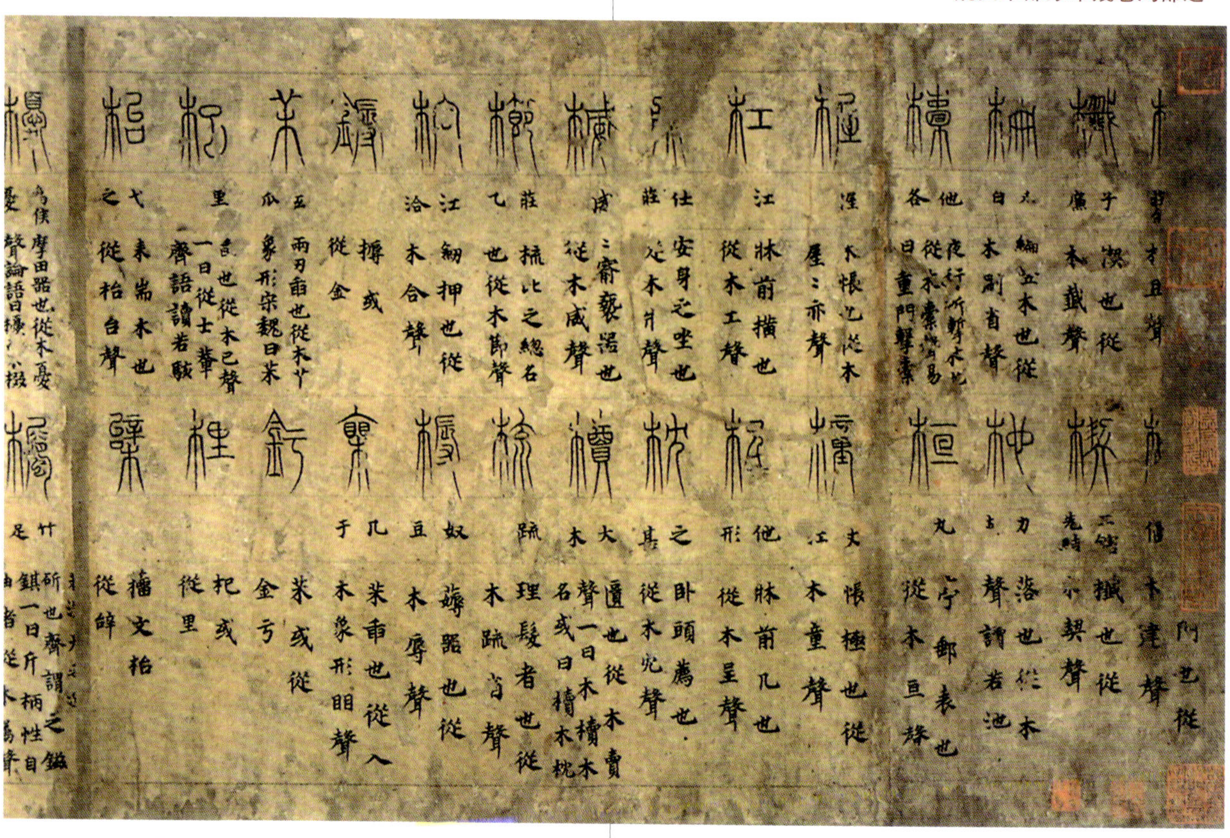

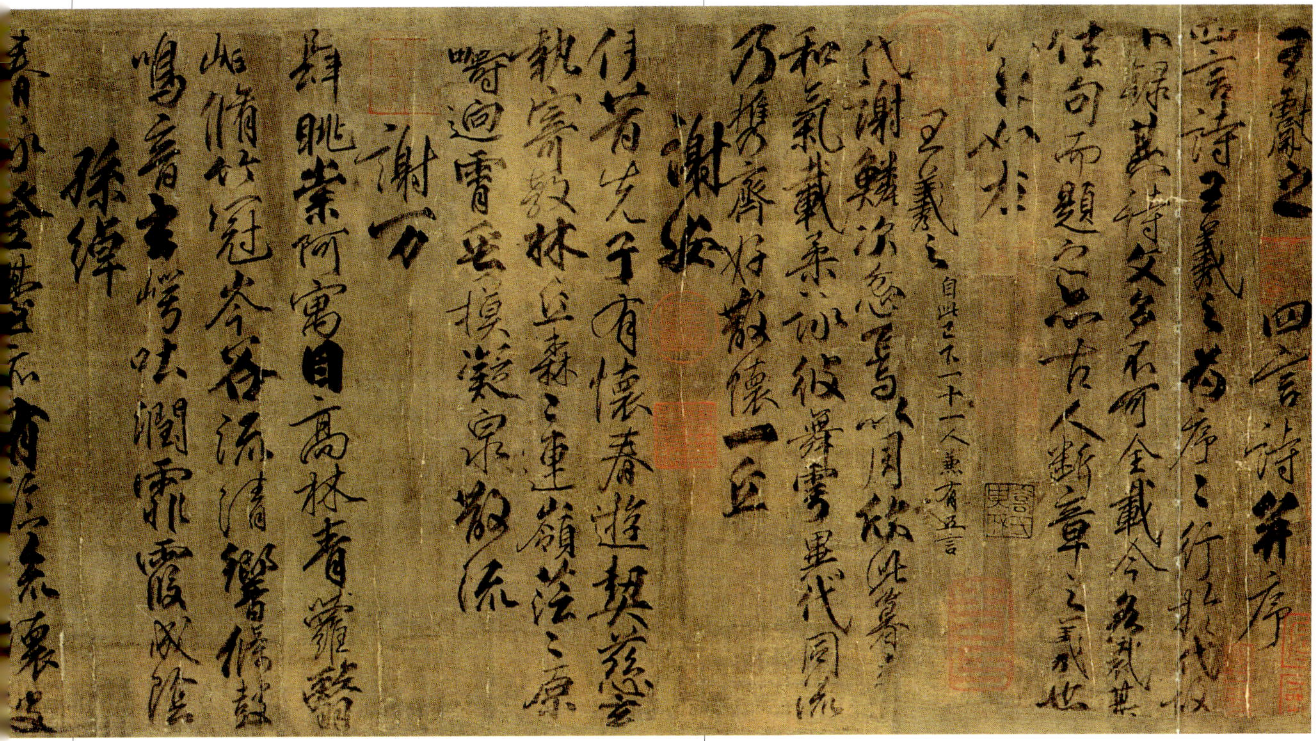

說文木部鈔本殘卷

唐

紙本。

現存六紙，計九十三行。每紙上下兩段書寫。

現藏日本私人處。

說文木部鈔本殘卷局部之二

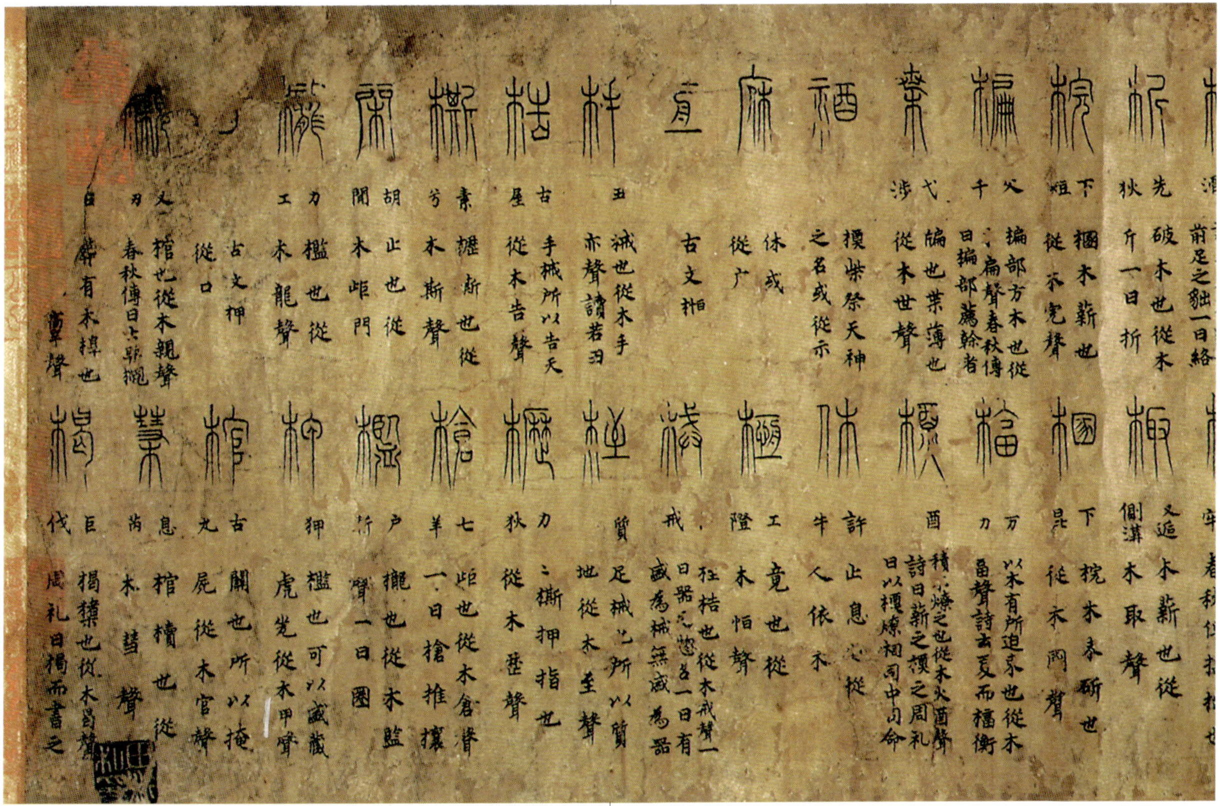

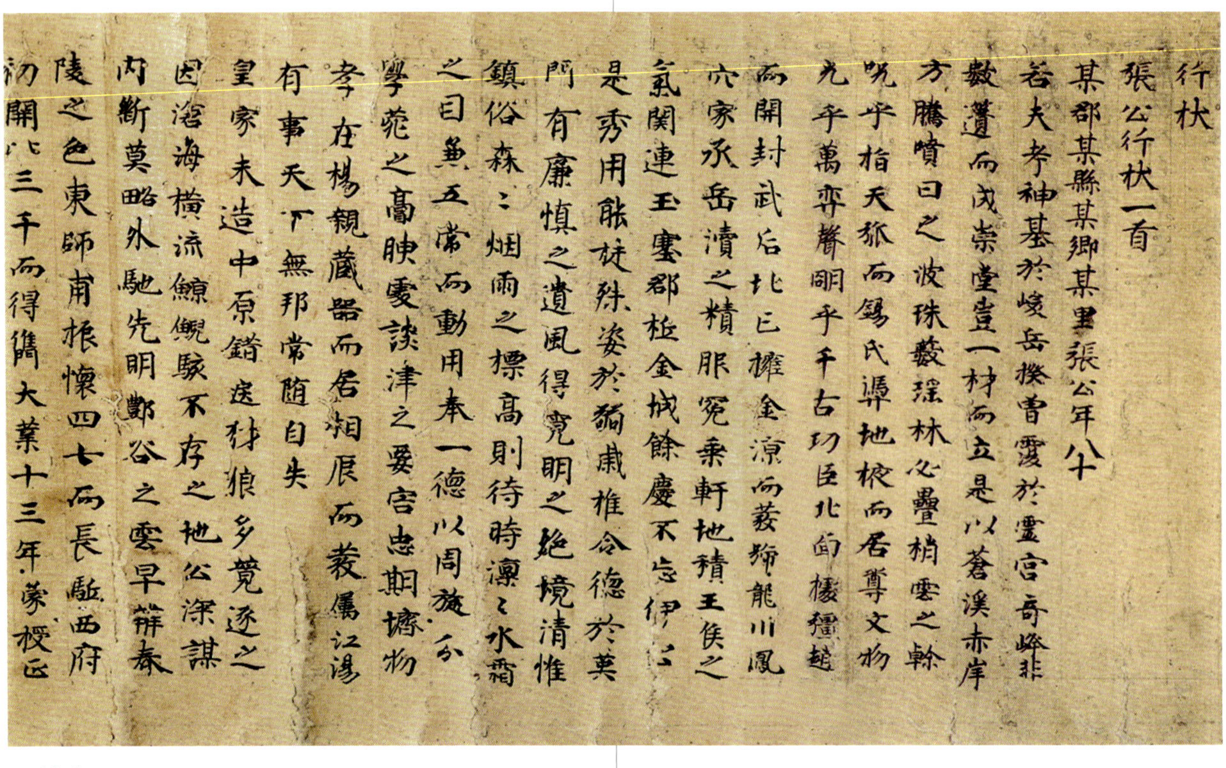
行狀
張公行狀一首
某郡某縣某鄉某里張公年八十
若夫考神基於峻岳，揆霄於靈宮，奇峰非
數簣而成；崇臺豈一材而立。是以蒼溪赤岸
方騰噴日之波；珠樹瑤林，必疊梢雲之幹
既乎稽天狐而錫氏，導地胤而居尊，文物
光乎萬祀，簪纓冠乎千古。功臣北面，[illegible]越
而開封；武后北臣，擁金涼而[illegible]跡；龍川風
穴，家承岳瀆之精；服冕乘軒，地積王侯之
氣。關連玉塞，郡枕金城。餘慶不忘，伊公
是秀。用能挺殊姿於[illegible]肅，推令德於英
門。有廉慎之遺風，得寬明之絕境。清惟
鎮俗，森森煙雨之標；高則待時，澹澹水霜
之白。兼五常而動用，奉一德以周旋。公
學苑之高映，[illegible]談津之要宮，[illegible]擅物
孝在楊觀，藏器而居，[illegible]艮而[illegible]，屬江漢
有事，天下無邦，常隨自失
皇家未造，中原錯[illegible]，豺狼多覺逐之
因滄海橫流，鯨鯢駭不存之地；公深謀
内斷，莫略外馳，先明鄭谷之雲，早辨秦
陵之色。東師甫振，懷四七而長驅；西府
初開，以三千而得儁。大業十三年，參授正

王勃集

唐
高26.5、全寬447
厘米。
紙本。現存《王勃集》第二十九卷和第三十卷。此選爲局部。
現藏日本東京國立博物館。

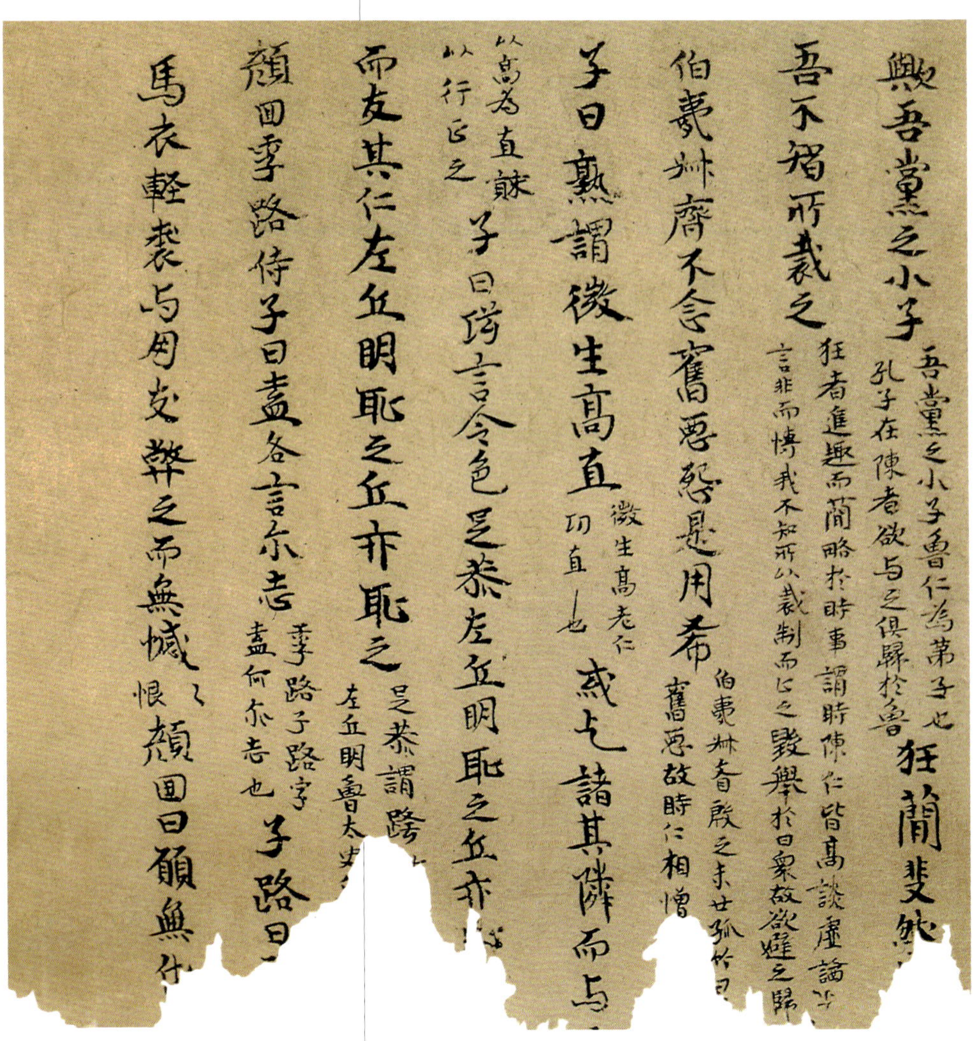
歟！吾黨之小子 吾黨之小子魯仁為弟子也 孔子在陳者欲与之俱歸於魯 狂簡斐然
吾不知所裁之 狂者進趣而簡略於時事，謂時陳仁皆高談虛論，言非而博，我不知所以裁制而止之，[illegible]舉於日衆，故欲避之歸
伯夷叔齊不念舊惡，怨是用希 伯夷叔齊殷之末世孤竹[illegible] 舊惡故時仁相憎
子曰：孰謂微生高直 微生高魯仁 功直也 或乞醯焉，乞諸其鄰而與之
以高為直諫 以行正之 子曰：巧言令色足恭，左丘明恥之，丘亦[illegible]
而友其仁，左丘明恥之，丘亦恥之 足恭謂踧[illegible] 左丘明魯太史
顏回季路侍。子曰：盍各言爾志 季路子路字 盍何尔志也 子路曰
馬衣輕裘，與朋友弊之而無憾 恨 顏回曰：願無伐

論語鄭氏注鈔本

唐
新疆吐魯番市阿斯塔那出土。
紙本，此鈔本爲十二歲學童卜天壽所書。
此選爲局部。
現藏新疆維吾爾自治區博物館。

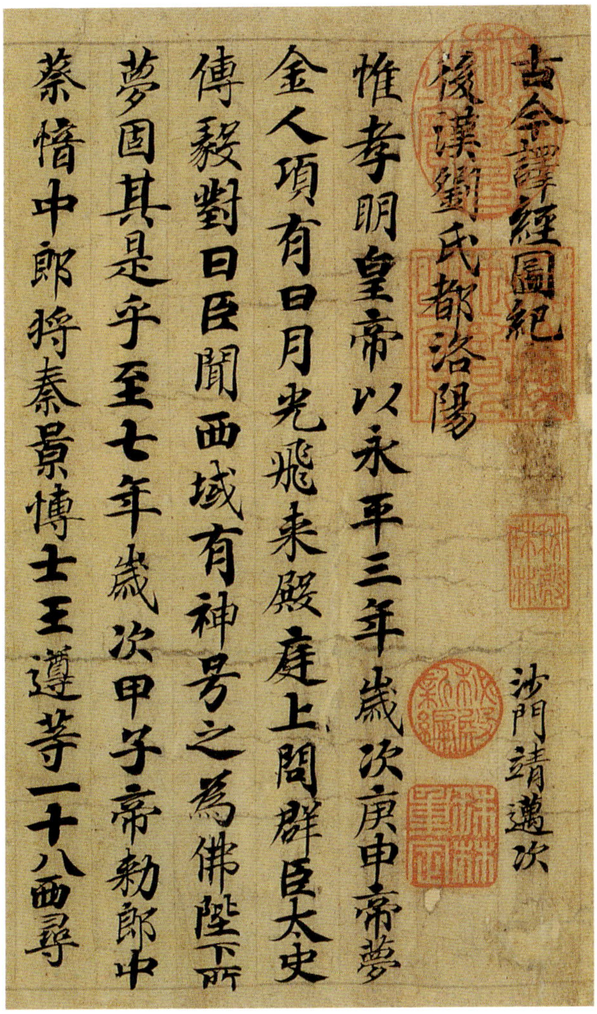

古今譯經圖記

唐

高22.6、寬745厘米。

紙本。此選爲局部。

現藏故宮博物院。

黃庭經

唐

高26.3、寬106.3厘米。

紙本。此選爲局部。

現藏故宮博物院。

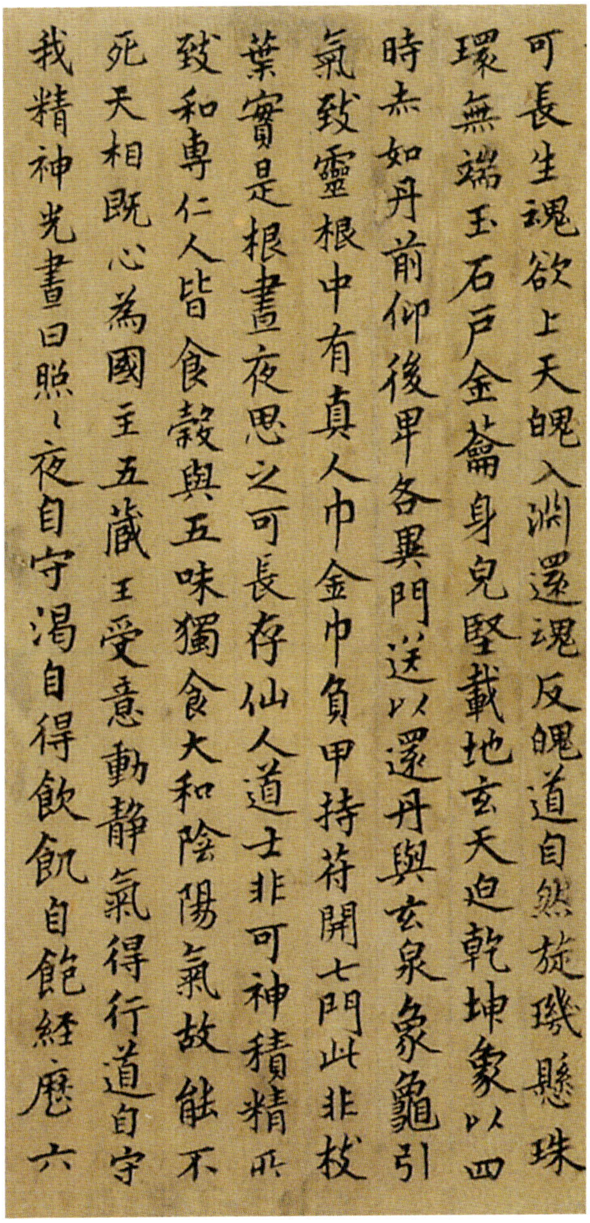

恪法師第一抄卷

唐
甘肅敦煌市莫高窟藏經洞發現。
高28.9、寬777厘米。
紙本。此選爲局部。
現藏遼寧省博物館。

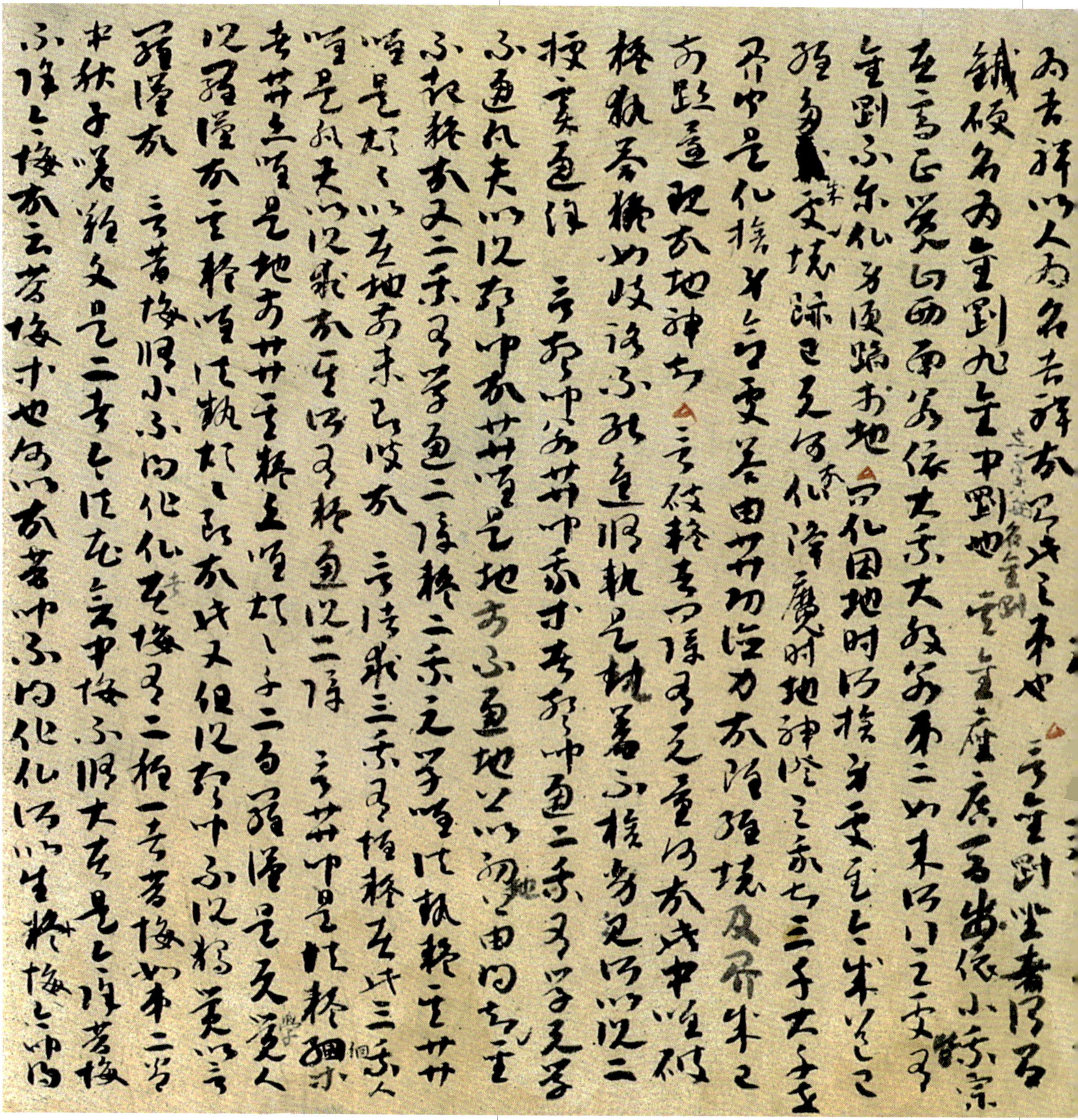

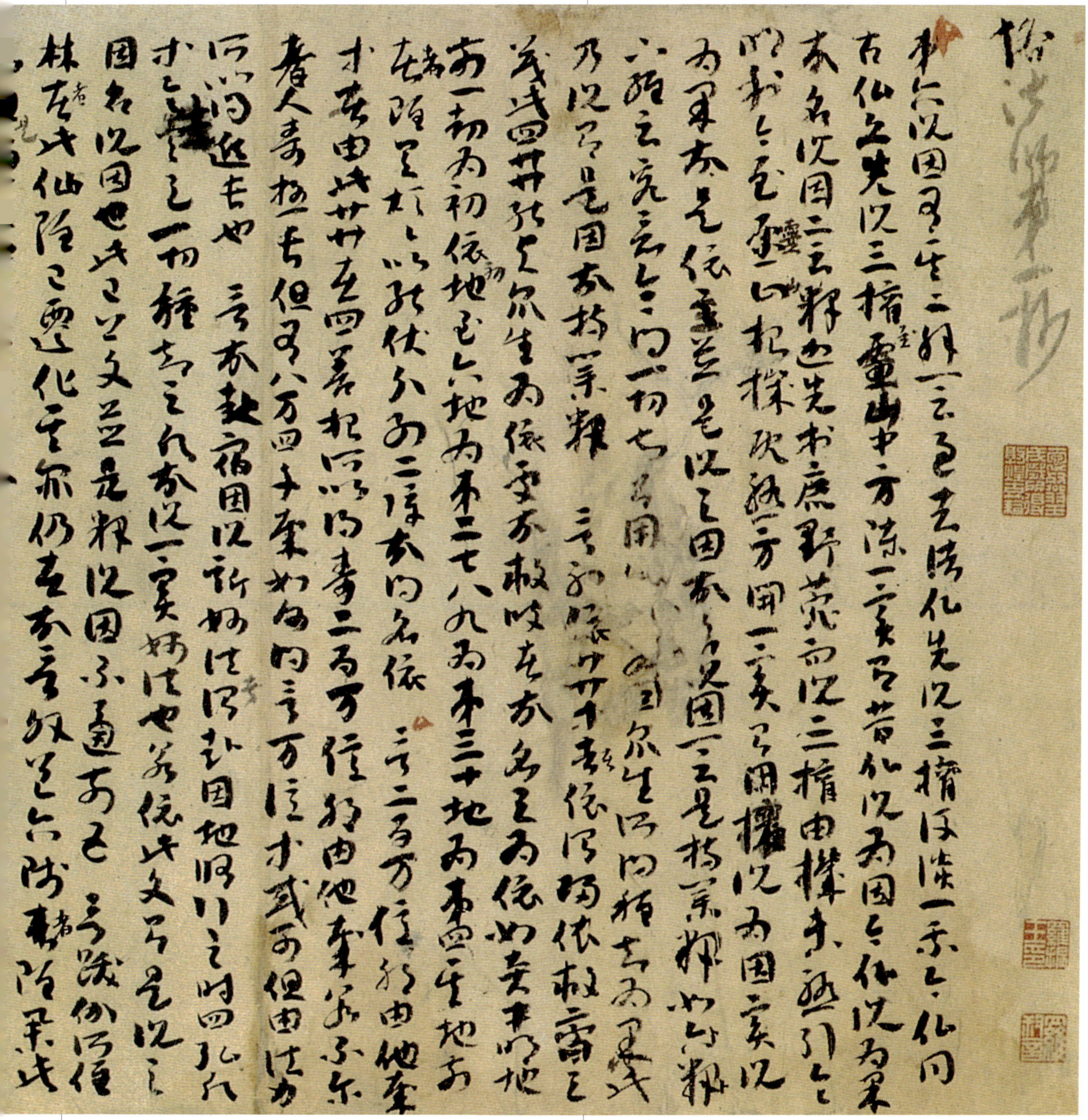

釋經卷

唐

高28、寬144.5厘米。

紙本。現僅存四紙，每紙二十五行，首紙殘存十七行，全卷共計九十二行，行間有烏絲欄。此選爲局部。

現藏山西博物院。

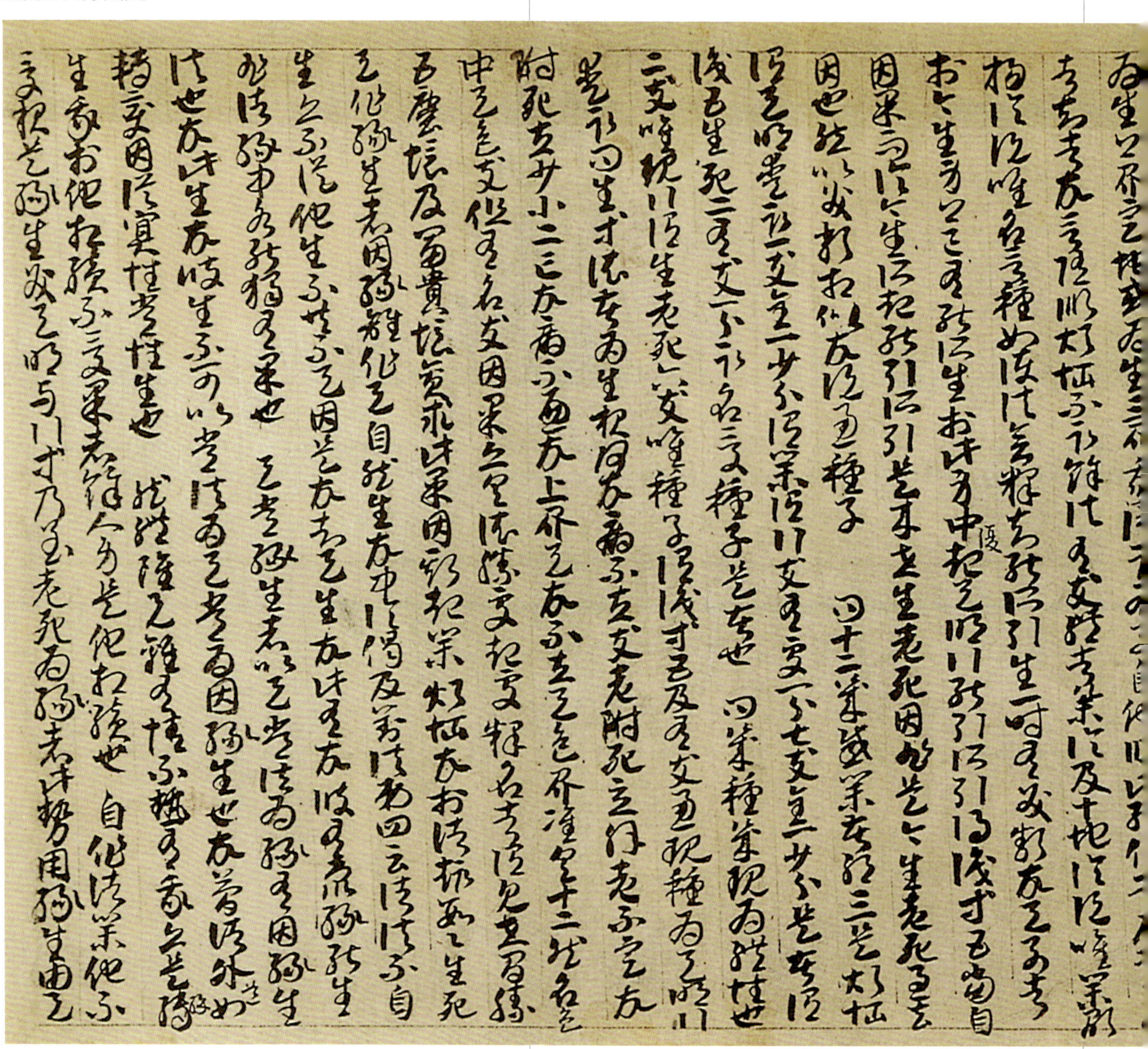

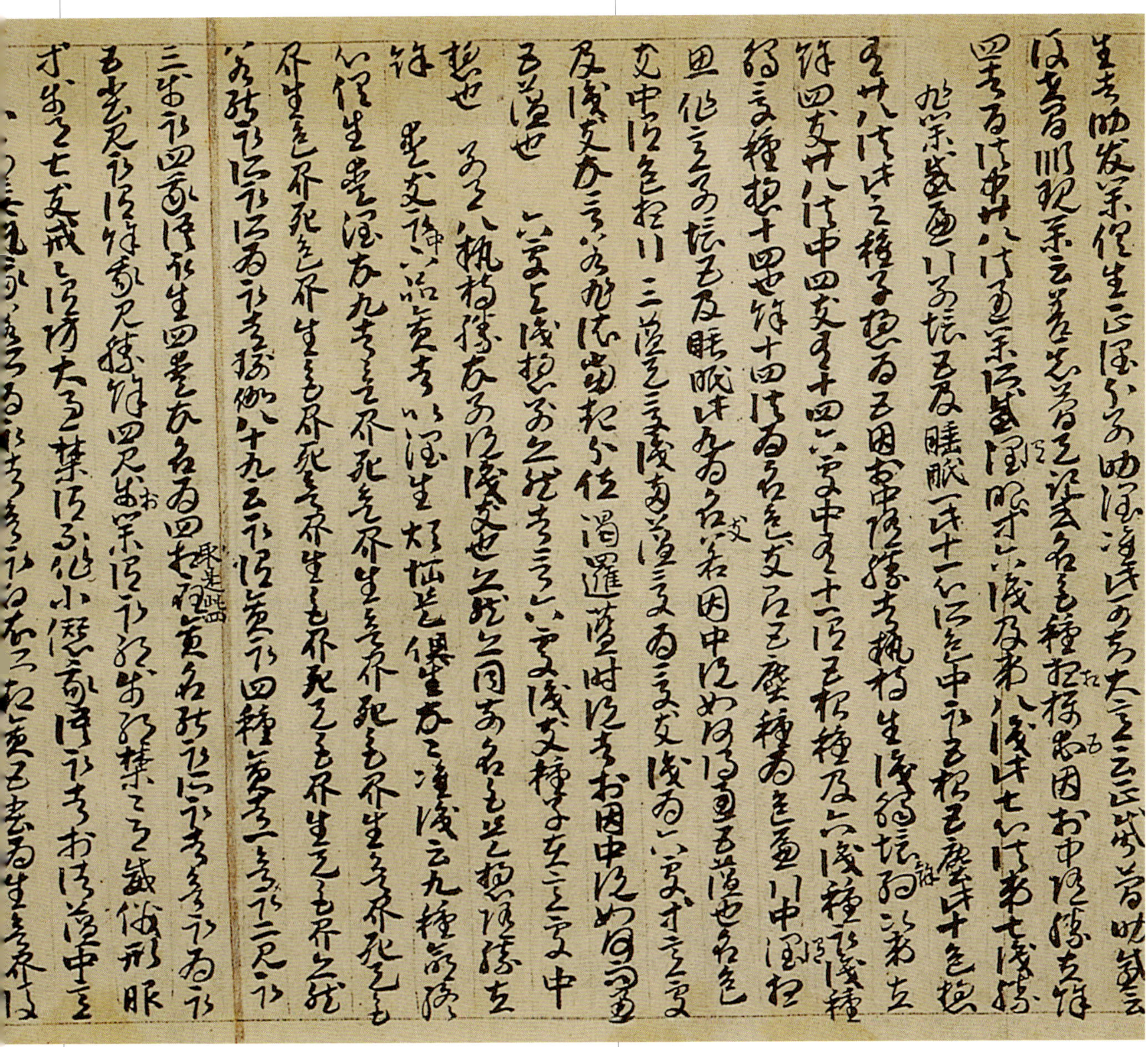

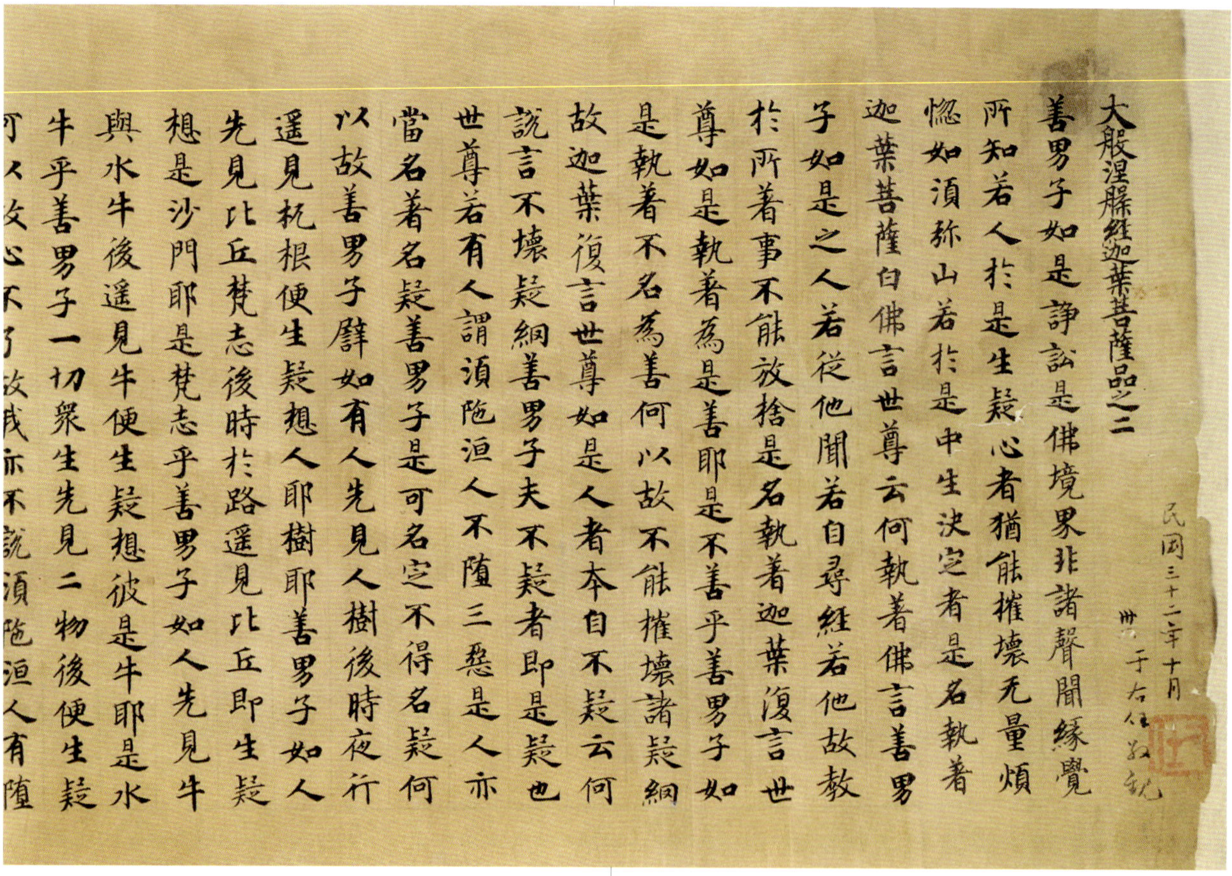
大般涅槃經迦葉菩薩品之二
善男子如是諍訟是佛境界非諸聲聞緣覺
所知若人於是生疑心者猶能摧壞无量煩
惱如須彌山若於是中生決定者是名執着
迦葉菩薩白佛言世尊云何執着佛言善男
子如是之人若從他聞若自尋經若他故教
於所着事不能放捨是名執着迦葉復言世
尊如是執着爲是善耶不善乎善男子如
是執着不名爲善何以故不能摧壞諸疑網
故迦葉復言世尊如是人者本自不疑云何
說言不壞疑網善男子夫不疑者即是疑也
世尊若有人謂須陁洹人不墮三惡是人亦
當名着名疑善男子是可名定不得名疑何
以故善男子譬如有人先見人樹後時夜行
遥見杌根便生疑想人耶樹耶善男子如人
先見比丘梵志後時於路遥見比丘即生疑
想是沙門耶是梵志乎善男子如人先見牛
與水牛後遥見牛便生疑想彼是牛耶是水
牛乎善男子一切衆生先見二物後便生疑
何以故心不了故我亦不說須陁洹人有墮
民國三十二年十月
于右任敬觀

大般涅槃經迦葉菩薩品

唐

甘肅敦煌市莫高窟藏經洞發現。

紙本。此選爲局部。

現藏甘肅省博物館。

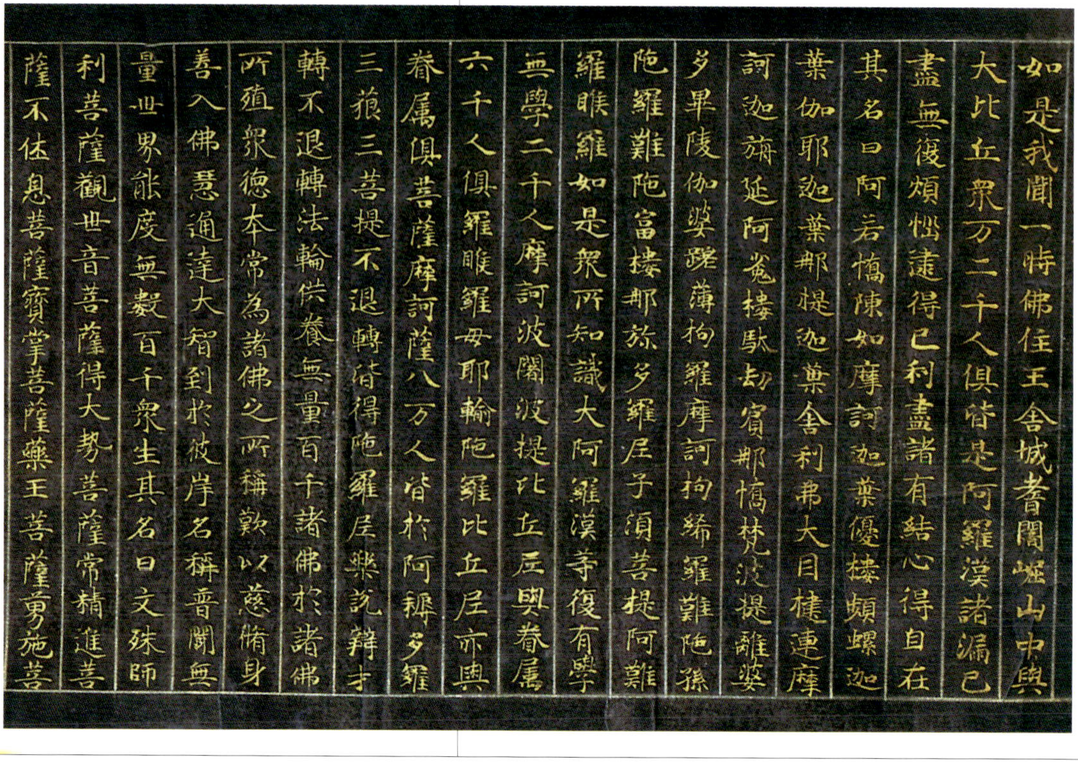
如是我聞一時佛住王舍城耆闍崛山中與
大比丘衆万二千人俱皆是阿羅漢諸漏已
盡無復煩惱逮得己利盡諸有結心得自在
其名曰阿若憍陳如摩訶迦葉優樓頻螺迦
葉伽耶迦葉那提迦葉舍利弗大目揵連摩
訶迦旃延阿㝹樓䭾劫賓那憍梵波提離婆
多畢陵伽婆蹉薄拘羅摩訶拘絺羅難陁孫
陁羅難陁富樓那彌多羅尼子須菩提阿難
羅睺羅如是衆所知識大阿羅漢等復有學
無學二千人摩訶波闍波提比丘尼與眷屬
六千人俱羅睺羅母耶輸陁羅比丘尼亦與
眷屬俱菩薩摩訶薩八万人皆於阿耨多羅
三藐三菩提不退轉皆得陁羅尼樂說辯才
轉不退轉法輪供養無量百千諸佛於諸佛
所殖衆德本常爲諸佛之所稱歎以慈脩身
善入佛慧通達大智到於彼岸名稱普聞無
量世界能度無數百千衆生其名曰文殊師
利菩薩觀世音菩薩得大勢菩薩常精進菩
薩不休息菩薩寶掌菩薩藥王菩薩勇施菩

妙法蓮華經

唐

甘肅敦煌市莫高窟藏經洞發現。

紙本。用金粉寫成。此選爲局部。

現藏敦煌研究院。

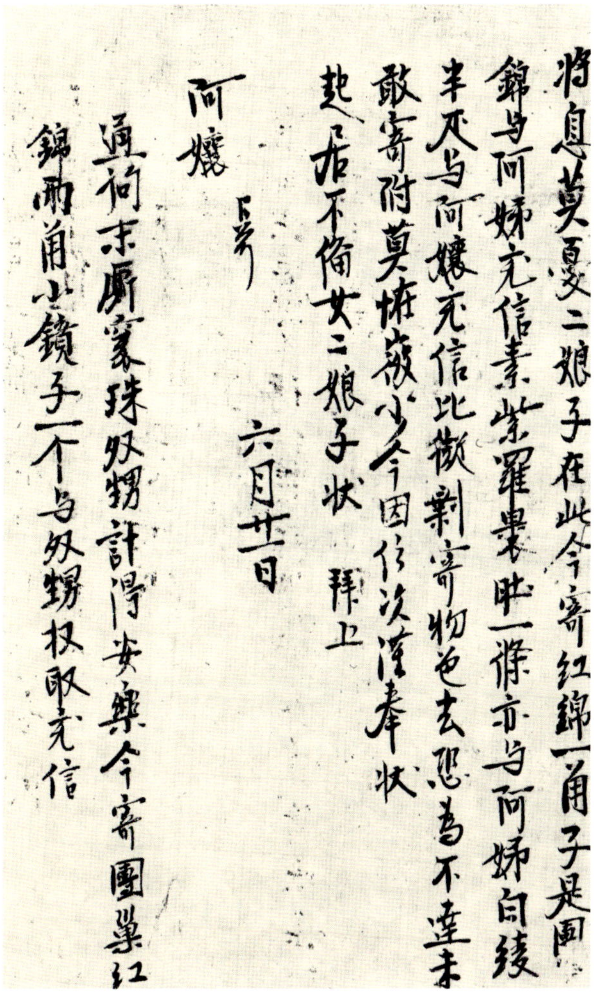

二娘子家書

唐

高31、寬54.3厘米。

紙本。行書十九行。此選爲局部。

此爲自敦煌唐人寫經的紙背揭下的一通書信。

現藏安徽省博物館。

嚴苟仁租葡萄園契

唐

新疆吐魯番市阿斯塔那93號墓出土。

高29、寬16厘米。

紙本。行書五行。書于長安三年（公元703年）。

現藏新疆維吾爾自治區博物館。

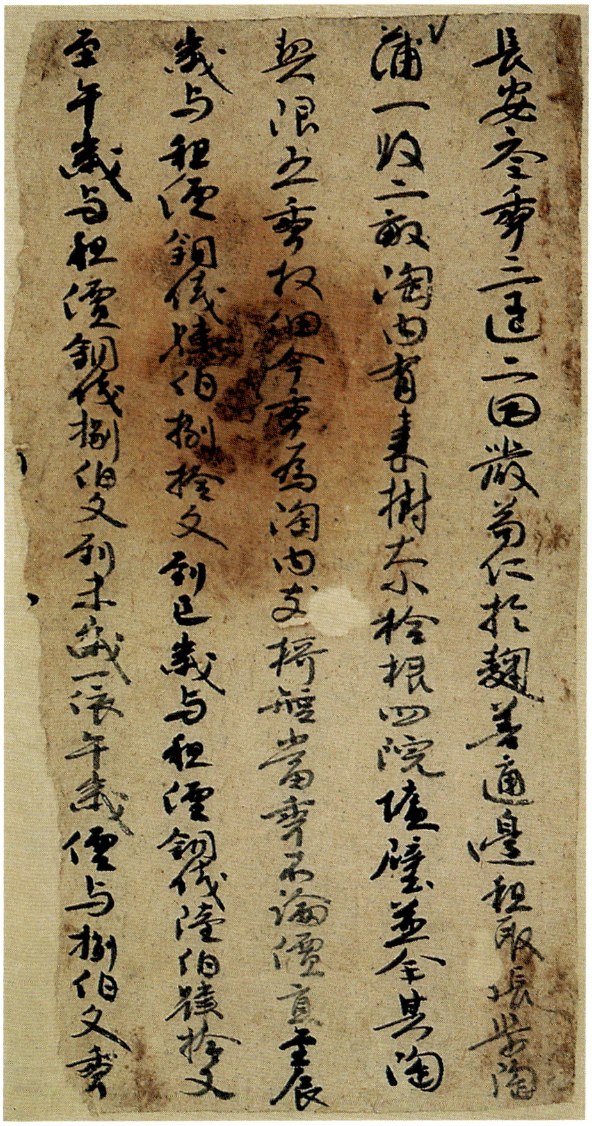

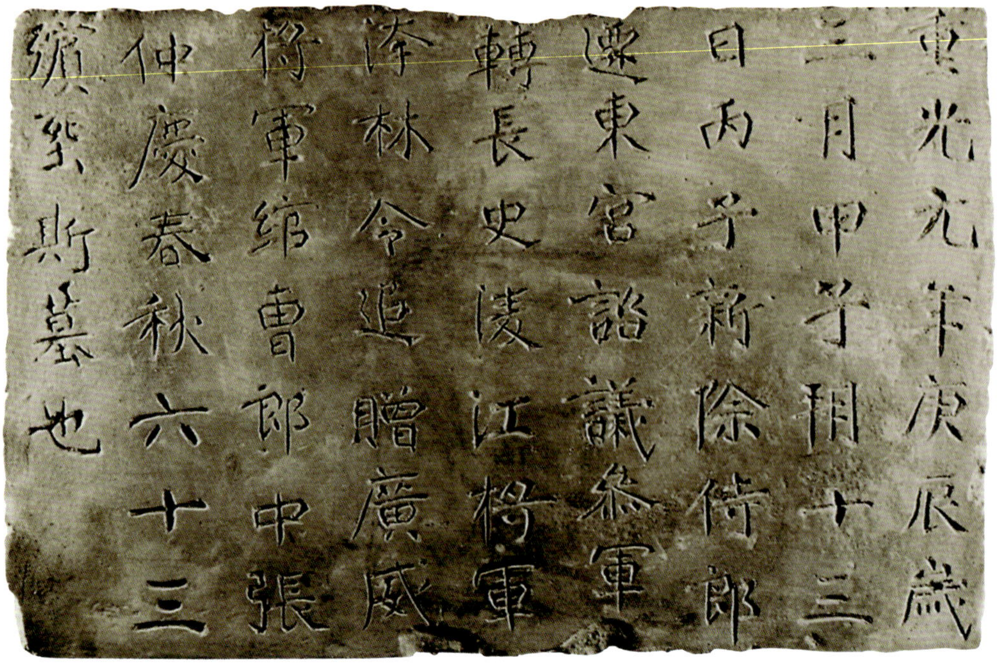

張仲慶墓表

麴氏高昌
新疆吐魯番市阿斯塔那墓葬出土。
高37、寬58厘米。
磚質，陰刻字填朱。刻于高昌重光元年（公元620年）。
現藏新疆文物考古研究所。

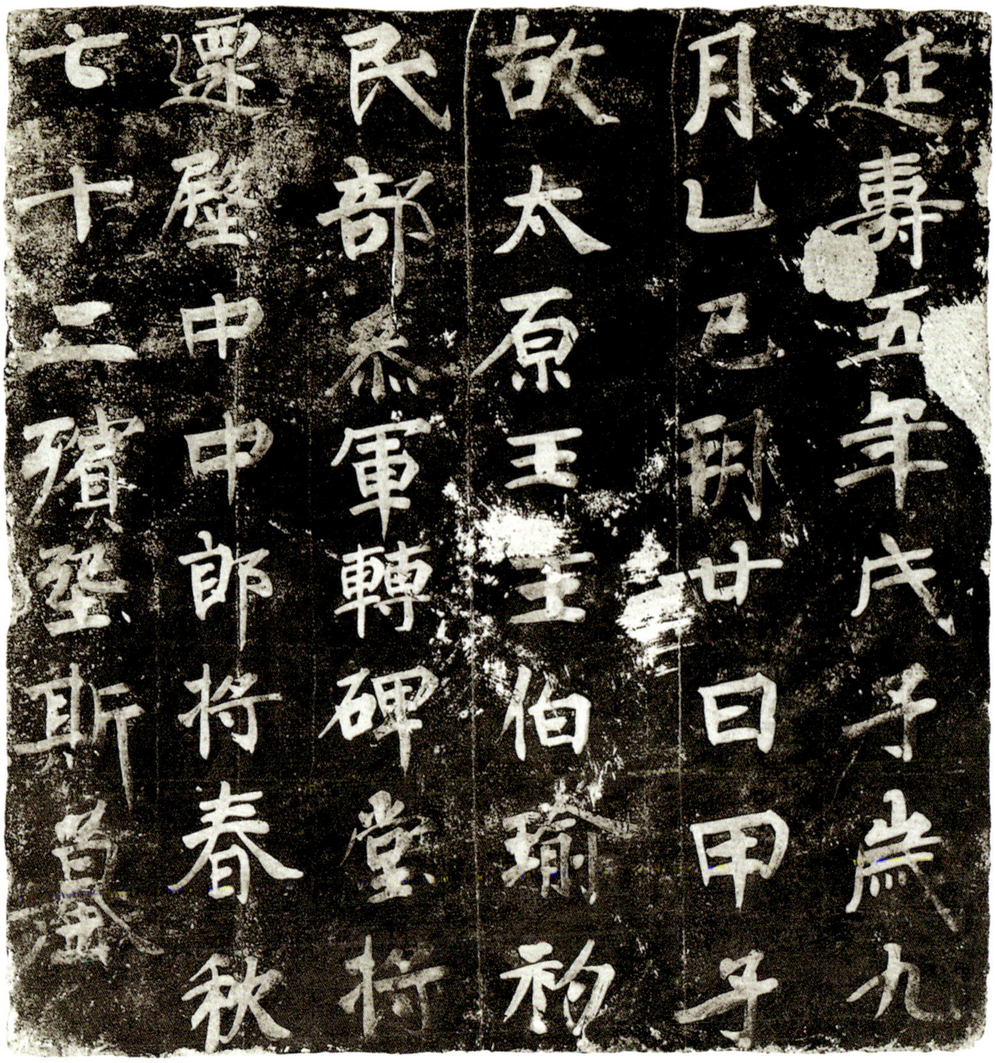

王伯瑜墓表

麴氏高昌
新疆吐魯番市阿斯塔那墓葬出土。
高33、寬33厘米。
磚質，朱書。書于高昌延壽五年（公元628年）。
現藏新疆文物考古研究所。

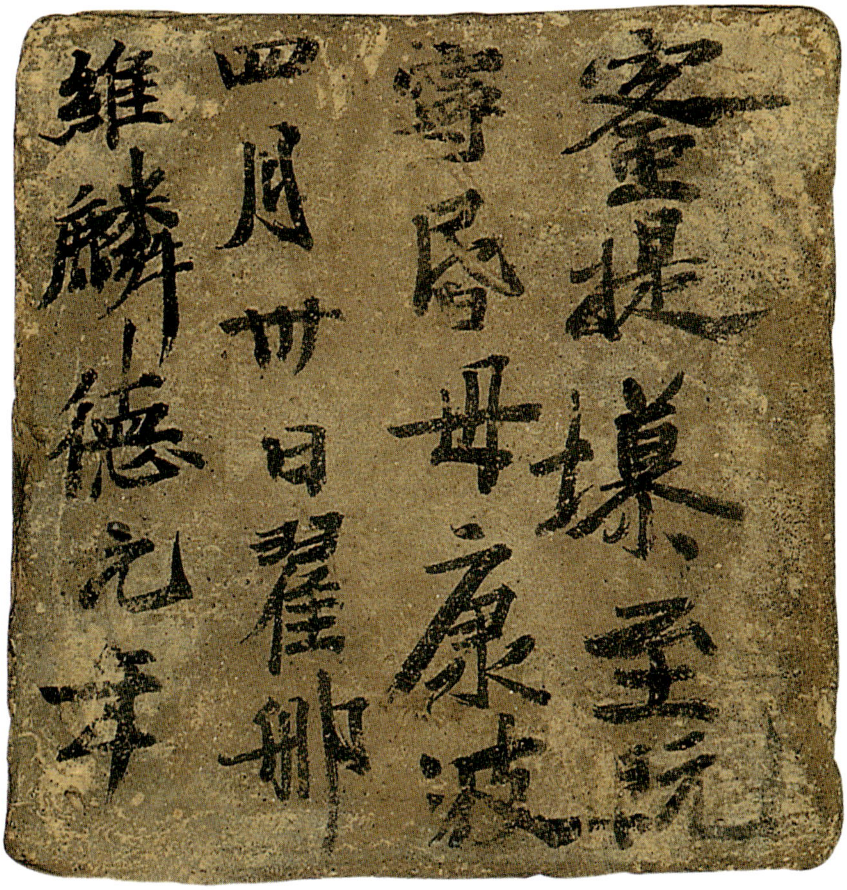

康波蜜提墓表

唐

新疆吐魯番市阿斯塔那墓葬出土。

高36.6、寬36厘米。

磚質，墨書。此墓志由左向右書寫，保留了西域人的書寫習慣。書于麟德元年（公元664年）。

現藏故宮博物院。

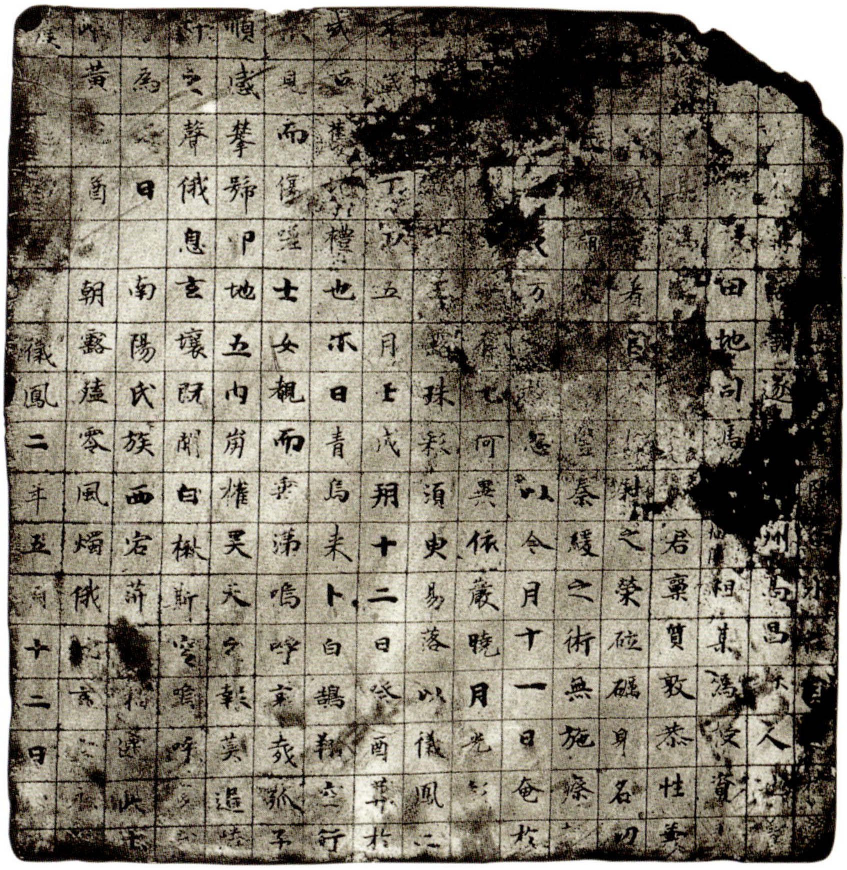

張氏墓志

唐

新疆吐魯番市阿斯塔那墓葬出土。

高37、寬37厘米。

磚質，白粉地，墨書。書于儀鳳二年（公元677年）。

現藏新疆文物考古研究所。

錢鏐鐵券

唐

鐵券狀如瓦，上嵌金字詔書三百三十三字，爲唐昭宗乾寧四年（公元897年）賜給鎮海、鎮東節度使錢鏐的。此選爲局部。

高29.8、長52厘米。

現藏中國國家博物館。

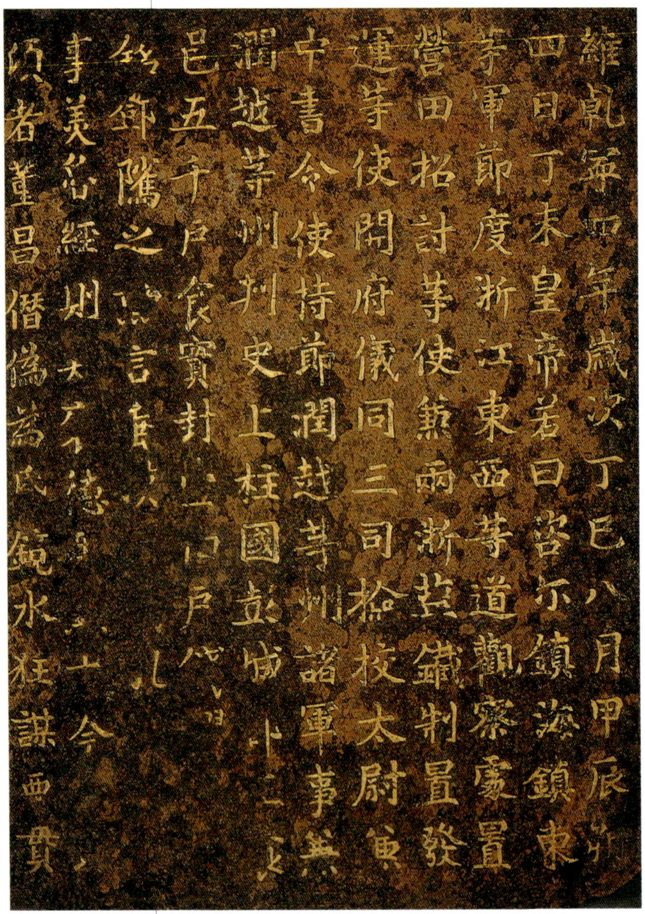
維乾寧四年歲次丁巳八月甲辰朔
四日丁未皇帝若曰咨爾鎮海鎮東
等軍節度浙江東西等道觀察處置
營田招討等使兼兩浙鹽鐵制置發
運等使開府儀同三司檢校太尉兼
中書令使持節潤越等州諸軍事兼

“年年同聞閣”壺文

唐

壺高23.1厘米。

壺爲長沙窑製瓷，上草書詩文。

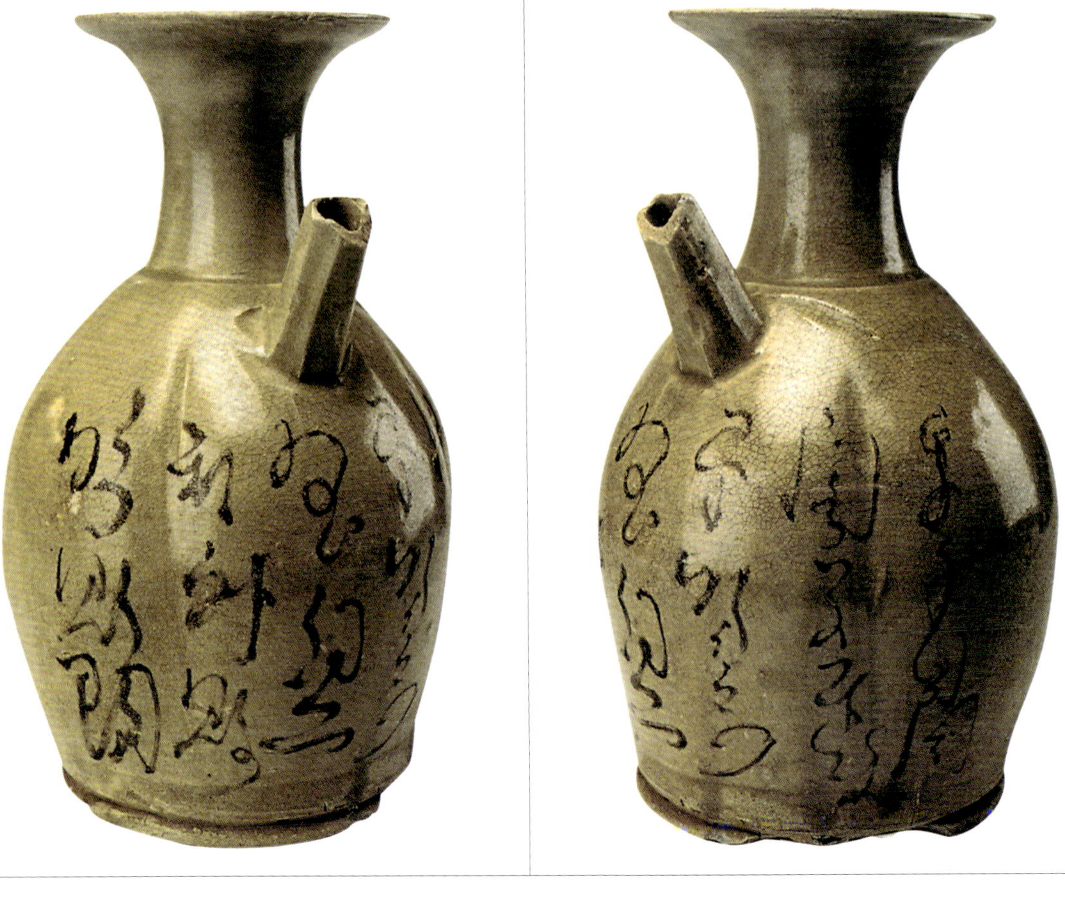

楊凝式（公元873－954年）

華州華陰（今屬陝西）人，居洛陽（今屬河南）。字景度，號虛白、癸巳人、希維居士和關西老農等。唐末爲秘書郎，歷仕梁、唐、晋、漢、周五朝，皆以狂放不羈而罷，官至少傅、太子少師，世稱“楊少師”，又因佯瘋自晦，故又稱“楊瘋子”。善文詞。工書法，尤精于行草。

神仙起居法帖

五代十國
楊凝式
高27、寬21.2厘米。
紙本。
現藏故宫博物院。

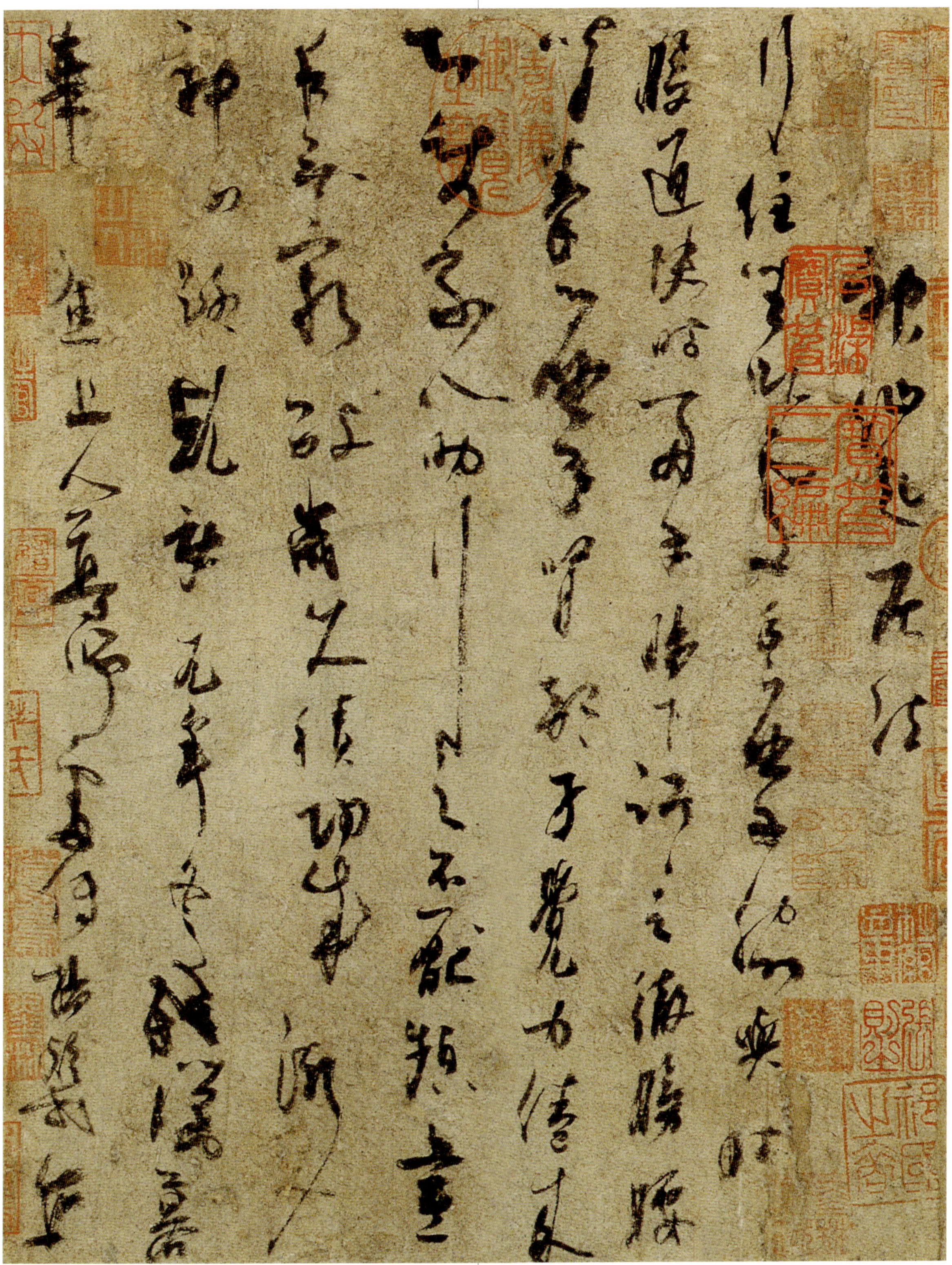

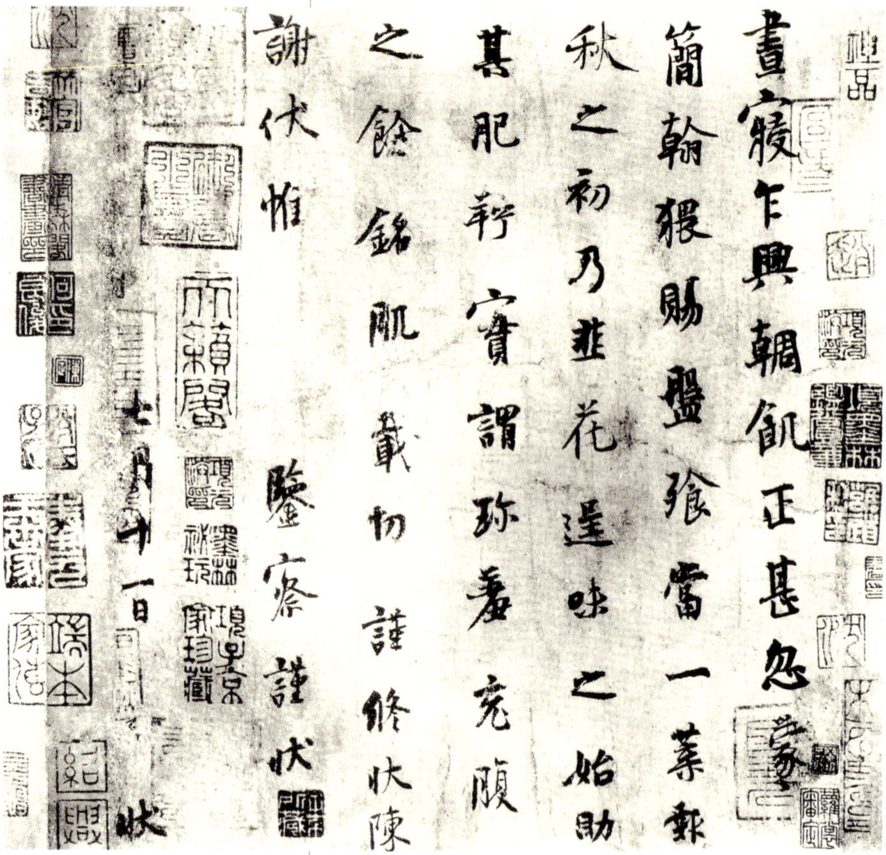

韭花帖
五代十國
楊凝式
紙本。
原本已佚，此本爲摹本。
現藏江蘇省無錫市博物館。

夏熱帖
五代十國
楊凝式
高23.8、寬33厘米。
紙本。
現藏故宮博物院。

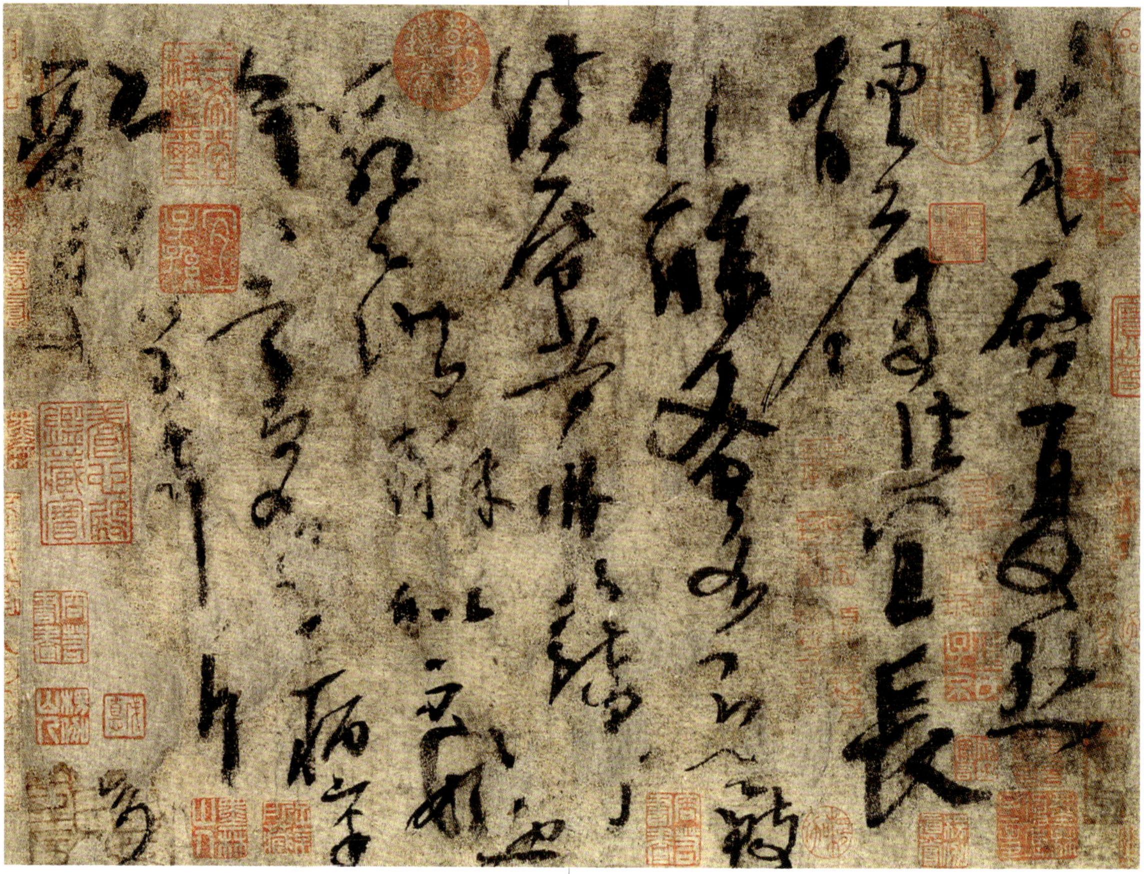

盧鴻草堂十志圖跋

五代十國
楊凝式
高29.5、寬30.4厘米。
紙本。
現藏臺北故宮博物院。

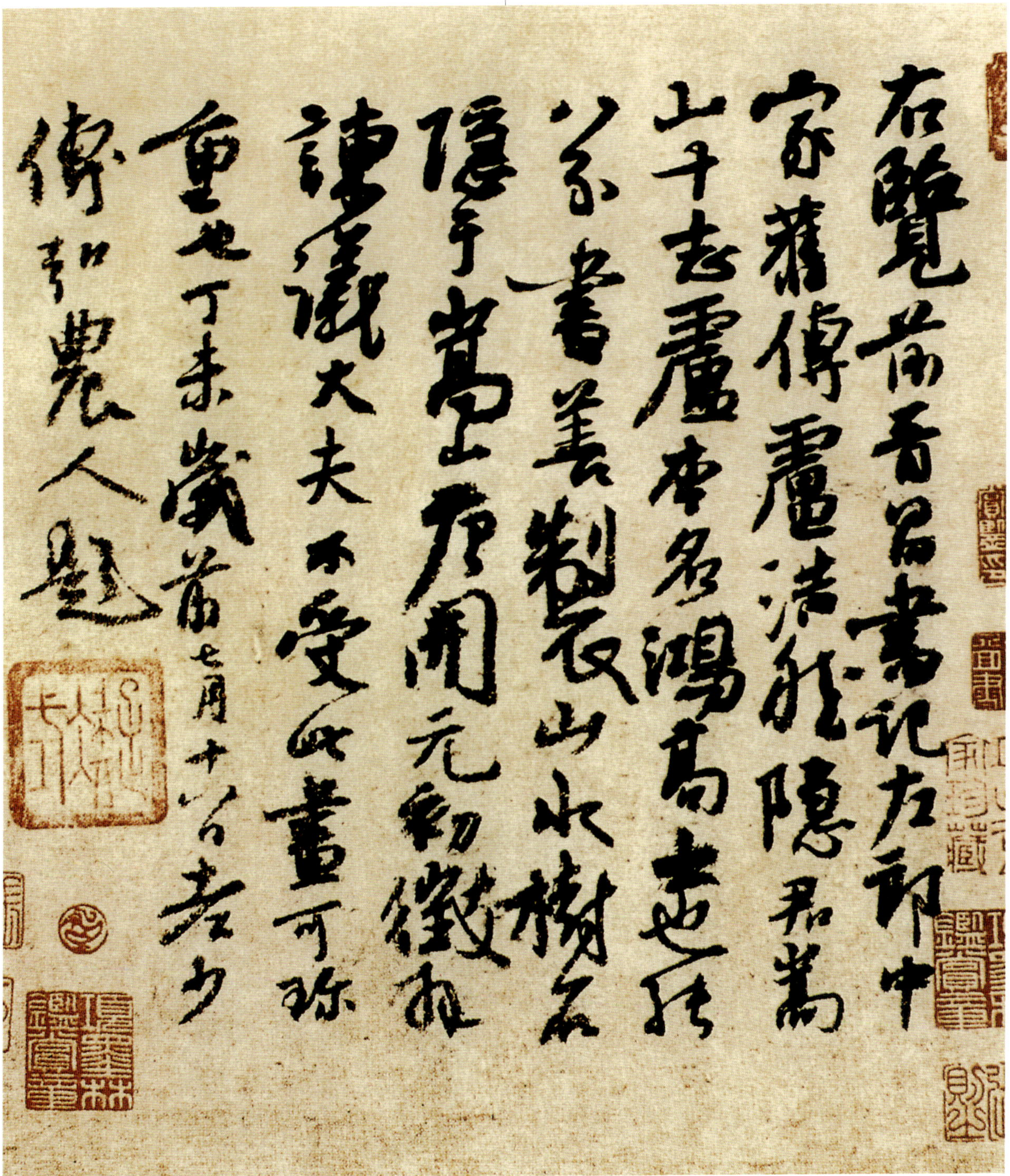
右覽前晉昌書記左郎中
家藏傳盧浩然隱君嵩
山十志盧本名鴻高士也能
自書善製山水樹石
隱于嵩山開元初徵為
諫議大夫不受此畫可珍
重也丁未歲前七月十一日老少
傅弘農人題

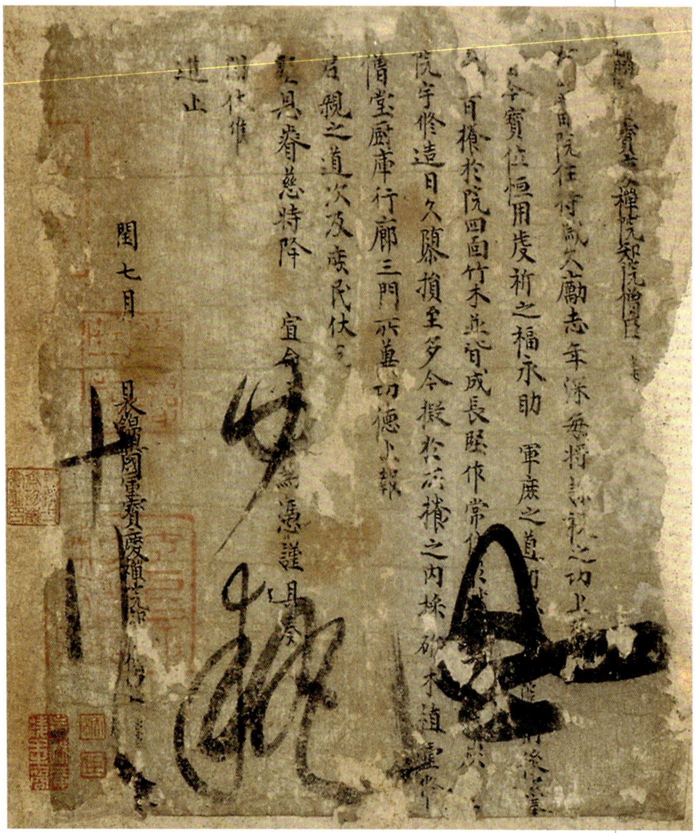

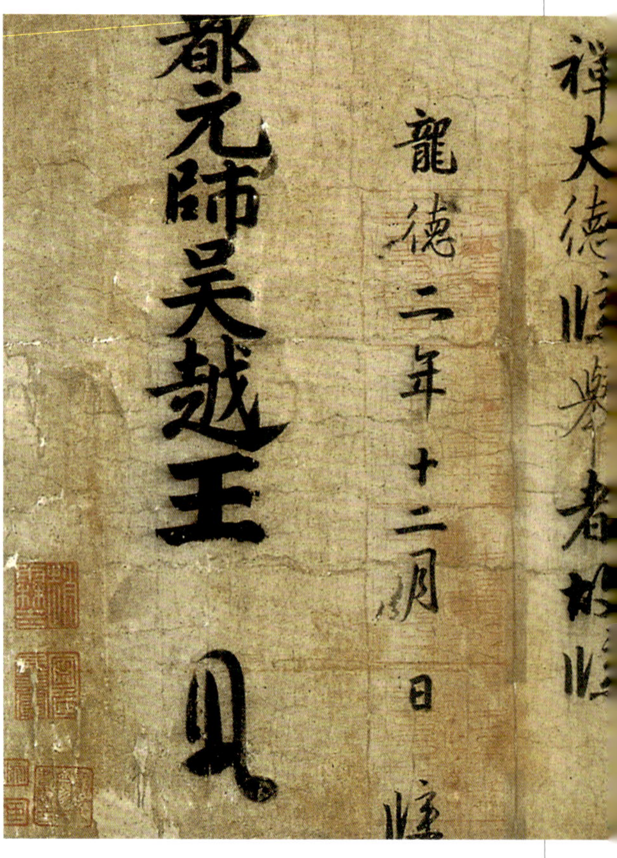
都元帥吴越王
龍德二年十二月 日

錢鏐錢俶批牘合卷

五代十國・吴越

高29、寬101.4厘米。

紙本。此卷分爲兩段：前段爲錢鏐給崇吴禪院僧嗣匡的牒文，書于後梁龍德二年（公元922年）；後段爲寶慶禪院僧崇定上奏表文，有錢俶的批字和花押，書于北宋太平興國二年（即公元977年，吴越國後期使用北宋年號）。後人將兩件合裝爲一卷。

現藏浙江省博物館。

妙法蓮華經

五代十國・後周

高27-27.6厘米。

紙本。卷裝，共七卷，每卷二十二至二十八開不等，每開二十五行，每行十七字。此選爲局部。

現藏江蘇省蘇州博物館。

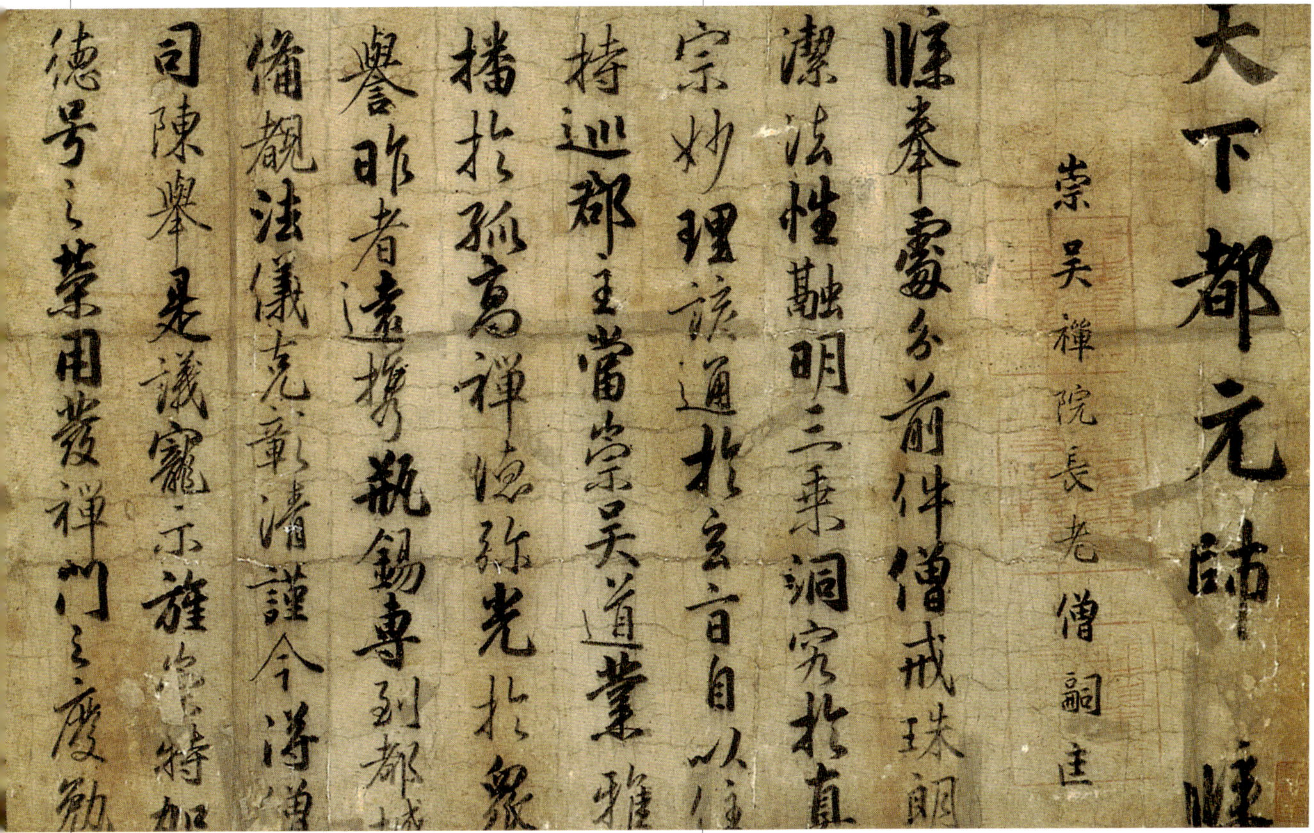

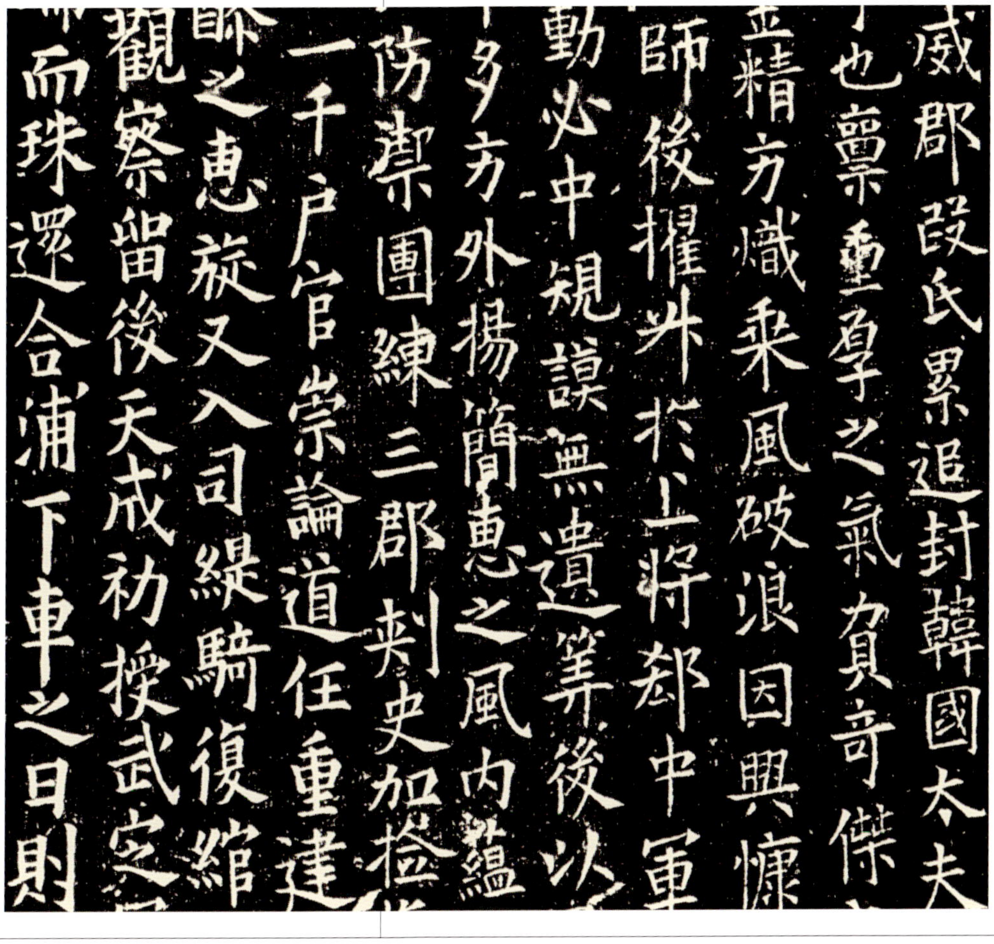

戴思遠墓志

五代十國·後唐
河南伊川縣鴉嶺鄉秘溝村出土。
志高78.5、寬78.5厘米。
楷書三十三行，滿行四十五字。刻于後唐清泰三年（公元936年）。此選爲局部。
現藏河南省伊川縣博物館。

韓通妻董氏墓志

五代十國・後周

刻于後周顯德二年（公元955年）。此選爲局部。

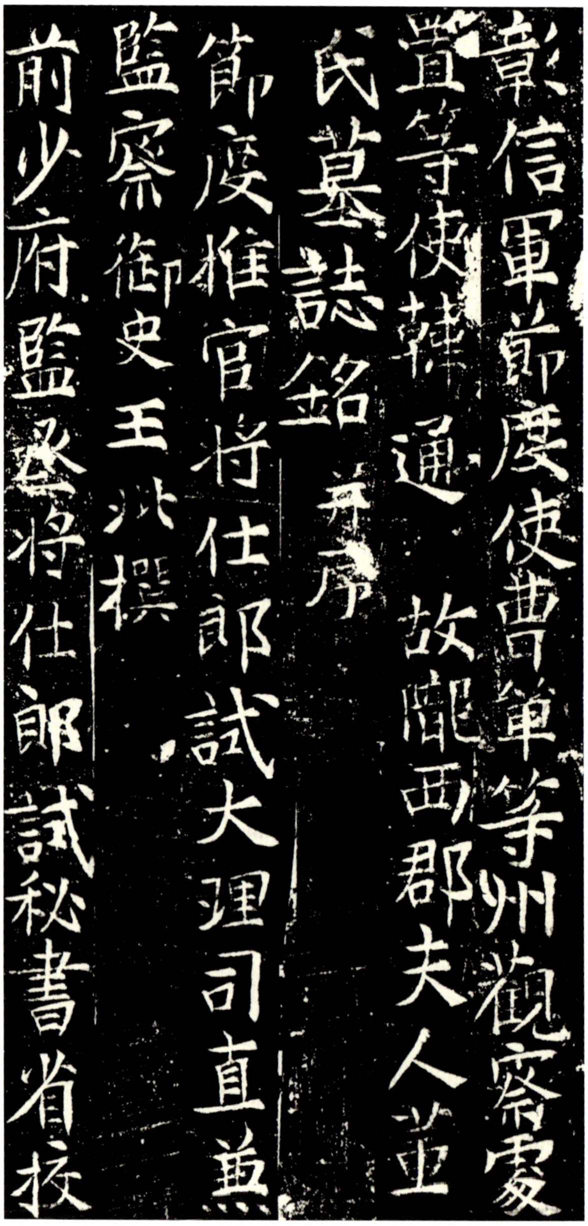
彰信軍節度使曹單等州觀察處
置等使韓通故隴西郡夫人並
氏墓誌銘并序
節度推官將仕郎試大理司直兼
監察御史王洪撰
前少府監丞將仕郎試秘書省

惟光天元年夏六月壬寅朔
大行皇帝登遐粵十一月三日
神駕遷座于永陵禮也嗚呼攢塗
撤罔靈將舉
玄堂啓扉龍輴戒路六合悲慘

王建哀册

五代十國・前蜀

四川成都市老西門外撫琴臺五代前蜀主王建墓出土。玉質。共五十一簡，楷書，皆填金。刻于前蜀光天元年（公元918年）。此選爲局部。

現藏四川博物院。

李昪哀册

五代十國・南唐

江蘇南京市牛首山南唐烈祖李昪陵出土。

玉質。共四十三片，完整者十三片。楷書，皆填金。刻于南唐保大元年（公元943年）。

現藏南京博物院。

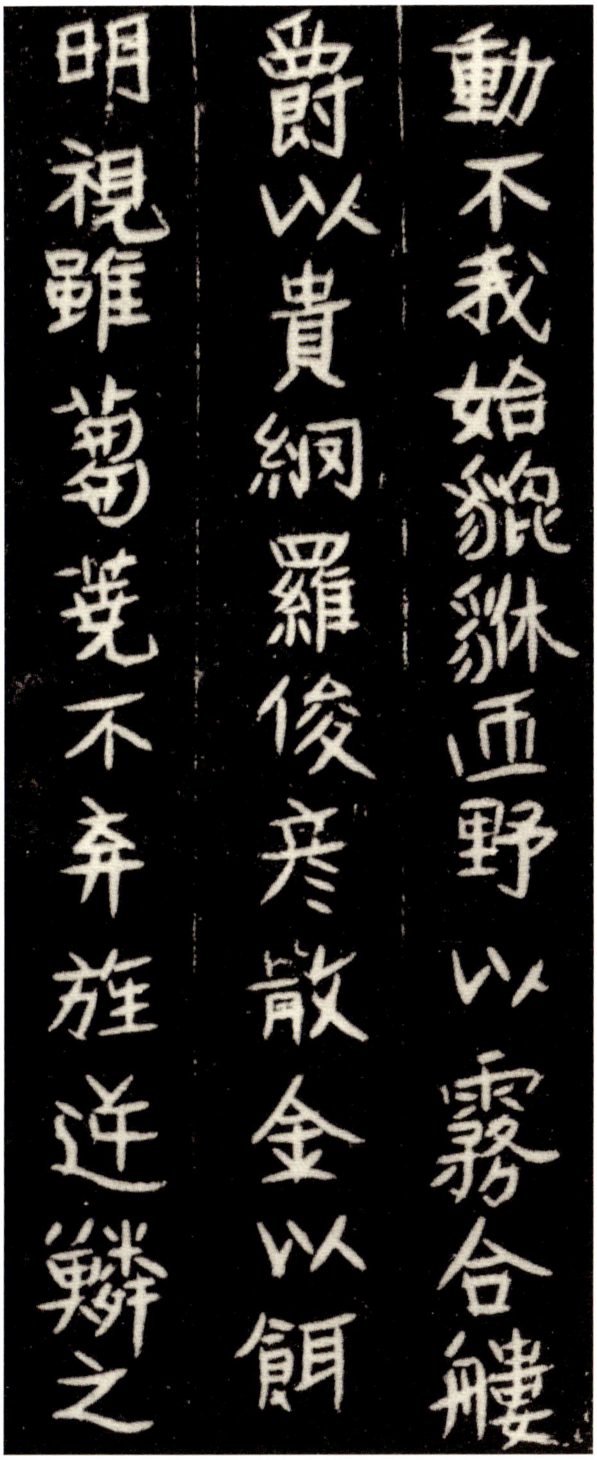

李昪哀册局部之一

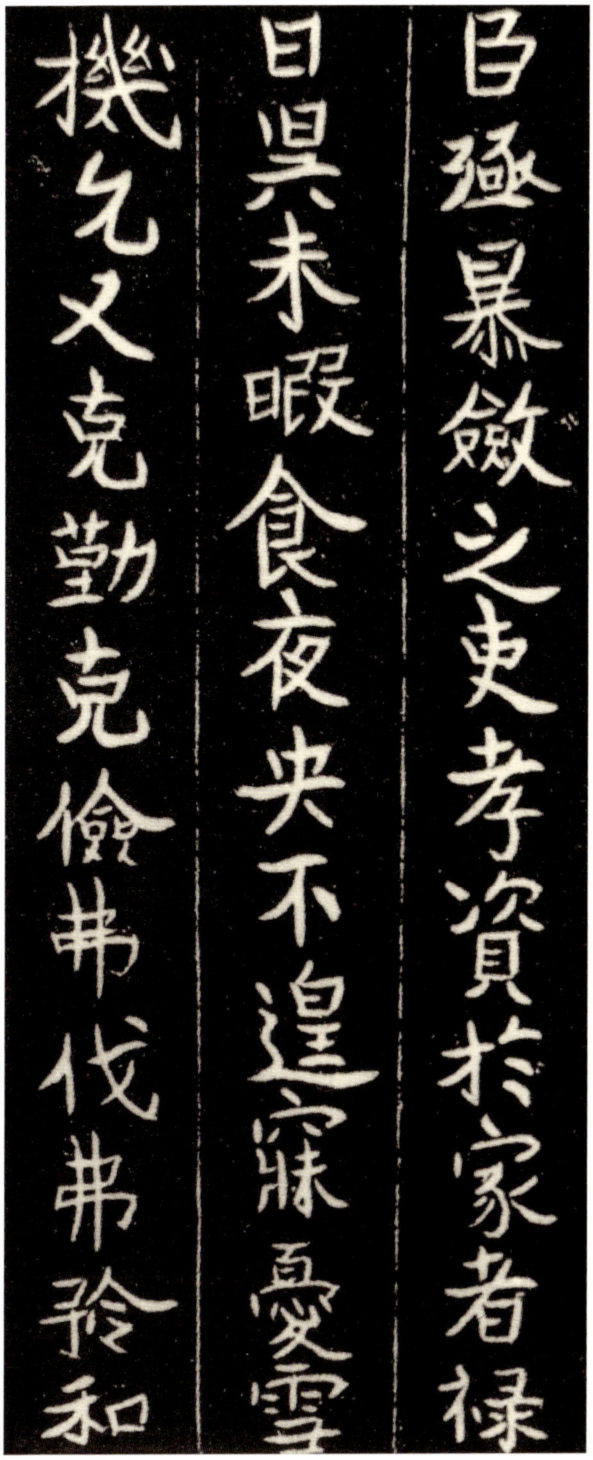

李昪哀册局部之二

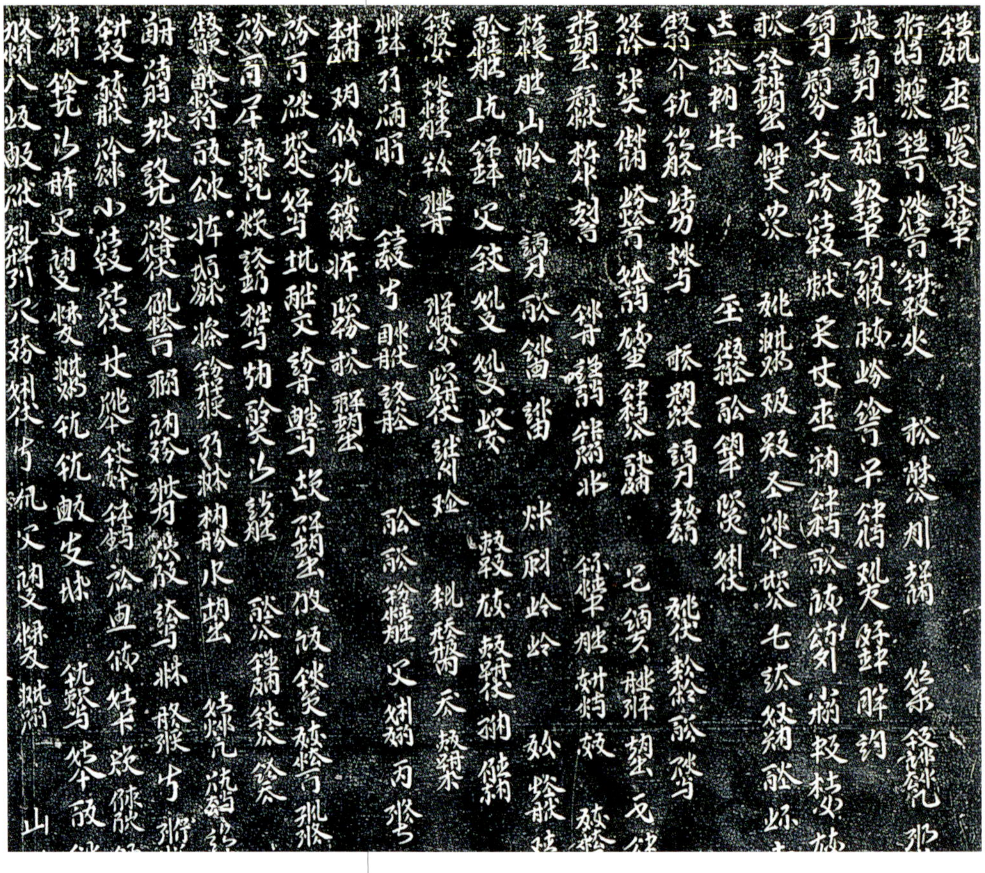

道宗哀册

遼

内蒙古巴林右旗遼永福陵出土。

高135、寬135厘米。

遼道宗卒于遼壽昌七年（公元1101年）。遼參照漢字創造契丹文，但亦使用漢字。此選爲局部。

現藏内蒙古博物院。

徐鉉（公元916－991年）

江都（今江蘇揚州）人。字鼎臣。南唐後主李煜時，官至御史大夫、兵部侍郎。入宋後授率更令，宋太宗時爲散騎常侍。敏于文，精文字學，尤善篆書、隸書。傳世墨迹極少。

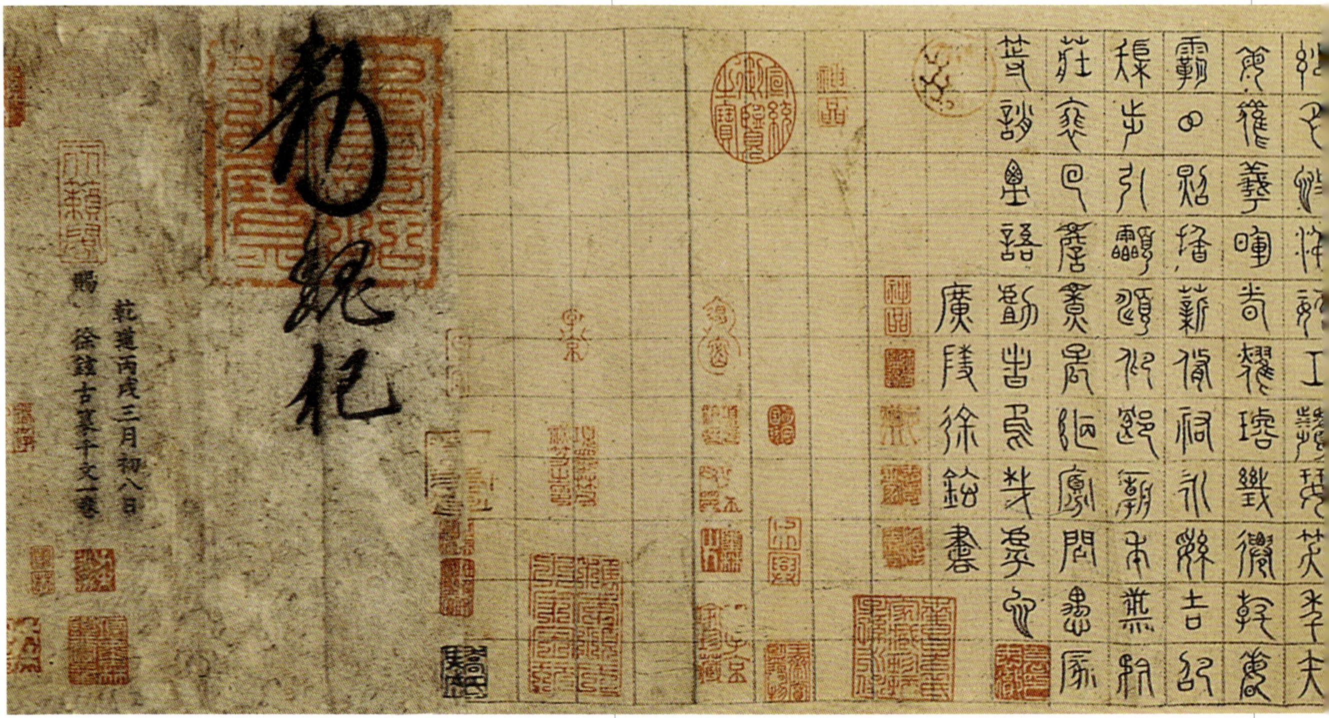
乾隆丙戌三月初八日
賜 徐鉉古篆千文一卷

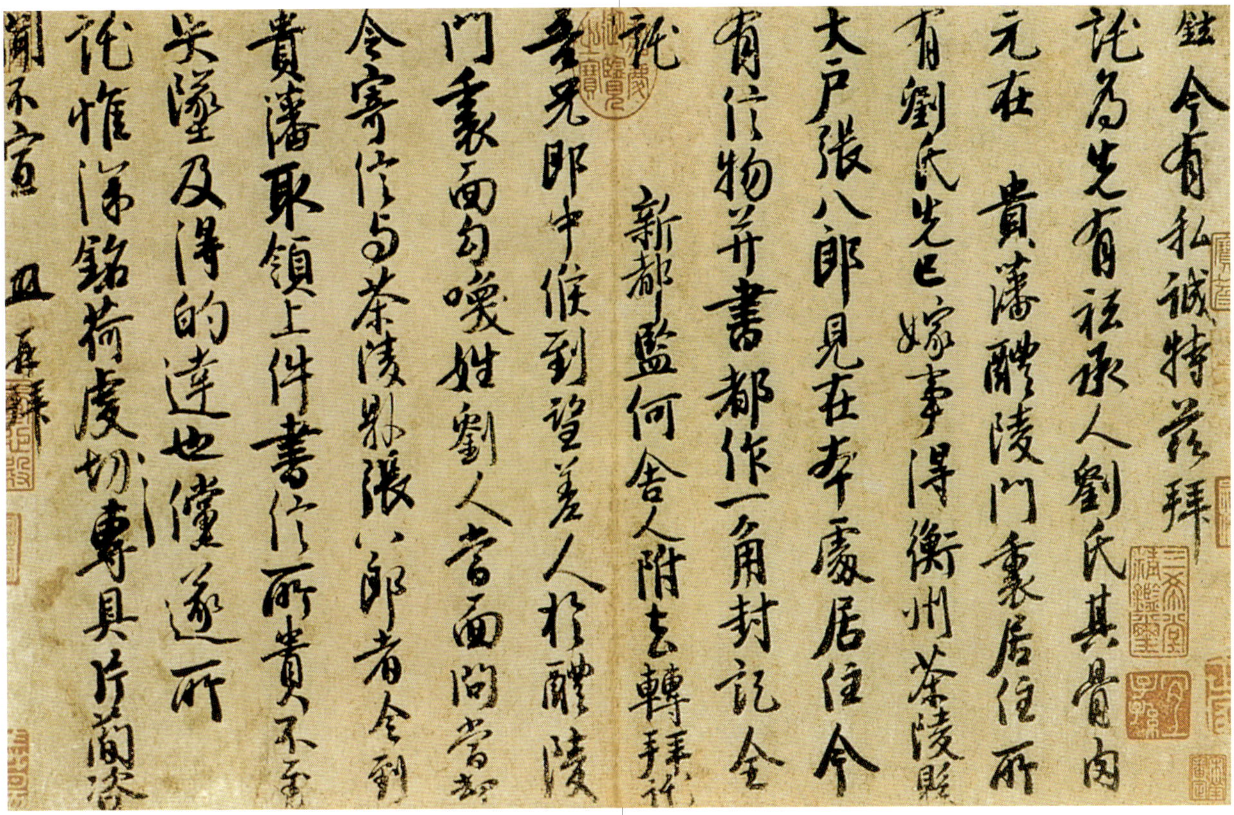

私誠帖（上圖）

北宋
徐鉉
高29.1、寬44.8厘米。
紙本。
現藏臺北故宮博物院。

千字文殘卷

北宋
徐鉉
高27.7、上寬90.5、下寬81.2厘米。
紙本。現殘存篆書三十一行，共三百零五字。南宋摹本。
現藏黑龍江省博物館。

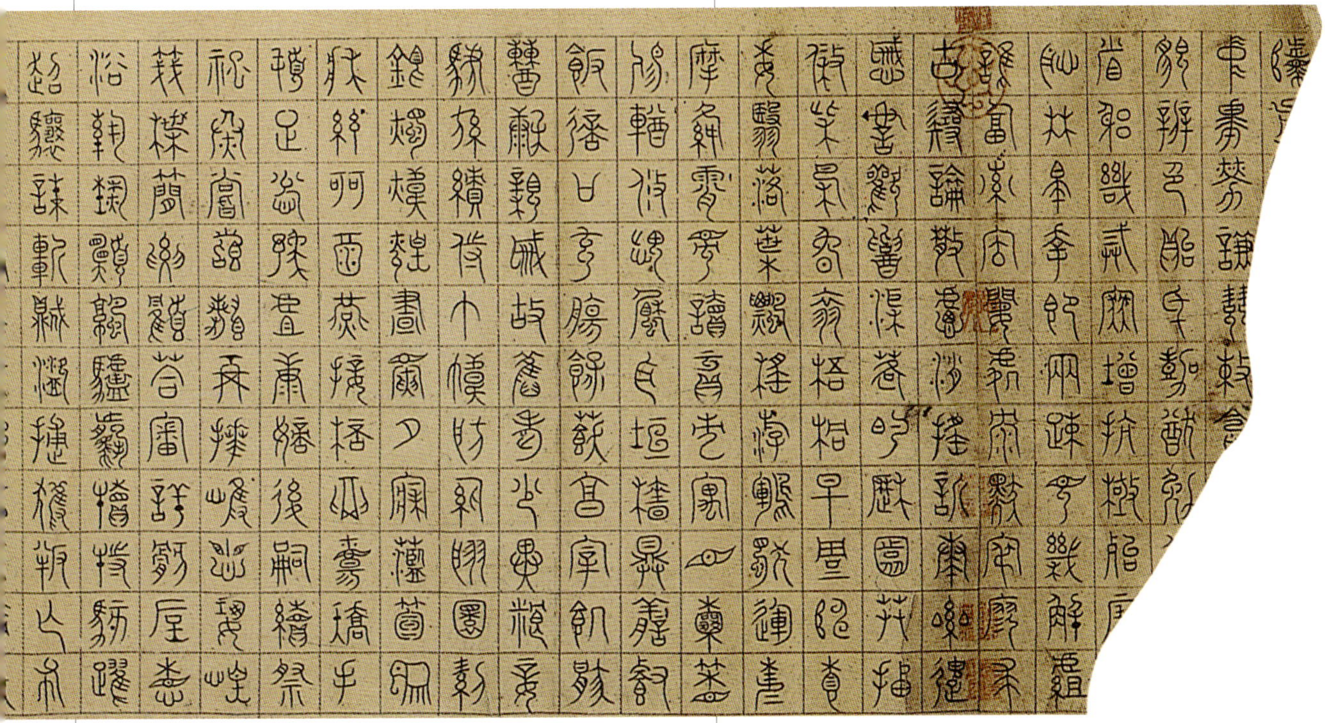

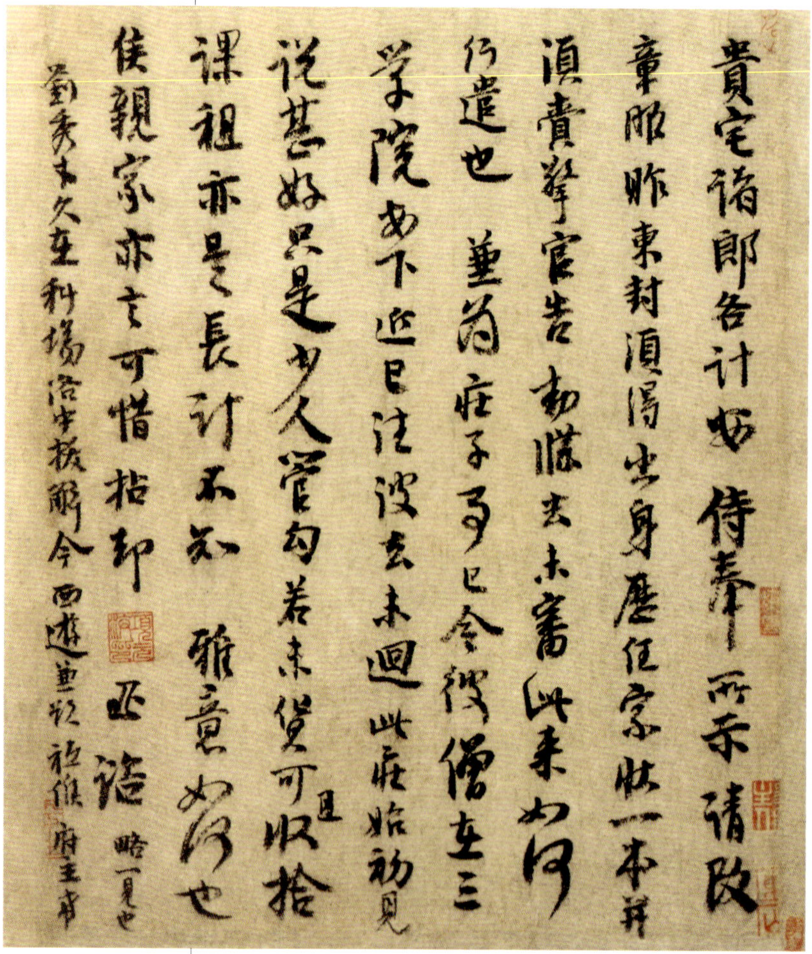

李建中（公元945－1013年）

京兆（今陝西西安）人。遷居蜀地。字得中。官至工部郎中，因喜愛洛陽風土，曾屢請爲西京留守御史臺，故人稱“李西臺”。其書法得歐陽詢筆意，尤擅行楷。

貴宅帖

北宋
李建中
高31、寬27.5厘米。
紙本。
現藏故宫博物院。

同年帖

北宋
李建中
高31.3、寬41.4厘米。
紙本。
現藏故宫博物院。

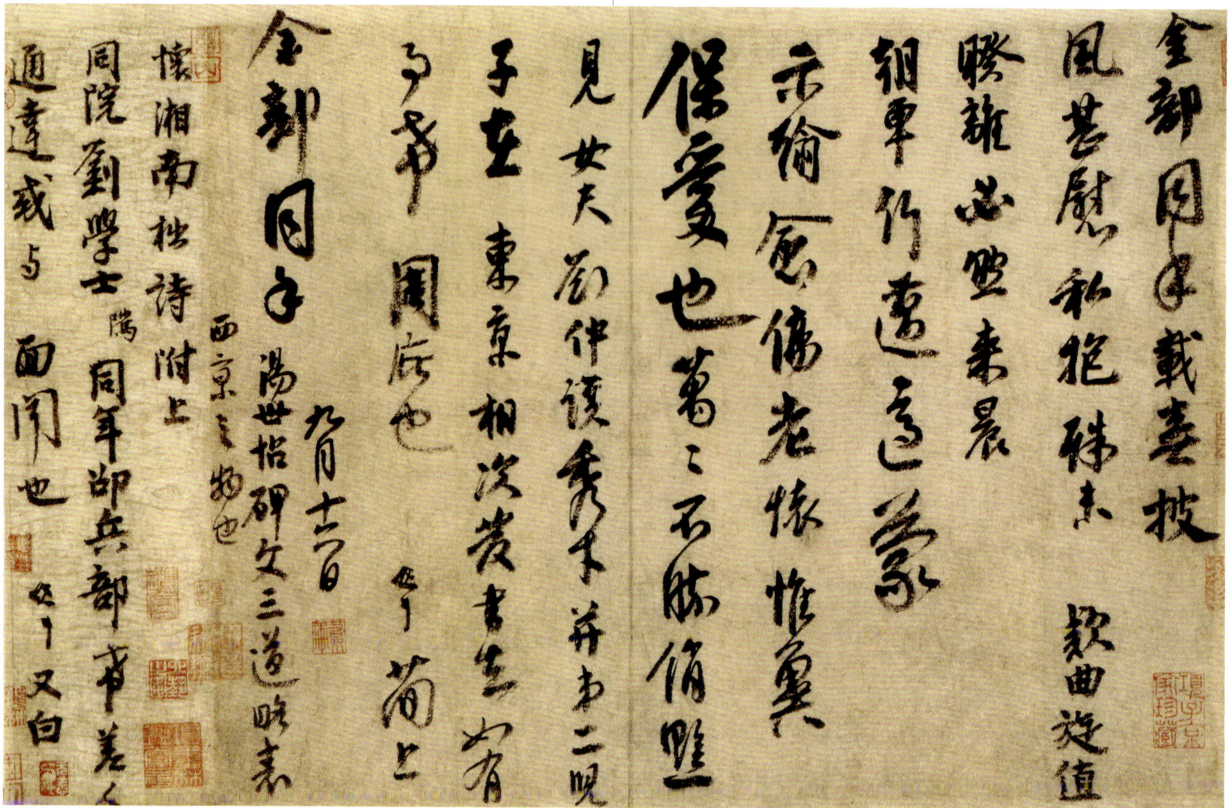

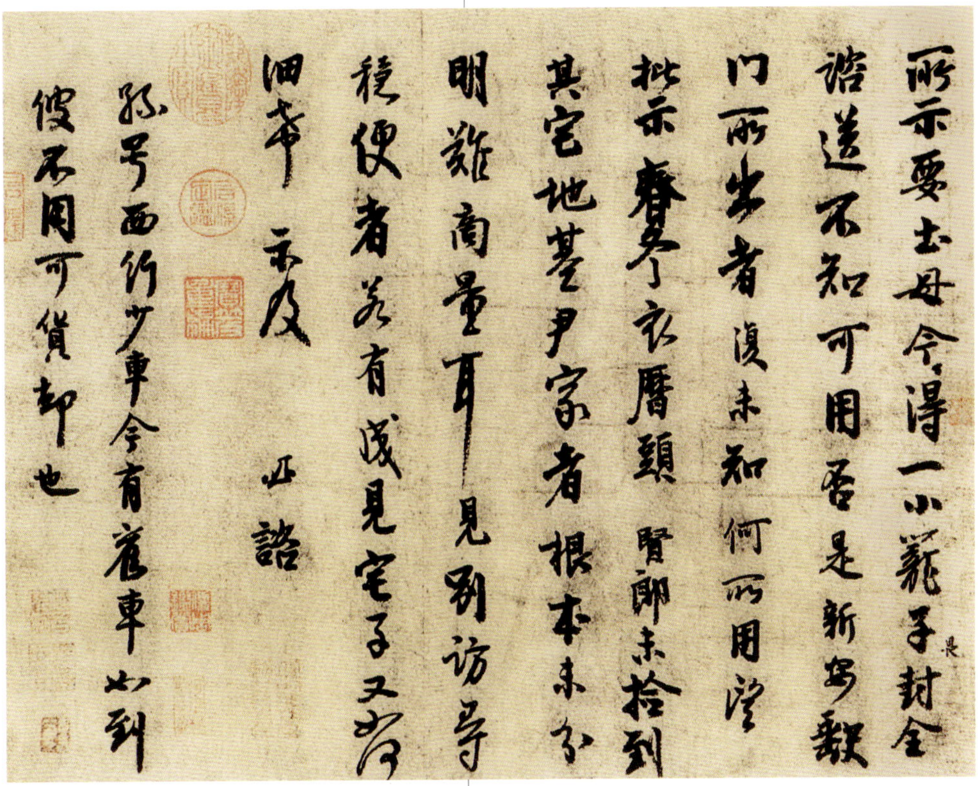

土母帖

北宋
李建中
高31.2、寬44.4厘米。
紙本。
現藏臺北故宮博物院。

周　越

生卒年不詳，北宋初期書法家。淄州鄒平（今山東鄒平北）人。字子發，一字清臣，曾爲黄庭堅、米芾和蔡襄之師。

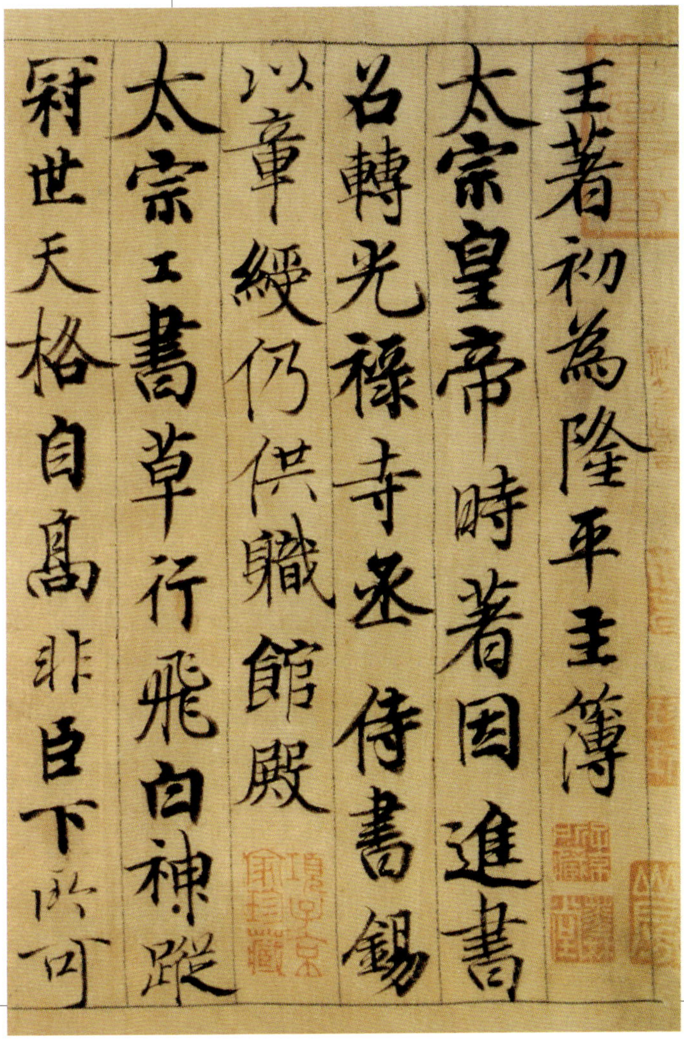

王著草書千字文跋

北宋
周越
絹本。此選爲局部。
現藏臺灣私人處。

林逋（公元967－1028年）

錢塘（今浙江杭州）人。字君復，謚和靖先生，世稱“林和靖”。著名詞人。工書法，善行草書。

自書詩稿

北宋
林逋
高32、寬302.6厘米。
紙本。此選爲局部。
現藏故宫博物院。

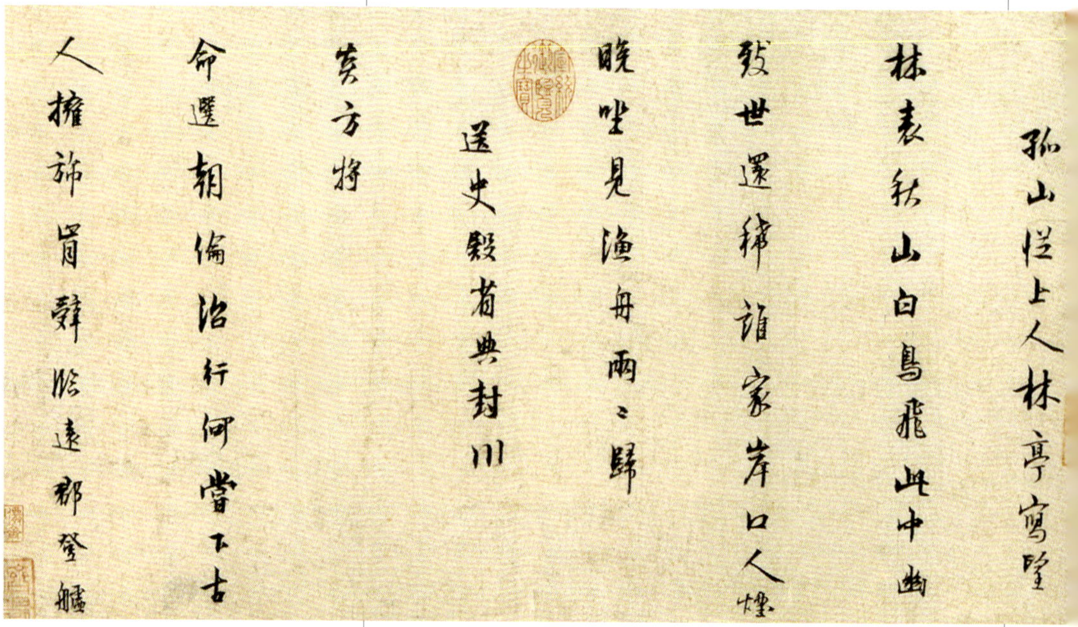

范仲淹（公元989–1052年）

吴縣（今江蘇蘇州）人。字希文。北宋名臣，著名政治家和文學家。書法學王羲之。

遠行帖

北宋
范仲淹
高31、寬41厘米。
紙本。
現藏故宫博物院。

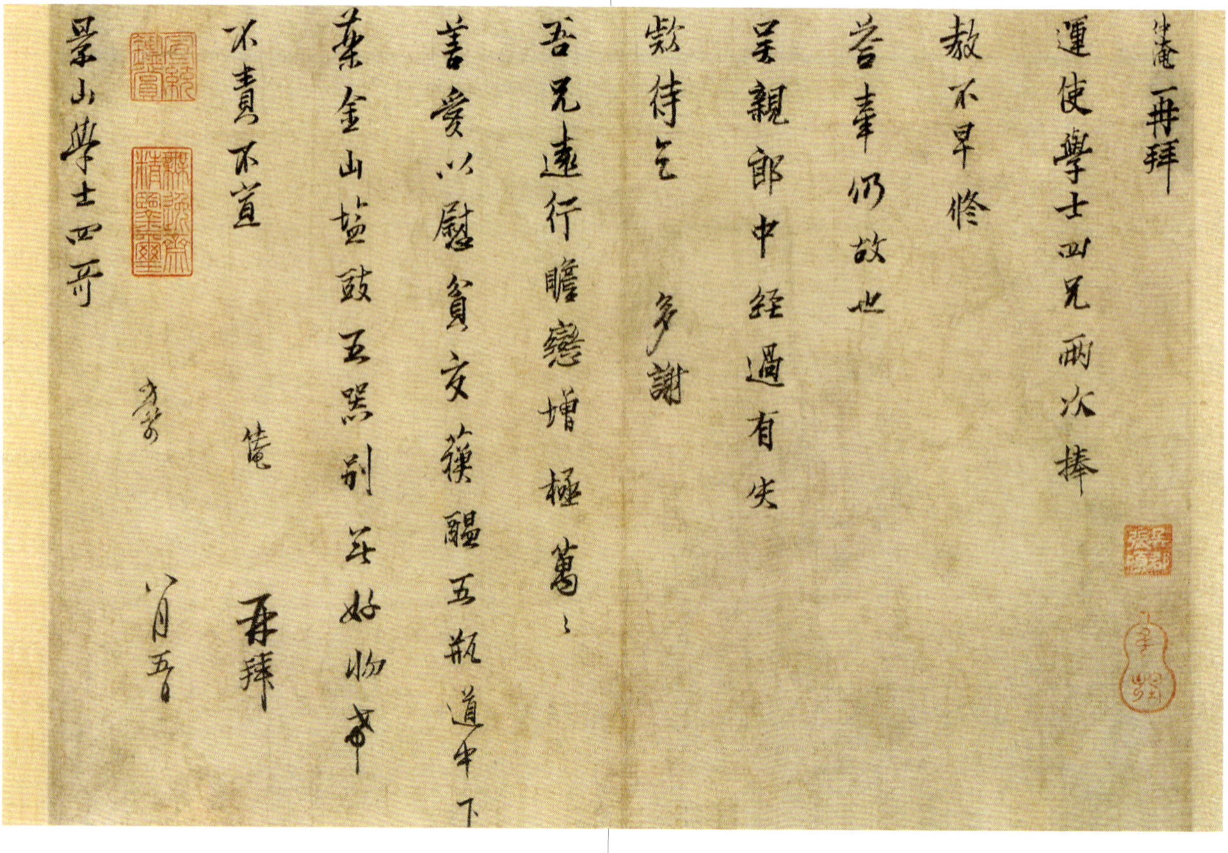

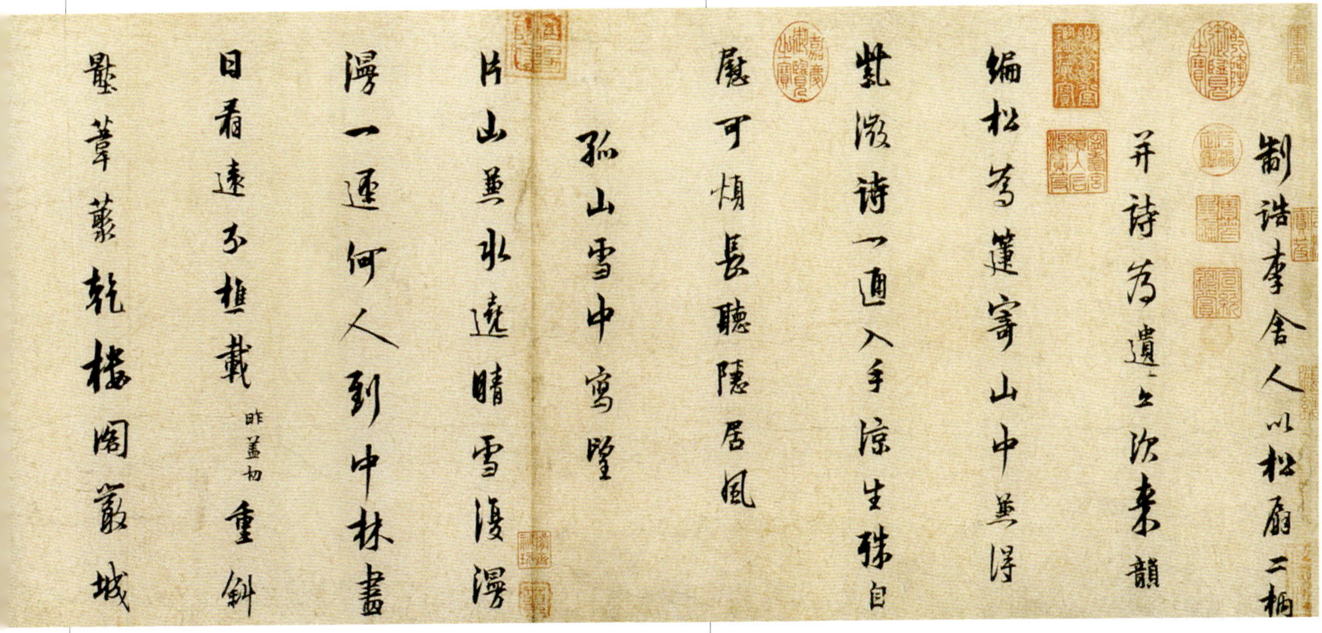

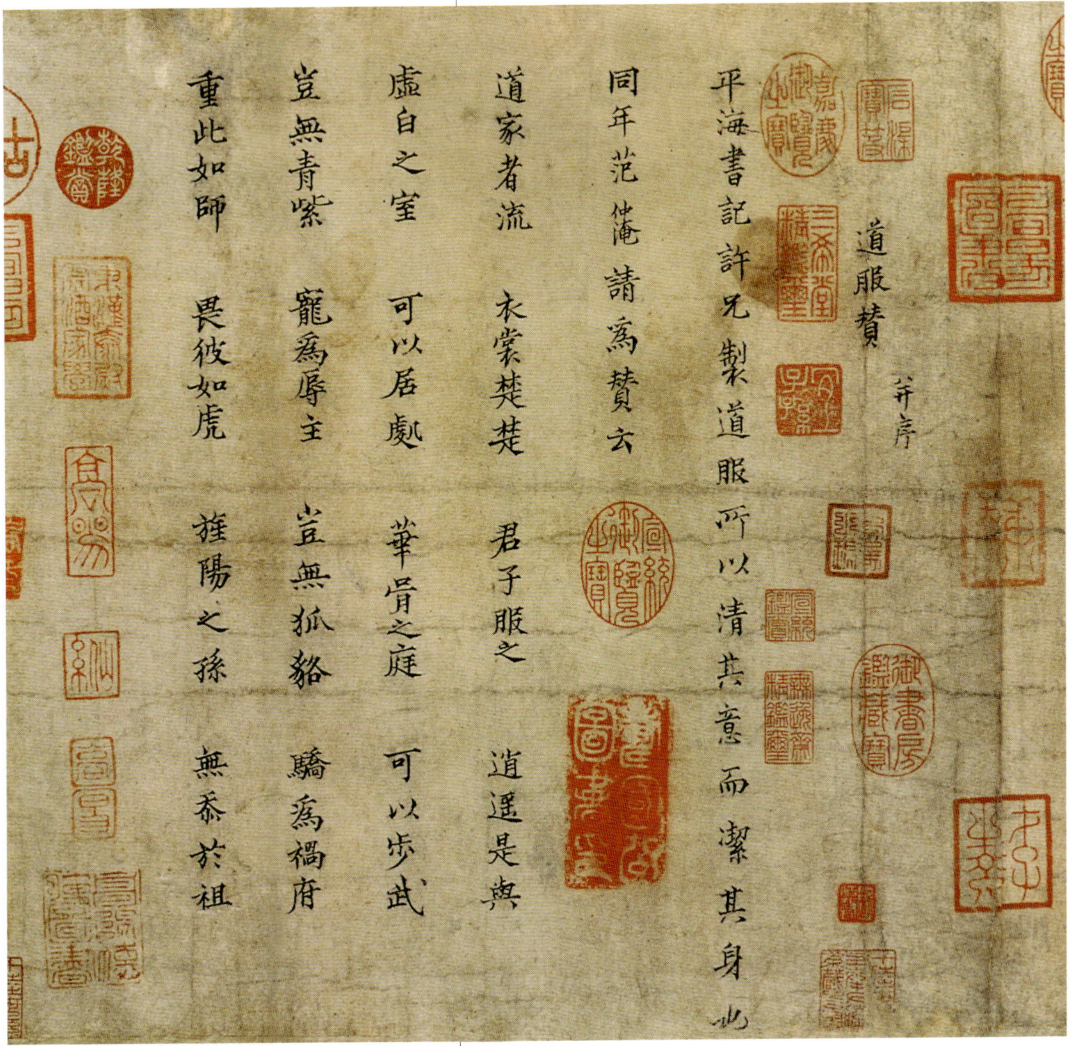
道服贊 并序
平海書記許兄製道服所以清其意而潔其身也
同年范仲淹請爲贊云
道家者流 衣裳楚楚 君子服之 逍遥是與
虚白之室 可以居處 華胥之庭 可以步武
豈無青紫 寵爲辱主 豈無狐貉 驕爲禍府
重此如師 畏彼如虎 旌陽之孫 無忝於祖

道服贊
北宋
范仲淹
高34.8、寬47.9厘米。
紙本。
現藏故宮博物院。

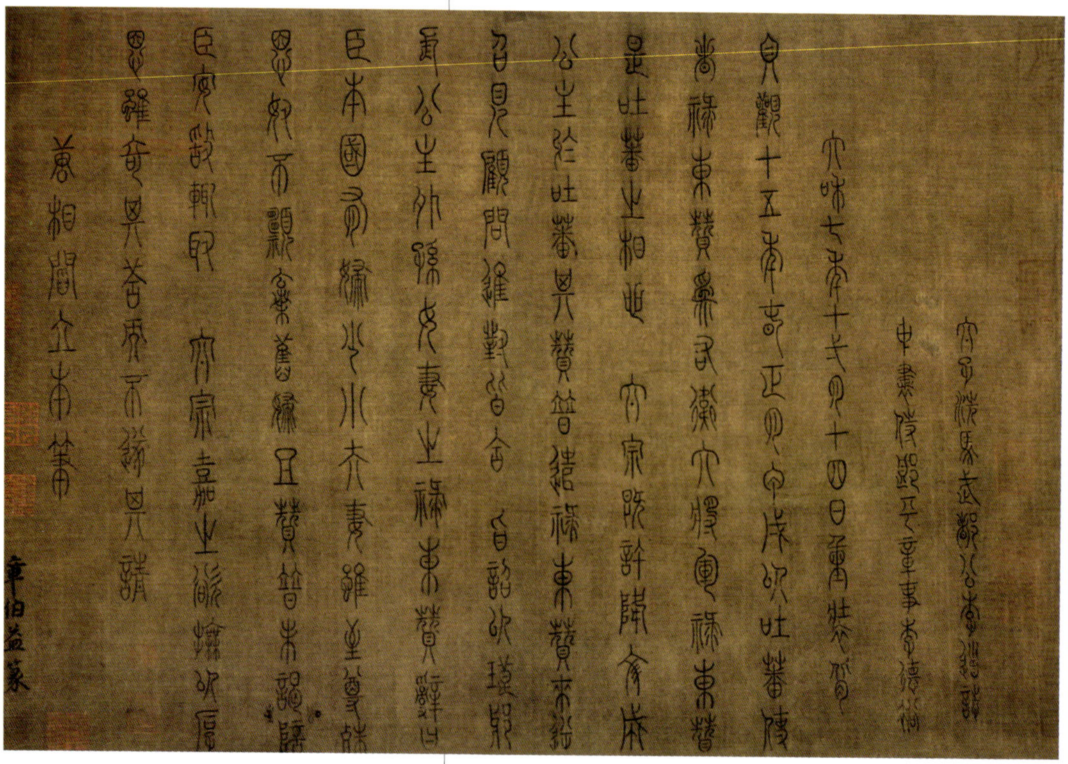

章友直（公元1006－1062年）

建州建安（今福建建甌）人。字伯益。以善篆聞名。

步輦圖跋

北宋
章友直
高38.8、寬52.5厘米。
絹本。
現藏故宫博物院。

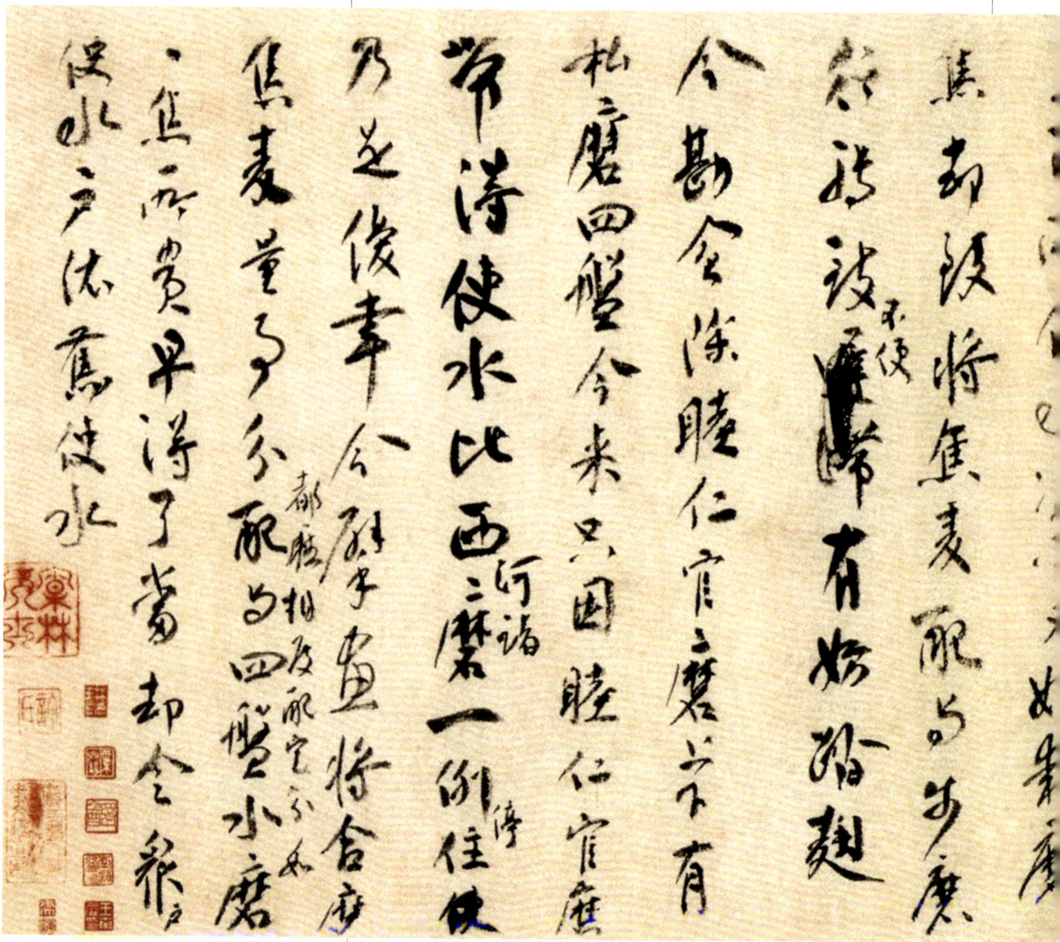

文彦博（公元1006－1097年）

汾州介休（今屬山西）人。字寬夫，封潞國公，人稱“文潞公”。歷事仁、英、神、哲宗四朝，任將相凡五十餘年，爲宋代名臣。其書法亦頗有名，時人甚爲推許。

三札卷

北宋
文彦博
高43.6、寬223厘米。
紙本。爲文彦博所書三通行書信札，此選爲其中一札。
現藏故宫博物院。

王拱辰墓志蓋

北宋
文彦博
河南伊川縣出土。
高142、寬141厘米。
篆書五行。刻于元豐八年（公元1085年）。
現藏河南省伊川縣博物館。

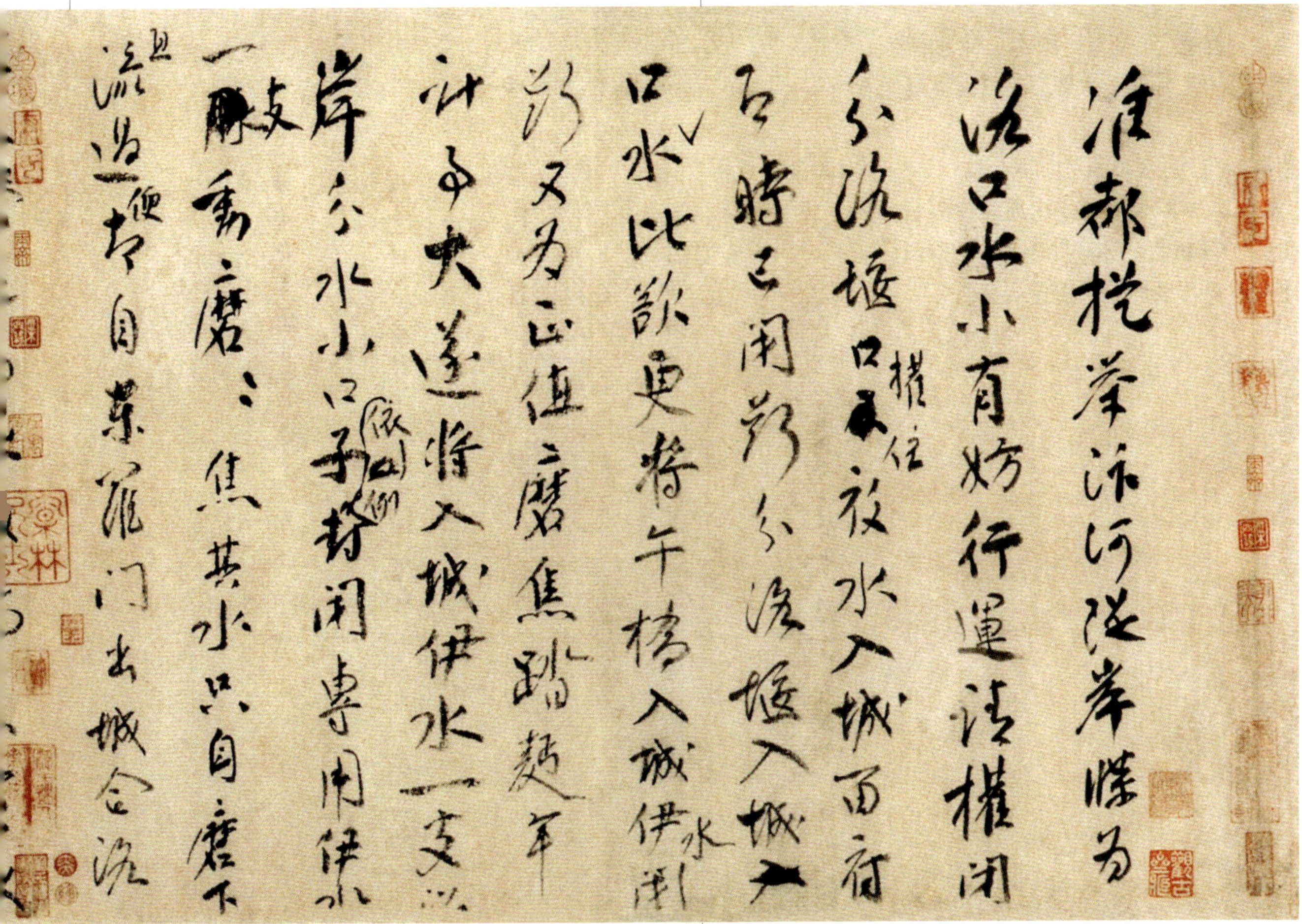

歐陽修（公元1007－1072年）

吉州廬陵（今江西吉安）人。字永叔，號醉翁，晚年號六一居士，謚文忠。纍官至參知政事，以觀文殿學士、太子少師致仕。詩文著名，爲唐宋八大家之一。晚年書法名聲大著。著有《集古録》，對研究書史及書論有重要參考價值。

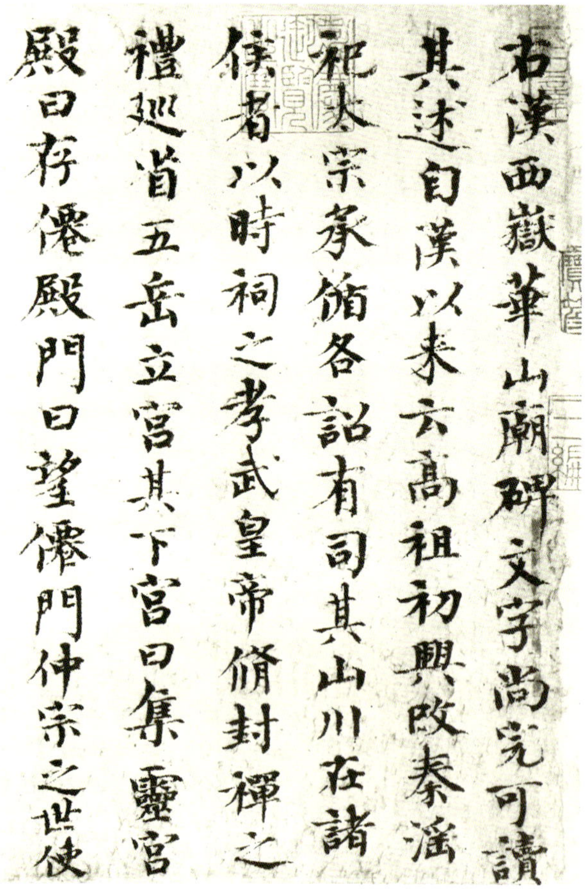

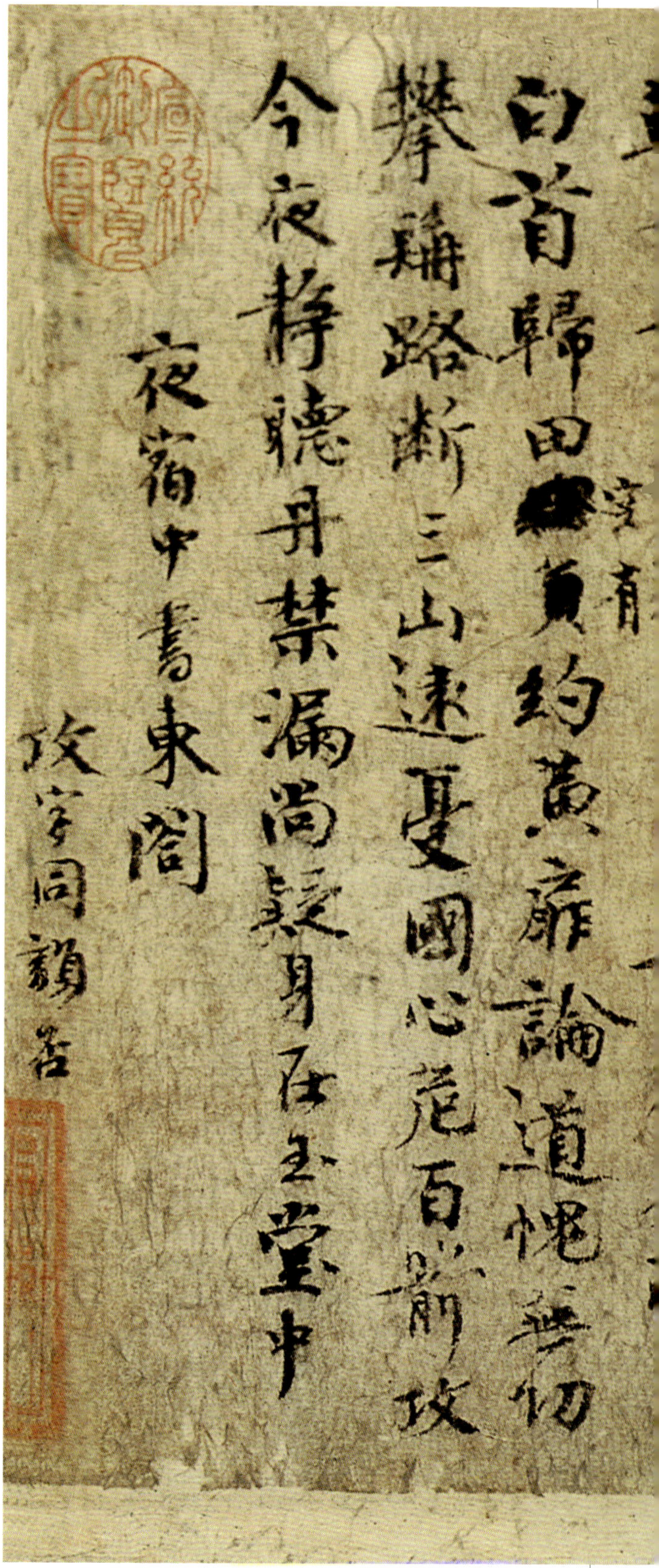

集古録跋

北宋

歐陽修

高27.2、寬171.2厘米。

紙本。楷書五十八行，共七百九十二字。此選爲局部。

現藏臺北故宫博物院。

自書詩文手稿

北宋
歐陽修

高30.5、寬66.2厘米。
紙本。
現藏遼寧省博物館。

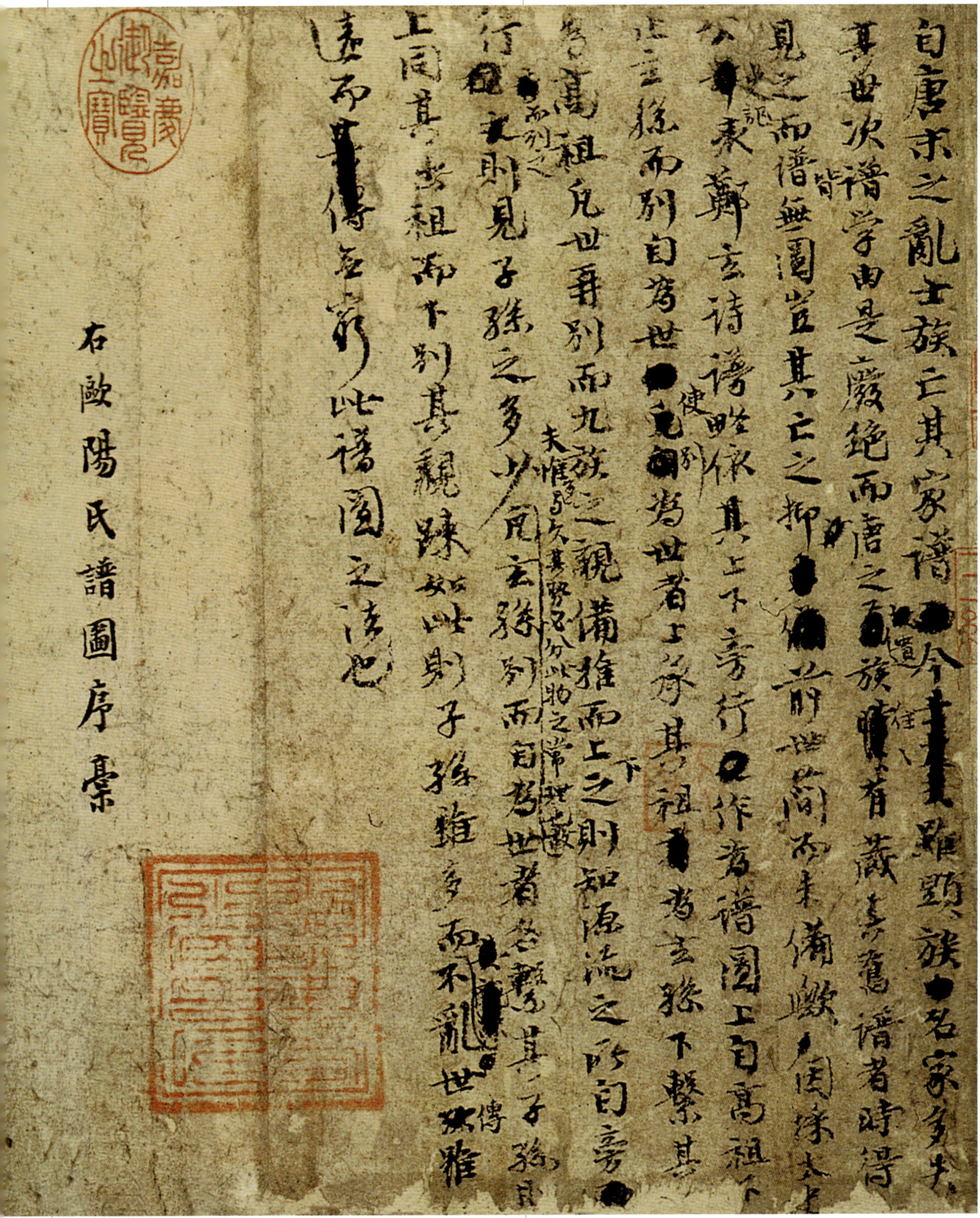
右歐陽氏譜圖序稾

蔡　襄（公元1012－1067年）

仙游（今屬福建）人。字君謨。官至端明殿學士，知杭州，謚忠惠。工詩文，善書法，學顏真卿，上追晋人風度。工楷、行、草、隸書，又能飛白書，曾以散筆作草書，名爲“散草”、“飛草”。與蘇東坡、黄庭堅、米芾并稱“宋四家”。

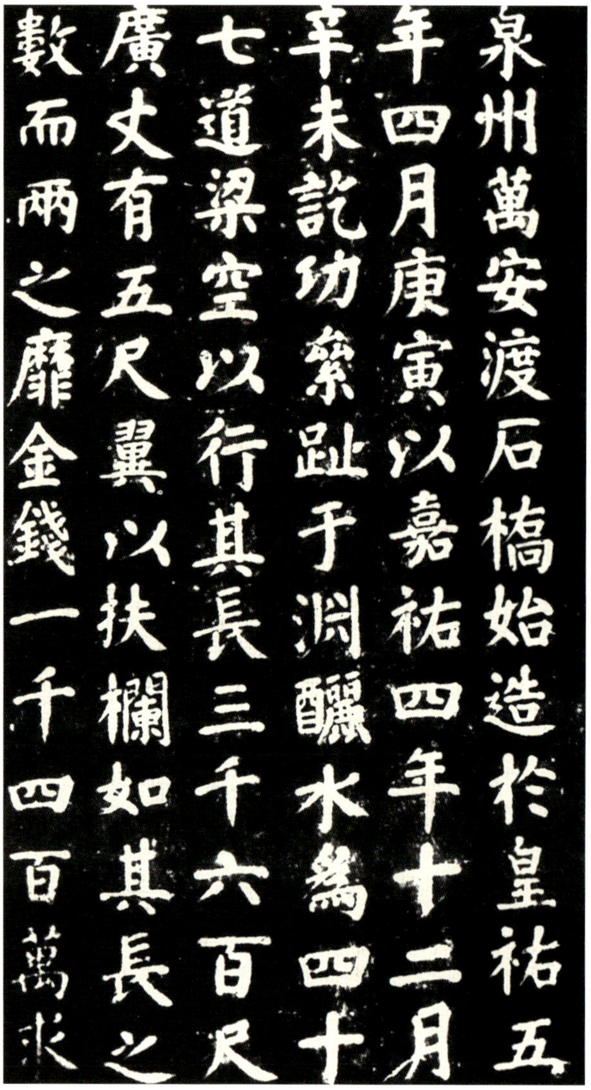
泉州萬安渡石橋始造於皇祐五
年四月庚寅以嘉祐四年十二月
辛未訖功絫趾于淵釃水爲四十
七道梁空以行其長三千六百尺
廣丈有五尺翼以扶欄如其長之
數而兩之靡金錢一千四百萬求

萬安橋記

北宋

蔡襄

高280、寬156厘米。

碑文十二行，每行一般爲十三字，共一百五十三字。共二石。原碑後一石曾毁，後復補刻而完整。此選爲局部。

現藏福建省泉州城東蔡公祠内。

虛堂帖

北宋

蔡襄

高22.6、寬16厘米。

紙本。

現藏故宫博物院。

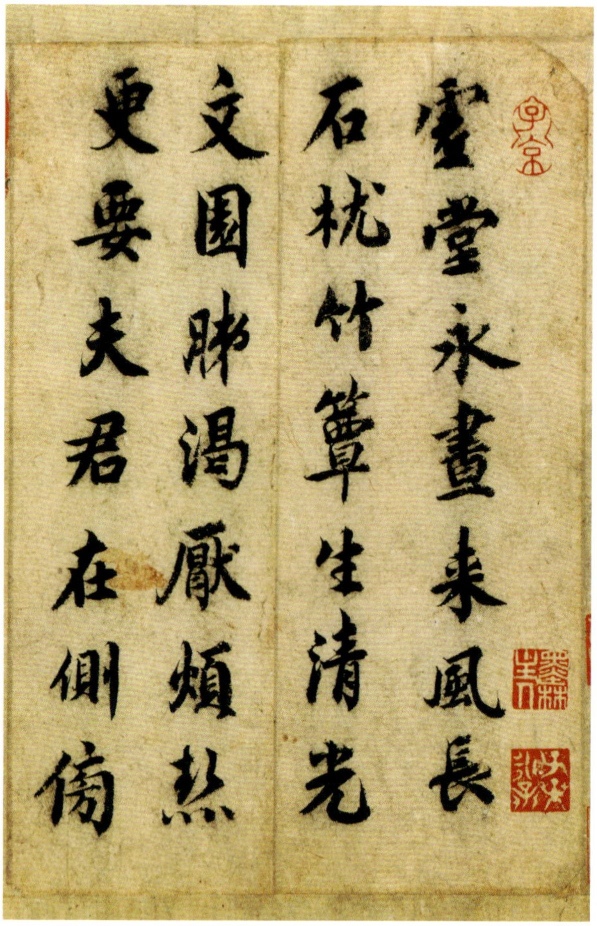
虛堂永晝來風長
石枕竹簟生清光
文園肺渴厭煩熱
更要夫君在側傍

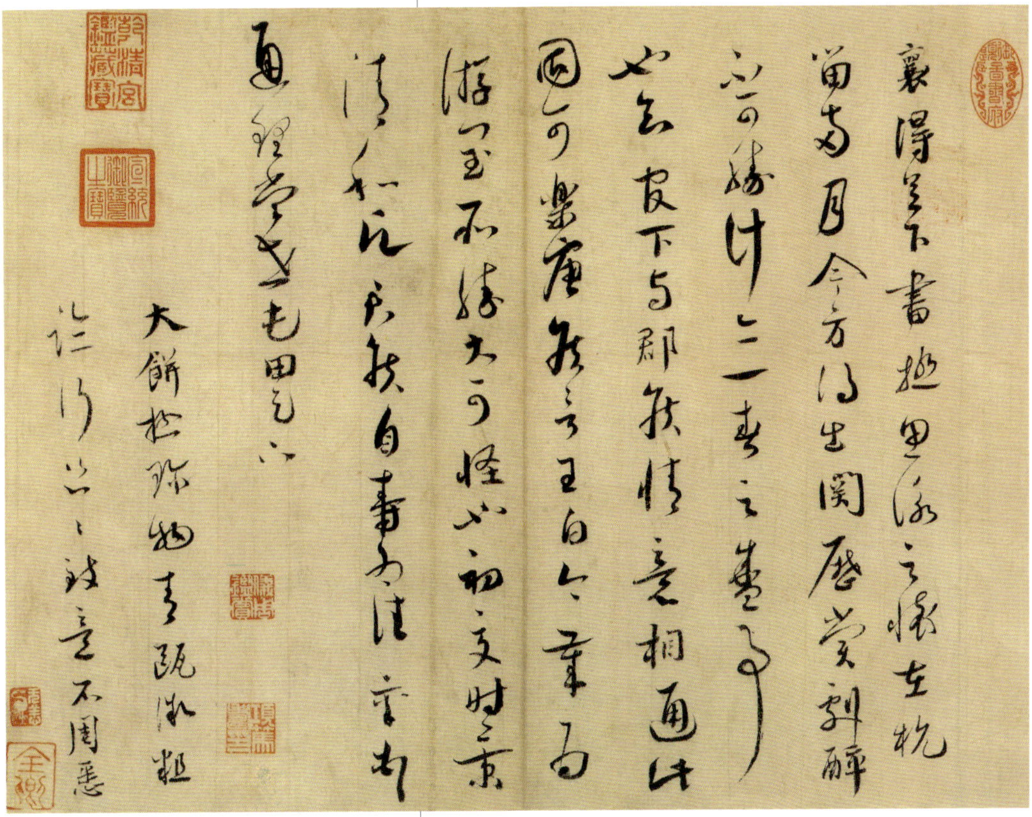

思咏帖

北宋
蔡襄
高29.7、寬39.7厘米。
紙本。
現藏臺北故宫博物院。

陶生帖

北宋
蔡襄
高29.8、寬50.8厘米。
紙本。
現藏臺北故宫博物院。

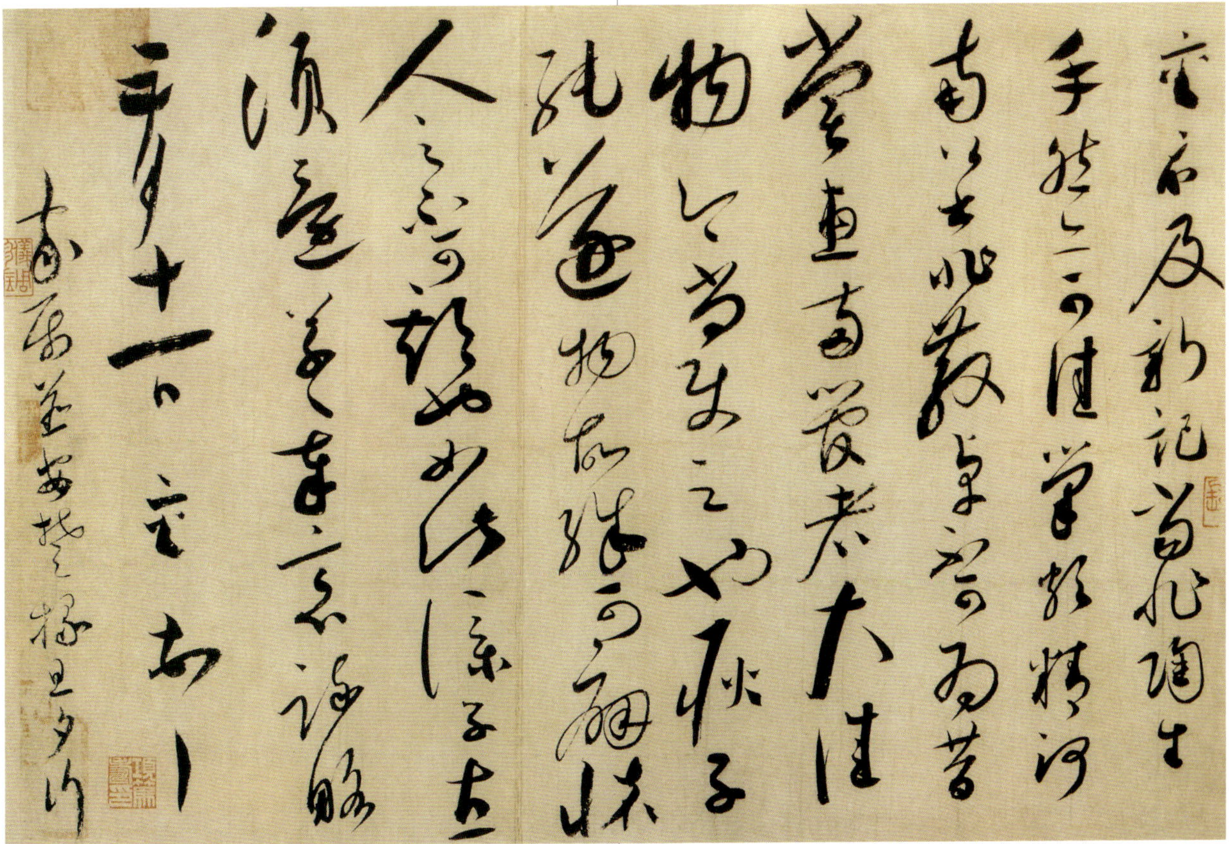

自書詩稿

北宋

蔡襄

高28.2、寬221.2厘米。

紙本。

現藏故宫博物院。

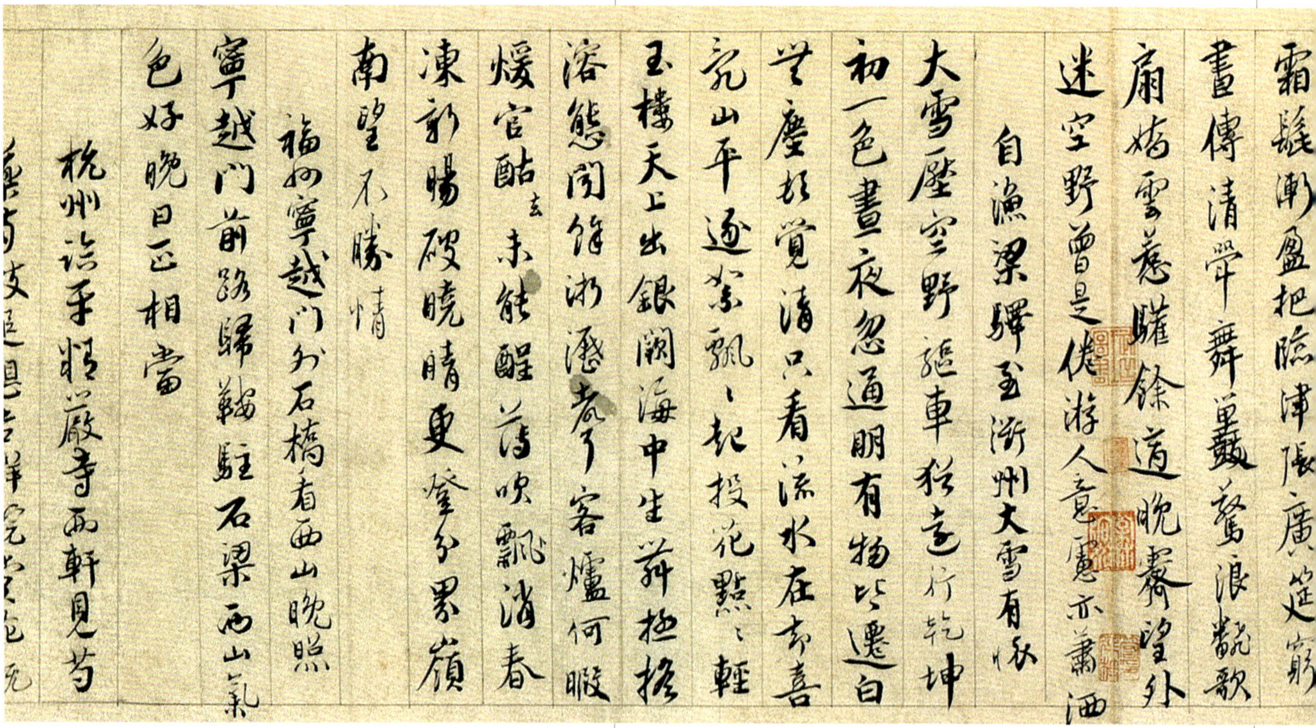

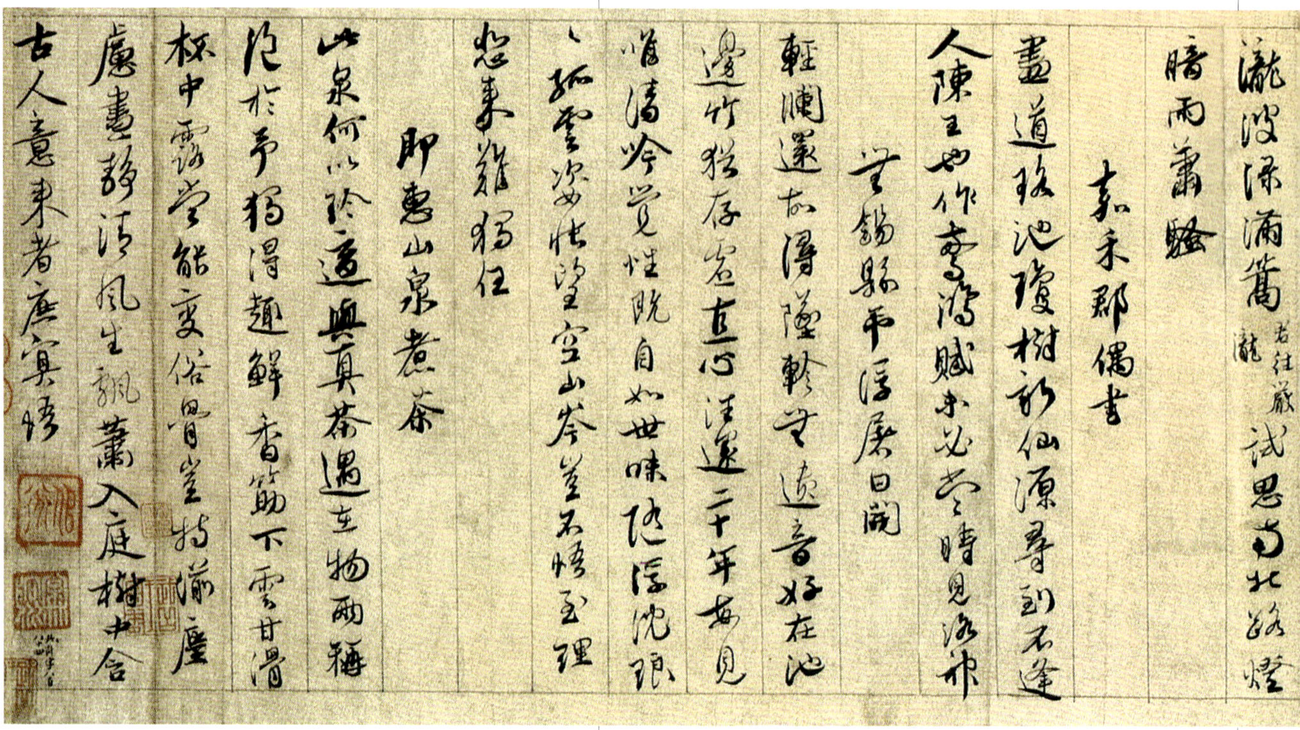

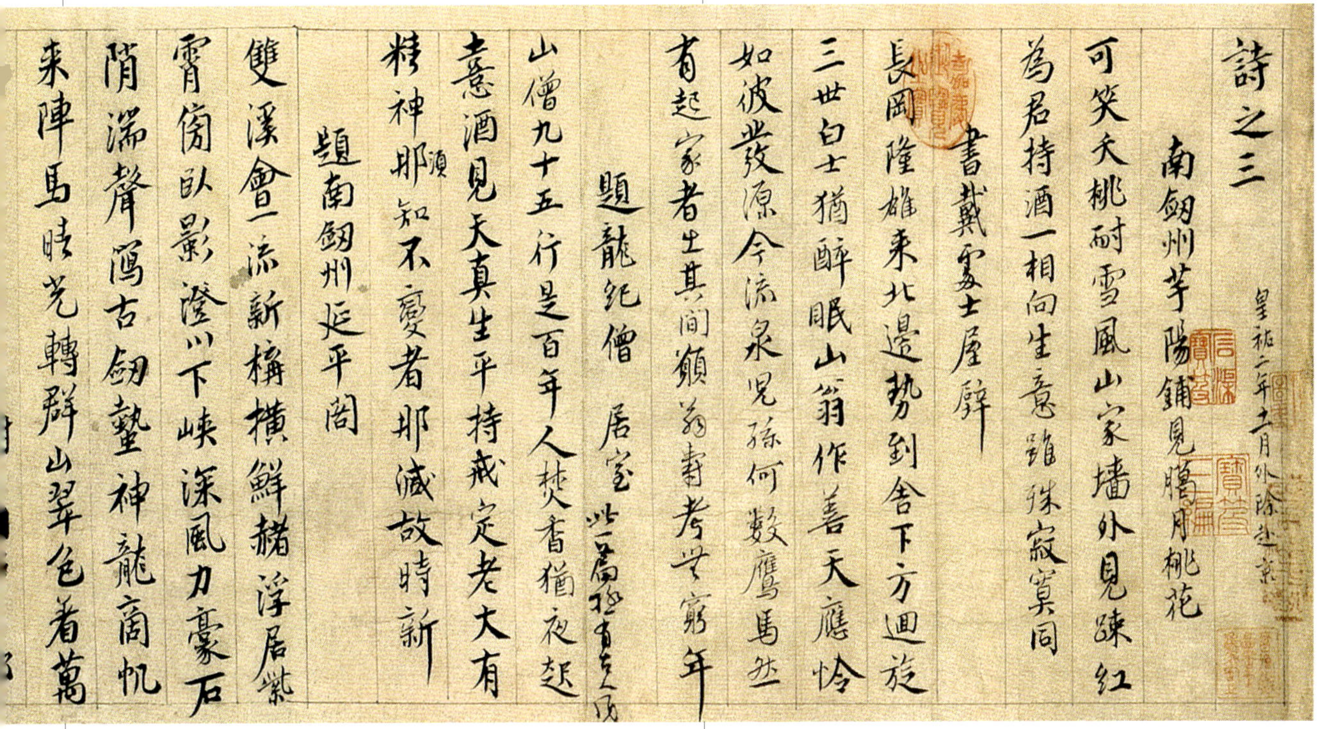

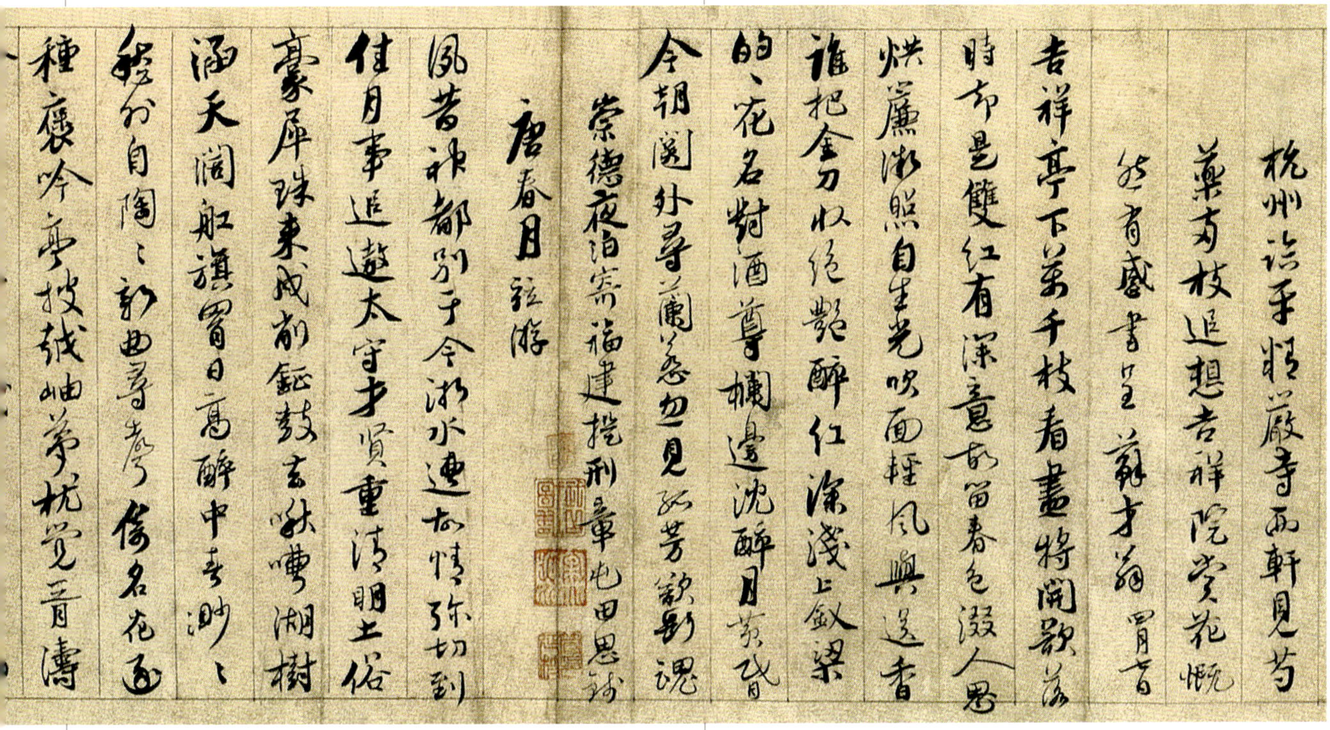

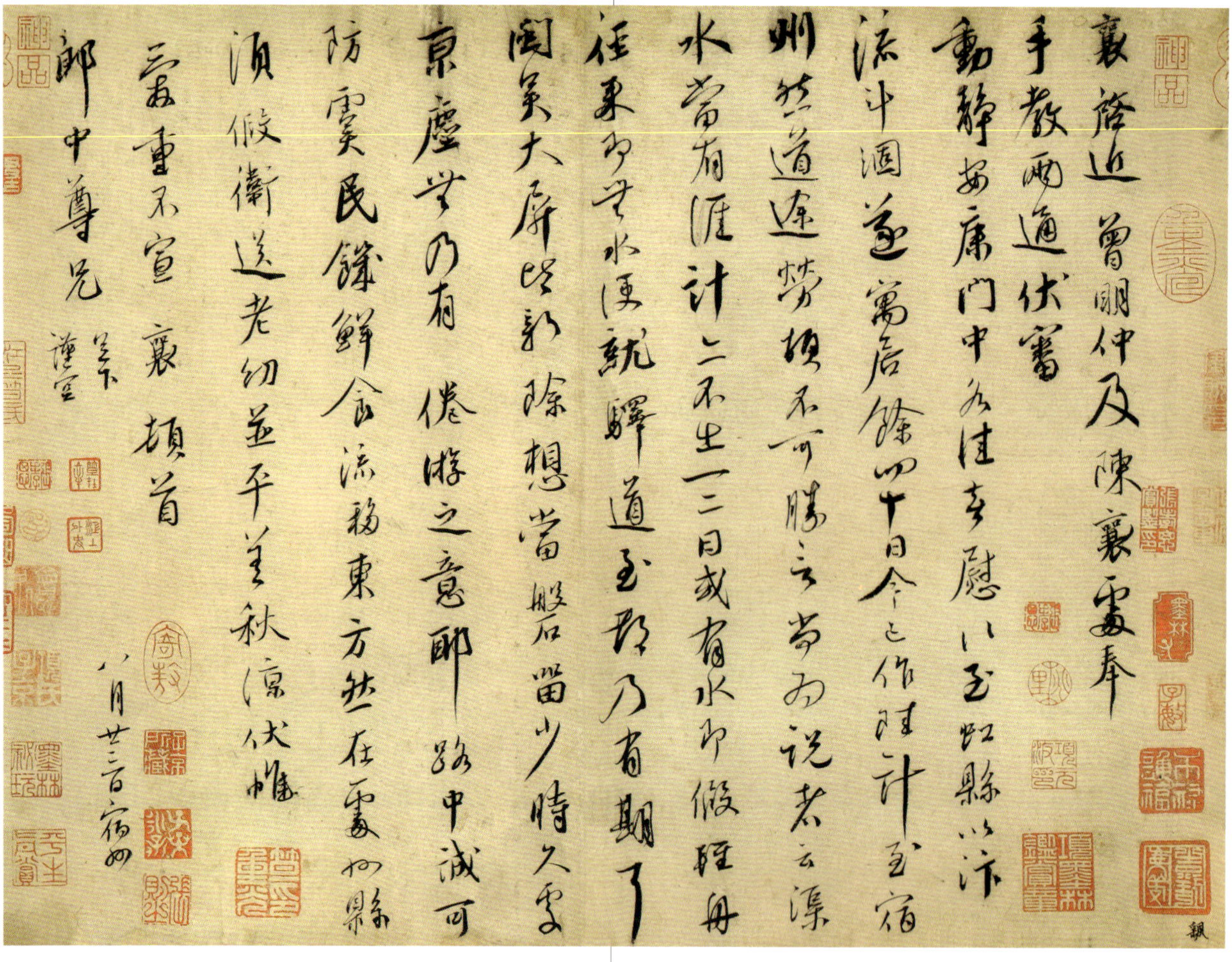

虹縣帖

北宋

蔡襄

高31.3、寬42.3厘米。

紙本。

現藏臺北故宫博物院。

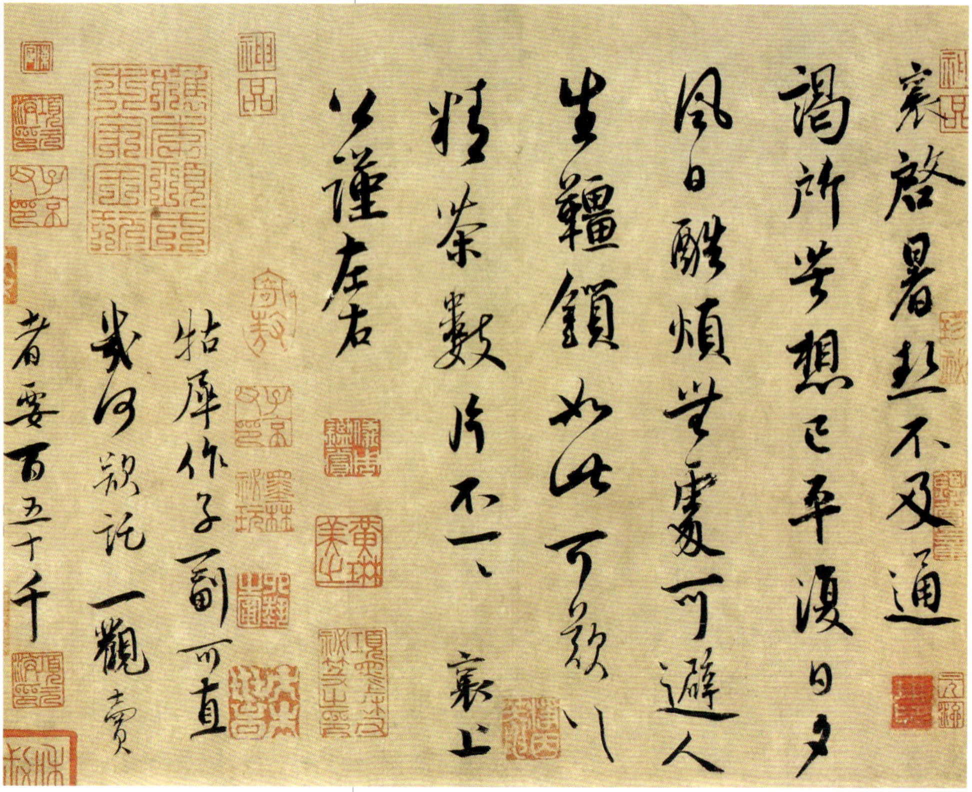

暑熱帖

北宋

蔡襄

高23、寬29.2厘米。

紙本。

現藏臺北故宫博物院。

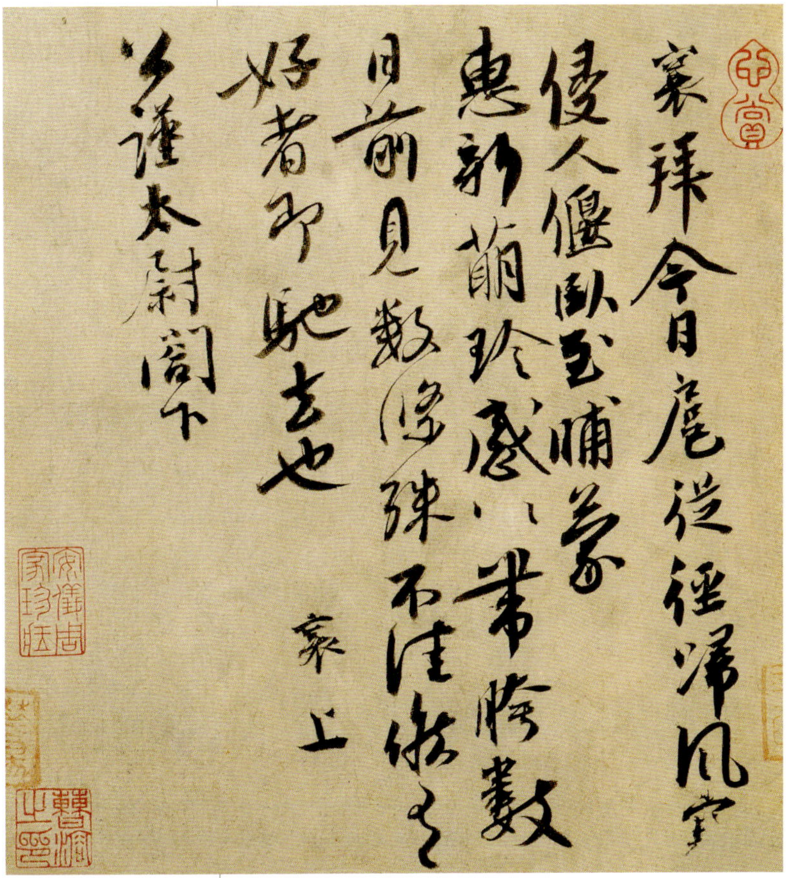

扈從帖

北宋
蔡襄
高23.3厘米。
紙本。
現藏故宮博物院。

安道帖

北宋
蔡襄
高26.8、寬35.5厘米。
紙本。
現藏臺北故宮博物院。

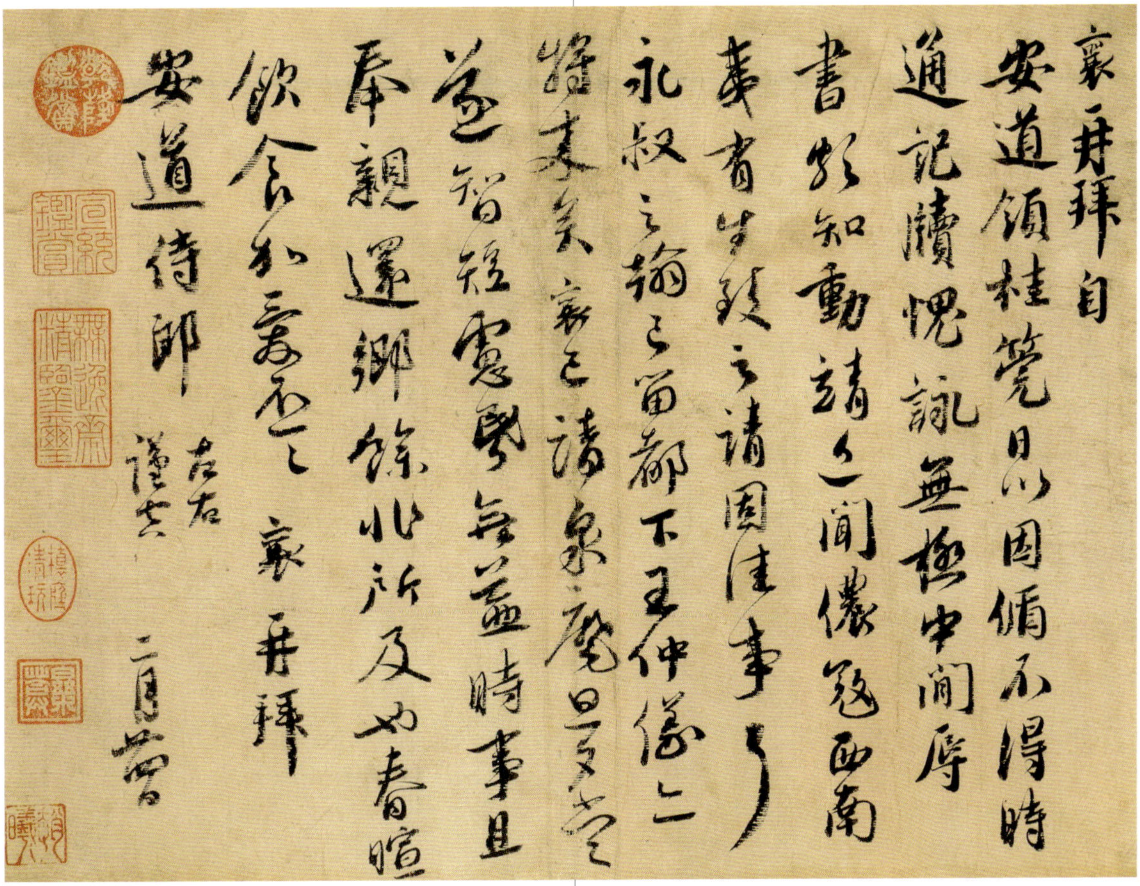

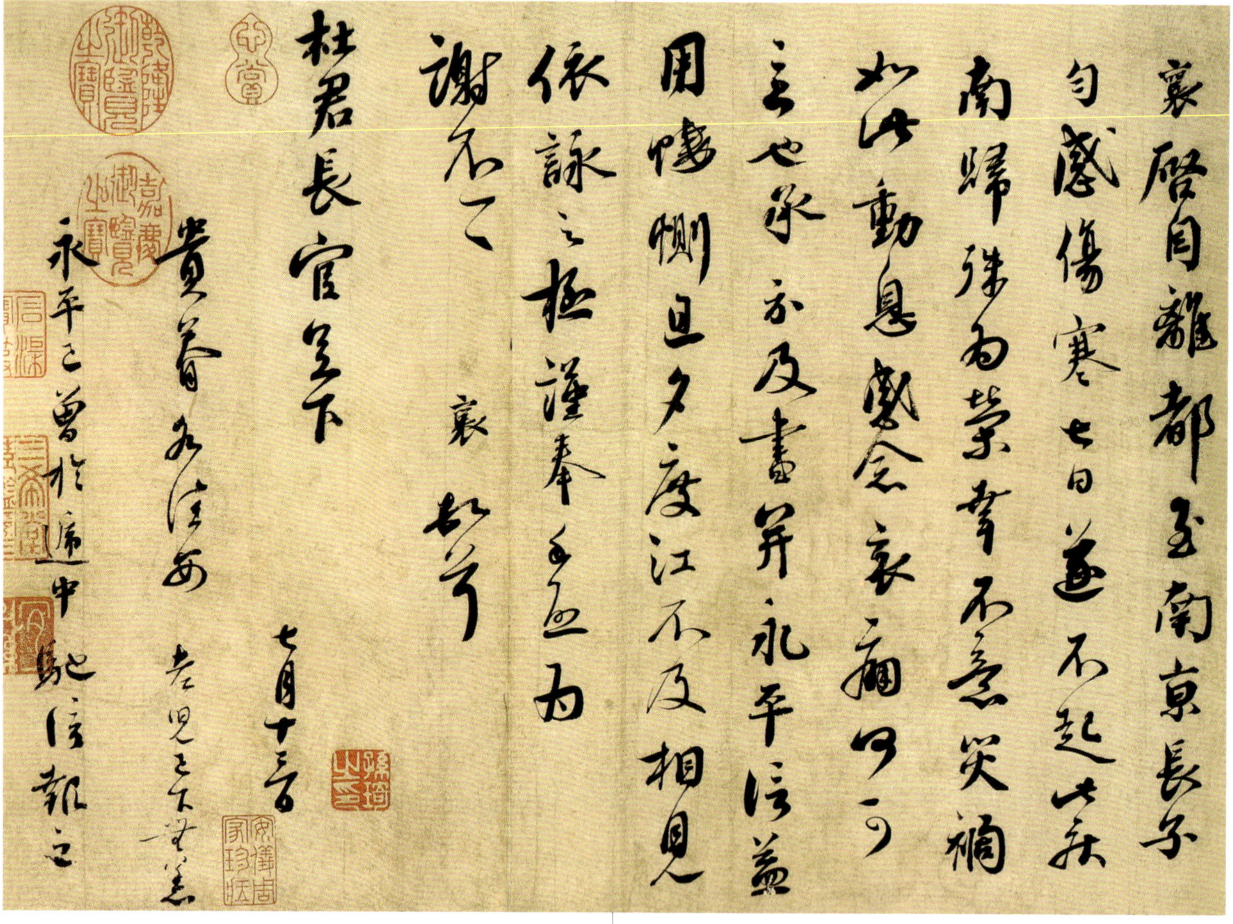

離都帖

北宋
蔡襄
高29.2、寬46.8厘米。
紙本。
現藏臺北故宮博物院。

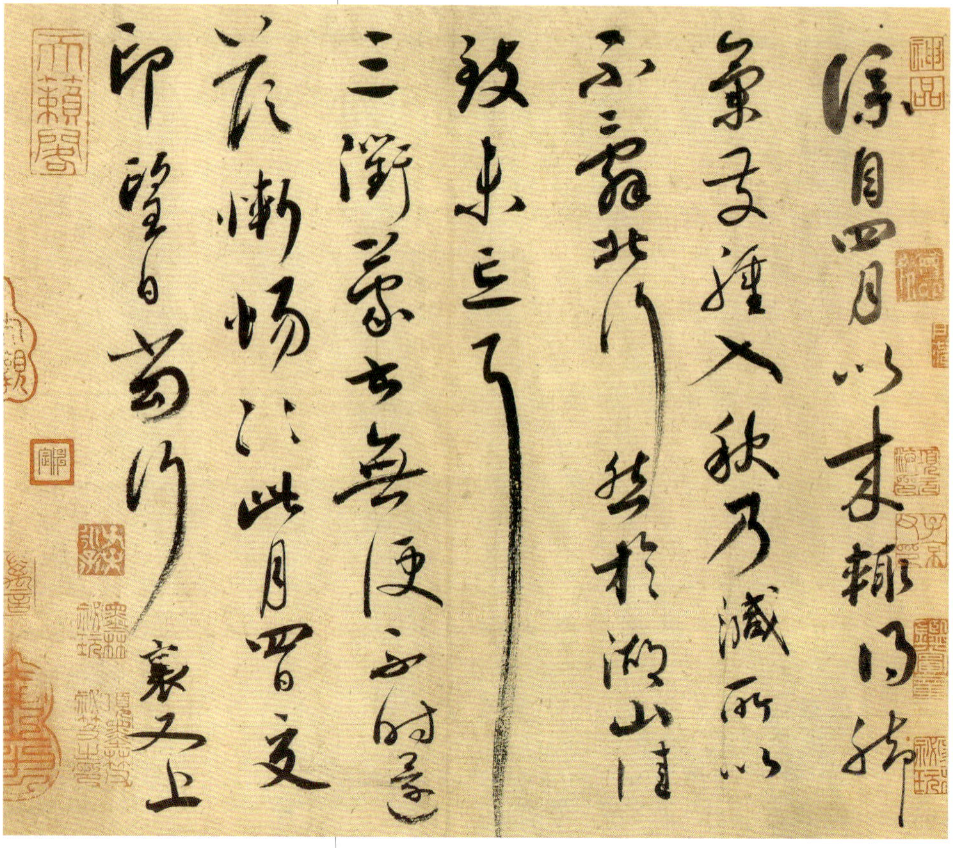

脚氣帖

北宋
蔡襄
高26.9、寬21.7厘米。
紙本。
現藏臺北故宮博物院。

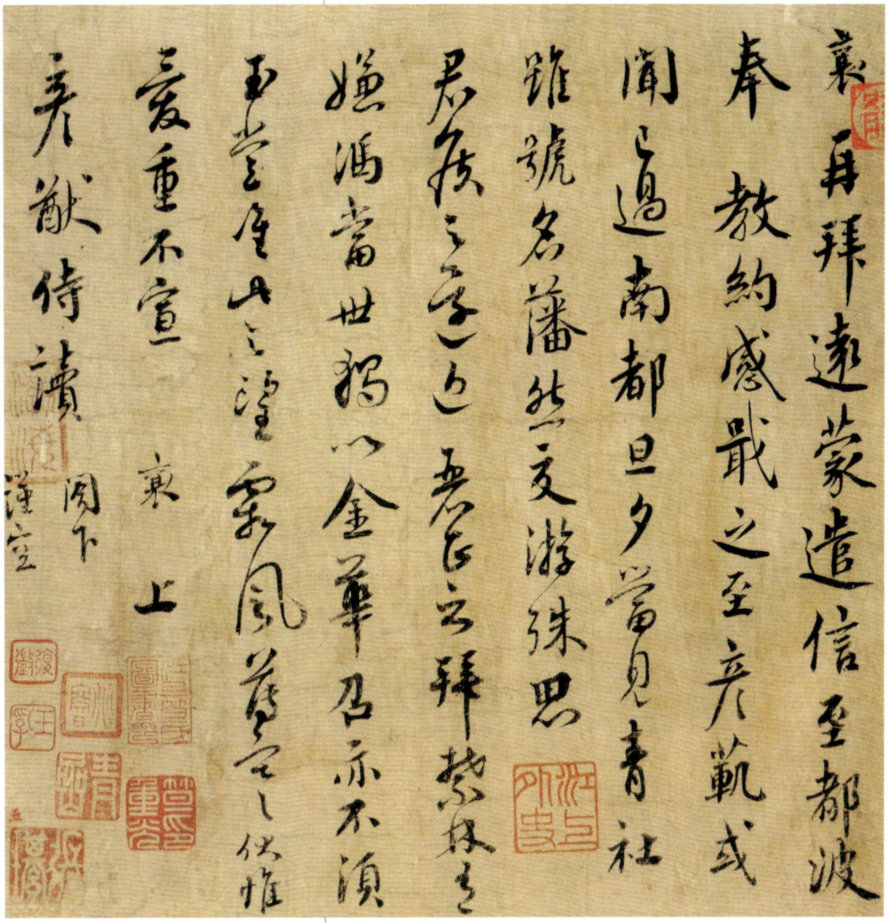

遠蒙帖

北宋
蔡襄
高28.6、寬29厘米。
紙本。
現藏臺北故宮博物院。

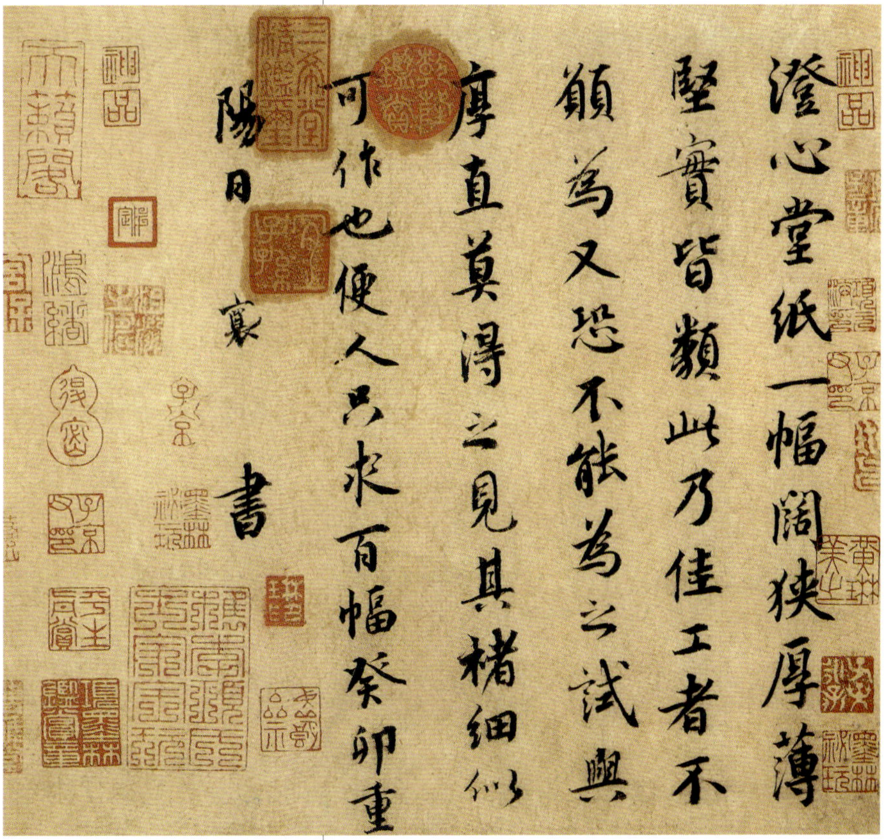

澄心堂紙帖

北宋
蔡襄
高24.7、寬27.1厘米。
紙本。
現藏臺北故宮博物院。

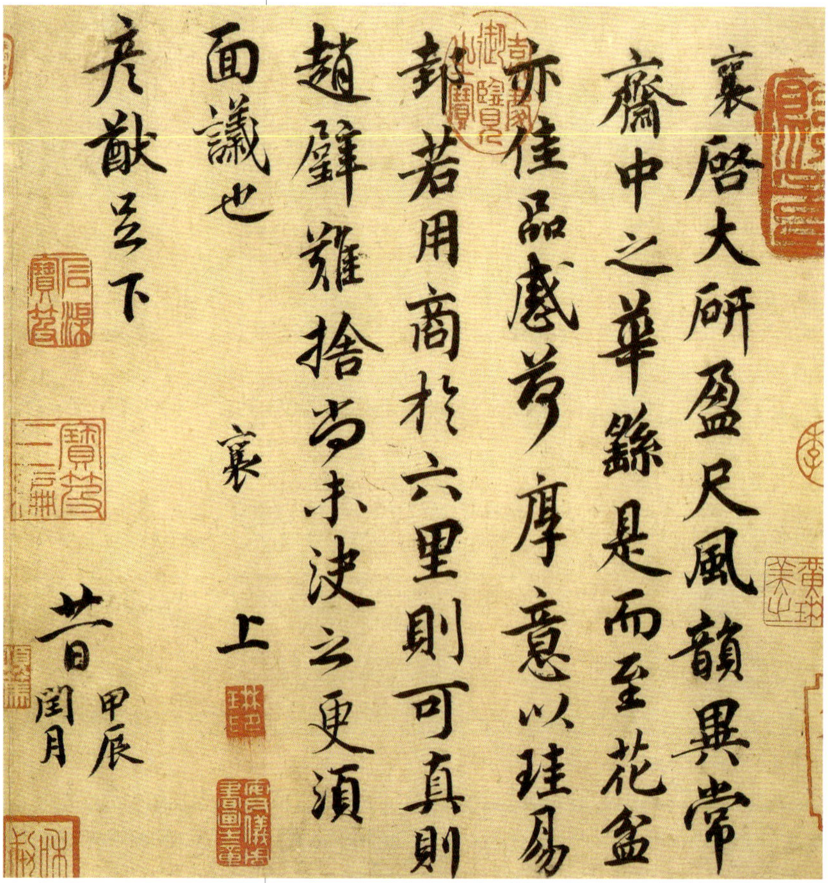

大研帖

北宋
蔡襄
高25.6、寬25厘米。
紙本。行楷八行。
現藏臺北故宮博物院。

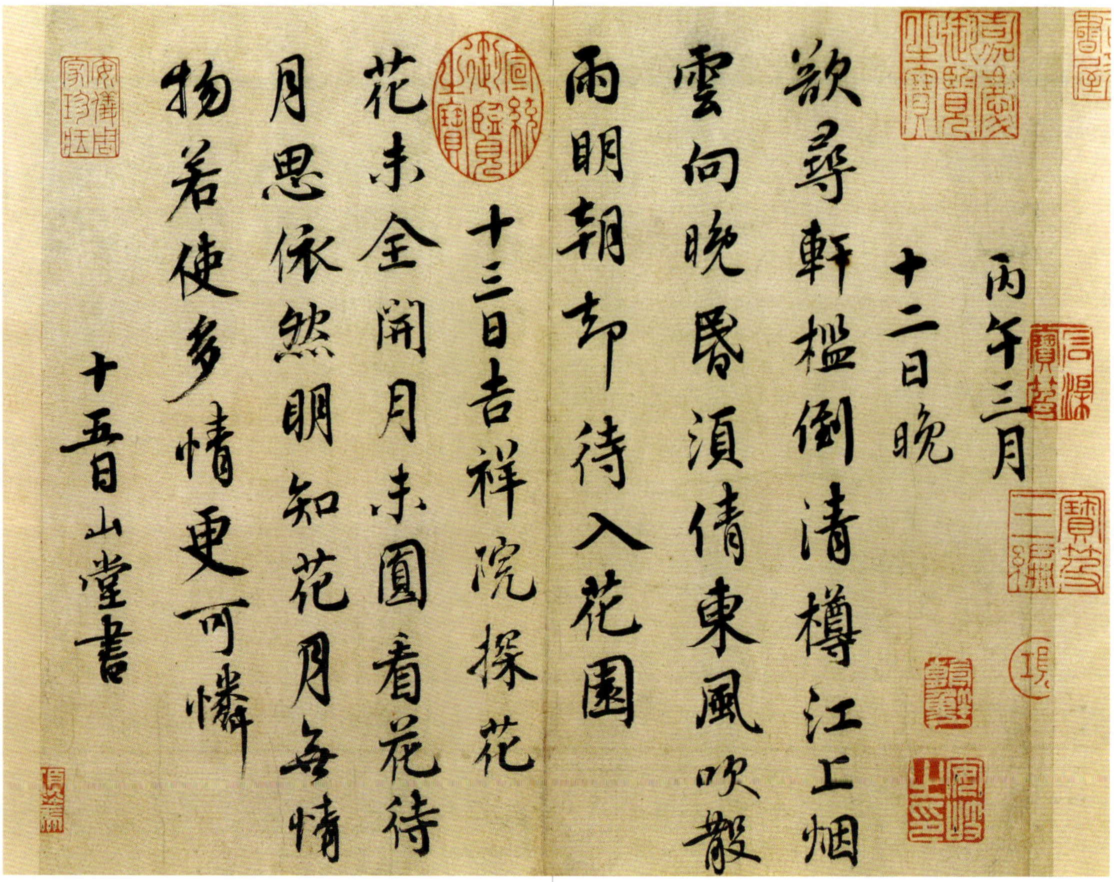

山堂帖

北宋
蔡襄
高24.8、寬26.7厘米。
紙本。
現藏故宮博物院。

司馬光（公元1019－1086年）

陝州夏縣（今屬山西）人。字君實，世稱“涑水先生”。官至尚書左僕射兼門下侍郎，主持編撰《資治通鑑》。有《司馬文正公集》傳世。

寧州貼

北宋

司馬光

高33.7、寬57.6厘米。

紙本。楷書十八行。此選爲局部。

現藏上海博物館。

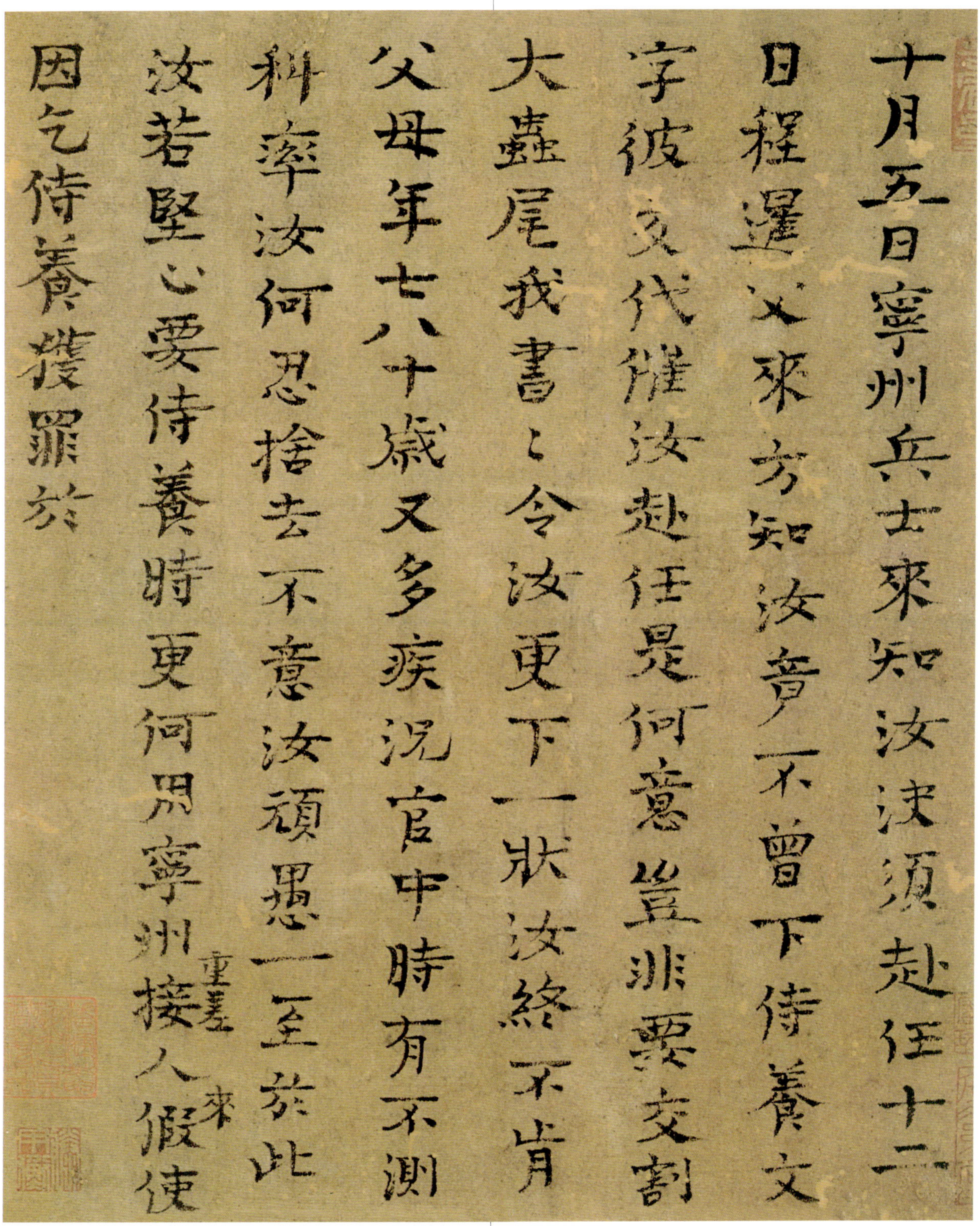
十月五日寧州兵士來知汝決須赴任十二
日程遲以來方知汝竟不曾下侍養文
字彼處又代催汝赴任是何意豈非要交割
大蟲尾我書〻令汝更下一狀汝終不肯
父母年七八十歲又多疾況官中時有不測
科率汝何忍捨去不意汝頑愚一至於此
汝若堅心要侍養時更何用寧州接人假使
因乞侍養獲罪於

王安石（公元1021－1086年）

撫州臨川（今屬江西撫州）人。字介甫，晚號半山，封荊國公，世稱"荊公"。累官至參知政事、宰相。詩詞散文名重一時，爲唐宋八大家之一。其書法亦頗爲人推重，雖下筆草草，無意工拙，却往往得自然率真之意。

楞嚴經旨要

北宋
王安石
高29.9、寬119厘米。
紙本。行書七十二行。此選爲局部。
現藏上海博物館。

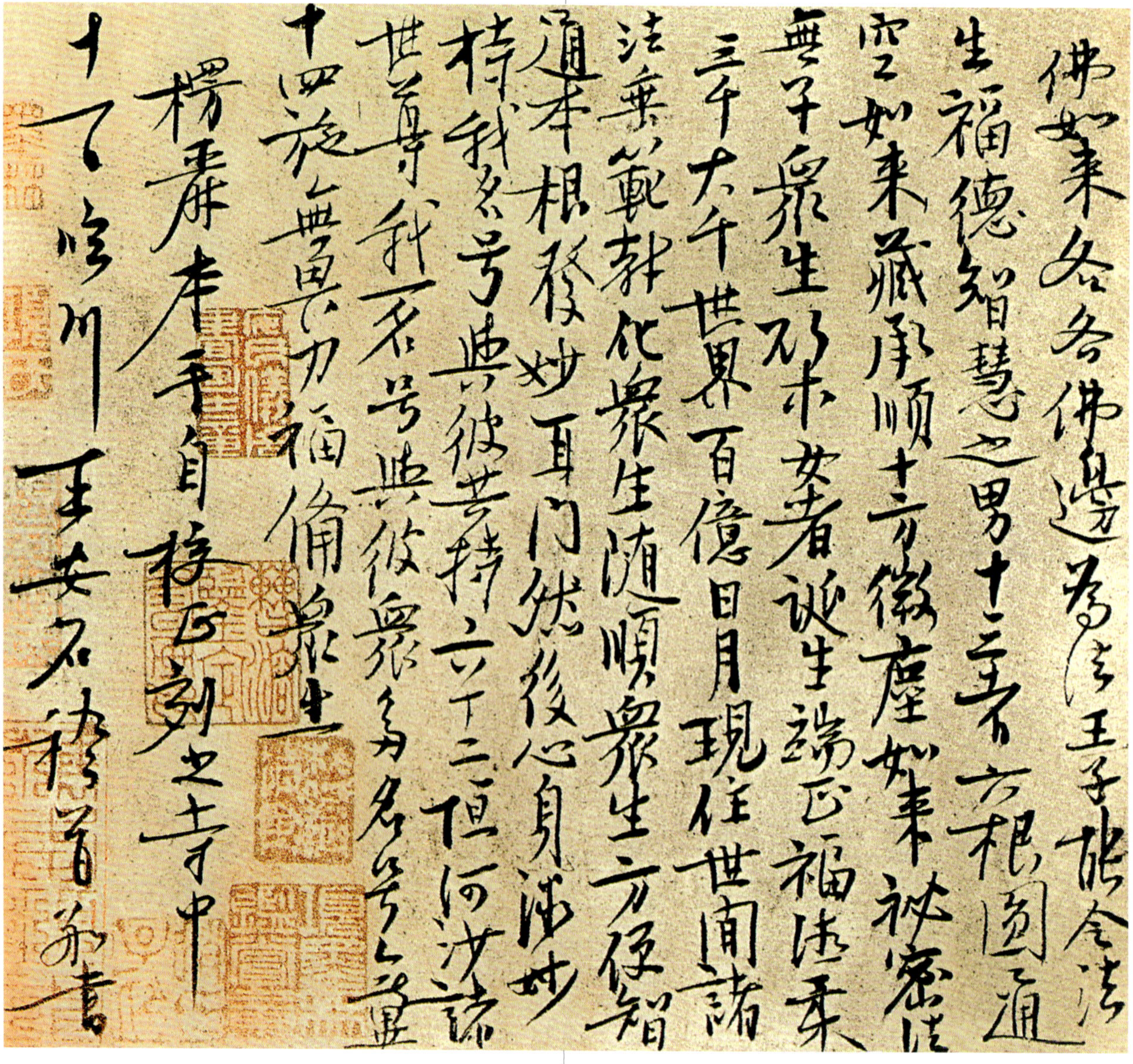

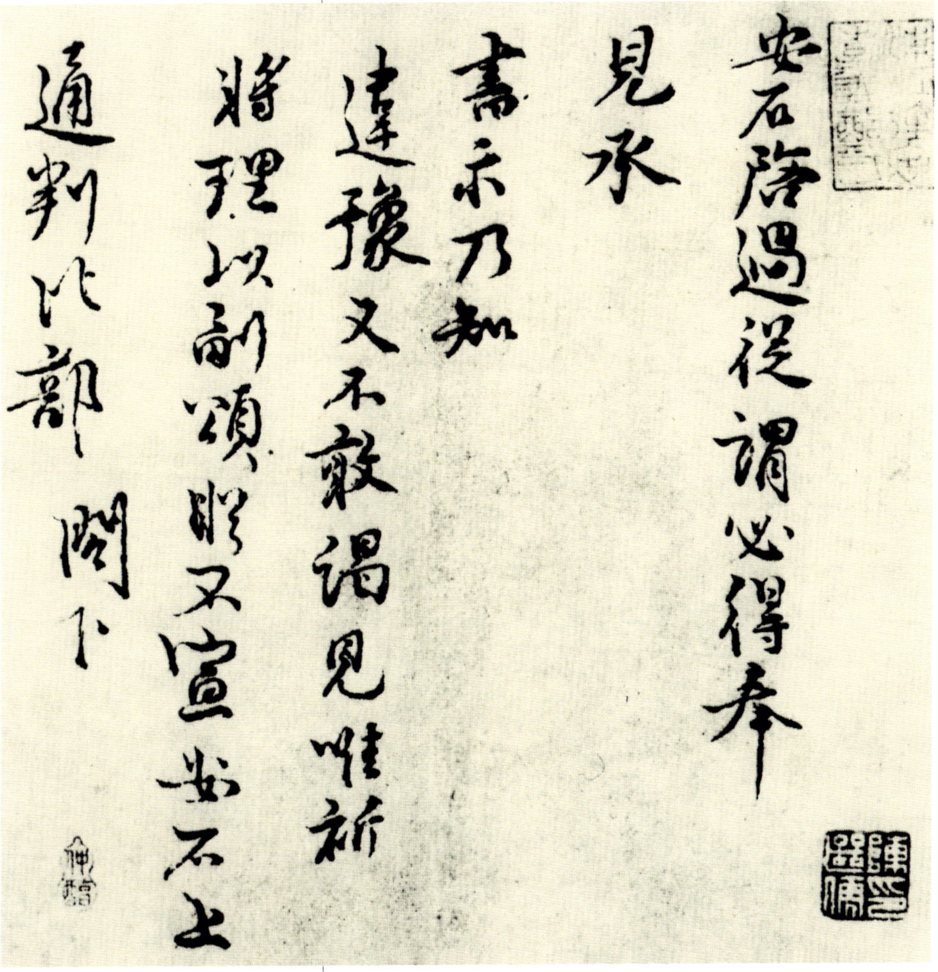
安石啓：過從，謂必得奉見，承書示，乃知違豫，又不敢謁見，唯祈將理，以副頌矚。不宣。安石上。通判比部閣下。

過從帖

北宋
王安石
高26、寬32.1厘米。
紙本。
現藏臺北故宮博物院。

沈　遼（公元1032－1085年）

錢塘（今浙江杭州）人。字叡達，曾築室齊山上，名曰雲巢，故人稱“沈雲巢”。工書法。

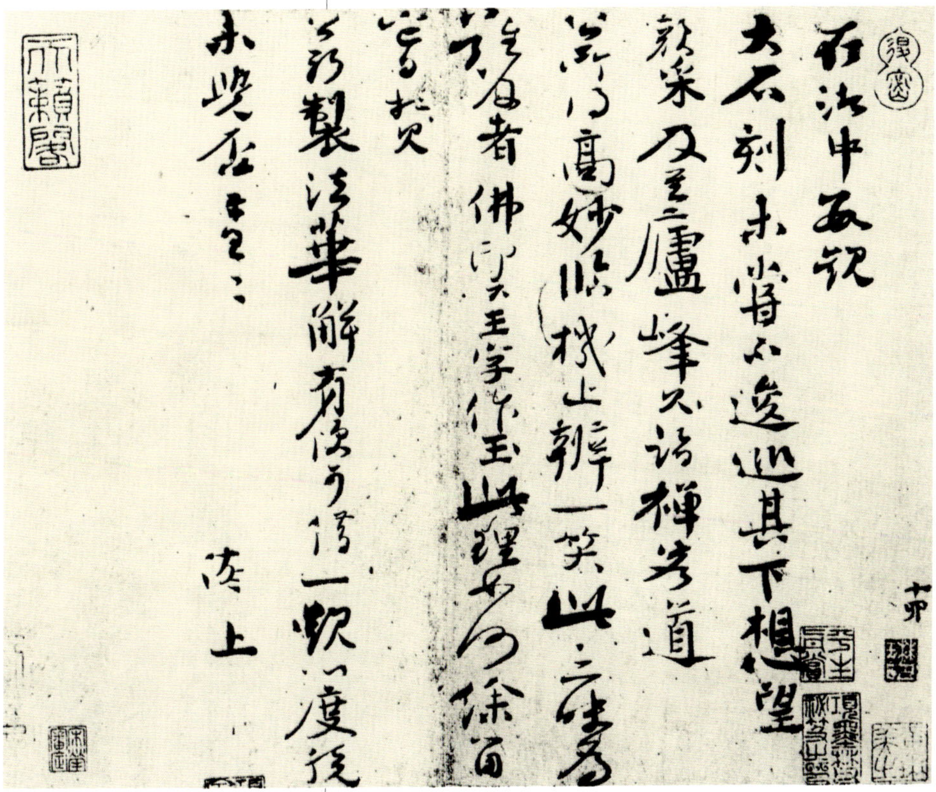

想望顏采帖

北宋
沈遼
高27.2、寬33.4厘米。
紙本。
現藏臺北故宮博物院。

蘇　軾（公元1036－1101年）

眉州眉山（今屬四川）人。字子瞻，自號東坡居士。官至端明殿翰林、侍讀學士、禮部尚書，謚文忠。詩、文、書、畫皆有非凡的成就，是宋代偉大的文學家和藝術家。其書法自成一家，被推爲“宋四家”之首，歷來備受稱譽。著有《蘇東坡全集》、《東坡題跋》等。

久上人帖

北宋
蘇軾
高26.1、寬29.5厘米。
紙本。
現藏臺北故宮博物院。

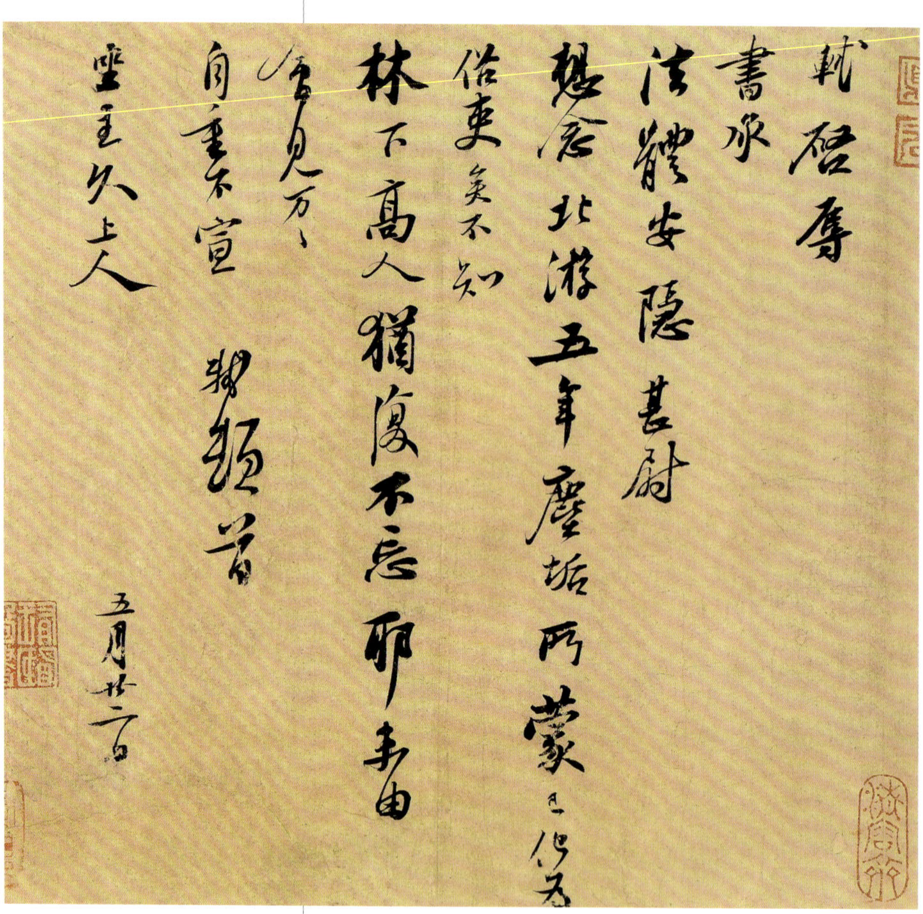

新歲展慶帖

北宋
蘇軾
高30.2、寬48.8厘米。
紙本。
現藏故宮博物院。

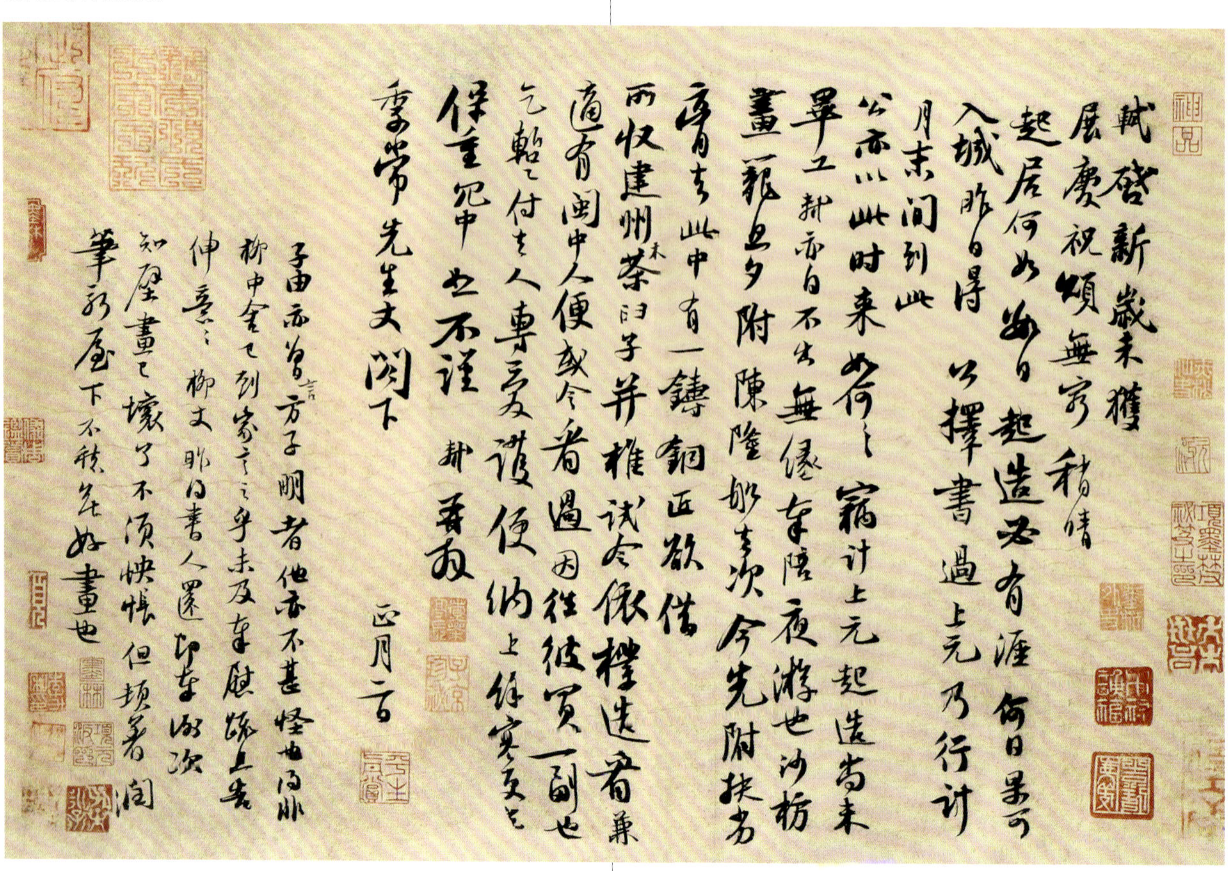

次韻秦太虛見戲耳聾詩帖

北宋
蘇軾
高30.7、寬45.3厘米。
紙本。
現藏臺北故宮博物院。

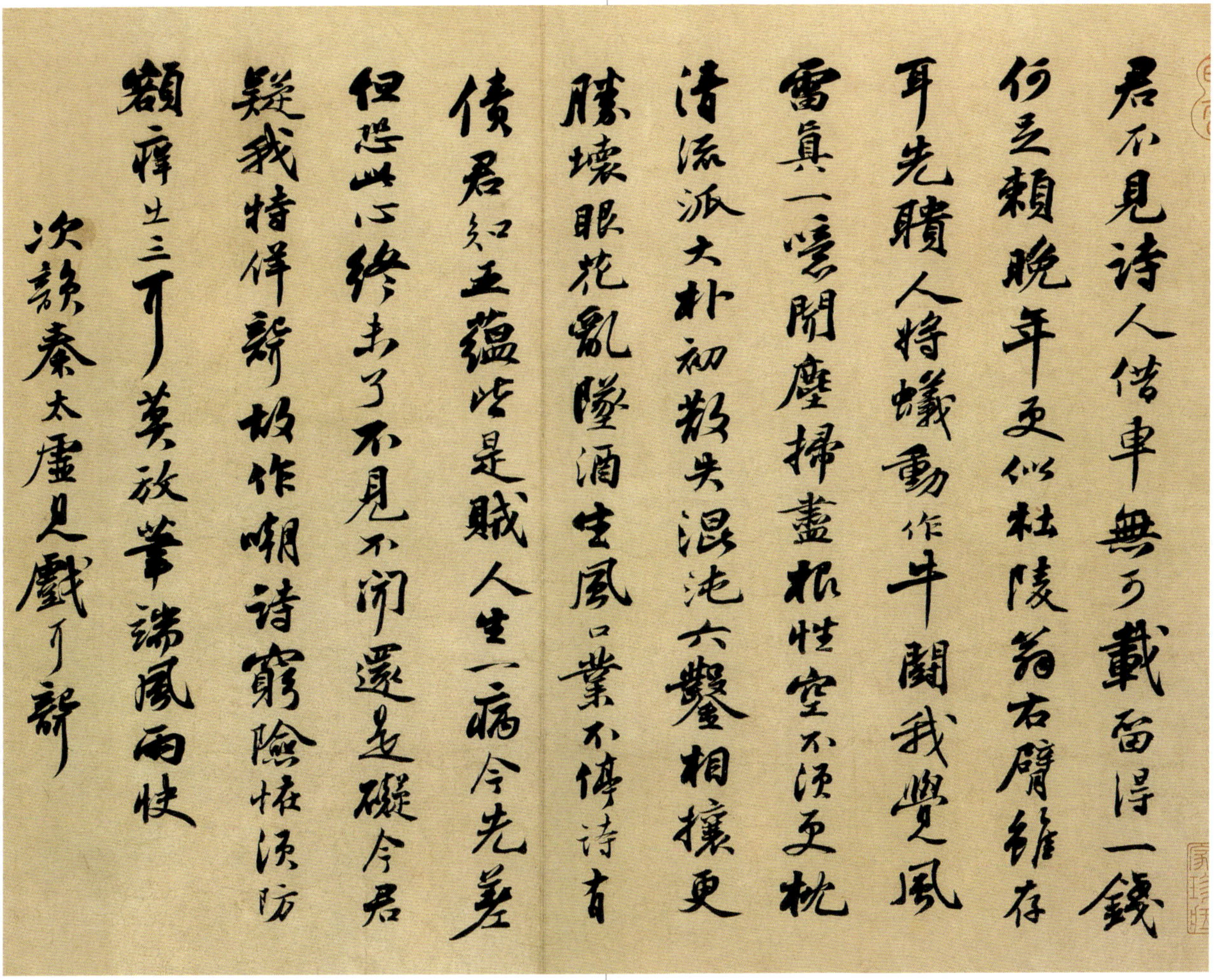
君不見詩人借車無可載留得一錢
何足賴晚年更似杜陵翁右臂雖存
耳先聵人將蟻動作牛鬥我覺風
雷真一噫聞塵掃盡根性空不須更枕
清流派大朴初散失混沌六鑿相攘更
勝壞眼花亂墜酒生風口業不停詩有
債君知五蘊皆是賊人生一病今先差
但恐此心終未了不見不聞還是礙今君
疑我特佯聾故作嘲詩窮險怪須防
額癢出三耳莫放筆端風雨快
次韻秦太虛見戲耳聾

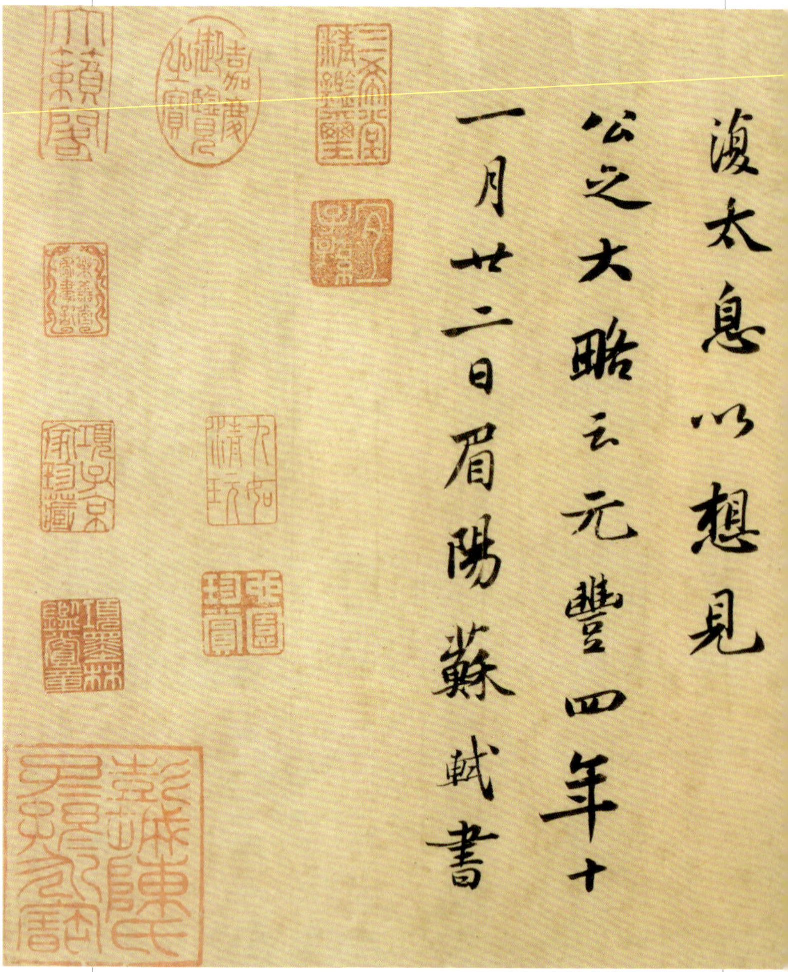

吏部陳公詩跋

北宋

蘇軾

高27.8、寬60.8厘米。

紙本。

現藏臺北故宮博物院。

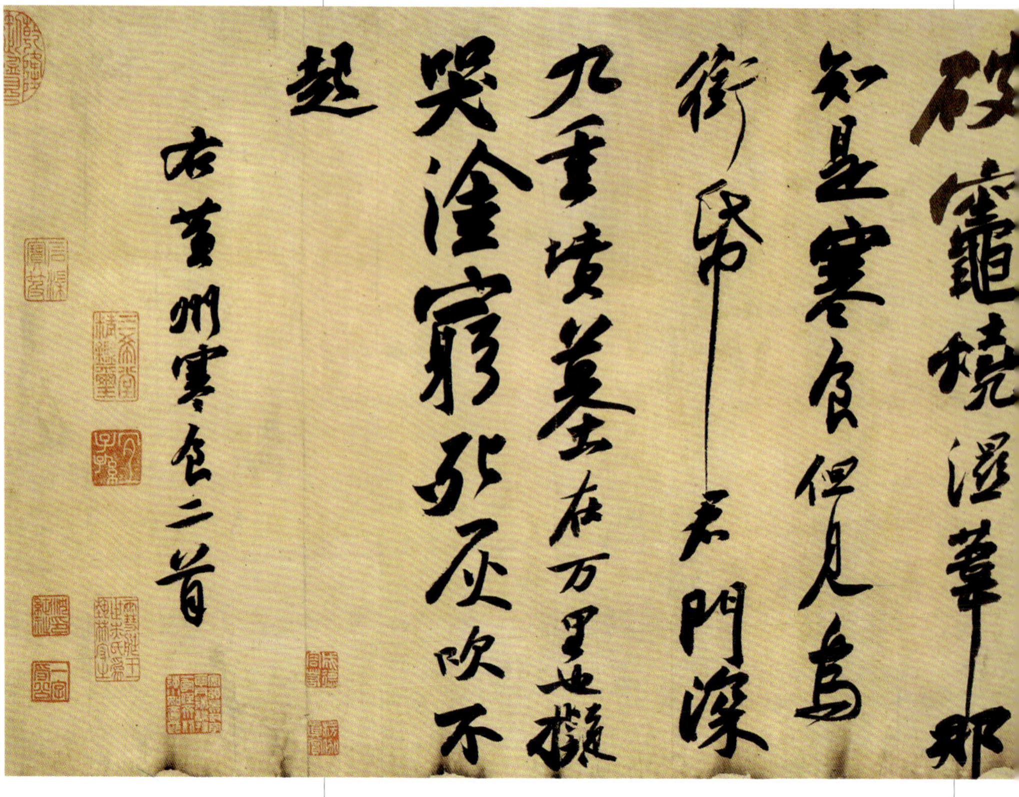

黃州寒食詩帖

北宋

蘇軾

高33.5、寬118厘米。

紙本。

現藏臺北故宮博物院。

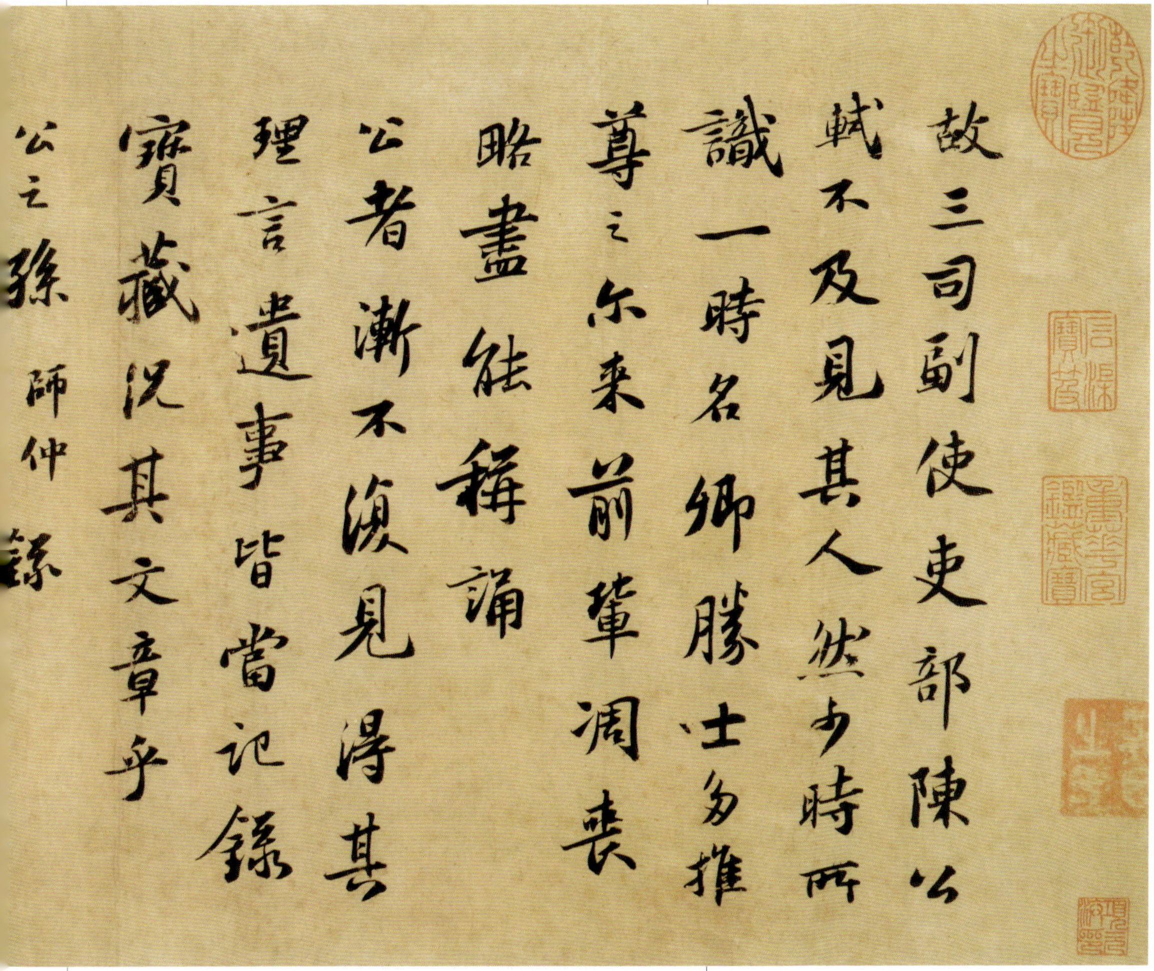
故三司副使吏部陳公
軾不及見其人然少時所
識一時名卿勝士多推
尊之尒來前輩凋喪
略盡能稱誦
公者漸不復見得其
理言遺事皆當記錄
寶藏況其文章乎
公之孫師仲錄

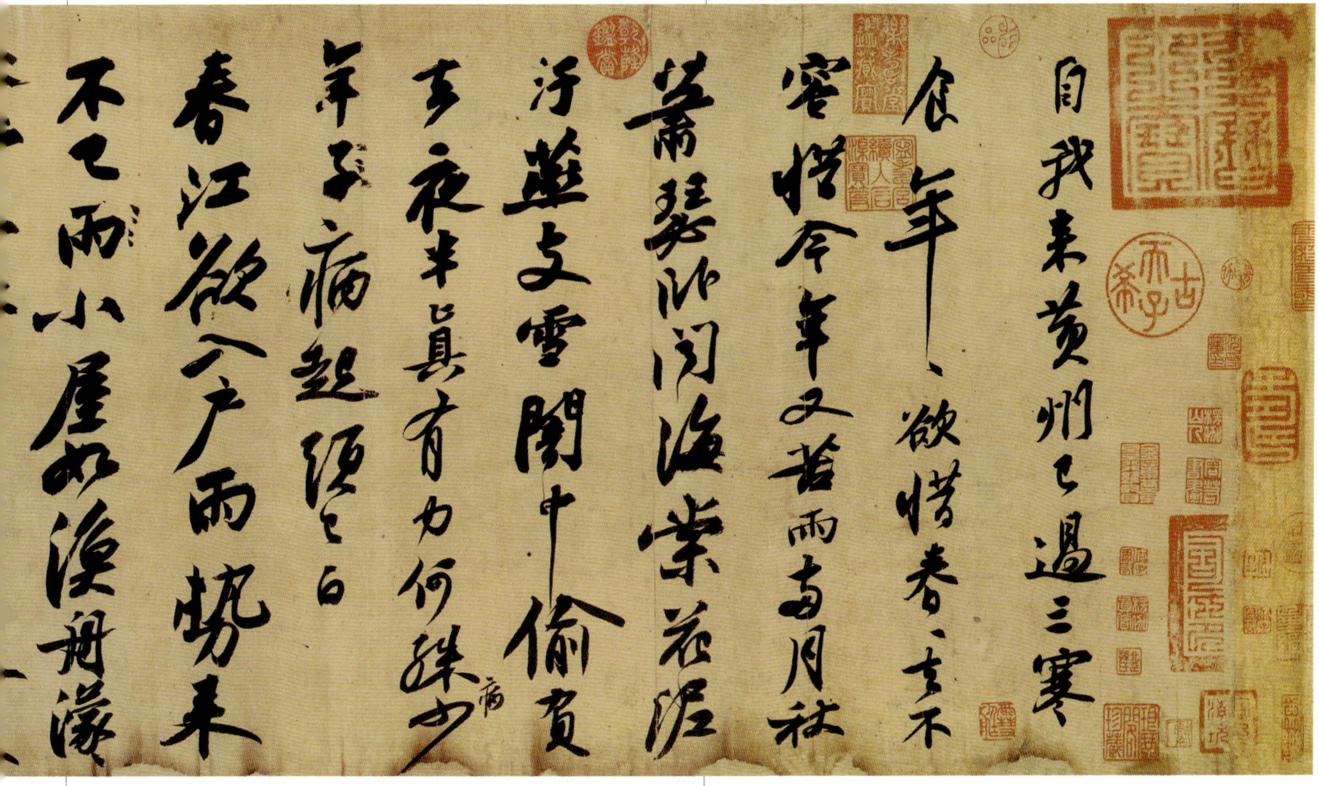
自我來黃州已過三寒
食年年欲惜春春去不
容惜今年又苦雨兩月秋
蕭瑟臥聞海棠花泥
汙燕支雪闇中偷負
去夜半真有力何殊病少
年病起頭已白
春江欲入戶雨勢來
不已小屋如漁舟濛

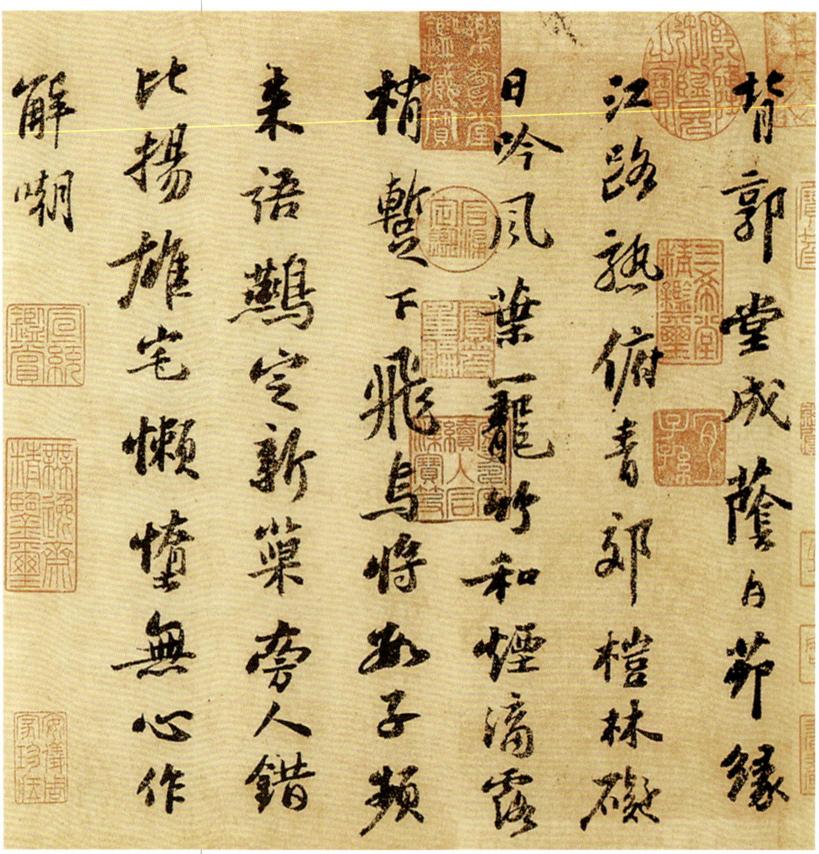

榿木詩帖

北宋
蘇軾
高28.1、寬87.6厘米。
紙本。此選爲局部。
現藏日本林氏蘭千山館。

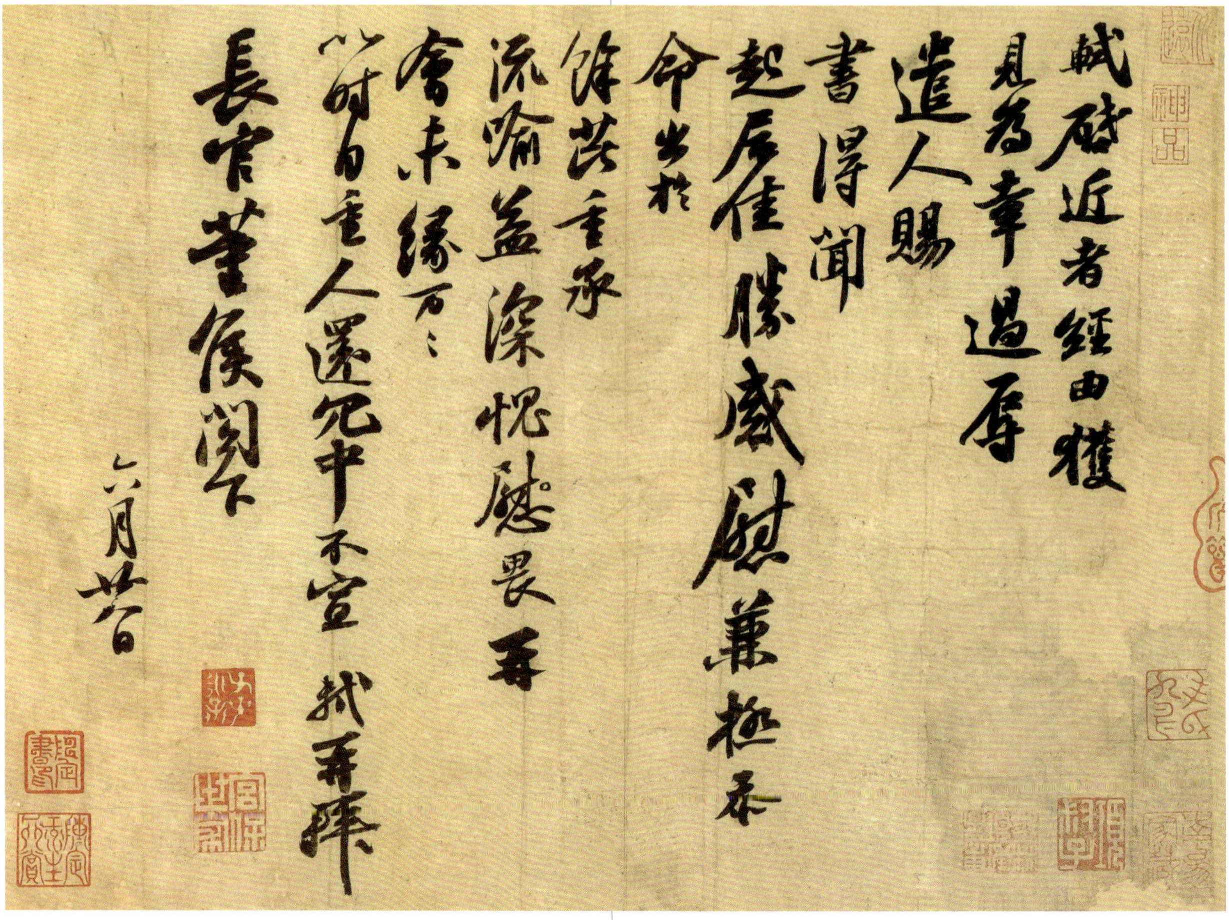

獲見帖

北宋
蘇軾
高27.7、寬38.4厘米。
紙本。
現藏臺北故宮博物院。

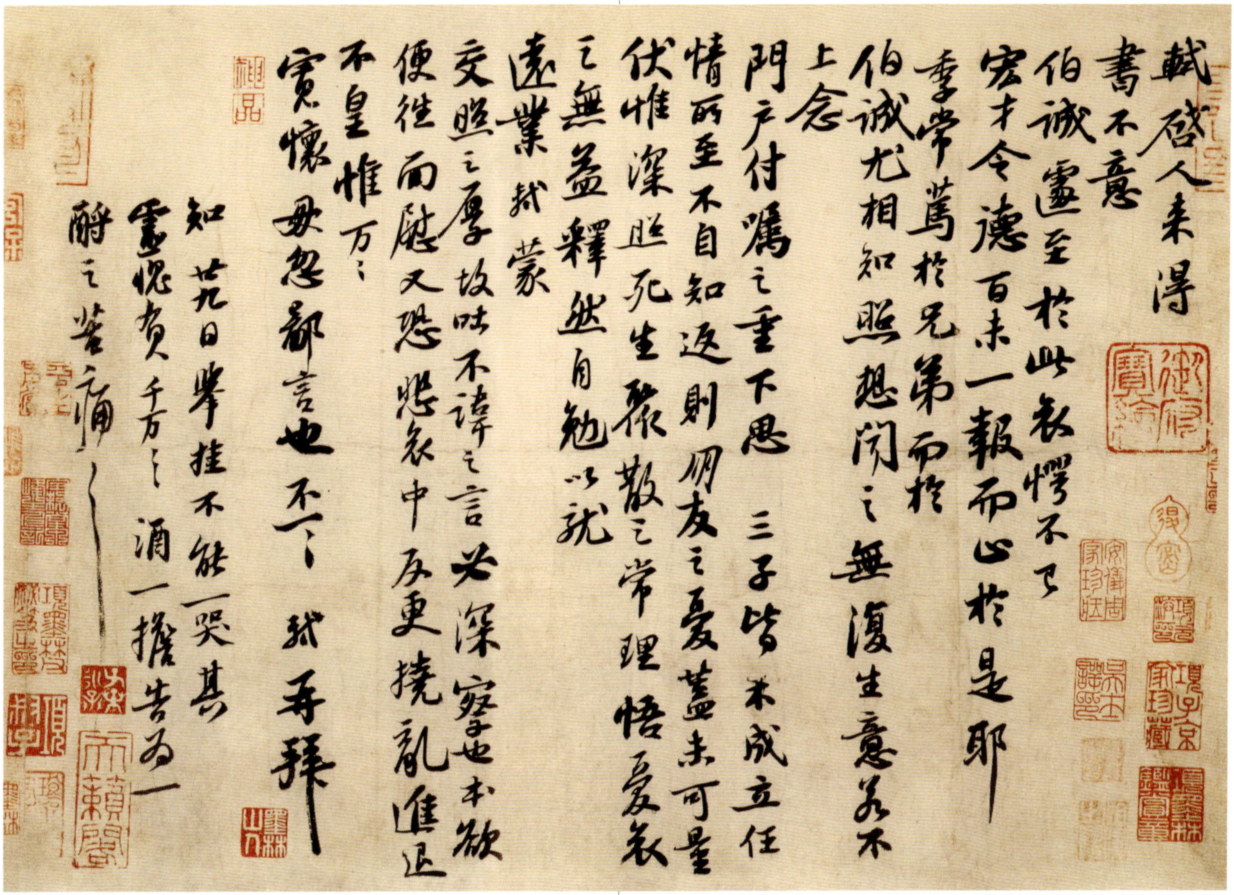

人來得書帖

北宋
蘇軾
高29.5、寬45.1厘米。
紙本。
現藏故宮博物院。

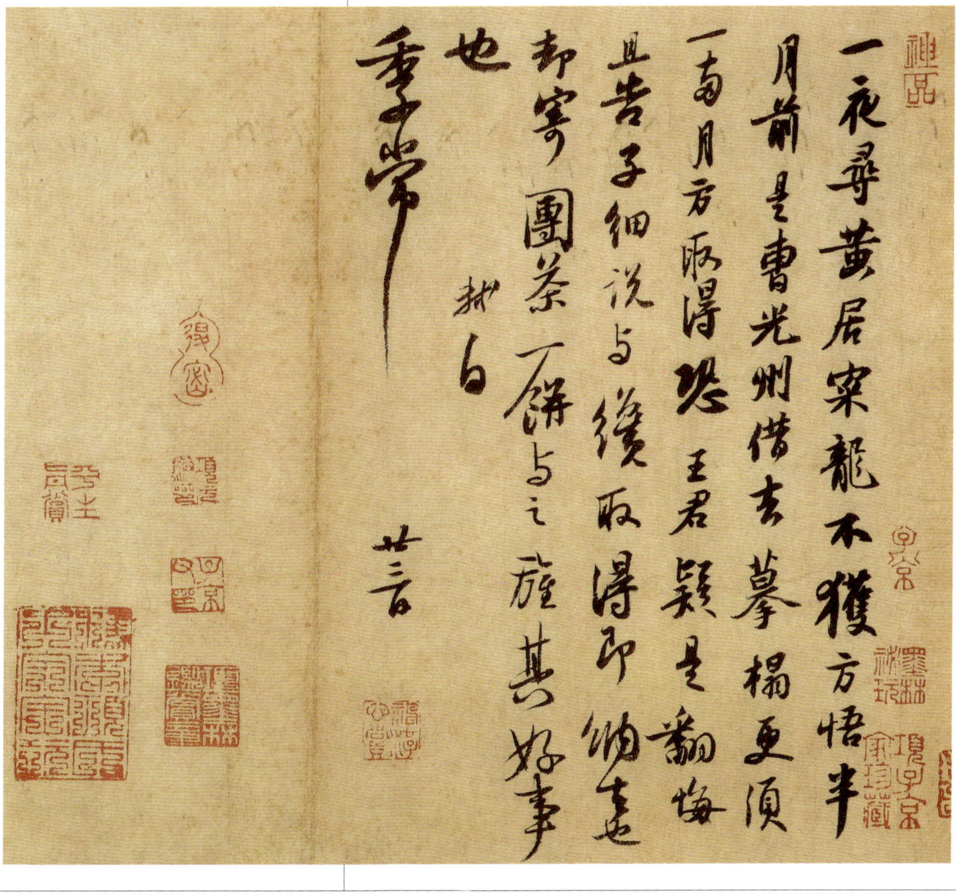

一夜帖

北宋
蘇軾
高29.6、寬45.2厘米。
紙本。
現藏臺北故宮博物院。

前赤壁賦

北宋
蘇軾

高24.8、寬239.3厘米。
紙本。
現藏臺北故宮博物院。

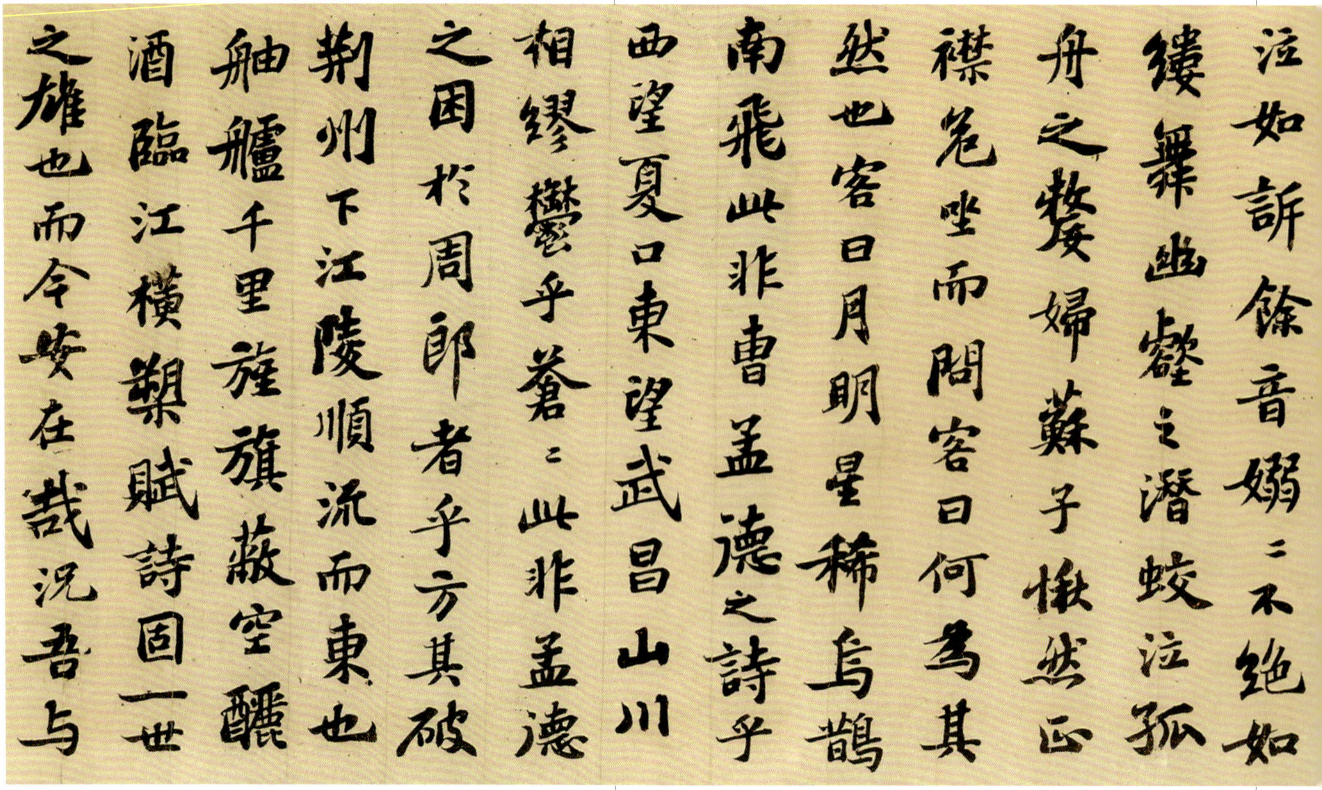
泣如訴餘音嫋嫋不絕如
縷舞幽壑之潛蛟泣孤
舟之嫠婦蘇子愀然正
襟危坐而問客曰何為其
然也客曰月明星稀烏鵲
南飛此非曹孟德之詩乎
西望夏口東望武昌山川
相繆鬱乎蒼蒼此非孟德
之困於周郎者乎方其破
荊州下江陵順流而東也
舳艫千里旌旗蔽空釃
酒臨江橫槊賦詩固一世
之雄也而今安在哉況吾与

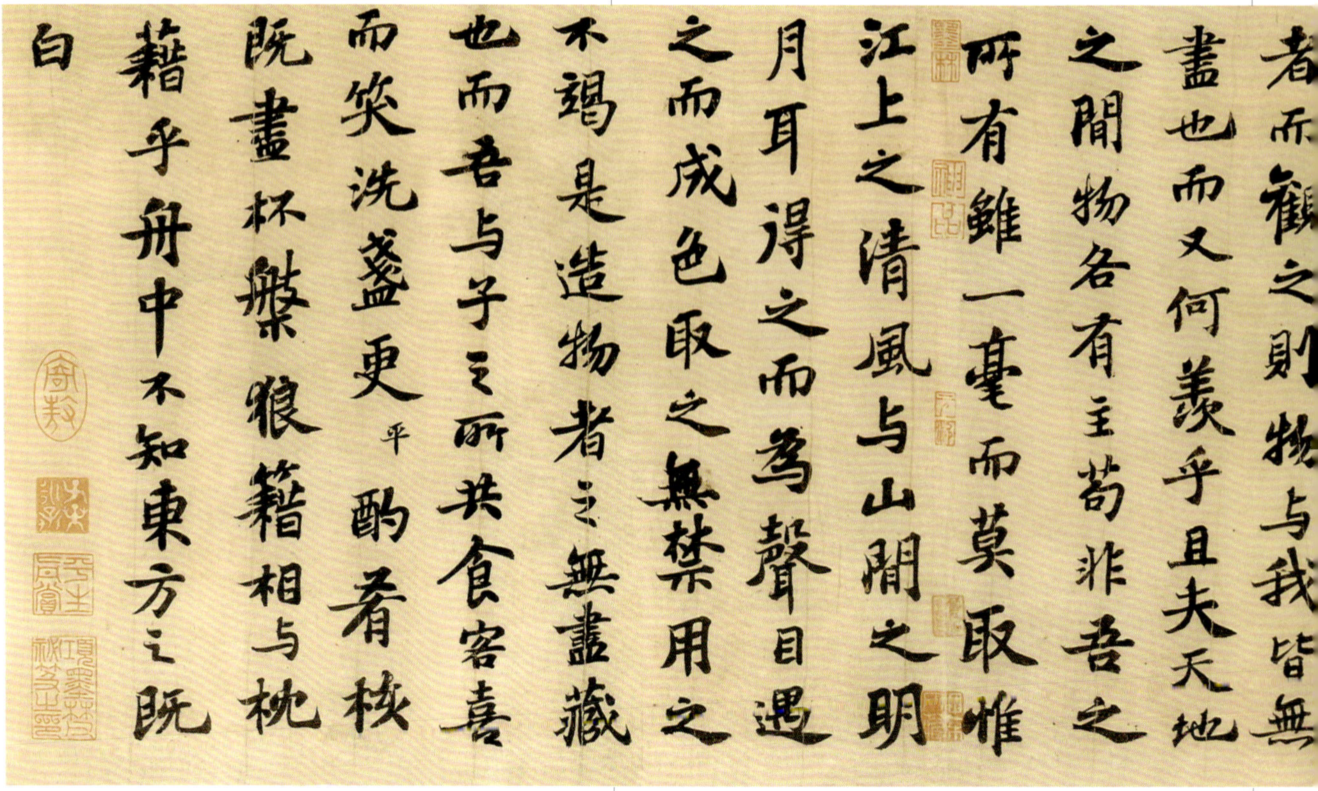
者而觀之則物与我皆無
盡也而又何羨乎且夫天地
之間物各有主苟非吾之
所有雖一毫而莫取惟
江上之清風与山間之明
月耳得之而為聲目遇
之而成色取之無禁用之
不竭是造物者之無盡藏
也而吾与子之所共食客喜
而笑洗盞更酌肴核
既盡杯盤狼籍相与枕
藉乎舟中不知東方之既
白

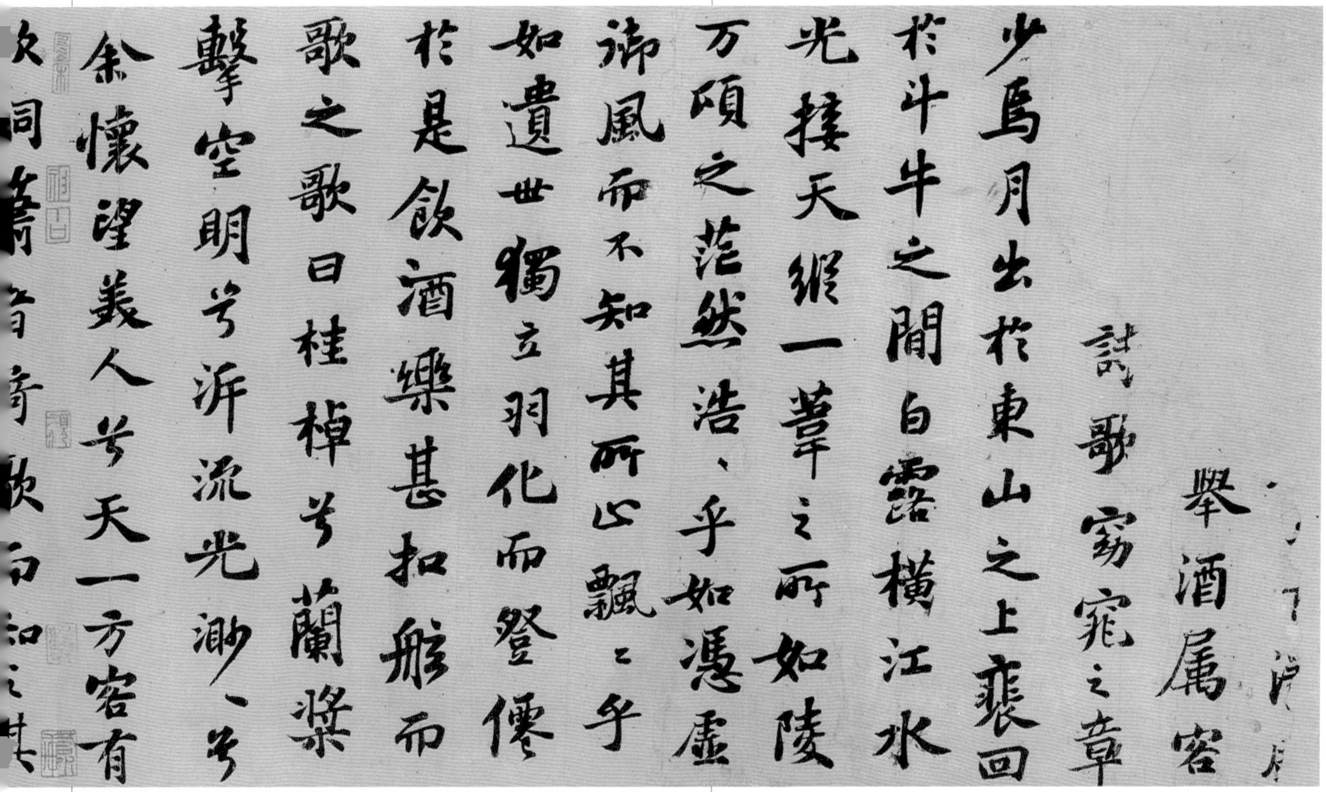

舉酒屬客
詩歌窈窕之章
少焉月出於東山之上裴回
於斗牛之閒白露橫江水
光接天縱一葦之所如陵
万頃之茫然浩浩乎如憑虛
御風而不知其所止飄飄乎
如遺世獨立羽化而登僊
於是飲酒樂甚扣舷而
歌之歌曰桂棹兮蘭槳
擊空明兮泝流光渺渺兮
余懷望美人兮天一方客有
吹洞簫者倚歌而和之其

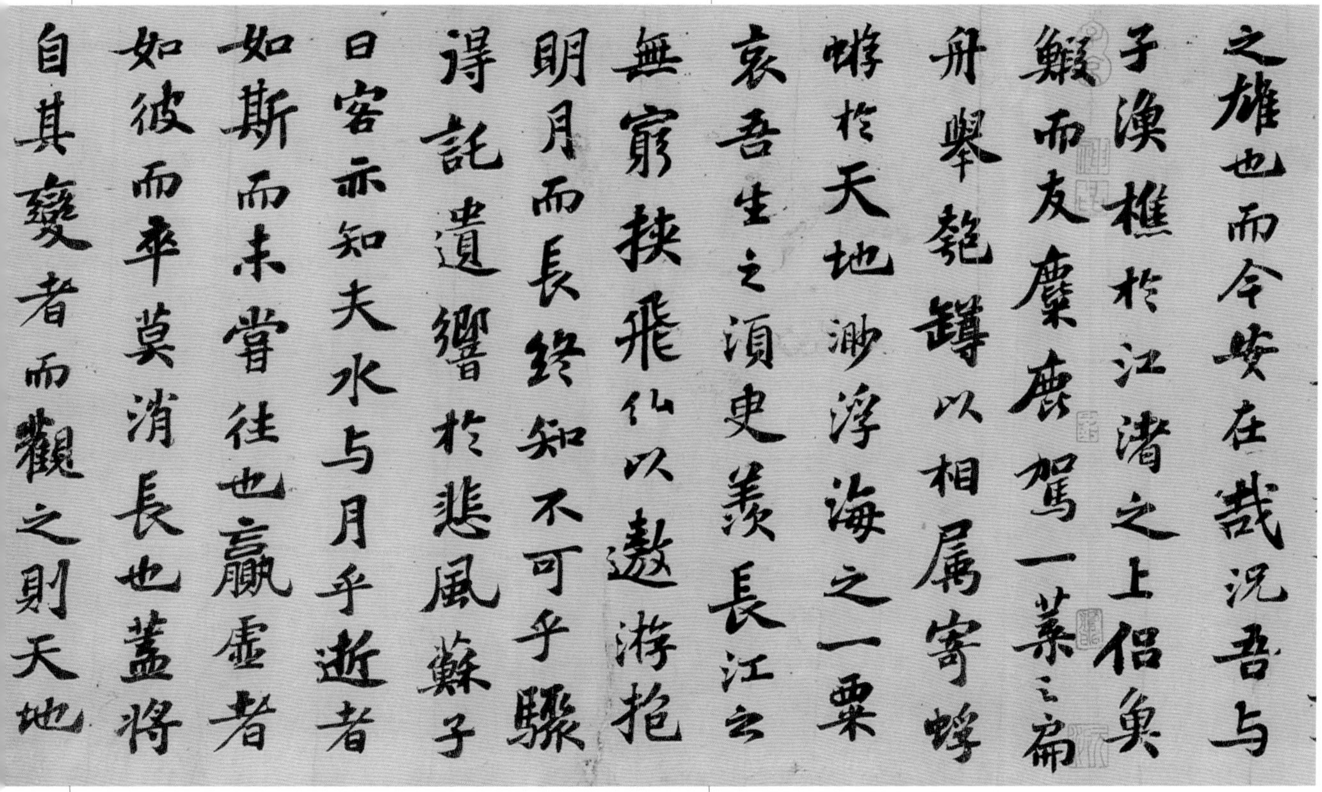

之雄也而今安在哉況吾與
子漁樵於江渚之上侶魚
鰕而友麋鹿駕一葉之扁
舟舉匏樽以相屬寄蜉
蝣於天地渺滄海之一粟
哀吾生之須臾羨長江之
無窮挾飛仙以遨遊抱
明月而長終知不可乎驟
得託遺響於悲風蘇子
曰客亦知夫水與月乎逝者
如斯而未嘗往也贏虛者
如彼而卒莫消長也蓋將
自其變者而觀之則天地

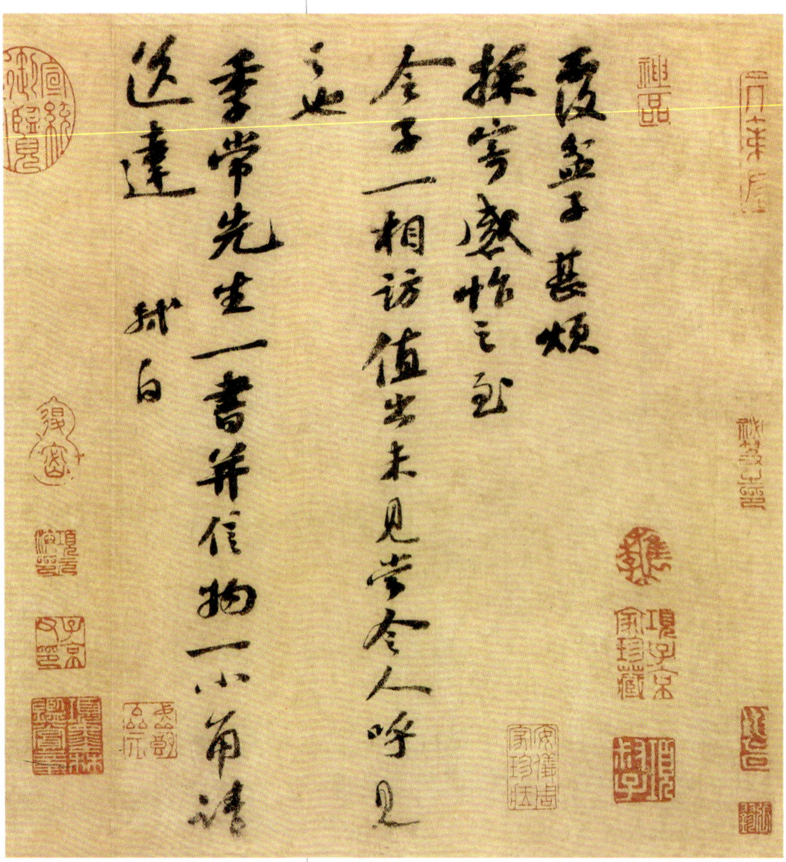

覆盆子帖

北宋
蘇軾
高27.7、寬44.8厘米。
紙本。
現藏臺北故宮博物院。

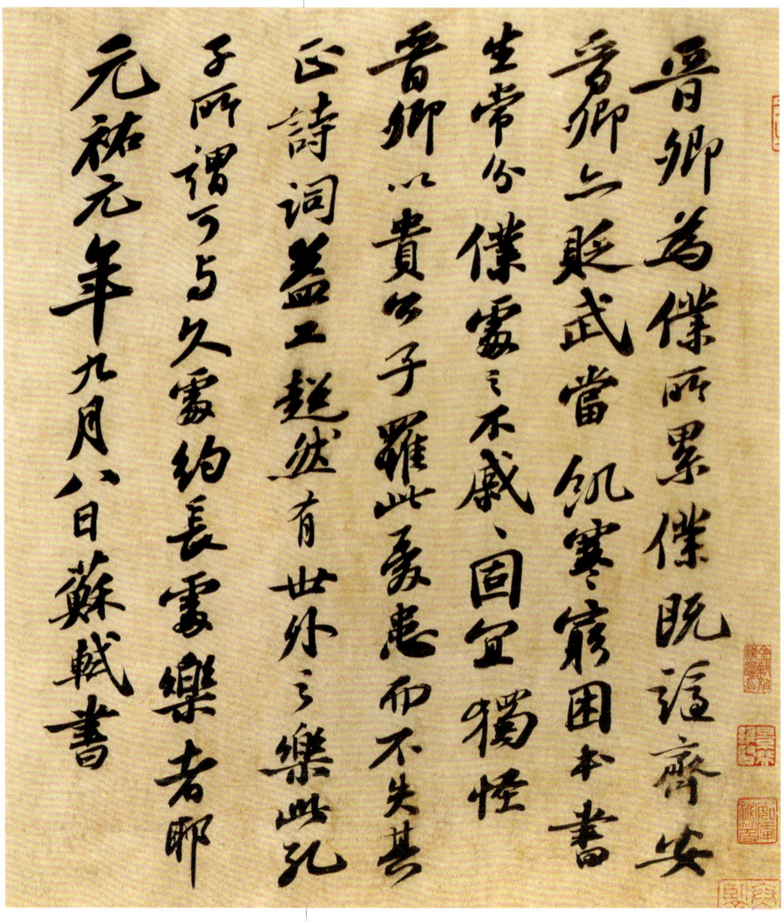

跋王詵詩

北宋
蘇軾
高29.9、寬25.7厘米。
紙本。
現藏故宮博物院。

與子厚書

北宋
蘇軾
高25.6、寬31.1厘米。
紙本。
現藏臺北故宮博物院。

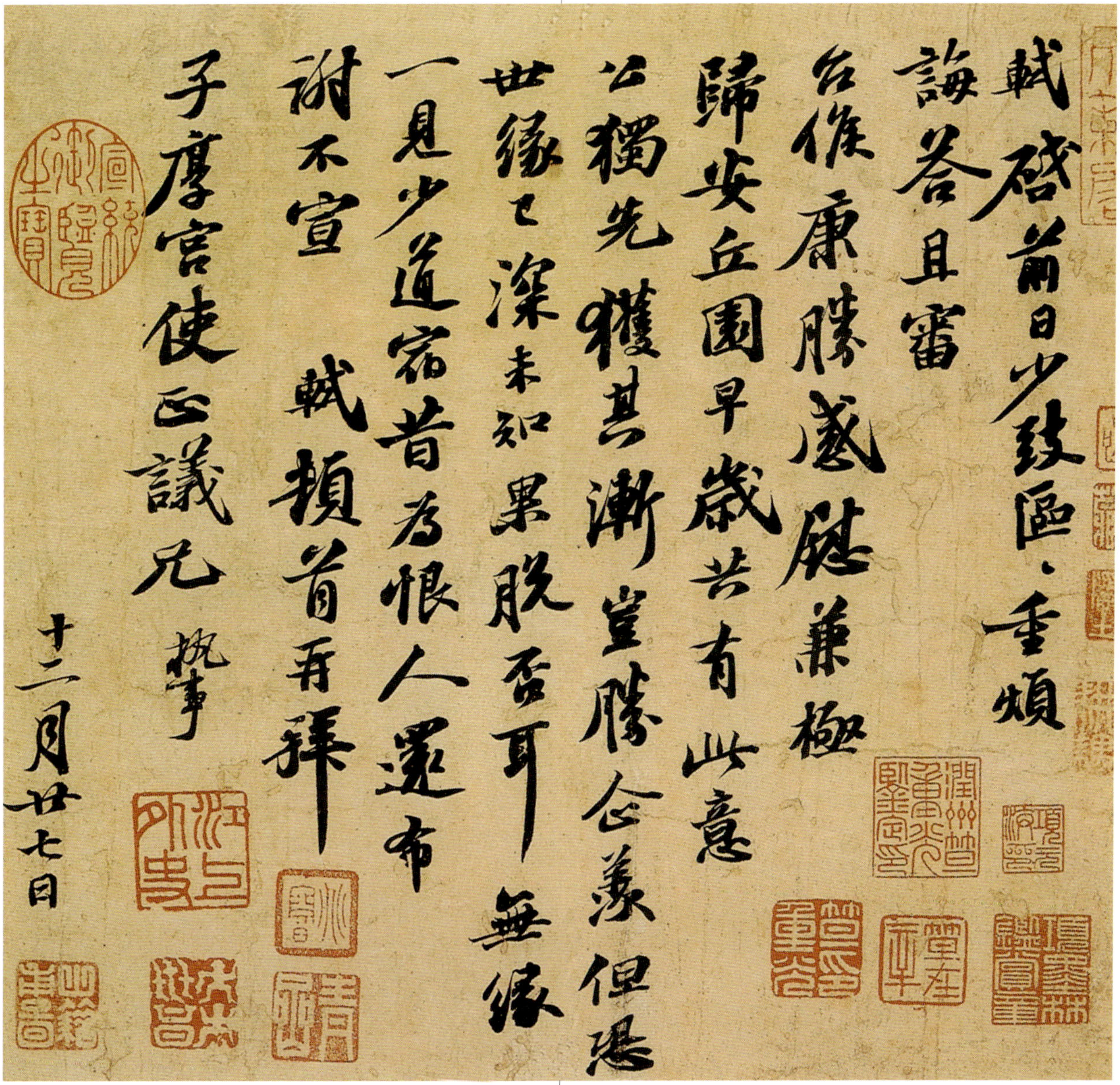

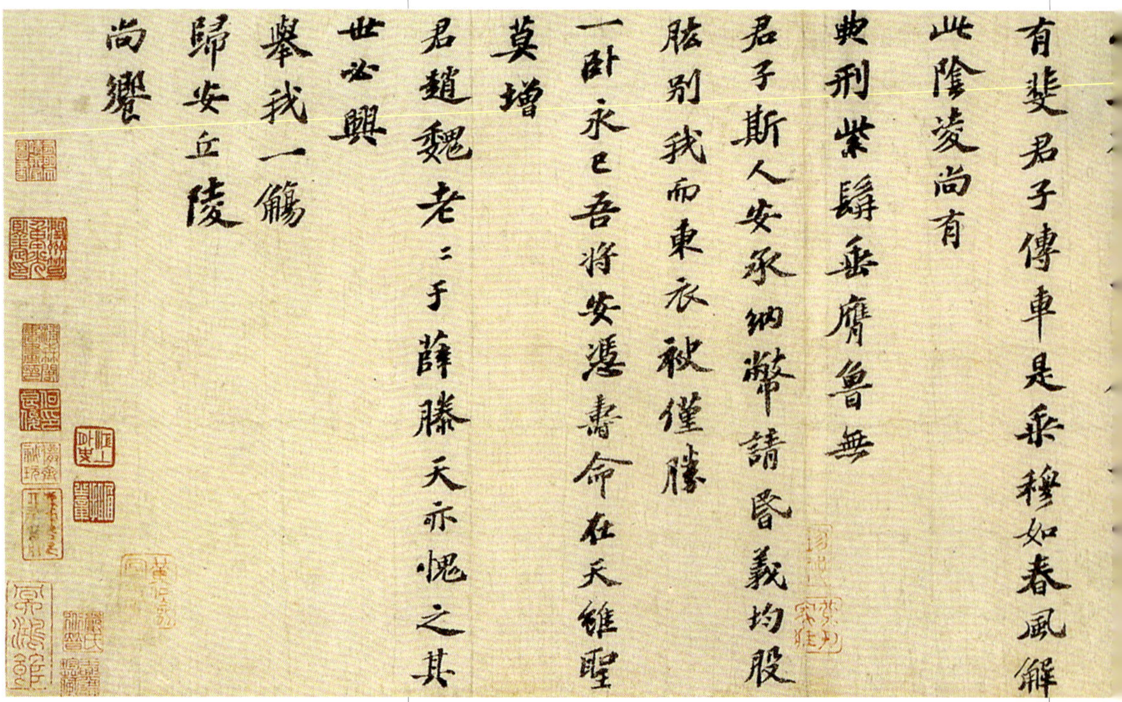
有斐君子傳車是乘穆如春風解
此陰凌尚有
典刑紫髯垂膺魯無
君子斯人安承納幣請昏義均股
肱別我而東衣袂僅勝
一臥永已吾將安憑壽命在天雖聖
莫增
君趙魏老=于薛滕天亦愧之其
世必興
舉我一觴
歸安丘陵
尚饗

祭黃幾道文

北宋
蘇軾
高31.6、寬121.8厘米。
紙本。
現藏上海博物館。

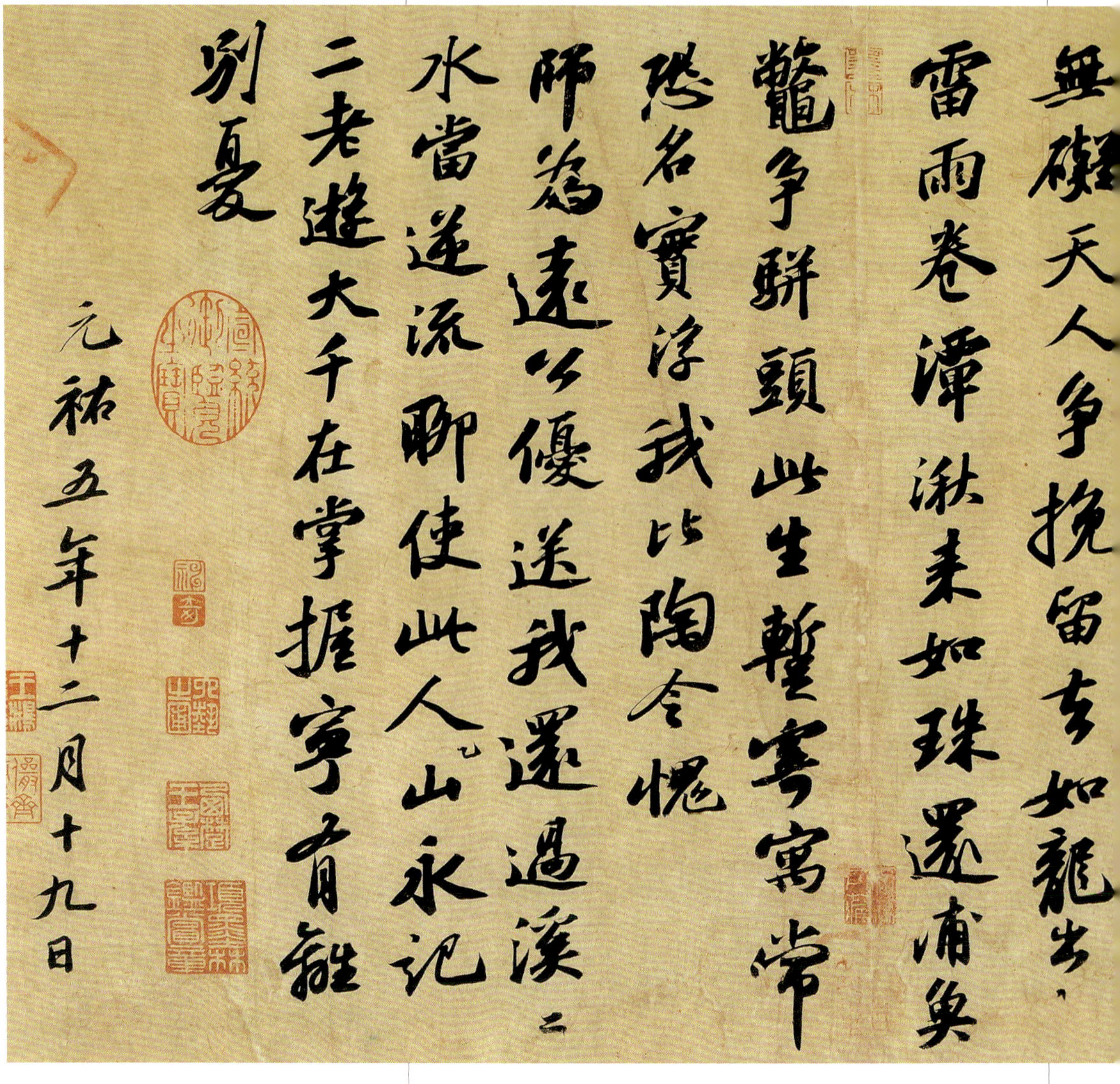
無礙天人爭挽留去如龍出
雷雨卷潭湫來如珠還浦魚
鼈爭駢頭此生暫寄寓常
恐名實浮我比陶令愧
師為遠公優送我還過溪=
水當逆流聊使此人山永記
二老遊大千在掌握寧有離
別憂
元祐五年十二月十九日

次辯才韻詩

北宋
蘇軾
高29、寬47.9厘米。
紙本。
現藏臺北故宮博物院。

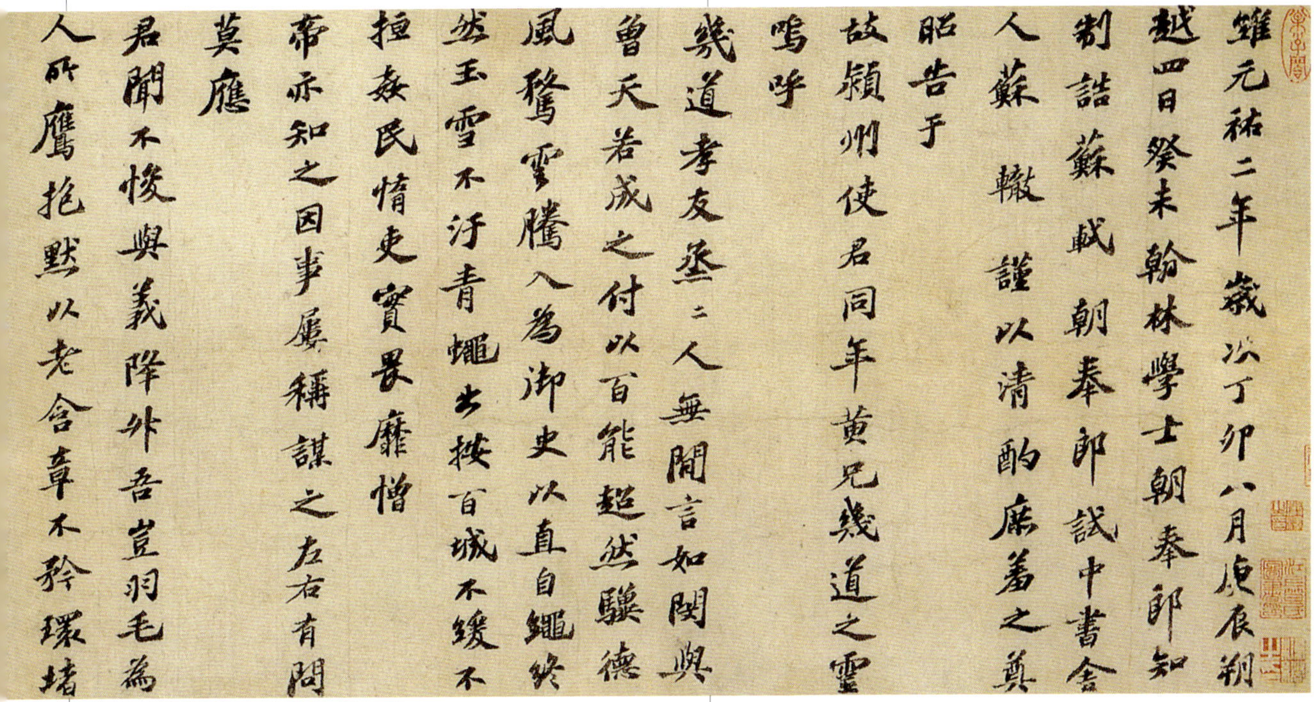
維元祐二年歲次丁卯八月庚辰朔
越四日癸未翰林學士朝奉郎知
制誥蘇軾朝奉郎試中書舍
人蘇轍謹以清酌庶羞之奠
昭告于
故潁州使君同年黃兄幾道之靈
嗚呼
幾道孝友烝烝人無閒言如閔與
曾天若成之付以百能超然騤德
風騫雲騰入為御史以直自繩終
然玉雪不汙青蠅出按百城不緩不
拯姦民猾吏實畏靡憎
帝亦知之因事屢稱謀之左右有問
莫應
君閒不悅與義降升外吾豈羽毛為
人所膺抱默以老含章不矜瓌堵

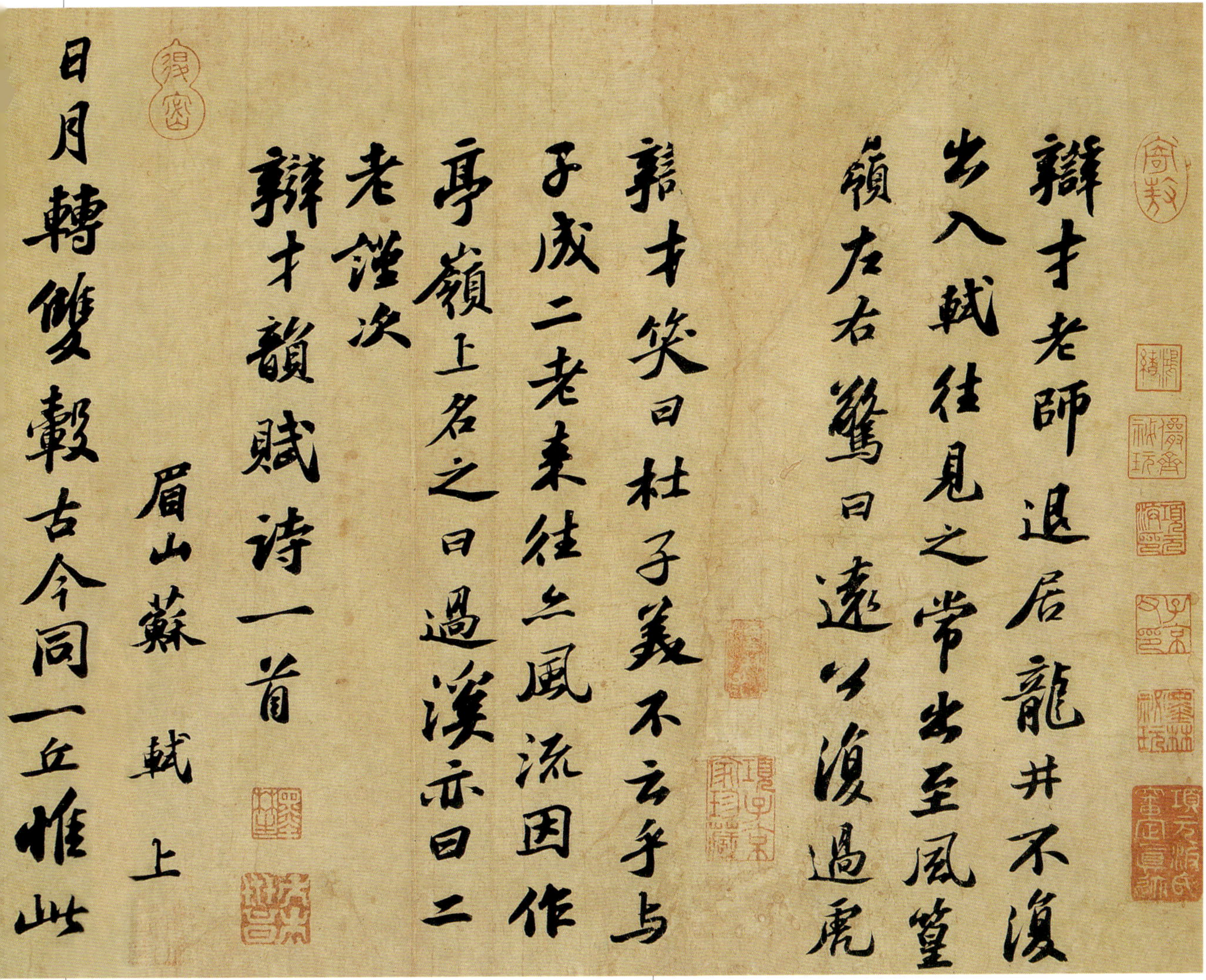
辯才老師退居龍井不復
出入軾往見之常出至風篁
嶺左右驚曰遠公復過虎
溪矣辯才笑曰杜子美不云乎與
子成二老來往亦風流因作
亭嶺上名之曰過溪亦曰二
老謹次
辯才韻賦詩一首
眉山蘇軾上
日月轉雙轂古今同一丘惟此

歸院帖

北宋
蘇軾
高35.1、寬12.4厘米。
紙本。
現藏故宮博物院。

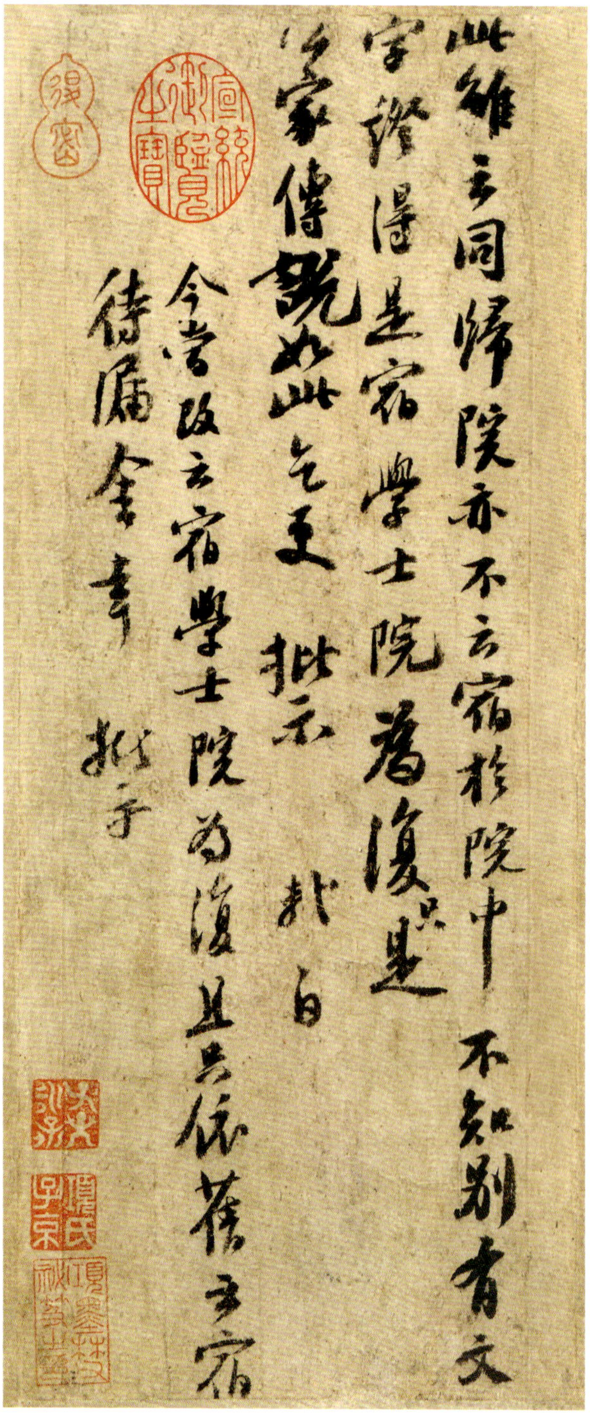

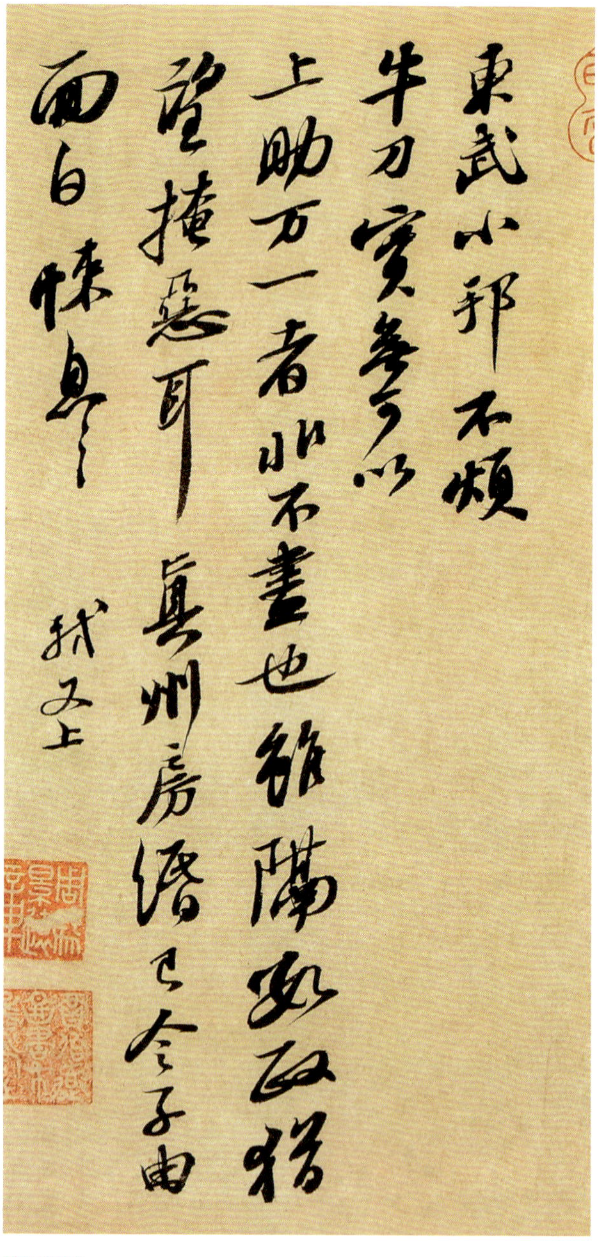

東武帖

北宋
蘇軾
高28.7、寬22厘米。
紙本。
現藏臺北故宮博物院。

洞庭春色賦 中山松醪賦卷

北宋

蘇軾

高28.3、長306.3厘米。

紙本。前賦行書三十二行，後賦行書三十五行，款計十行。

現藏吉林省博物院。

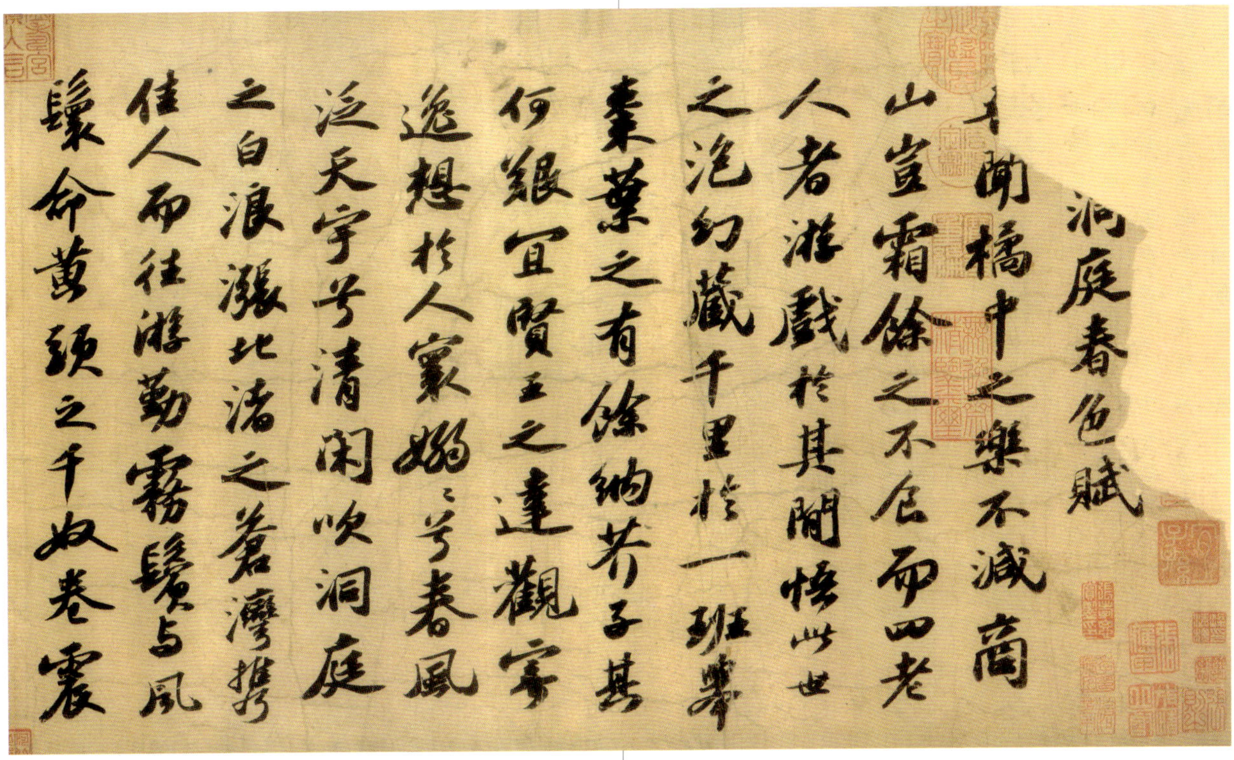

洞庭春色賦局部

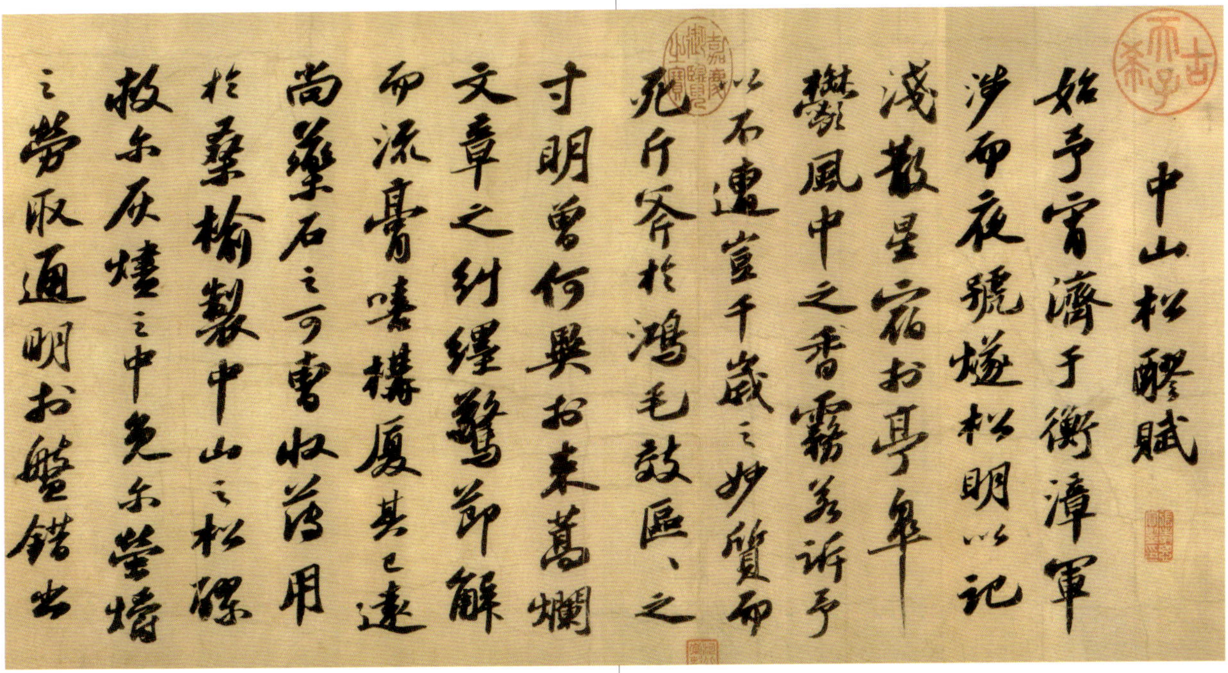

中山松醪賦局部

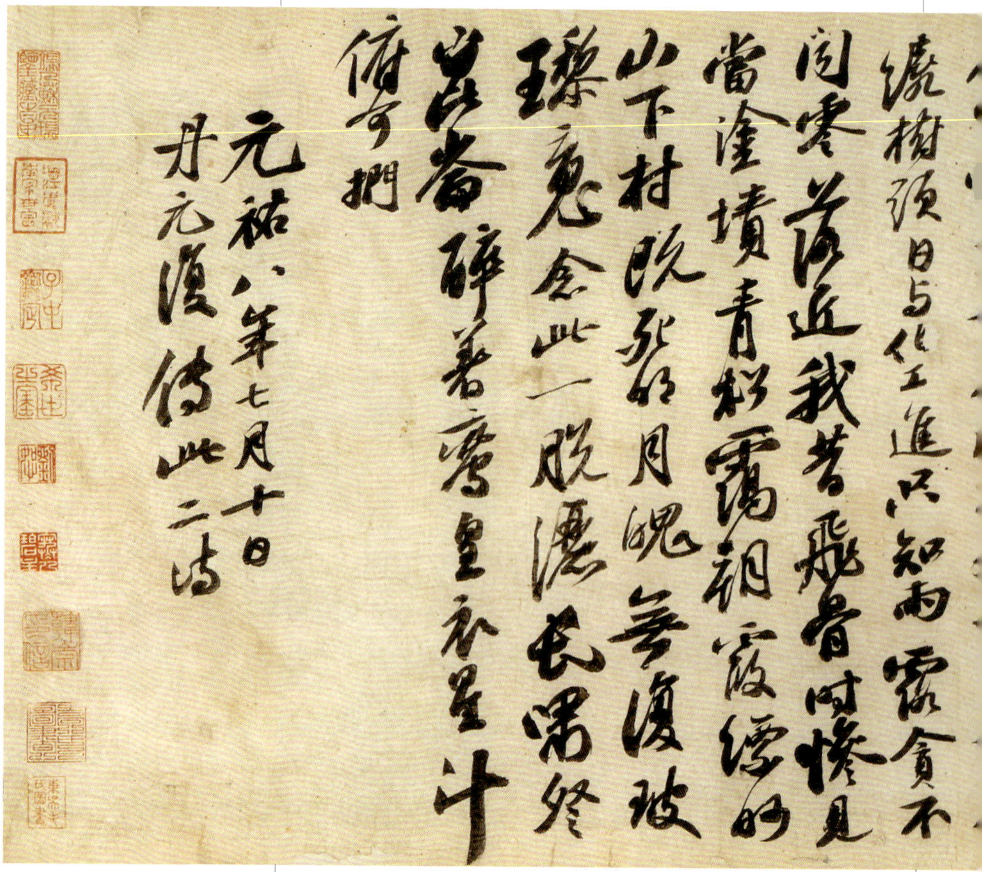

李白仙詩

北宋
蘇軾
高34.5、寬111.1厘米。
紙本。
現藏日本大阪市立美術館。

答謝民師論文帖

北宋
蘇軾
高27、寬96.5厘米。
紙本。現僅存原帖後半卷。
現藏上海博物館。

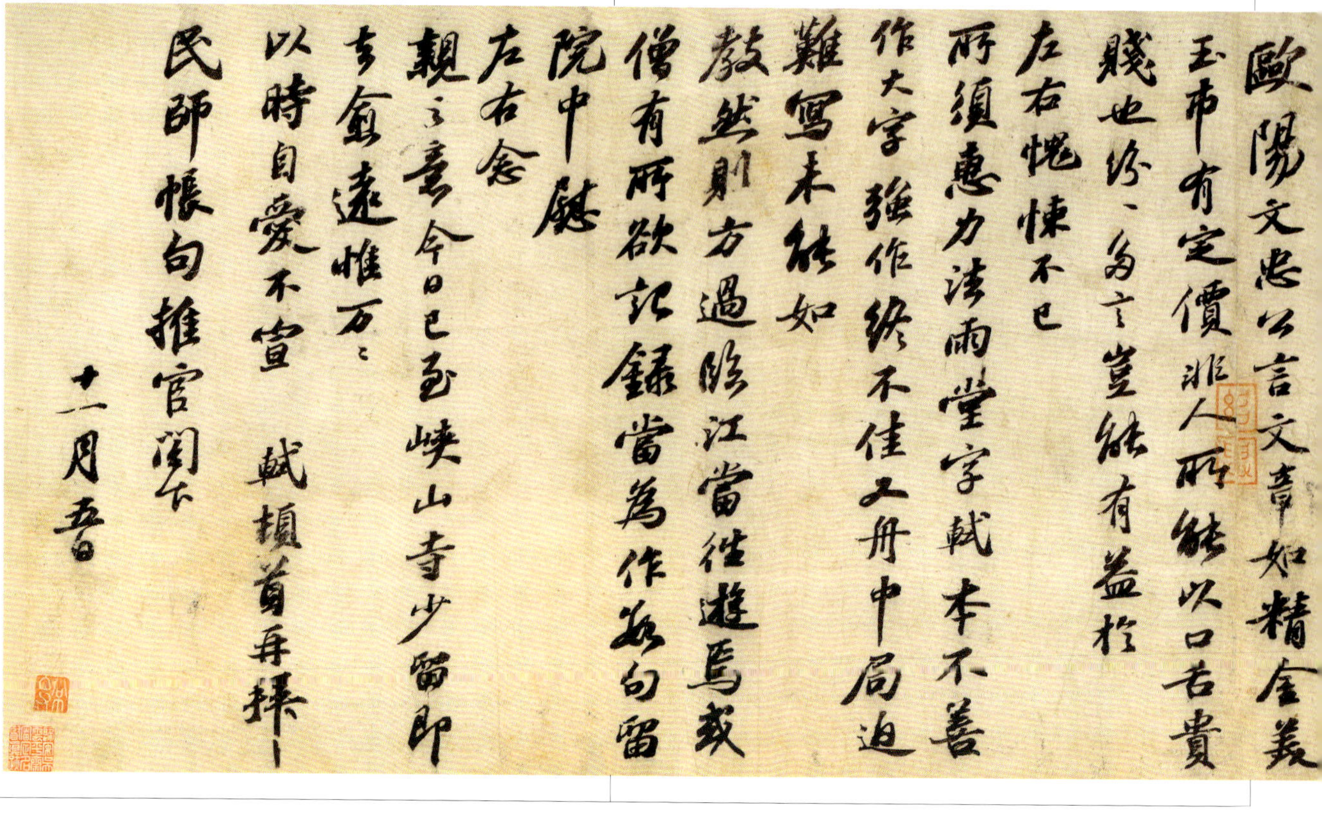

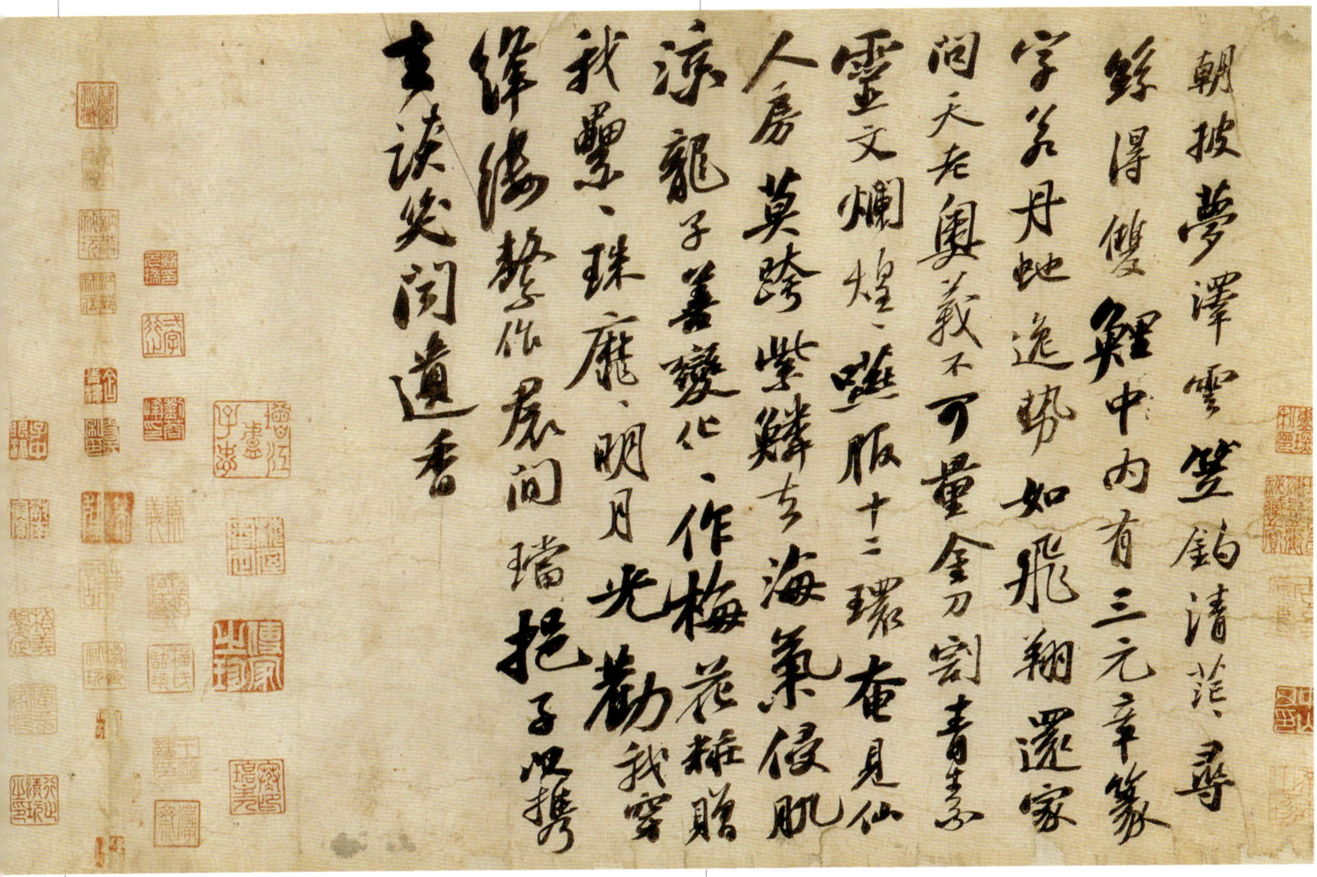

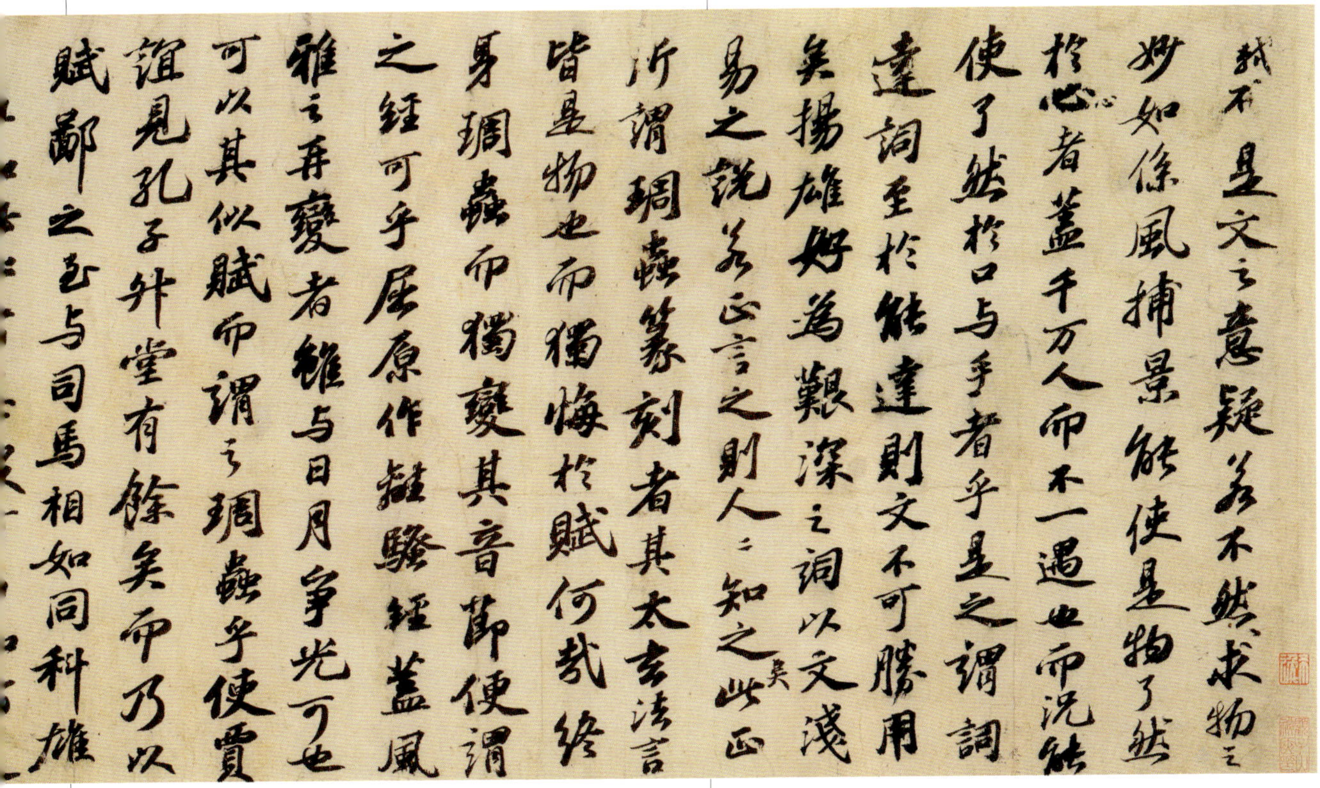

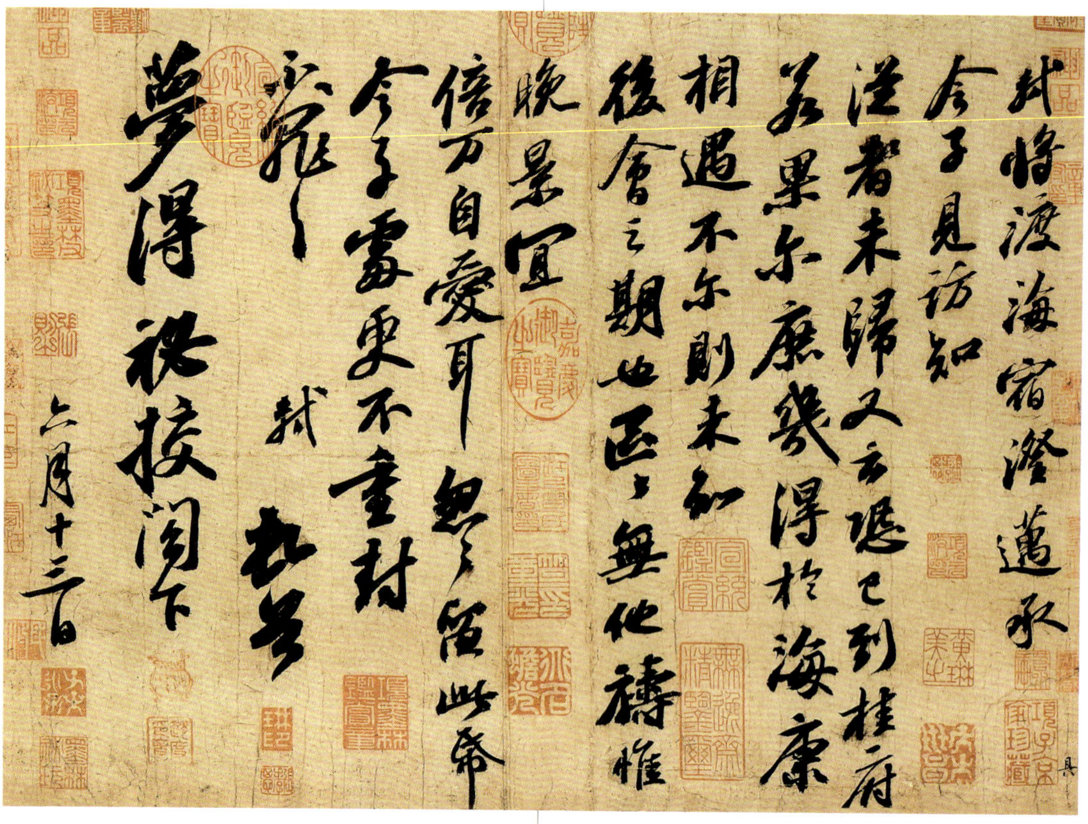

與夢得書

北宋

蘇軾

高28.6、寬40.2厘米。

紙本。

現藏臺北故宮博物院。

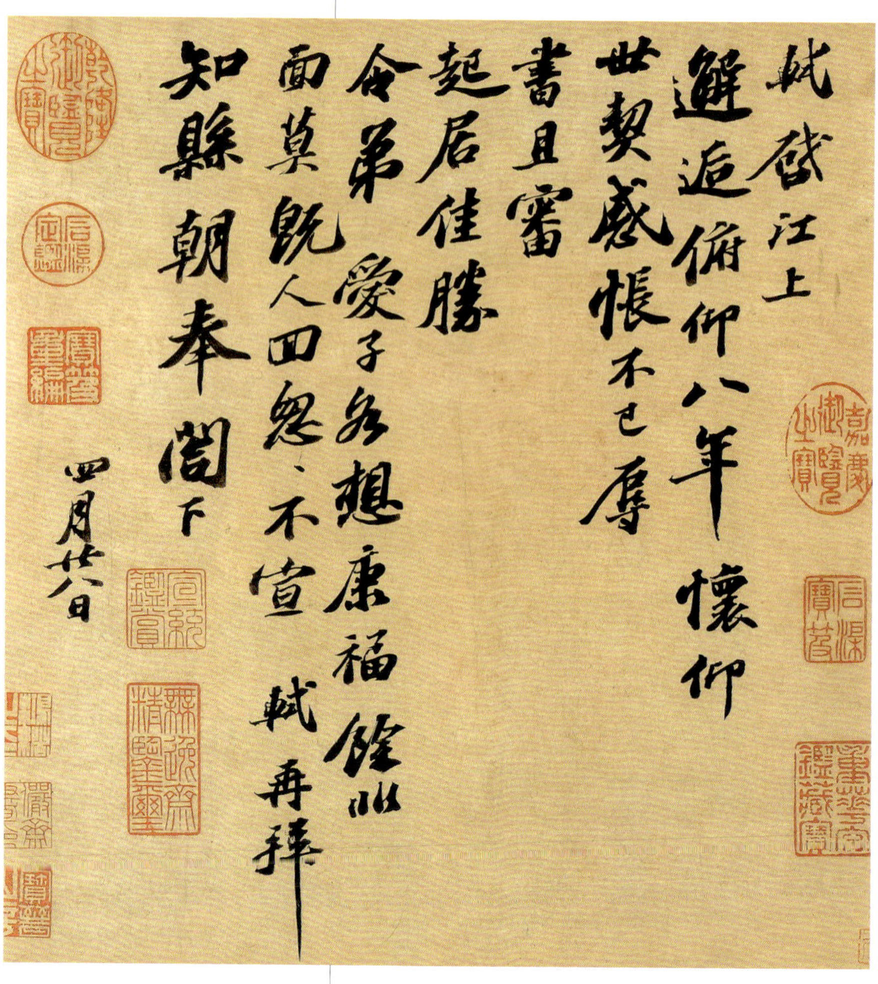

知縣朝奉帖

北宋

蘇軾

高30.3、寬30.5厘米。

紙本。

現藏臺北故宮博物院。

柳州羅池廟碑

北宋
蘇軾
楷書十行，每行十五至十六字。

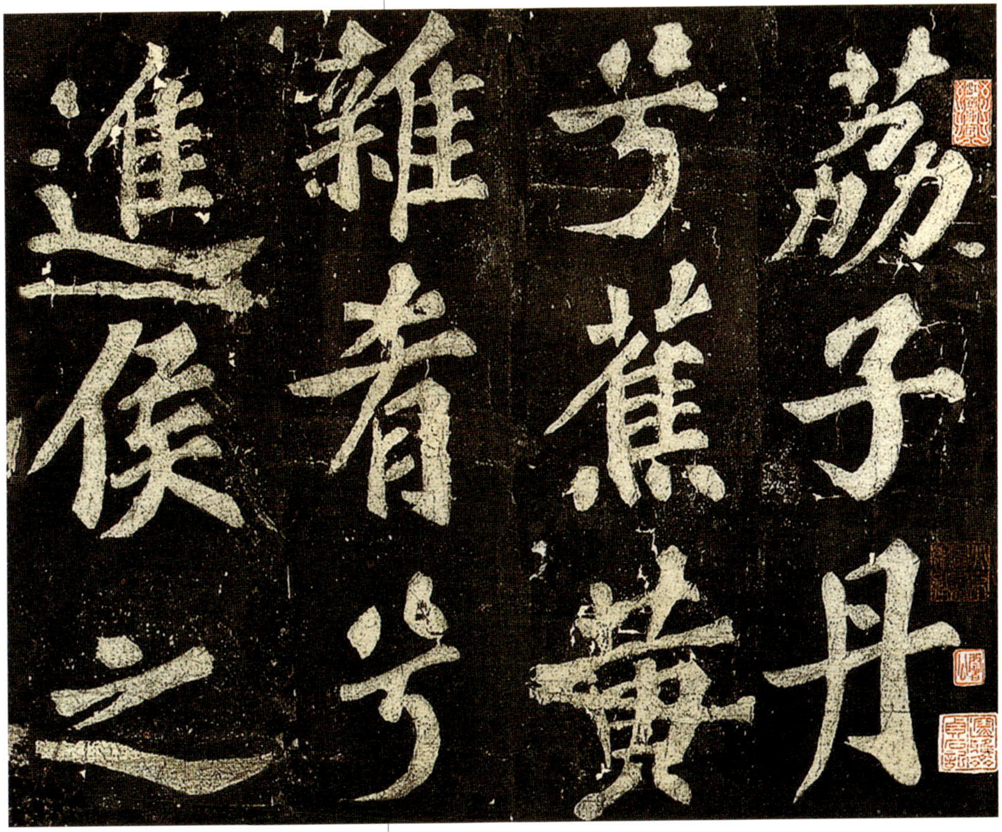
荔子丹
兮蕉黄
雜肴兮
進侯之

柳州羅池廟碑局部之一

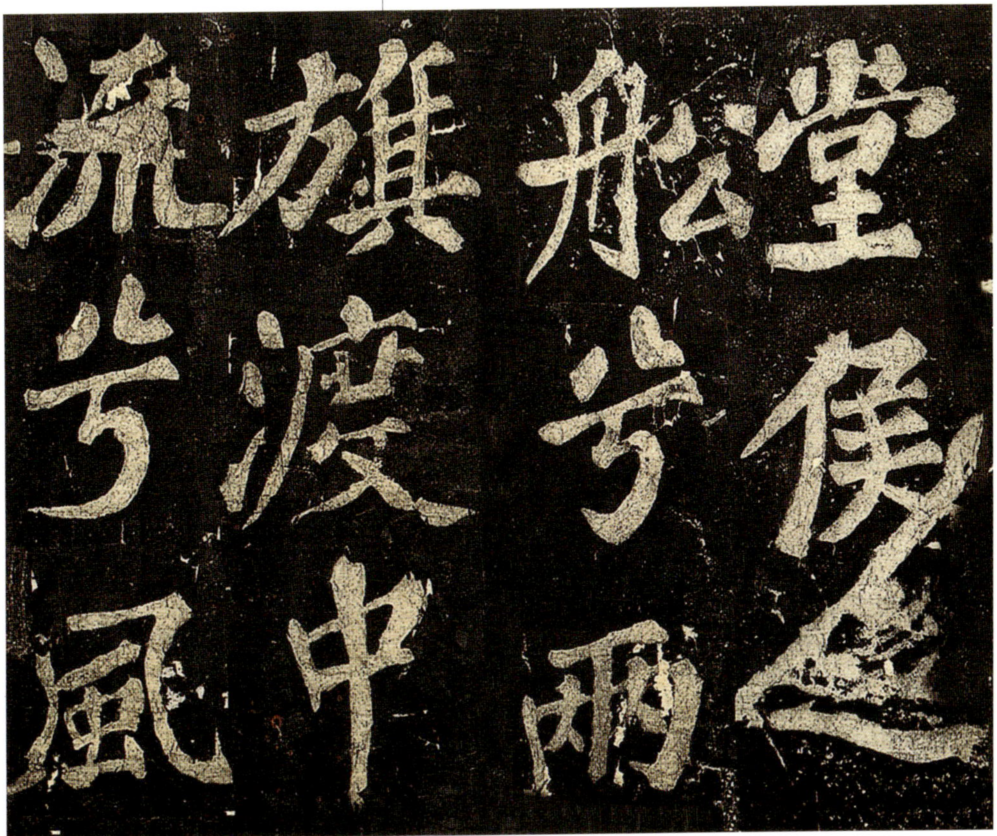
堂侯之
船兮兩
旗渡中
流兮風

柳州羅池廟碑局部之二

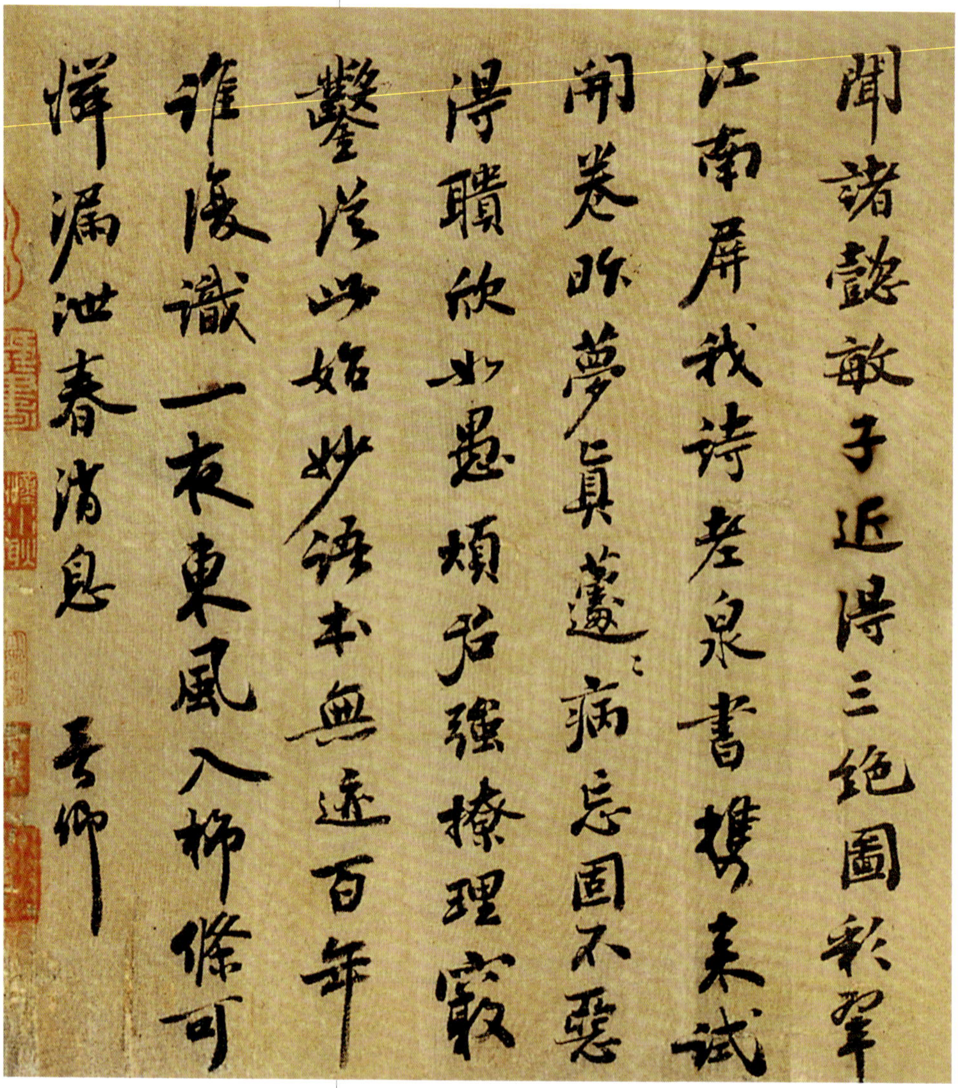

王詵（公元1036－?年）

太原（今屬山西）人。字晉卿。尚配宋英宗之女，官利州防禦使，謚榮安。

勘書圖跋

北宋

王詵

此書跋于王齊翰《勘書圖》（又名《挑耳圖》）之後。

現藏南京大學考古與藝術博物館。

孫過庭千字文跋

北宋

王詵

高25.3、寬62.4厘米。

絹本。

現藏遼寧省博物館。

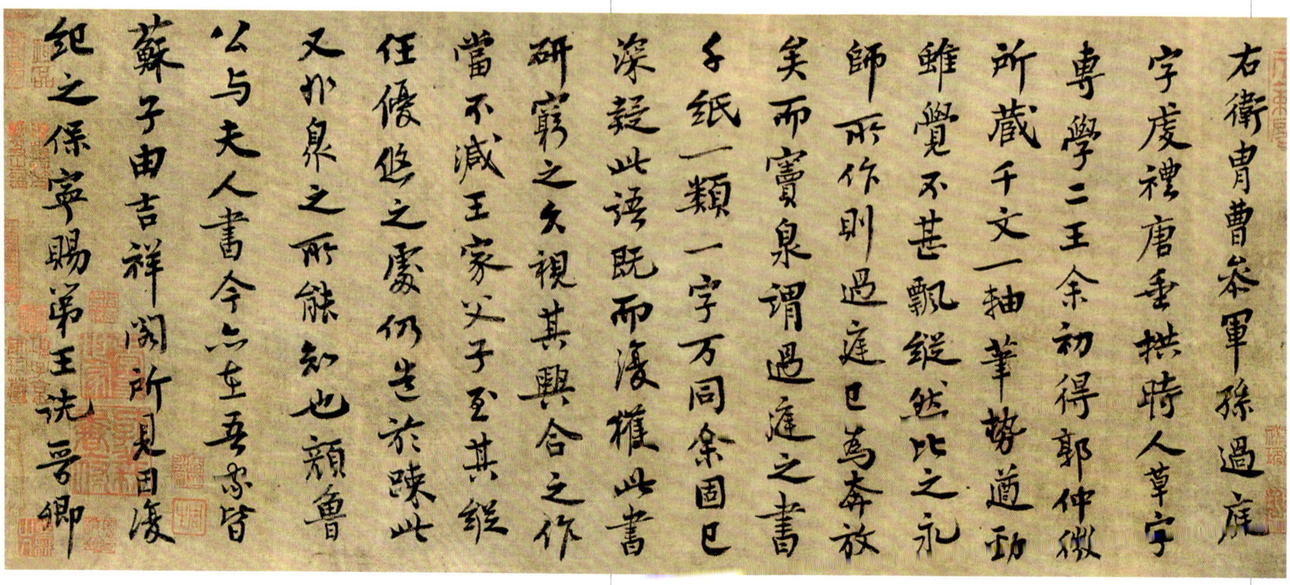

蘇　轍（公元1039－1112年）

眉州眉山（今屬四川）人。字子由，嘗築室于許，號潁濱遺老。蘇洵之子，東坡之弟。官至尚書右丞、門下侍郎，謚文定。工于行書和楷書。

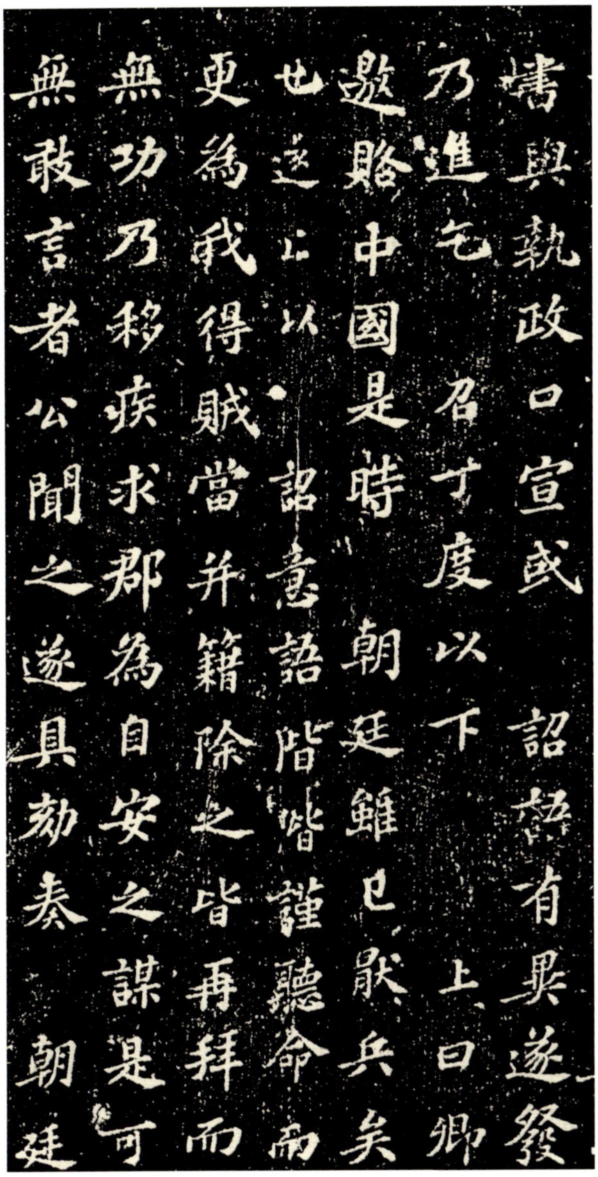

王拱辰墓志

北宋
蘇轍
河南伊川縣城關鎮出土。
志高142、寬141厘米。
楷書六十七行，滿行六十九字。刻于元豐八年（公元1085年）。此選爲局部。
現藏河南省伊川縣博物館。

致定國承議使君尺牘

北宋
蘇轍
高25.3、寬14.9厘米。
紙本。
現藏臺北故宮博物院。

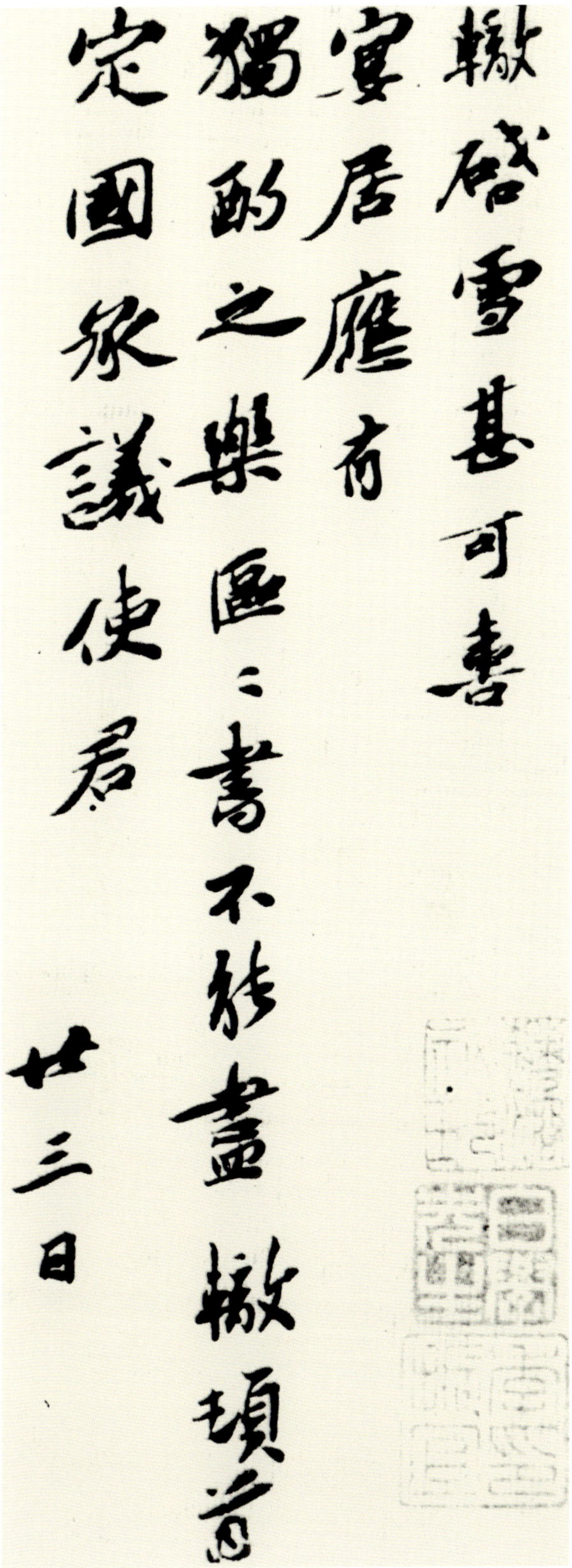

黄庭堅（公元1045－1105年）

洪州分寧（今江西修水）人。字魯直，號山谷道人、涪翁。以校書郎爲《神宗實録》檢討官，遷著作郎、吏部員外郎。後以修實録失實而遭貶謫。出自蘇軾門下，而與蘇軾齊名，并稱"蘇黄"。善書法，有自己獨特的藝術風格。爲"宋四家"之一，是宋代草書第一人。

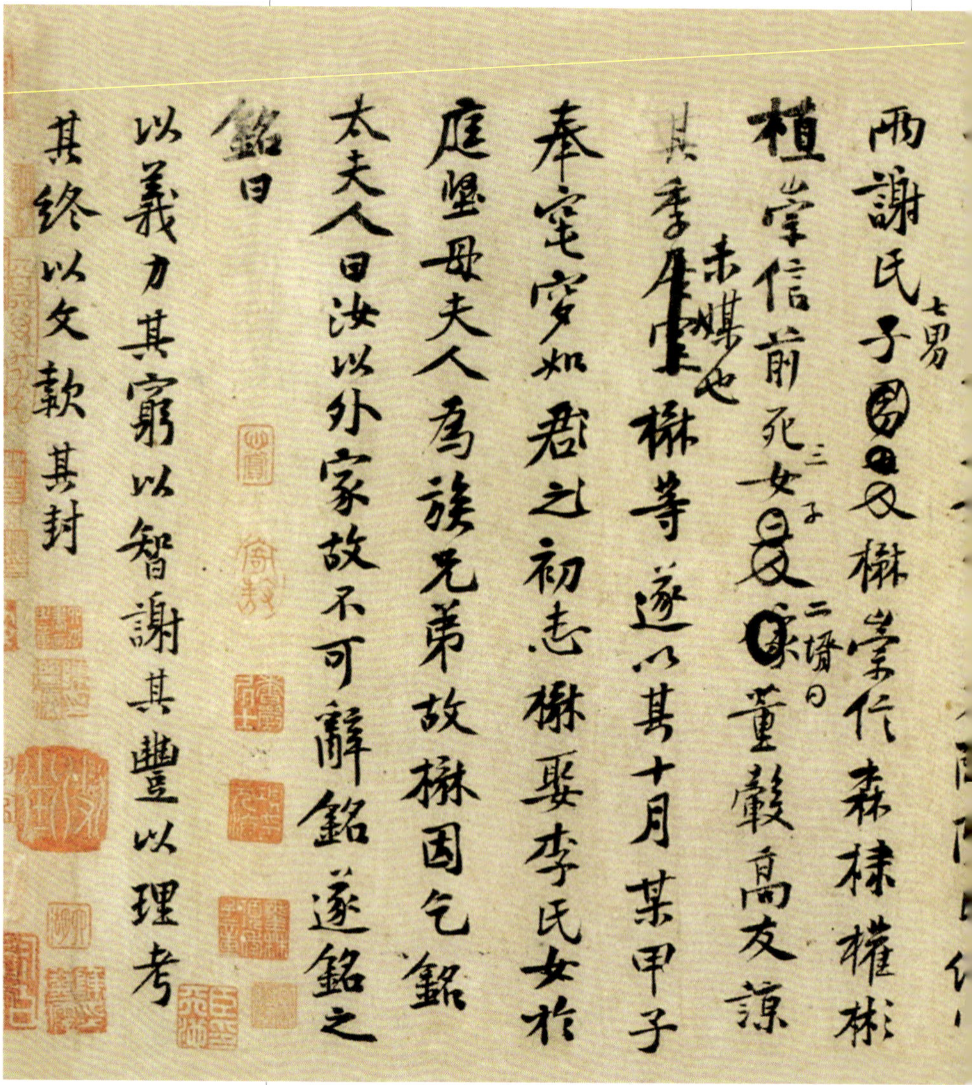

王長者墓志銘

北宋
黄庭堅
高32.2厘米。
紙本。後人將該墓志銘與《史翊正墓志銘》合裝爲一卷，總寬488厘米。
現藏日本東京國立博物館。

華嚴疏

北宋
黄庭堅
高25.1、寬115厘米。
綾本。
現藏上海博物館。

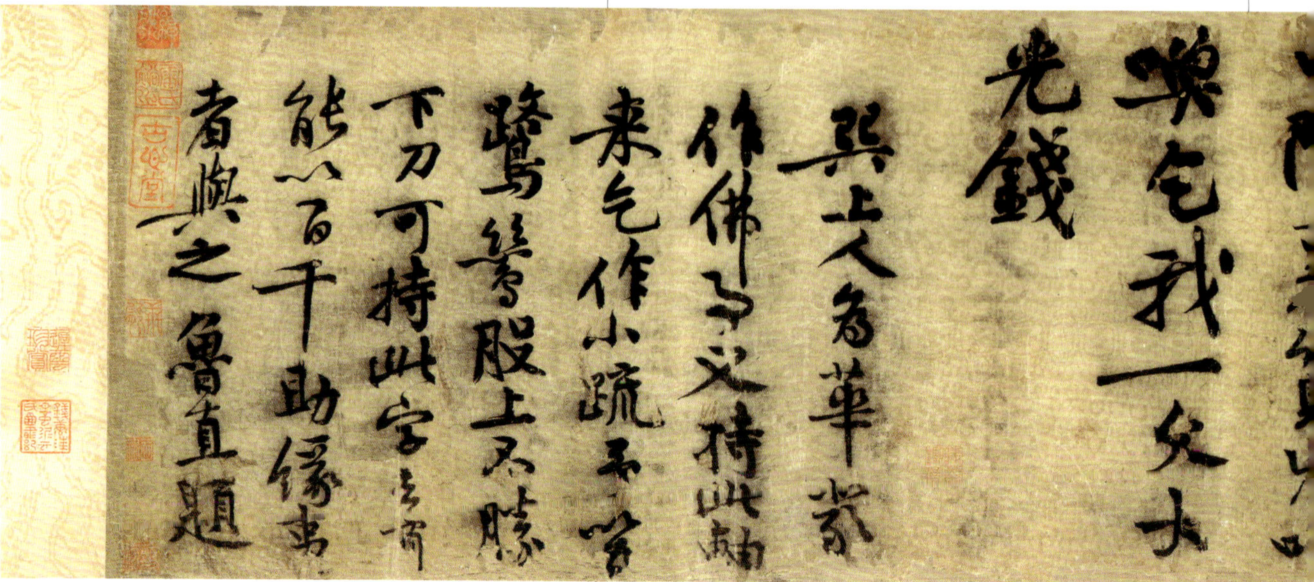

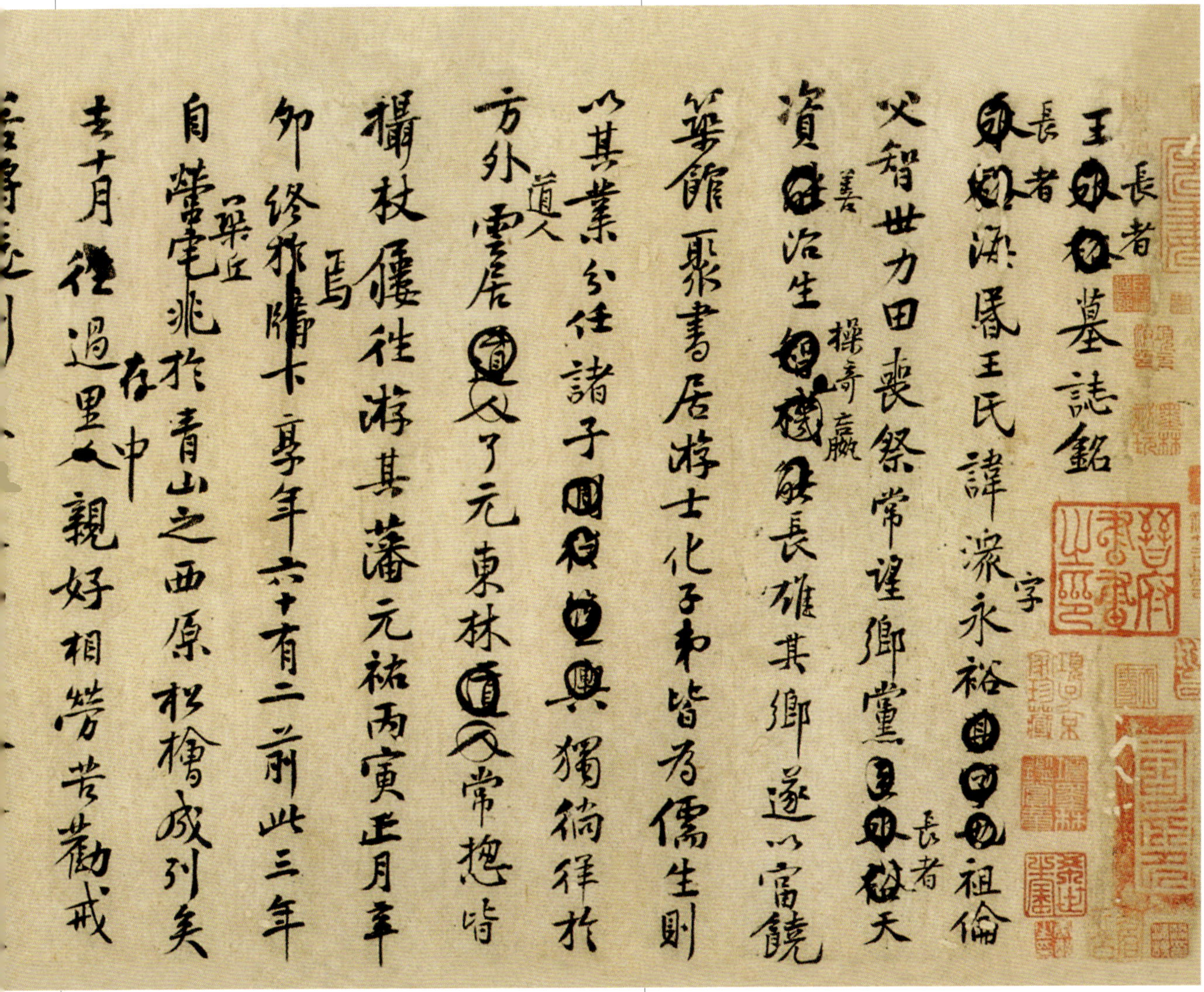

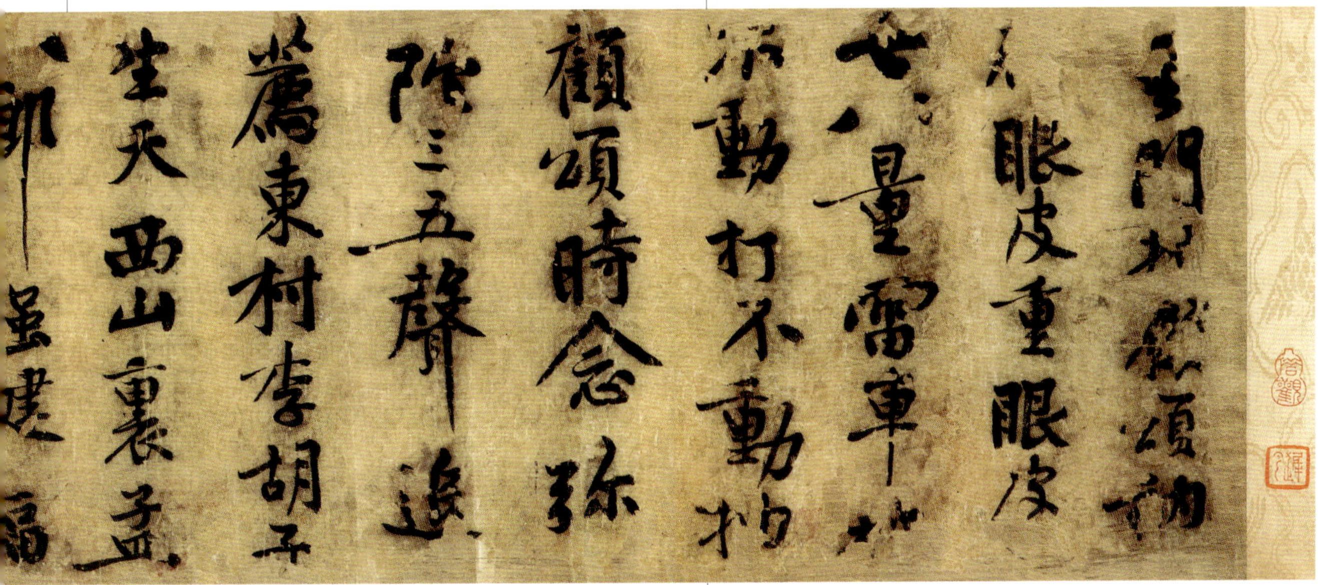

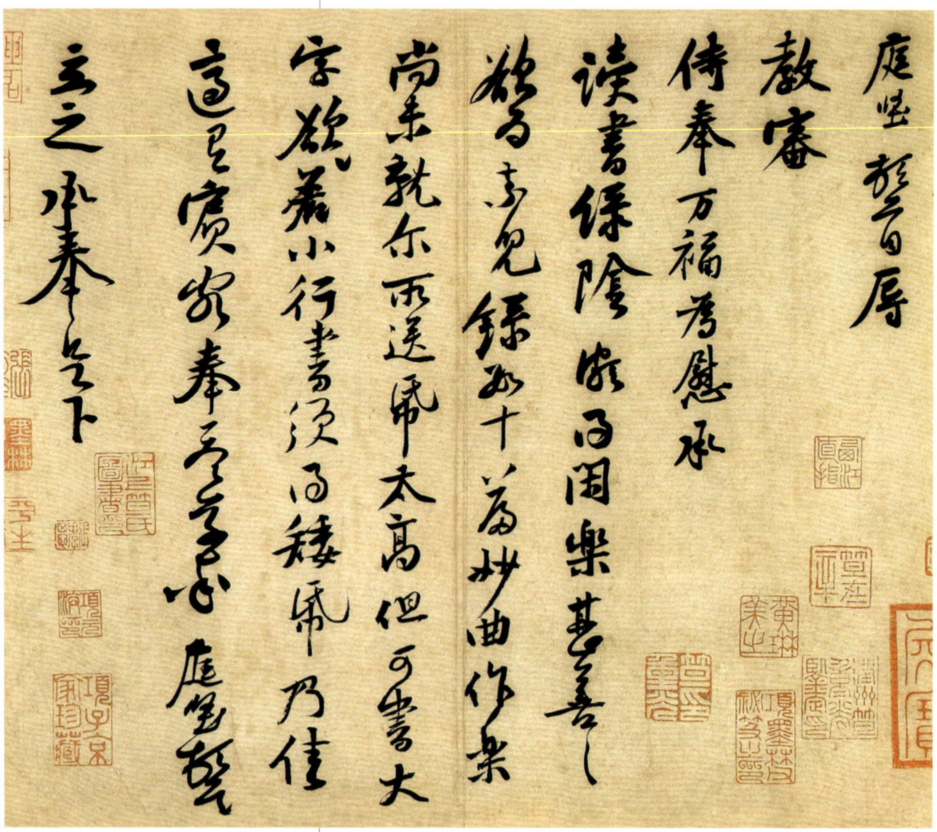

與立之承奉書

北宋
黄庭堅
高27.1、寬43.1厘米。
紙本。
現藏臺北故宫博物院。

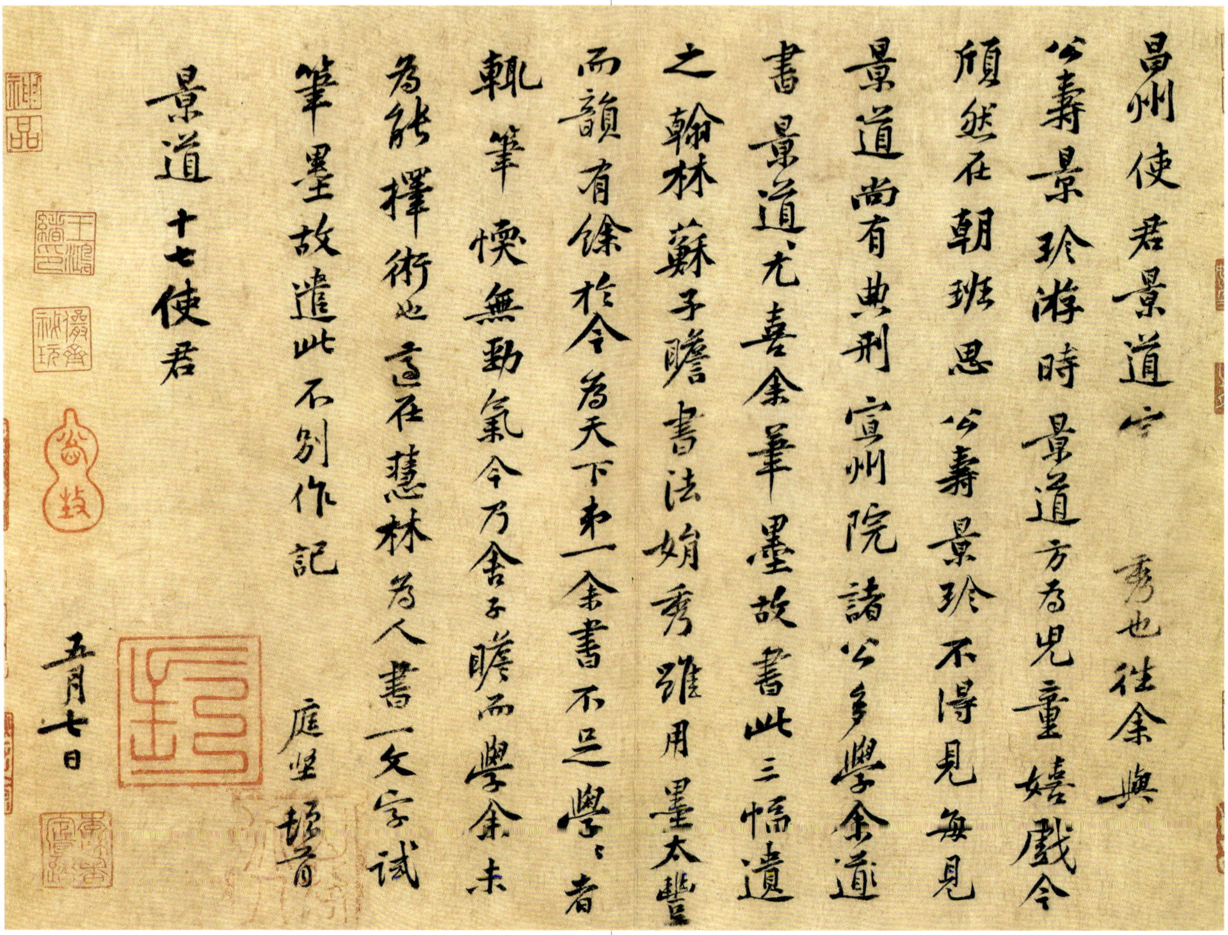

與景道十七使君書

北宋
黄庭堅
高27.8、寬47.4厘米。
紙本。
現藏臺北故宫博物院。

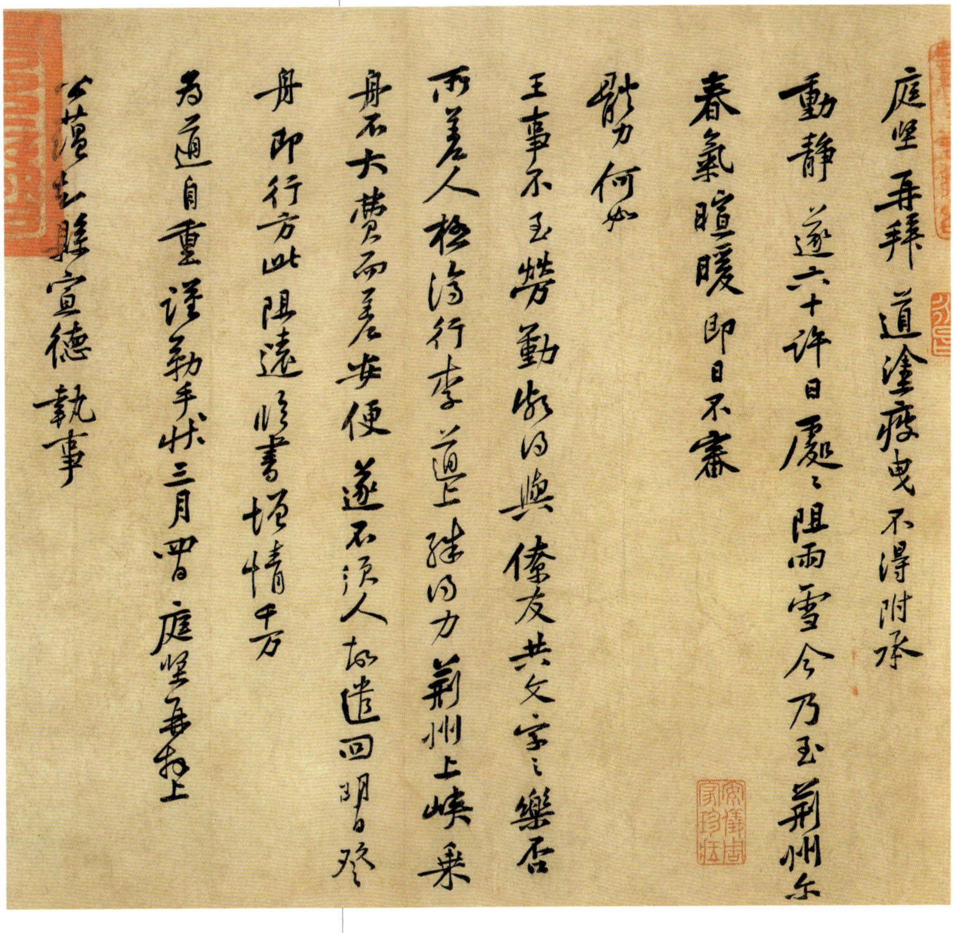

庭堅再拜 道塗疲曳不得附承
動靜 遂六十許日屢屢阻雨雪今乃至荊州知
春氣暄暖 即日不審
體力何如
王事不至勞勤 對同與 僚友共文字之樂否
荊州人極有行李 道途雖用力 荊州上峽乘
舟不大費而甚安便 遂不須人護送回明日登
舟 即行方此阻遠 惟書頃情千萬
為道自重 謹勒手狀 三月四日 庭堅再拜上
主簿宣德執事

荊州帖

北宋
黃庭堅
高30.4、寬43.5厘米。
紙本。
現藏臺北故宮博物院。

天民知命帖

北宋
黃庭堅
高25.5、寬45.9厘米。
紙本。
現藏臺北故宮博物院。

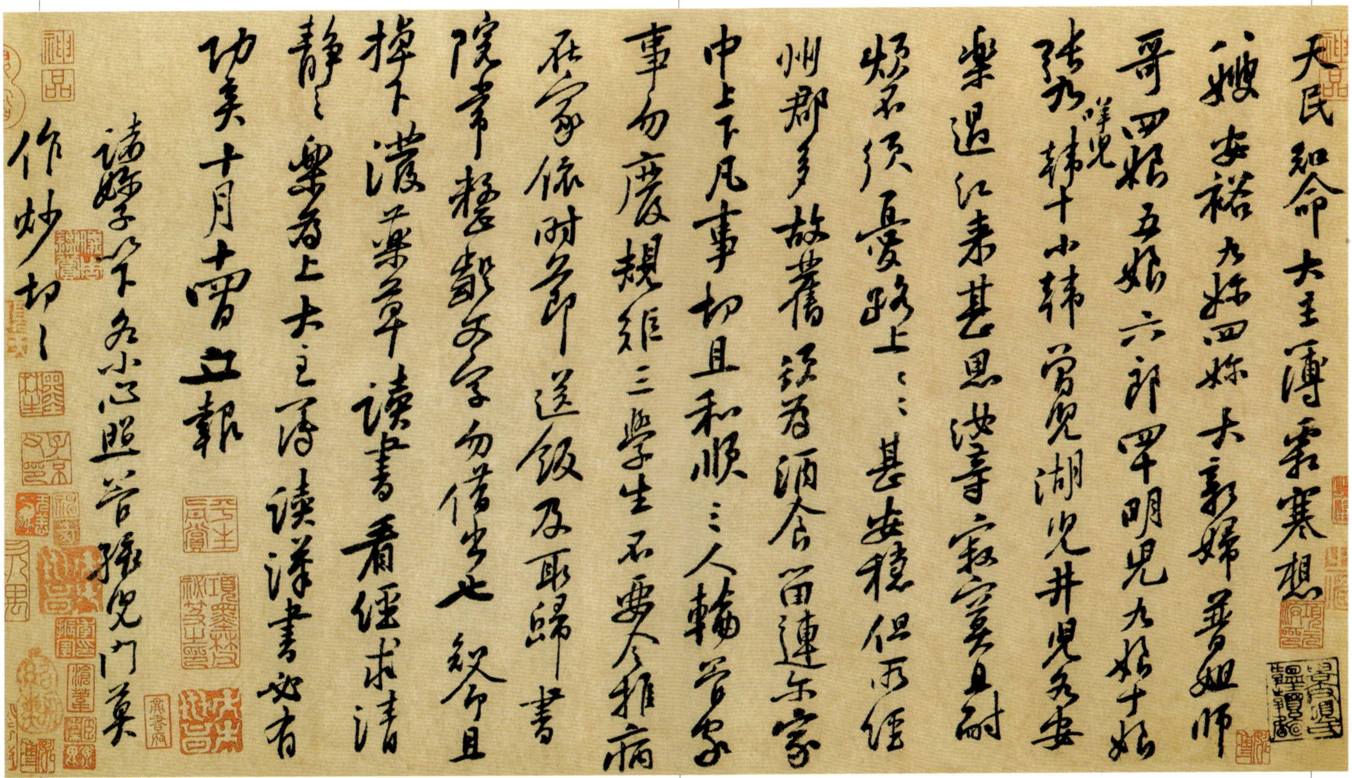

天民知命大主簿寒想
一一安穩 九娘四姊大新婦普姐師
哥四娘五娘六郎四明兒九娘十娘
張九叔 保兒 十小叔 曾兒 湖兒 井兒 各安
樂 退江未甚思 洪寺寂寞且耐
煩 不須憂 路上〻〻甚安穩 但所經
州郡多故舊 設看酒食 留連 爾家
中上下凡事 切且和順 〻〻人輸 管家
事 勿廢規矩 三學生不要令稚病
在家依附爾 送飯及取歸 書
院常整頓 文字勿借出也 紀令且
掉下讀學章 讀書 看經 求清
靜〻樂為上 大主簿 讀詳書 必有
功矣 十月十四日 立報
作妙 切〻
請嫂子早晚照管保兒門莫

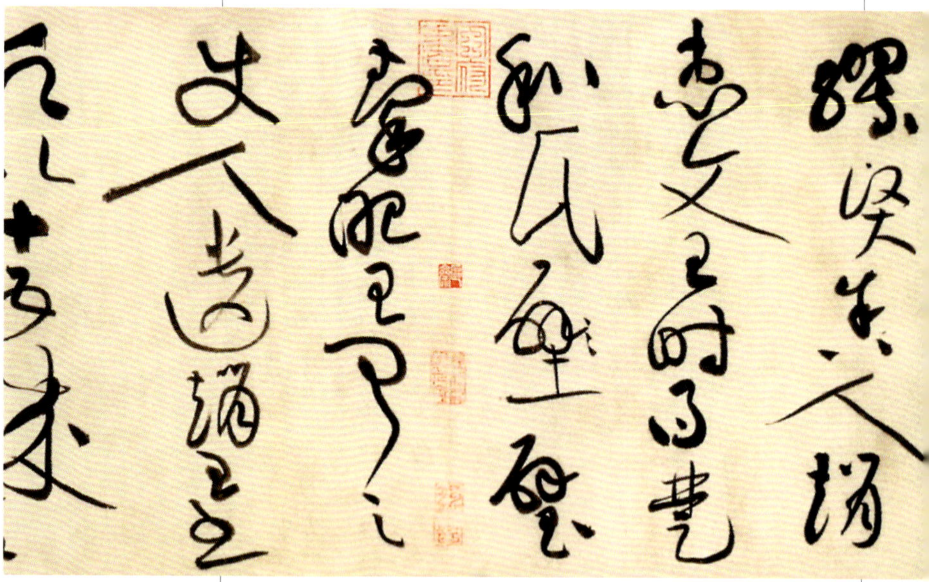

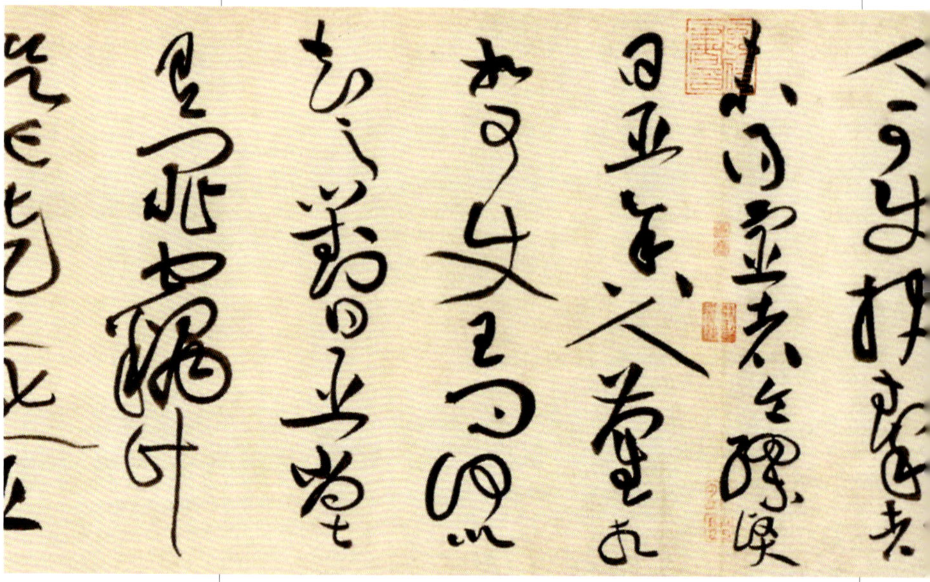

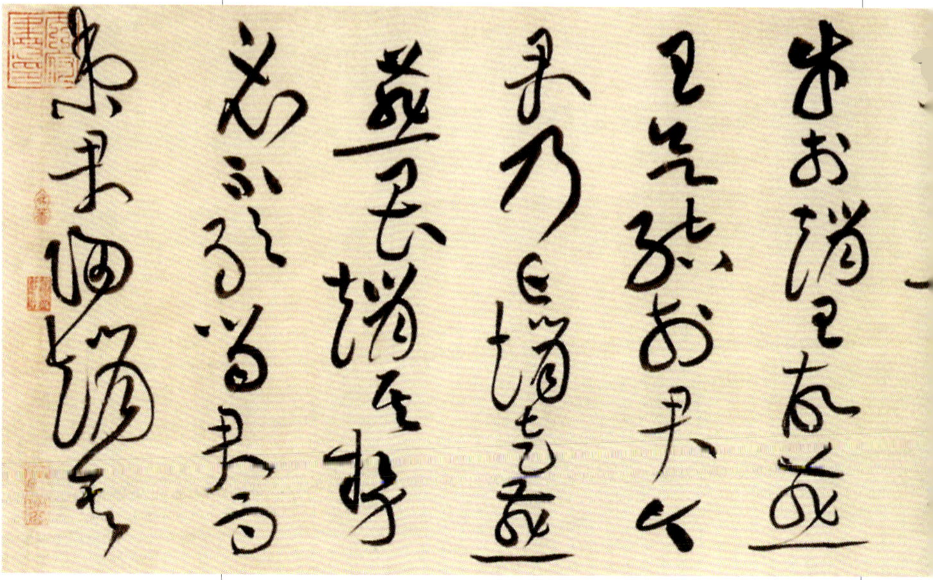

廉頗藺相如傳

北宋

黄庭堅

高32.5、寬1822.4厘米。

紙本。此選爲局部。

現藏美國紐約大都會博物館。

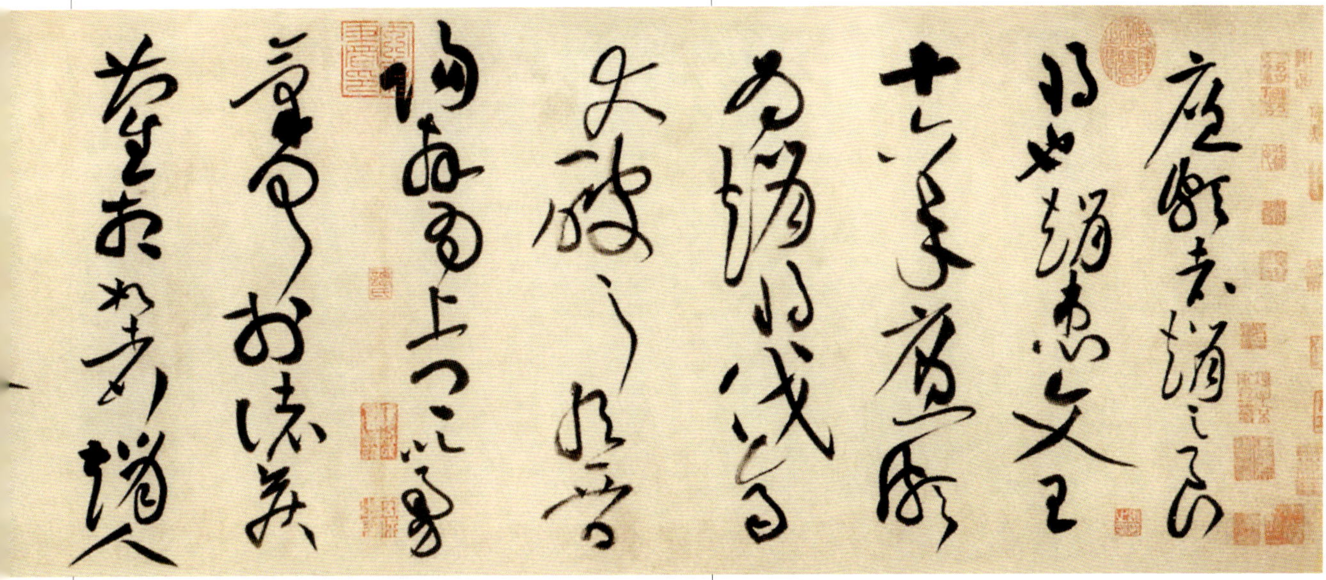

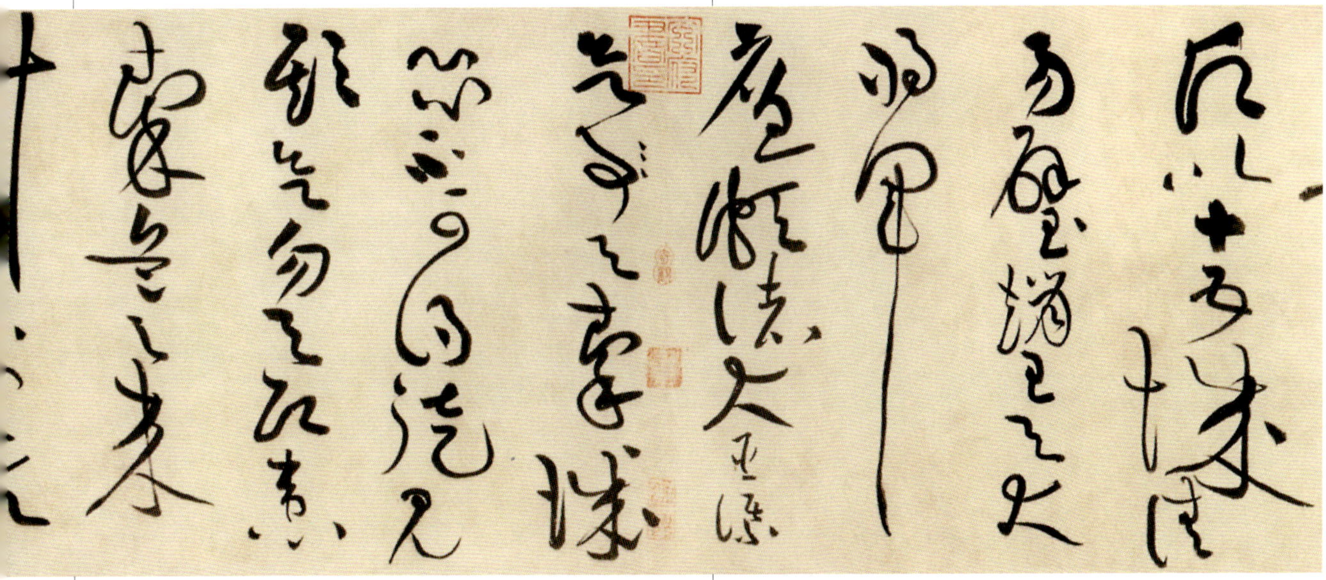

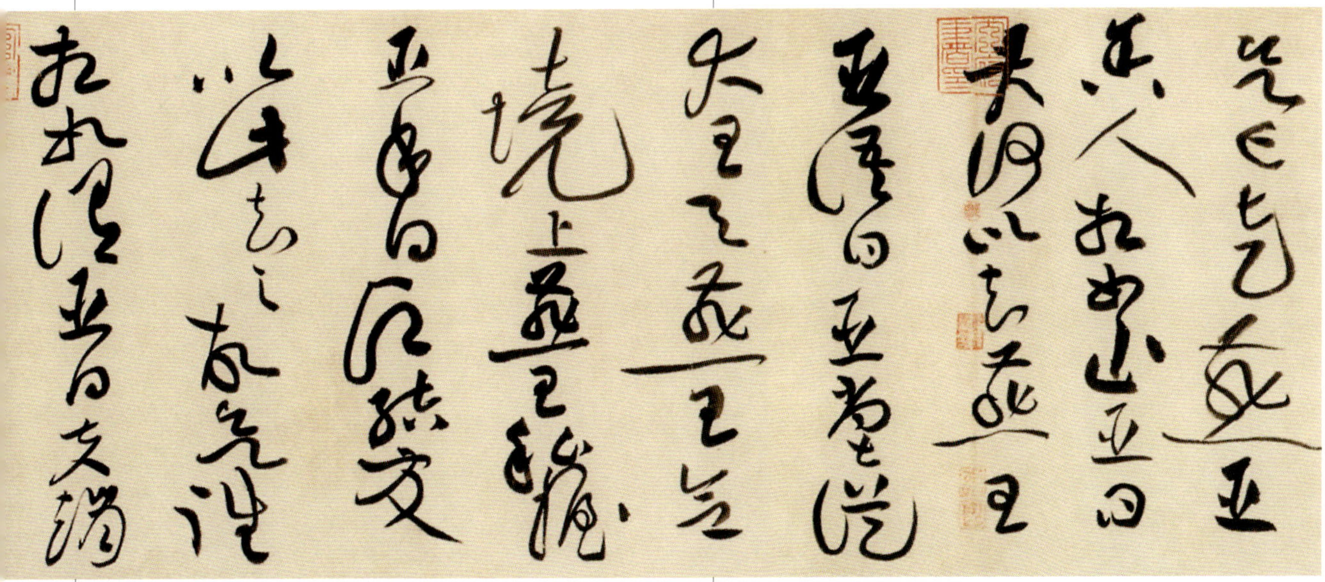

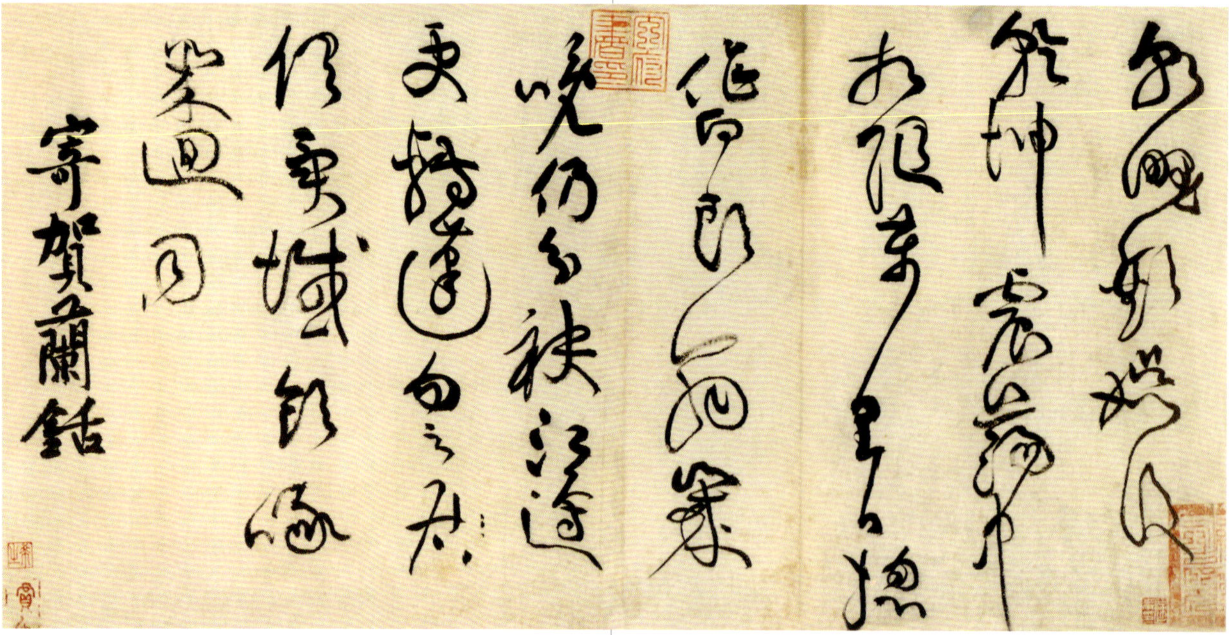

杜甫寄賀蘭銛詩（上圖）

北宋
黄庭堅
高34.7，寬48.7厘米。
紙本。
現藏故宫博物院。

苦筍賦帖

北宋
黄庭堅
高31.7、寬51.2厘米。
紙本。
現藏臺北故宫博物院。

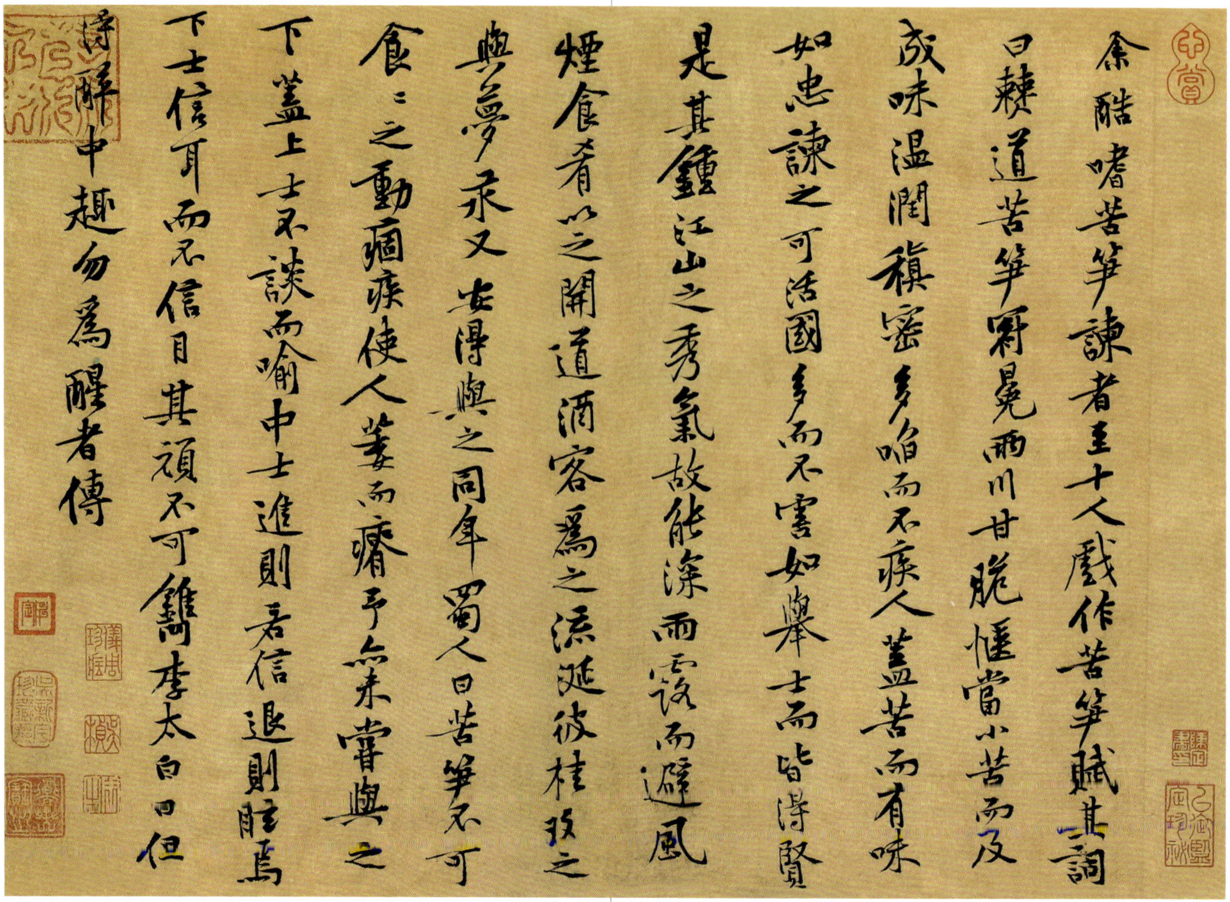

寒山子龐居士詩

北宋

黄庭堅

高29.1、寬213.8厘米。

紙本。

現藏臺北故宫博物院。

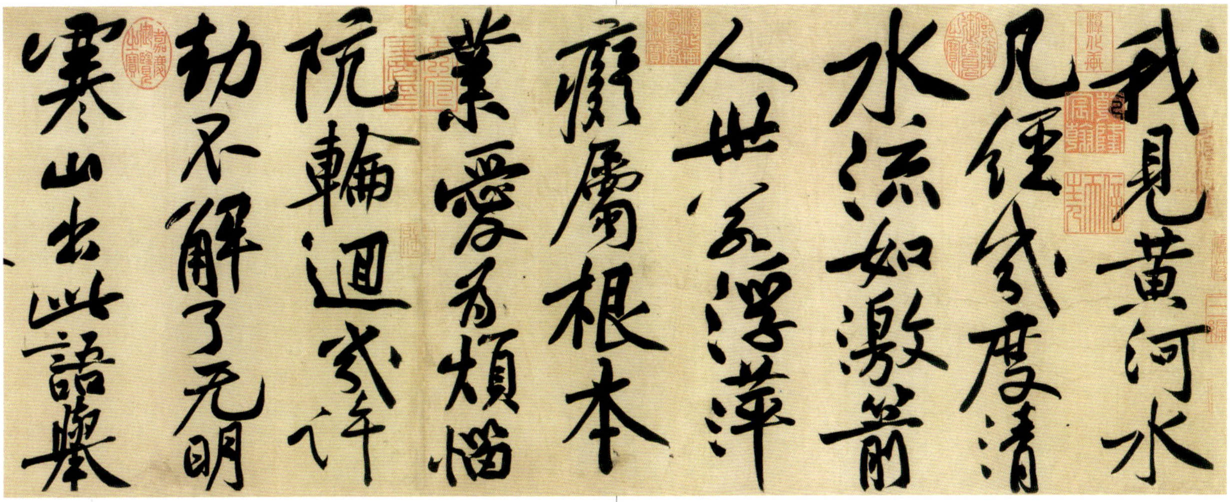

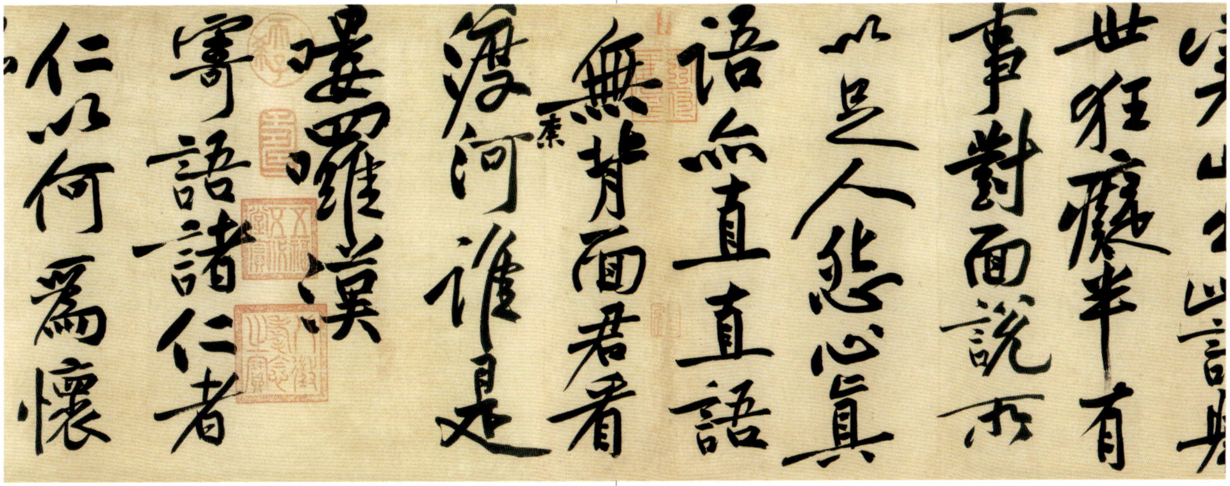

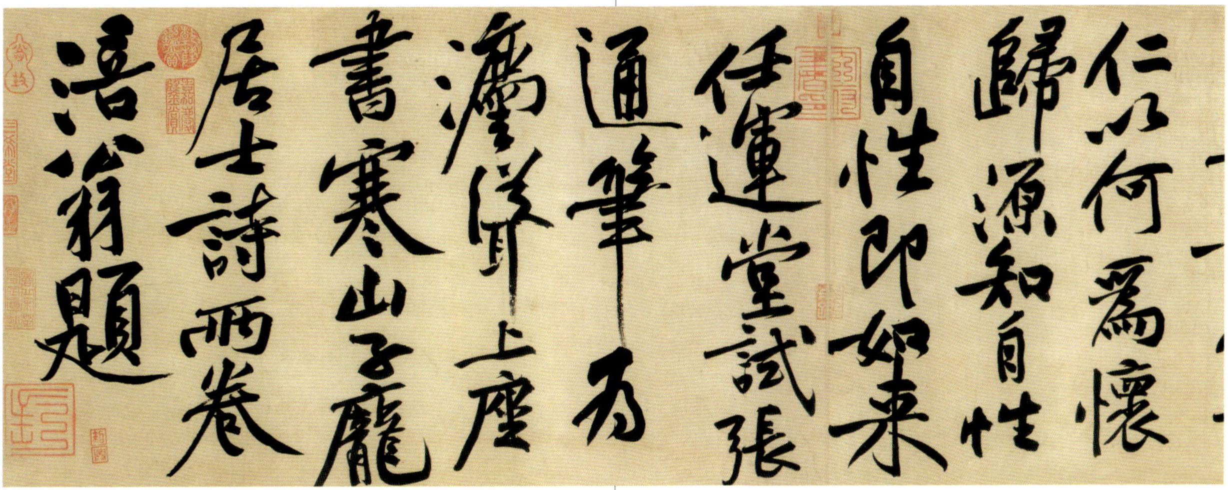

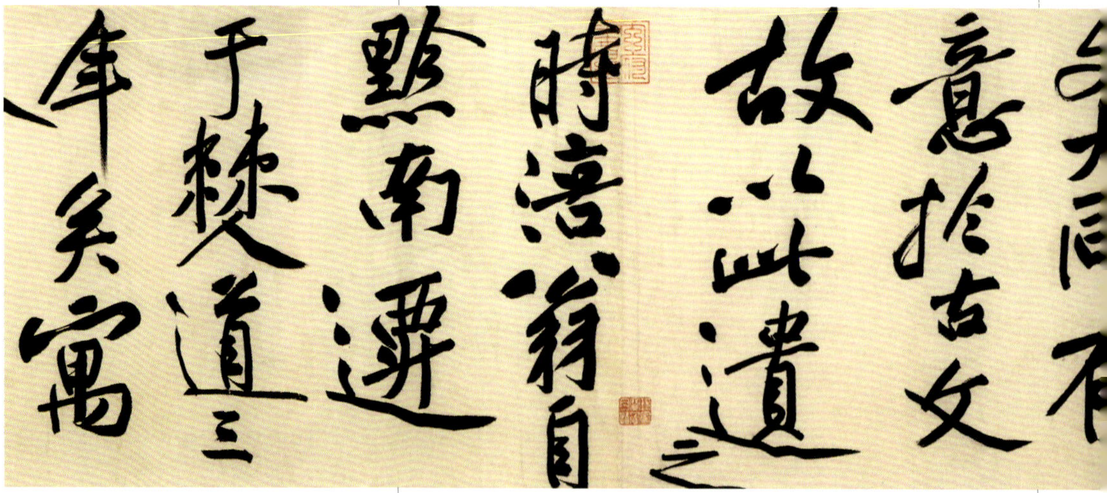

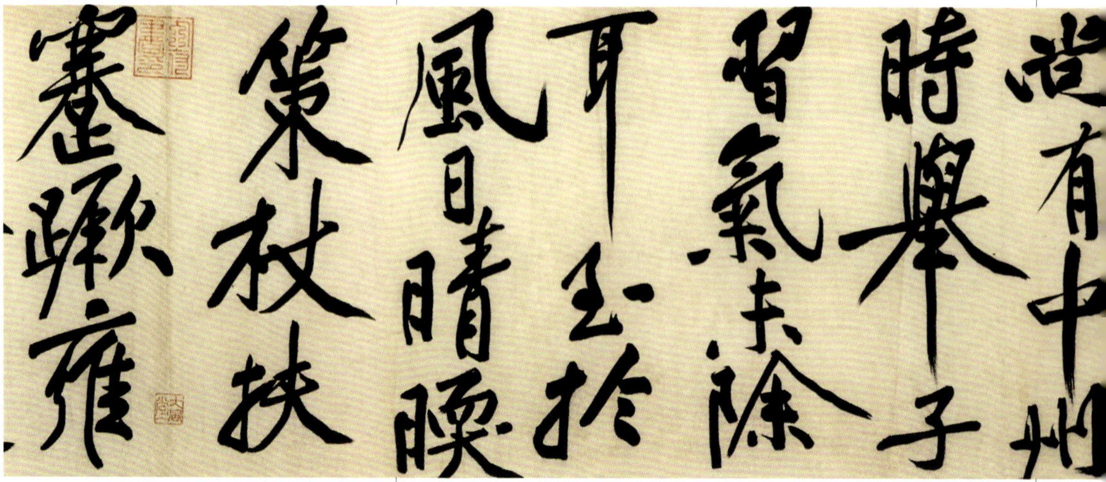

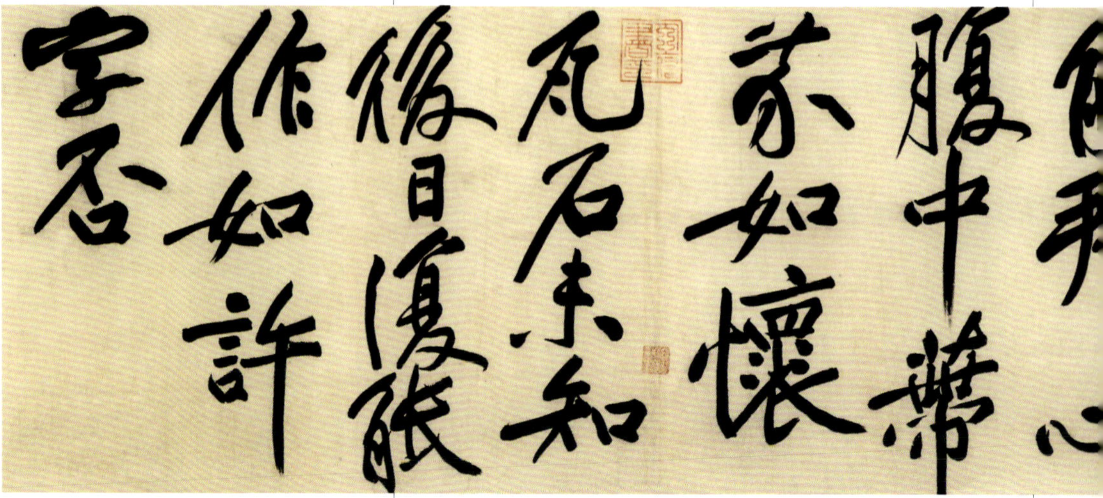

贈張大同書

北宋
黃庭堅
高34.1、寬552.9厘米。
紙本。
現藏美國普林斯頓大學美術館。

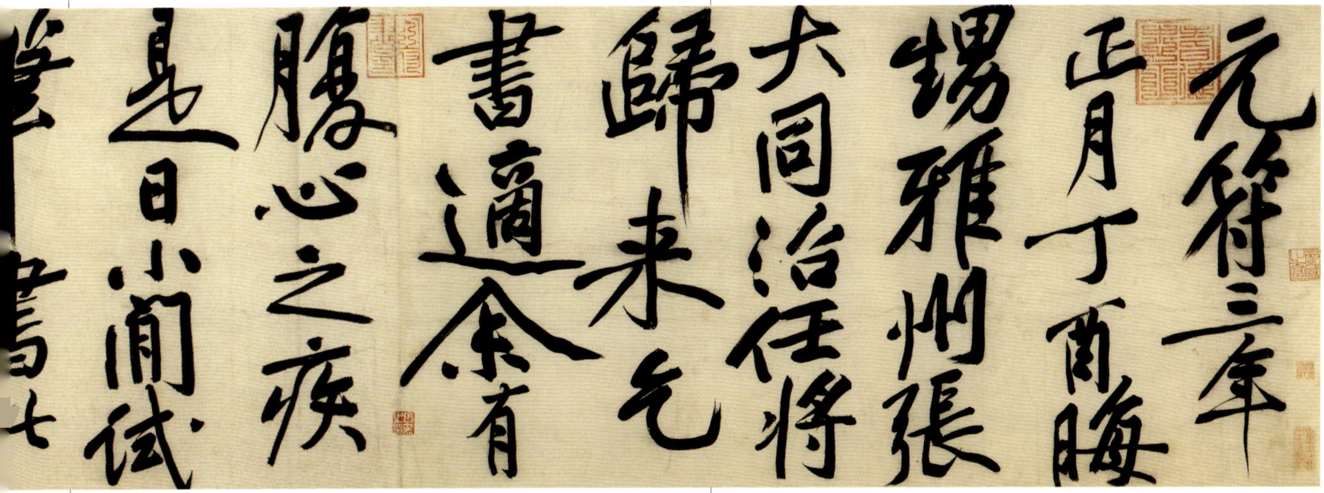
元符三年
正月丁酉晦
雅州張
大同治任將
歸來乞
書適余有
腹心之疾
是日小閒試

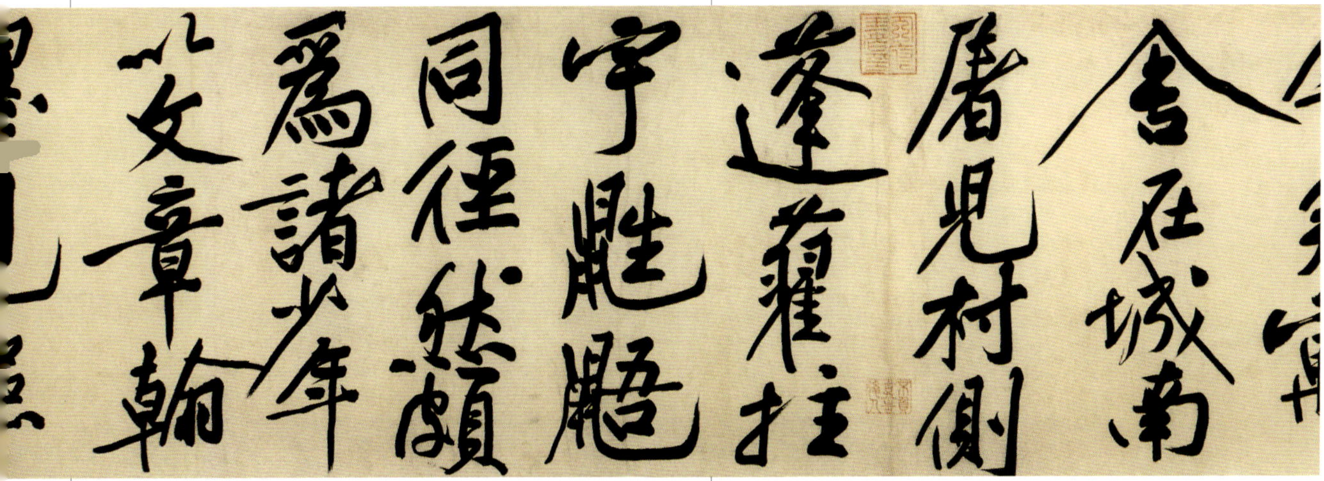
舍在城南
居兒村側
蓬藋柱
宇鼪鼬
同徑然頗
為諸少年
以文章翰

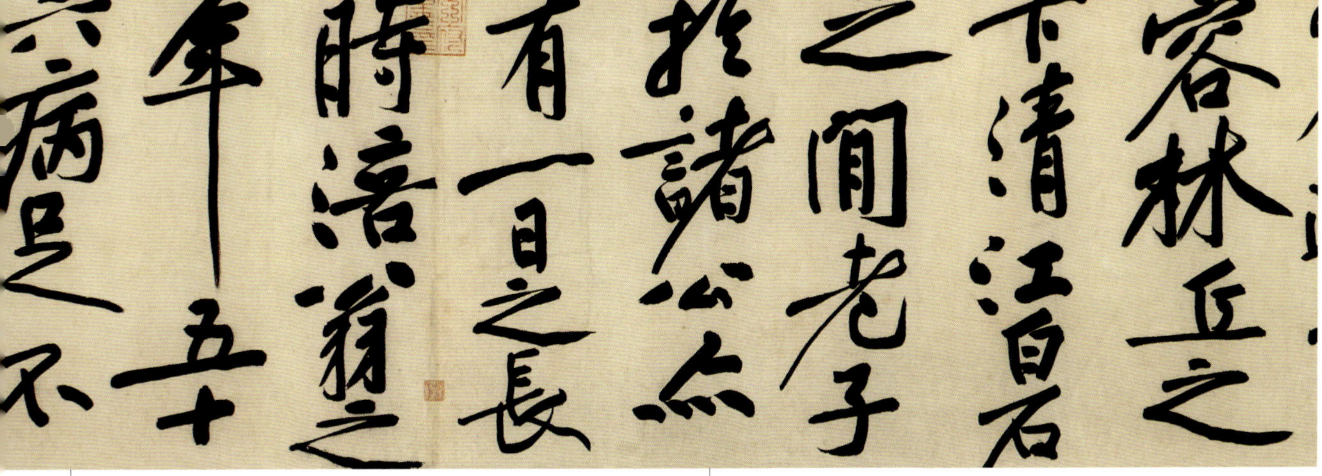
容林丘之
下清江白石
之間老子
於諸公
有一日之長
時涪翁之
年五十
六病足不

諸上座帖

北宋
黃庭堅
高33、寬729.5厘米。
紙本。
現藏故宮博物院。

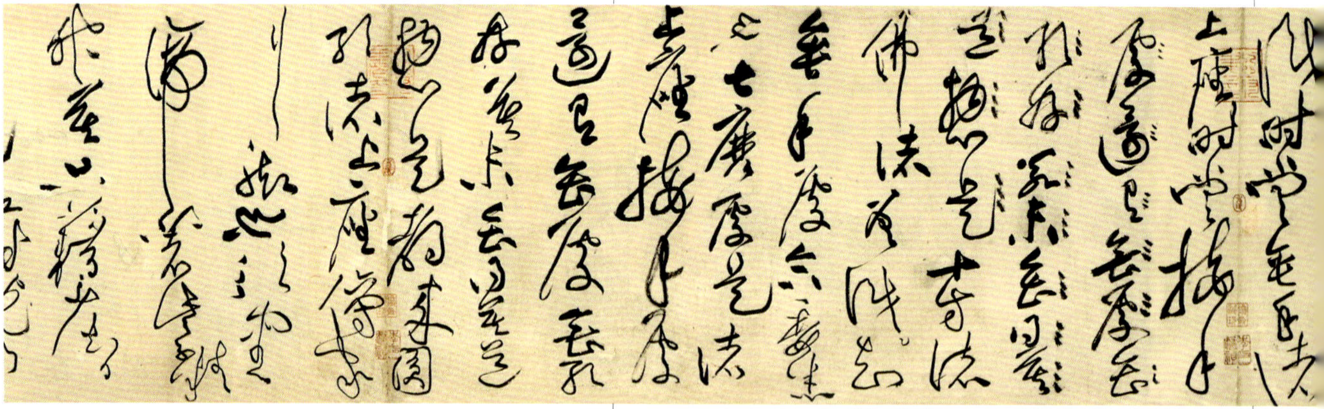

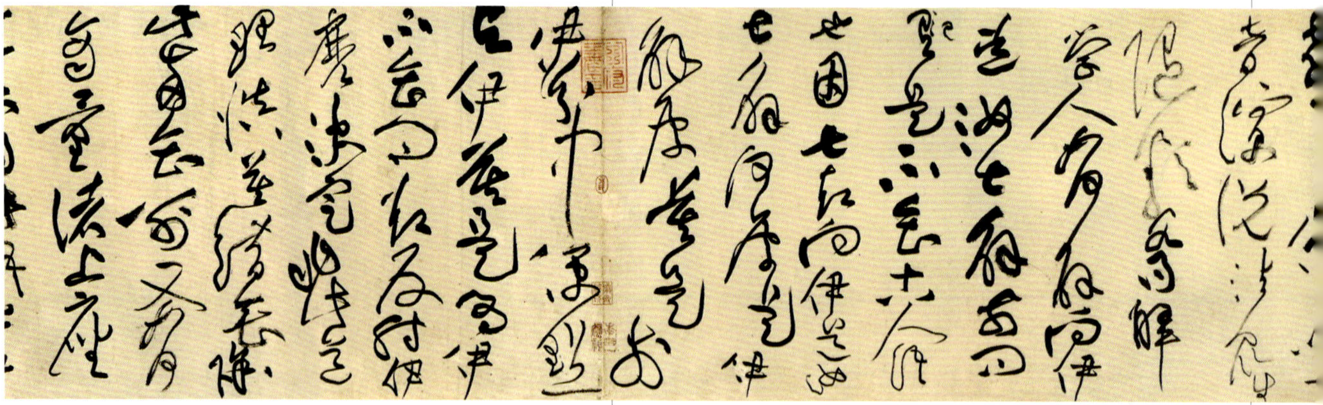

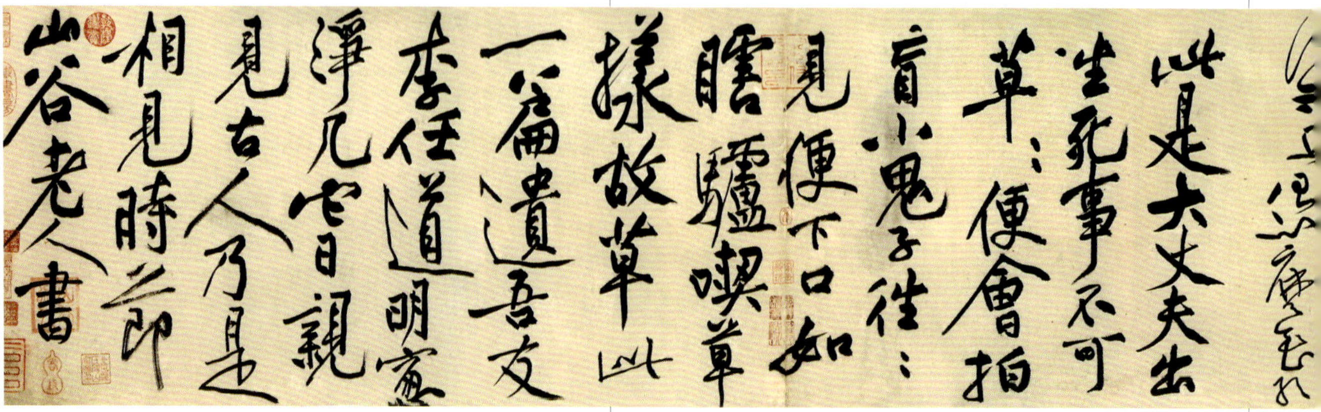

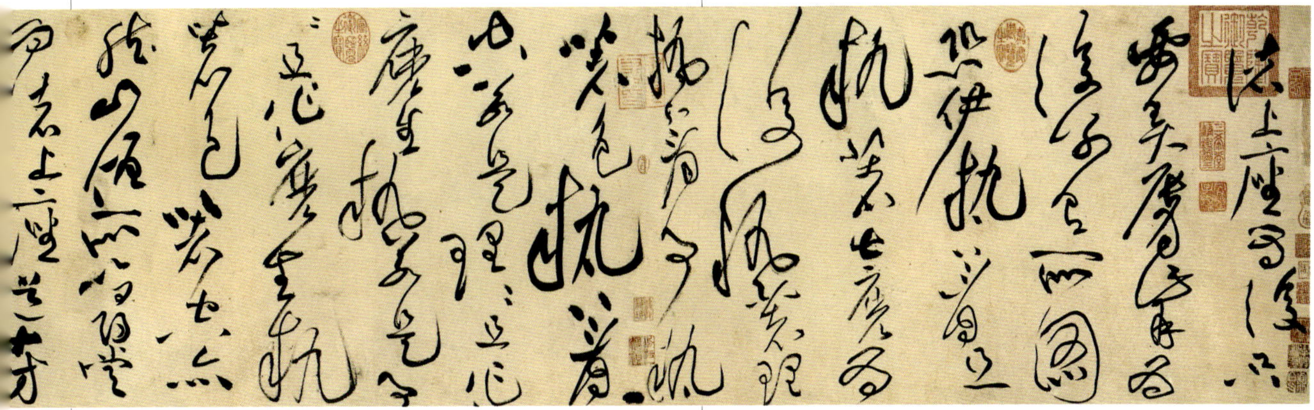

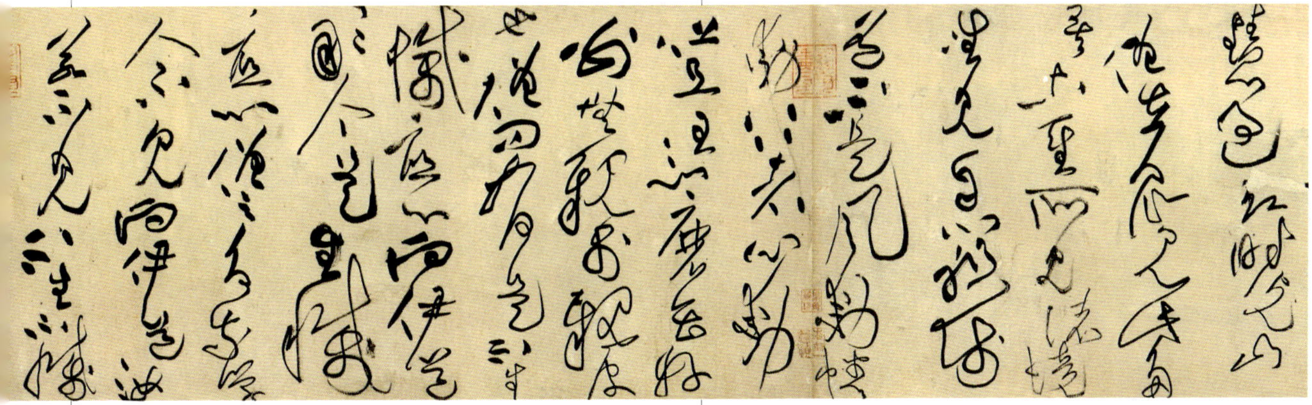

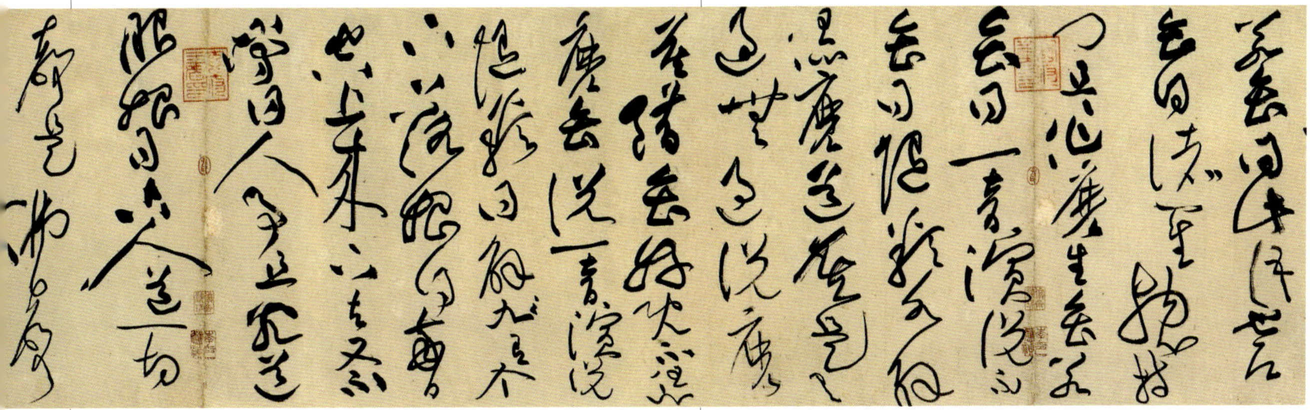

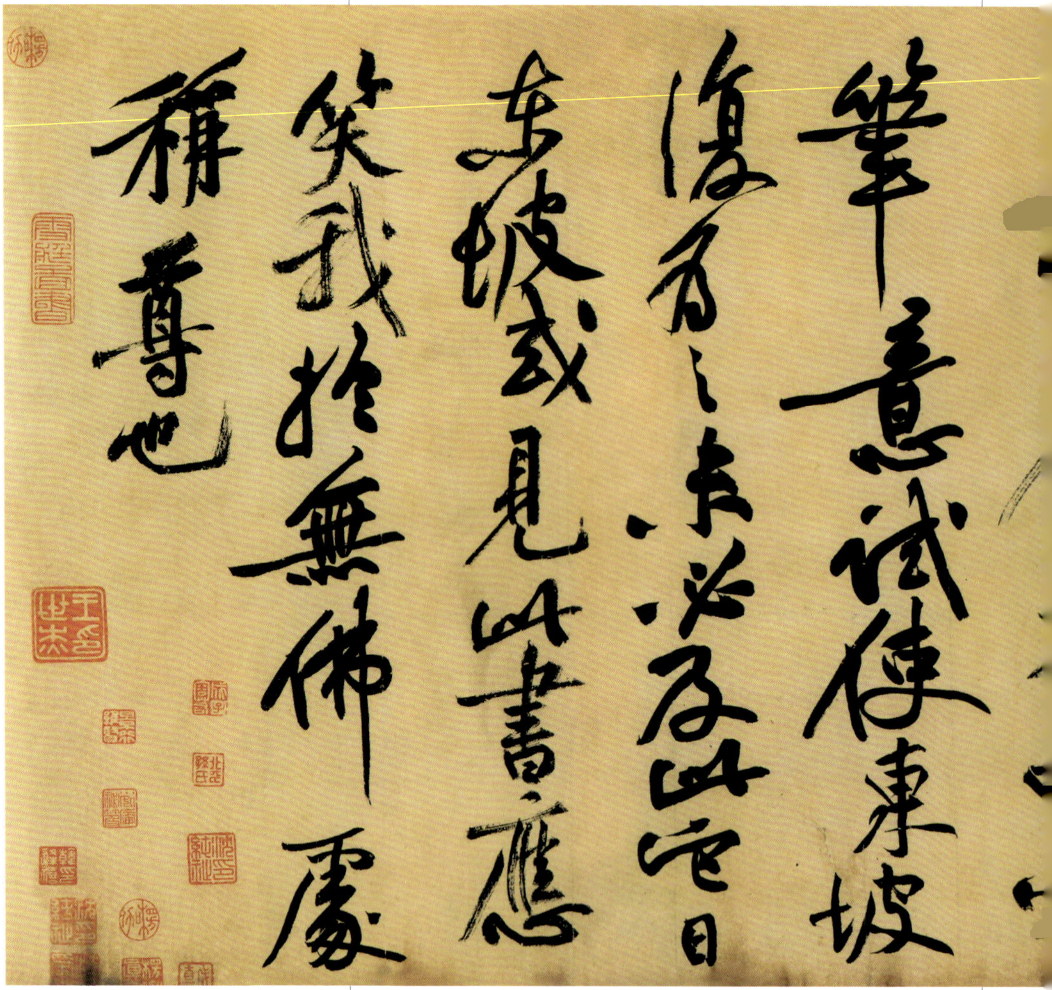
筆意試使東坡
復為之未必及此它日
東坡或見此書應
笑我於無佛處
稱尊也

蘇軾黃州寒食帖跋

北宋

黃庭堅

紙本。

現藏臺北故宮博物院。

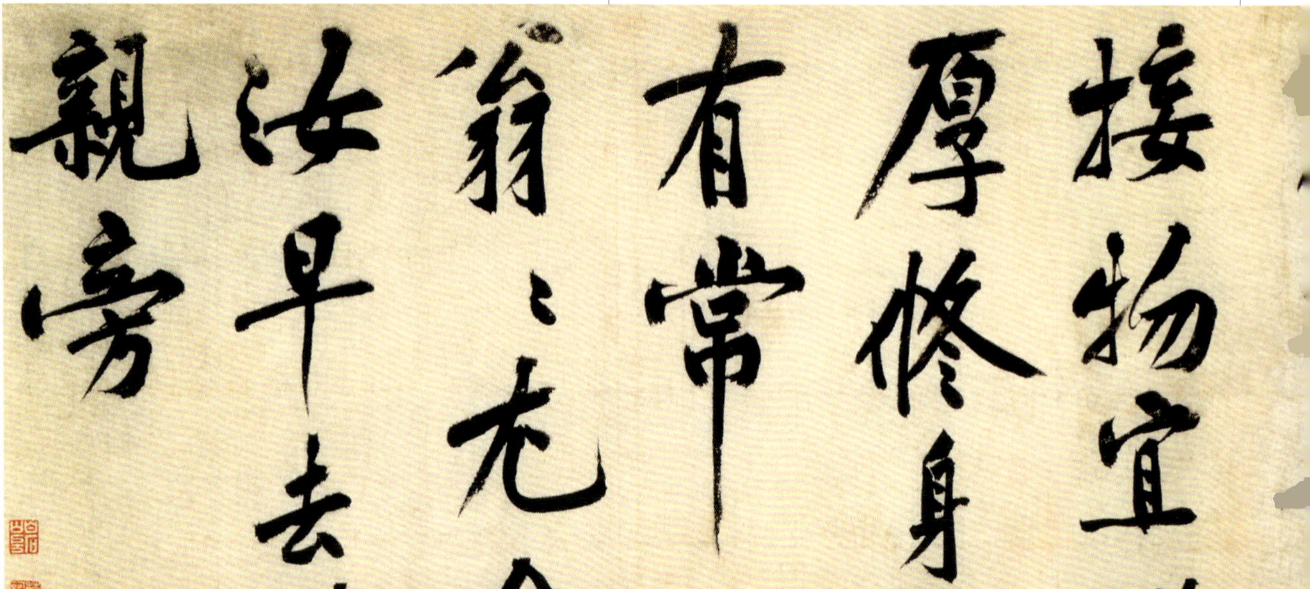
接物宜從
厚修身貴
有常
翁之尤念
汝早去到
親旁

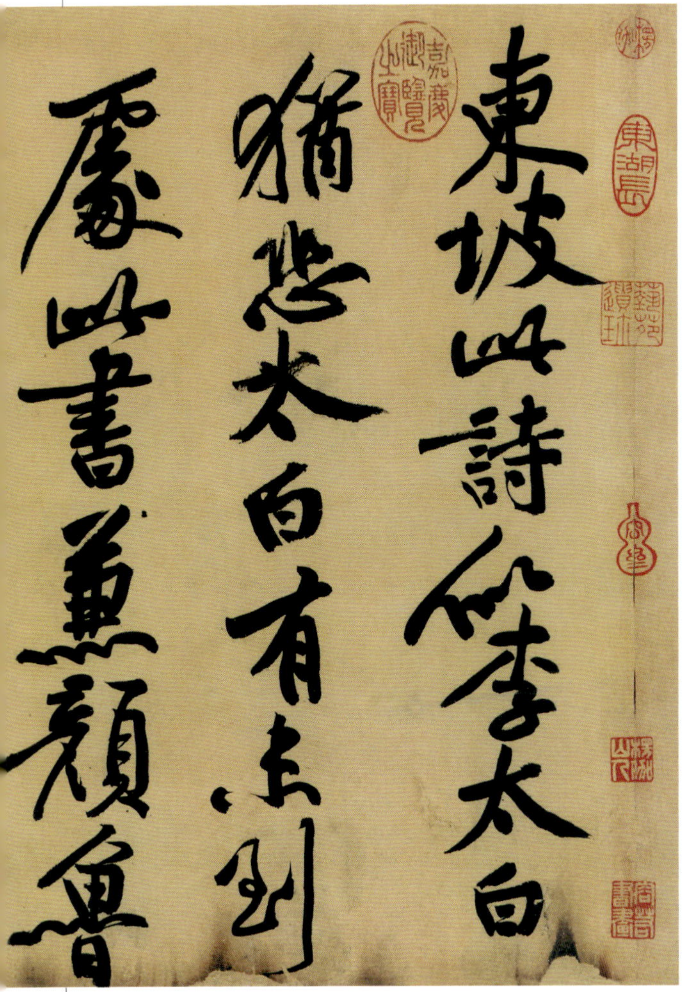

詩送四十九侄

北宋
黄庭堅
高35.5、寬130.2厘米。
紙本。
現藏故宫博物院。

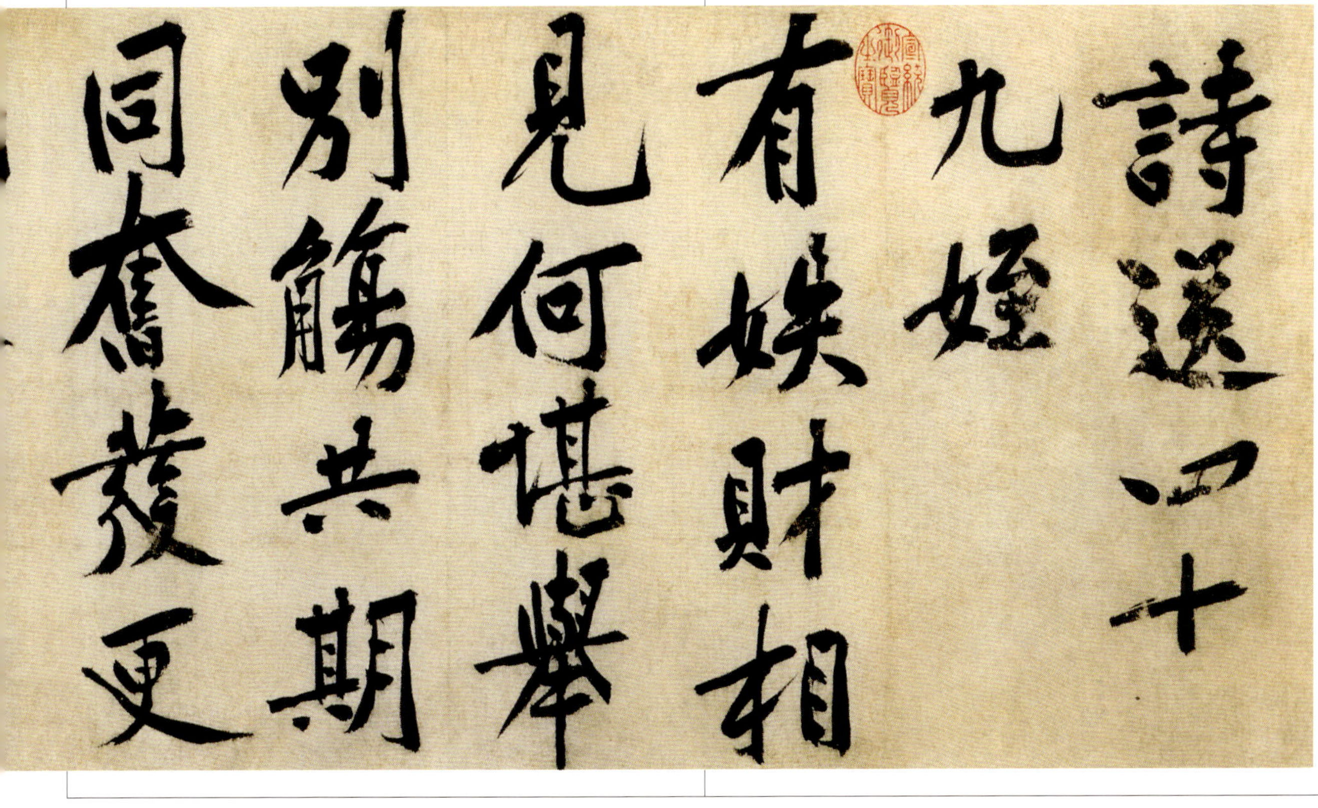

伏波神祠詩

北宋

黄庭堅

高33.6、寬820.6厘米。

紙本。

現藏日本東京永青文庫。

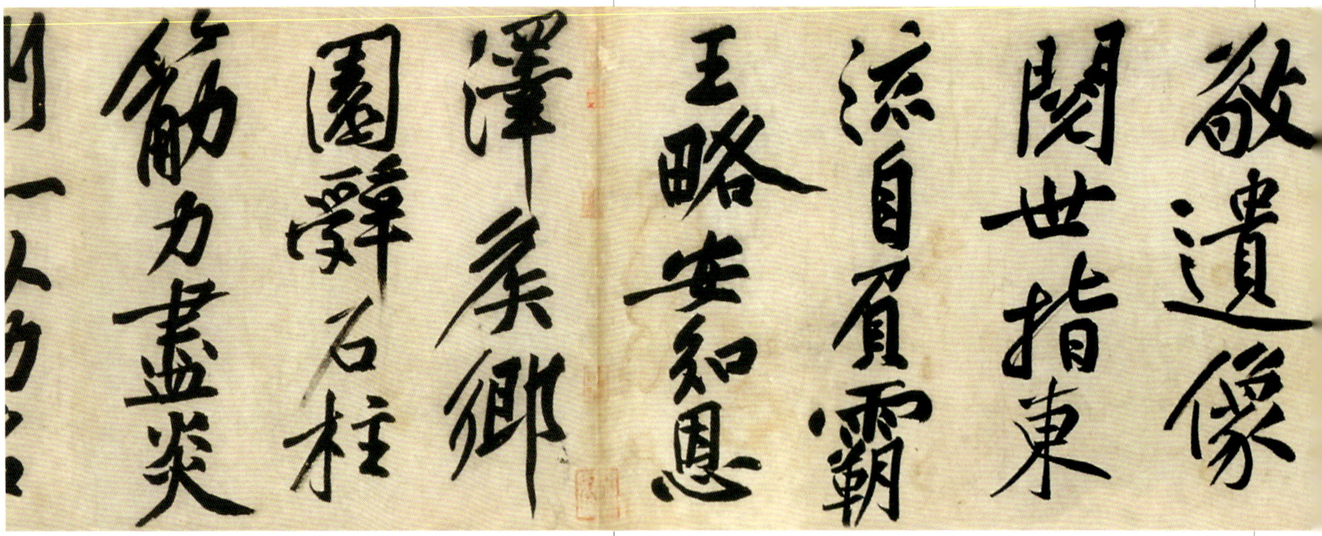

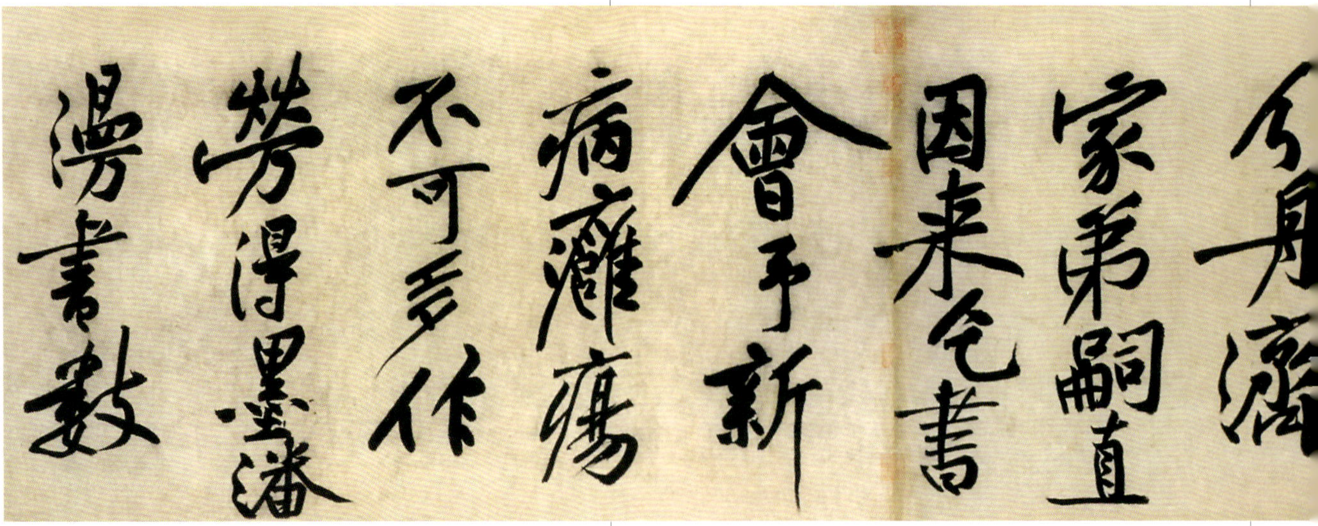

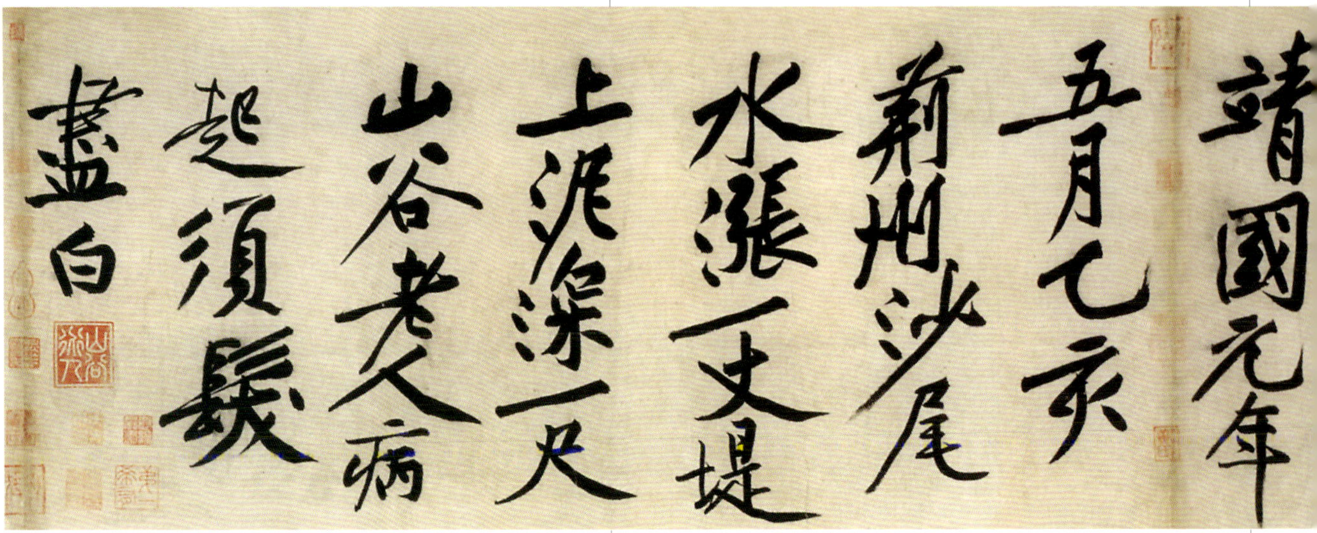

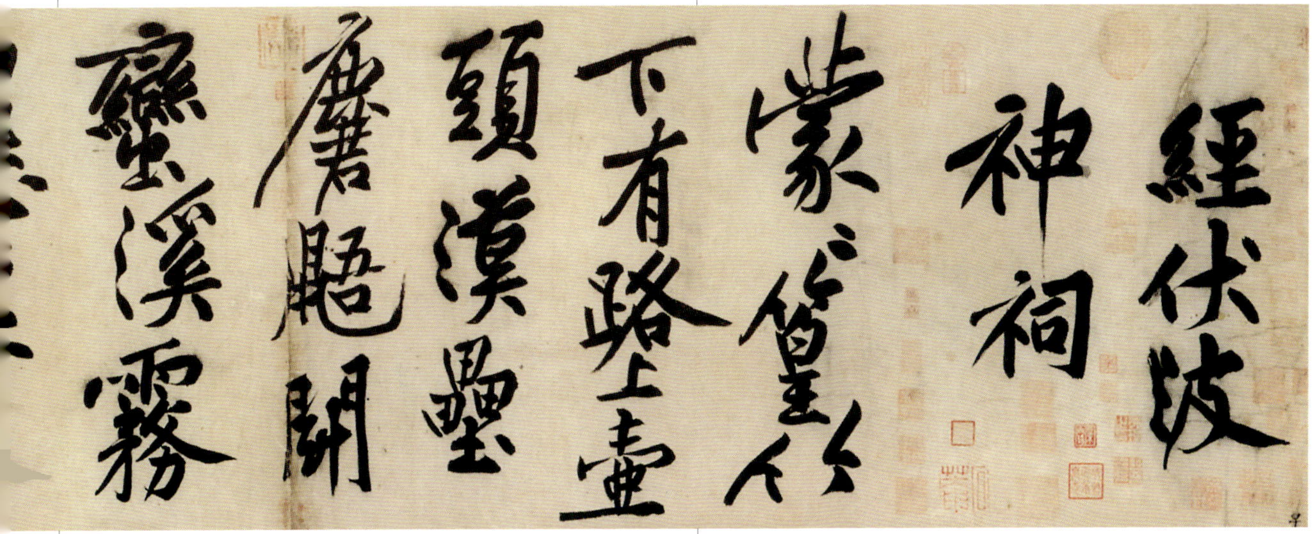

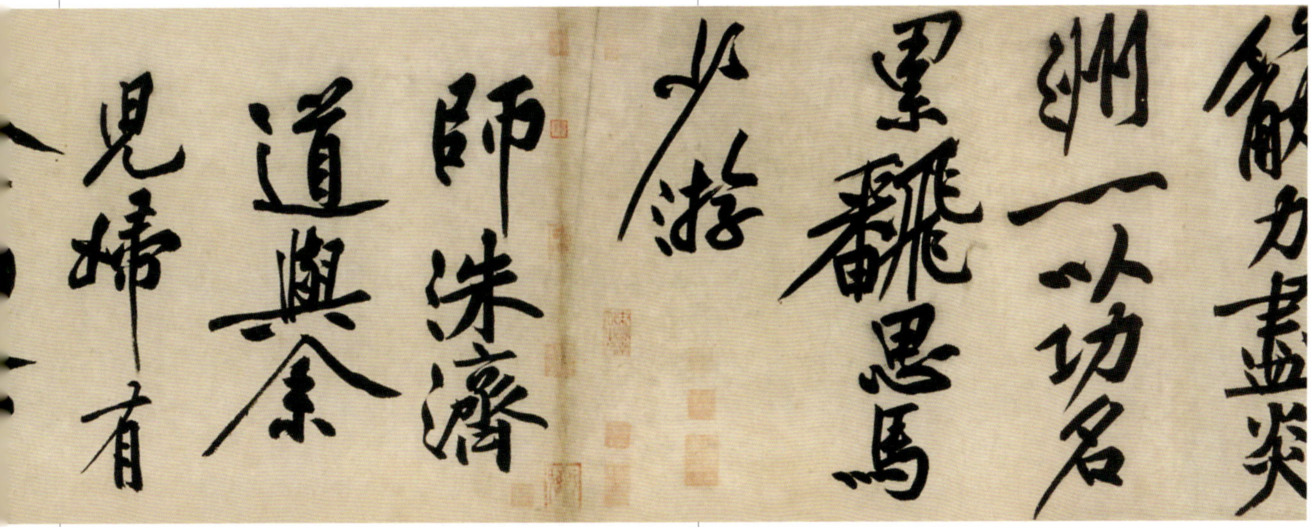

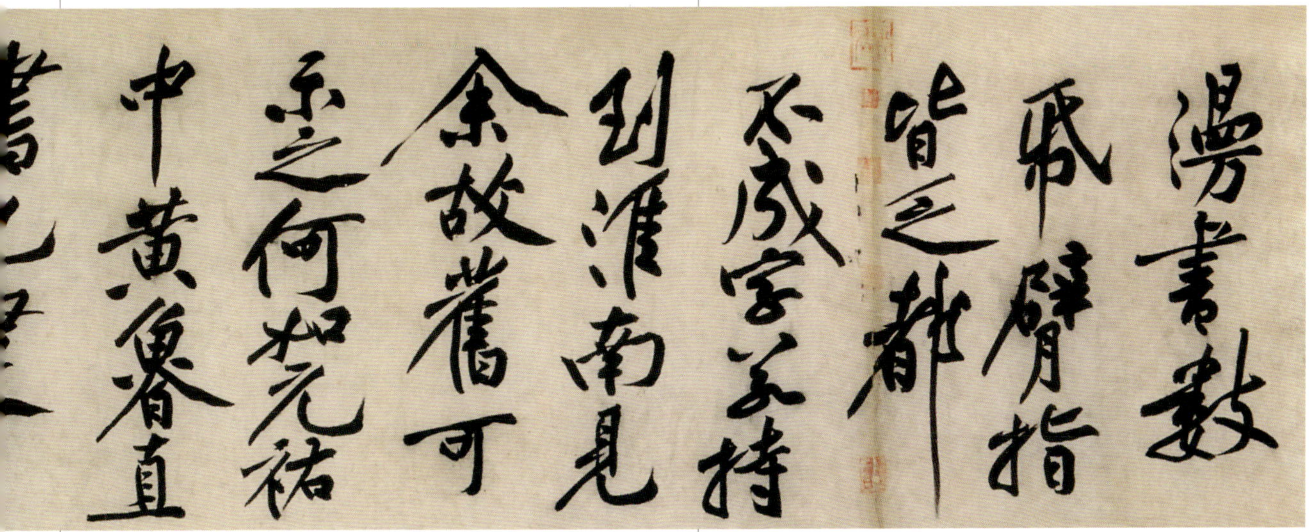

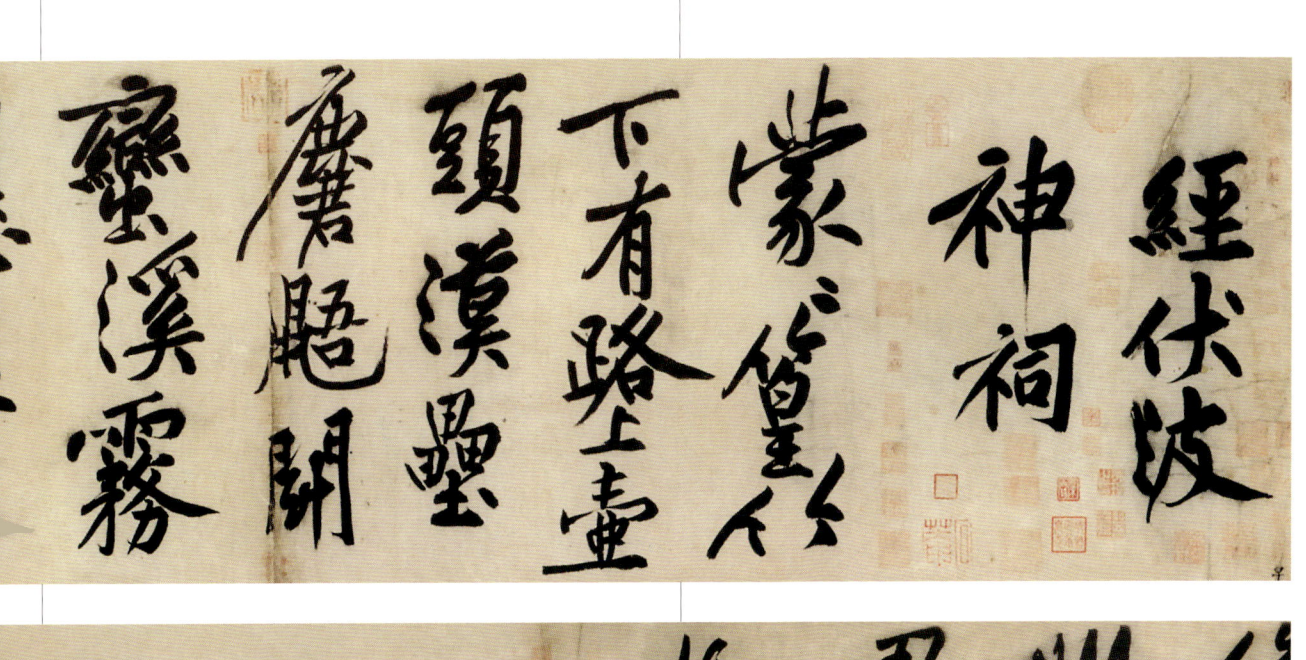

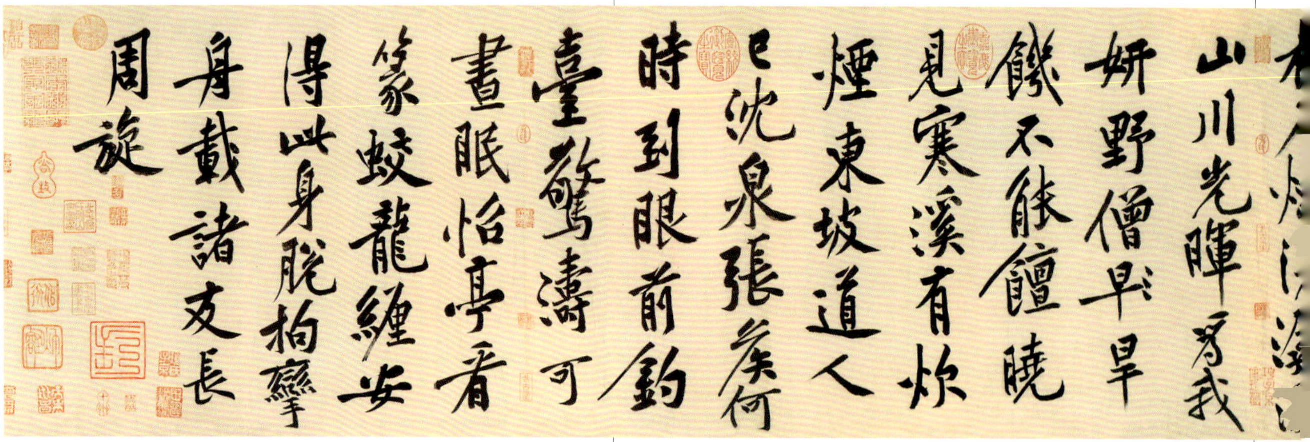

松風閣詩

北宋
黄庭堅
高40、寬228.7厘米。
紙本。
現藏臺北故宫博物院。

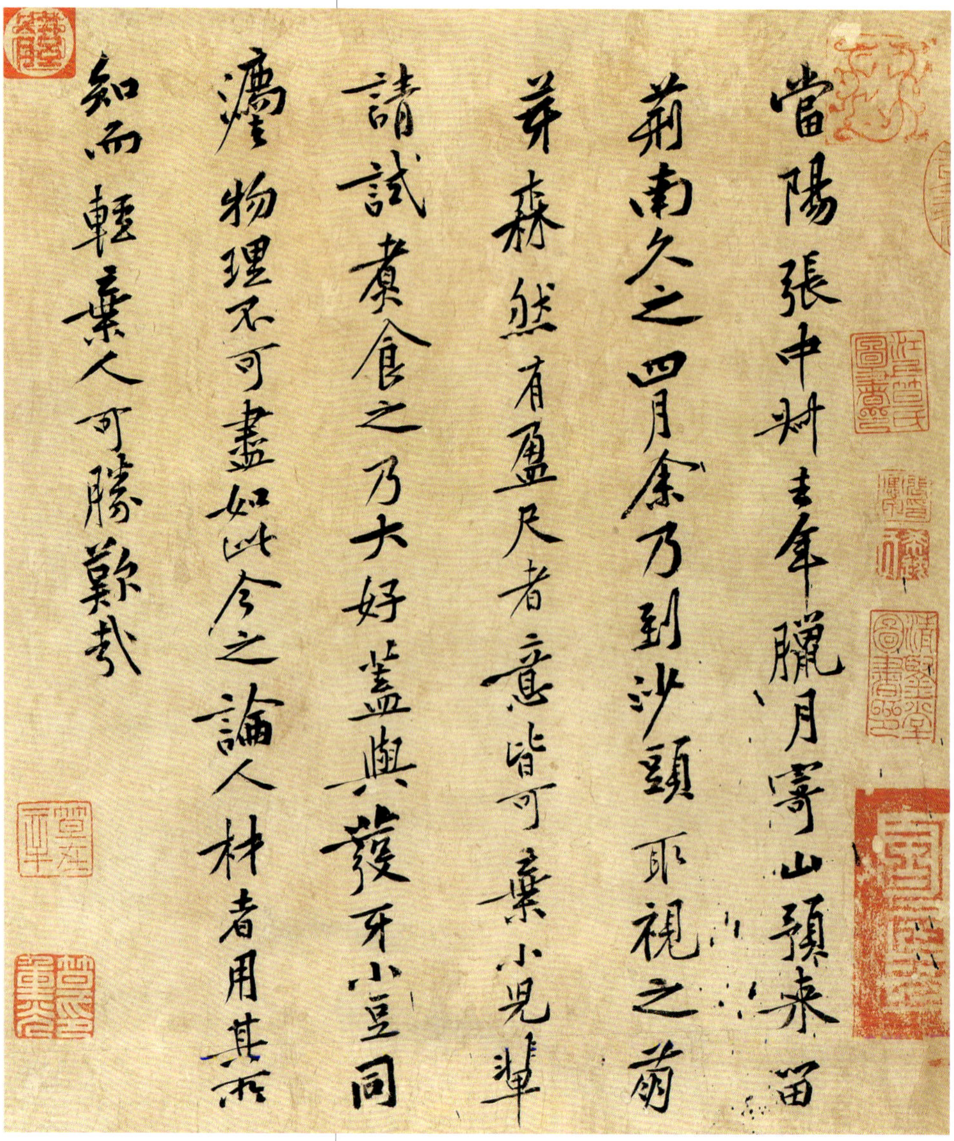

山預帖

北宋
黄庭堅
高31.2、寬26.8厘米。
紙本。
現藏臺北故宫博物院。

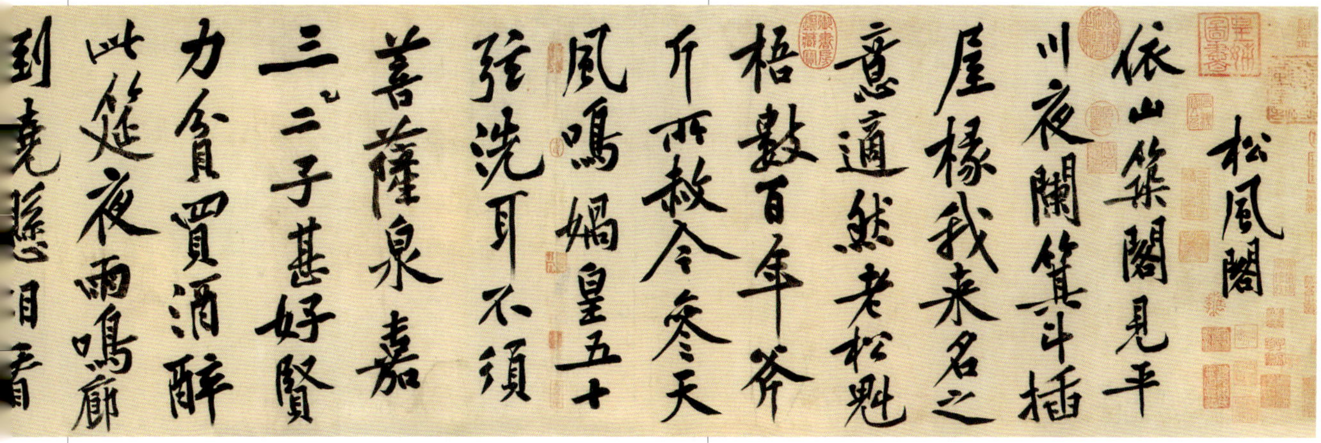
松風閣
依山築閣見平
川夜闌箕斗插
屋椽我來名之
意適然老松魁
梧數百年斧
斤所赦今參天
風鳴媧皇五十
弦洗耳不須
菩薩泉嘉
三二子甚好賢
力貧買酒醉
此筵夜雨鳴廊

花氣詩帖

北宋

黃庭堅

高30.7、寬43.2厘米。

紙本。

現藏臺北故宮博物院。

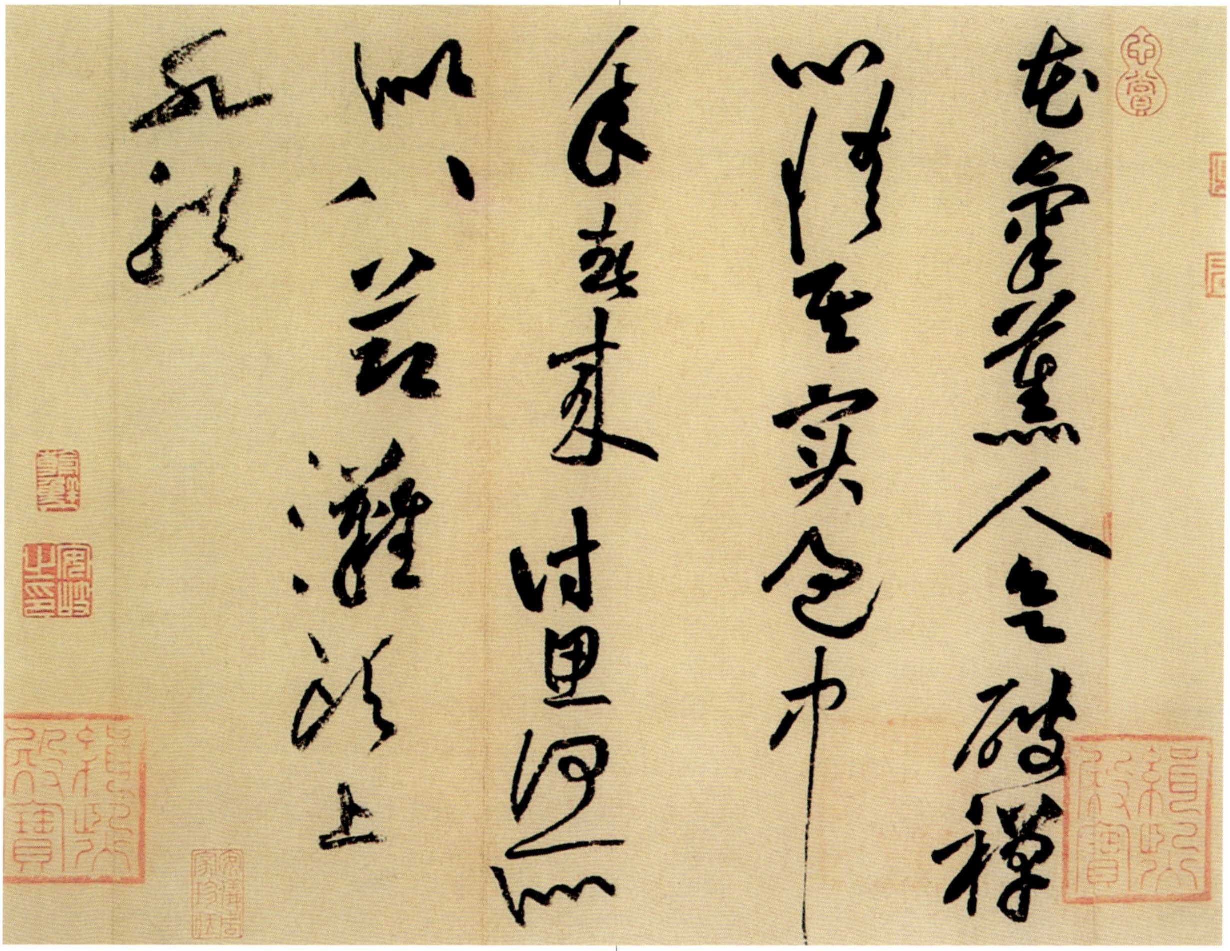

李白憶舊游詩

北宋
黄庭堅
高37、寬392.5厘米。
紙本。
現藏日本京都藤井有鄰館。

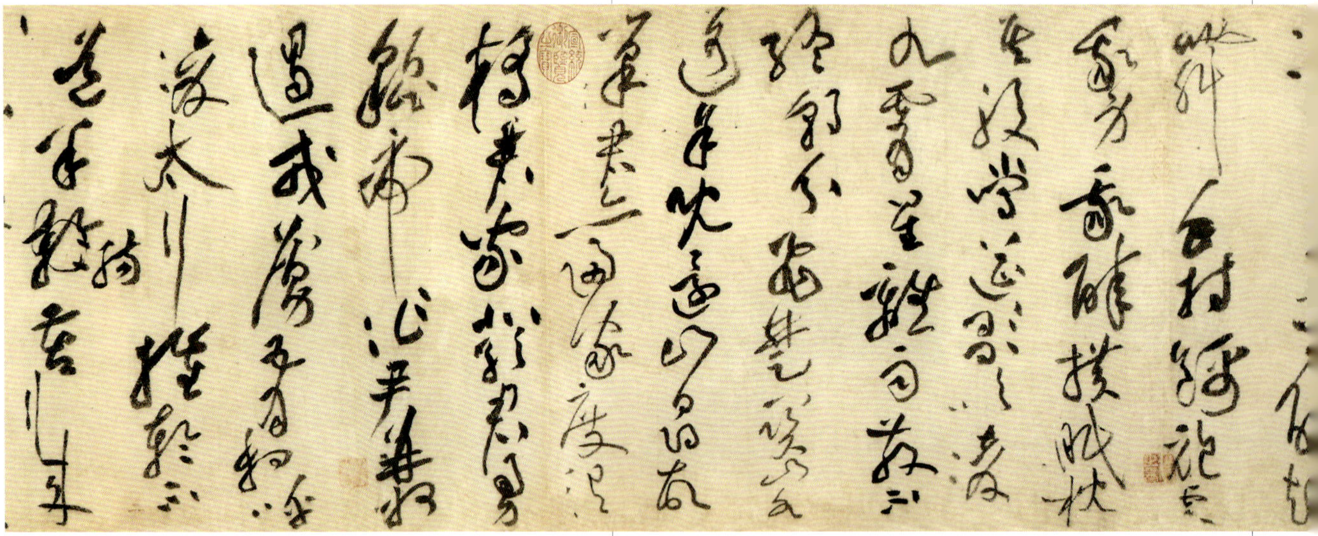

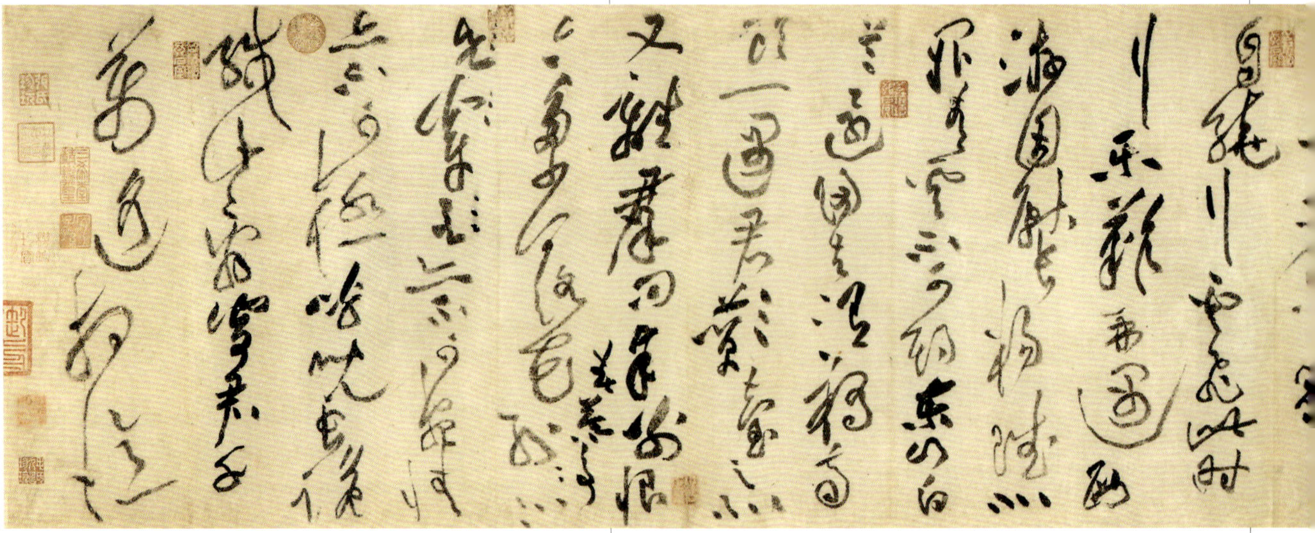

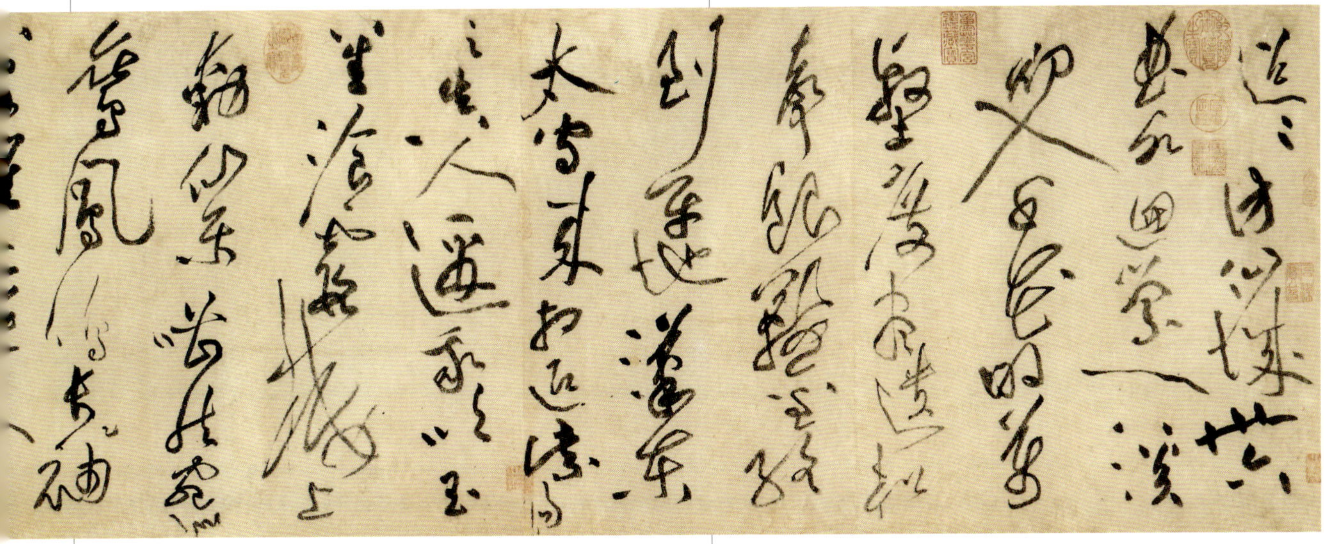

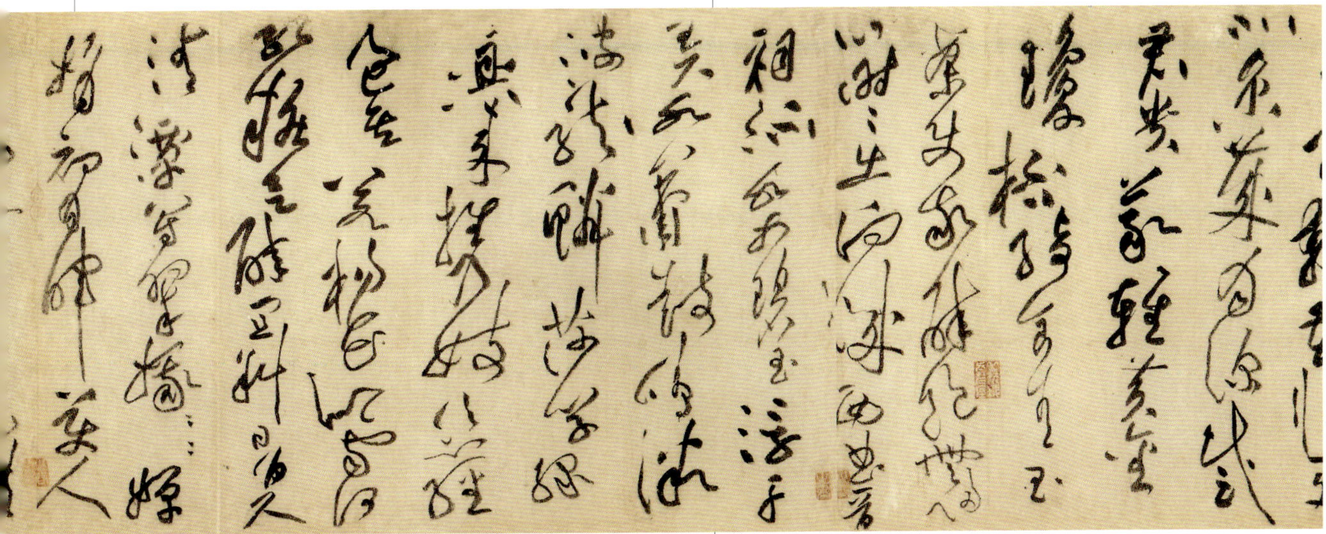

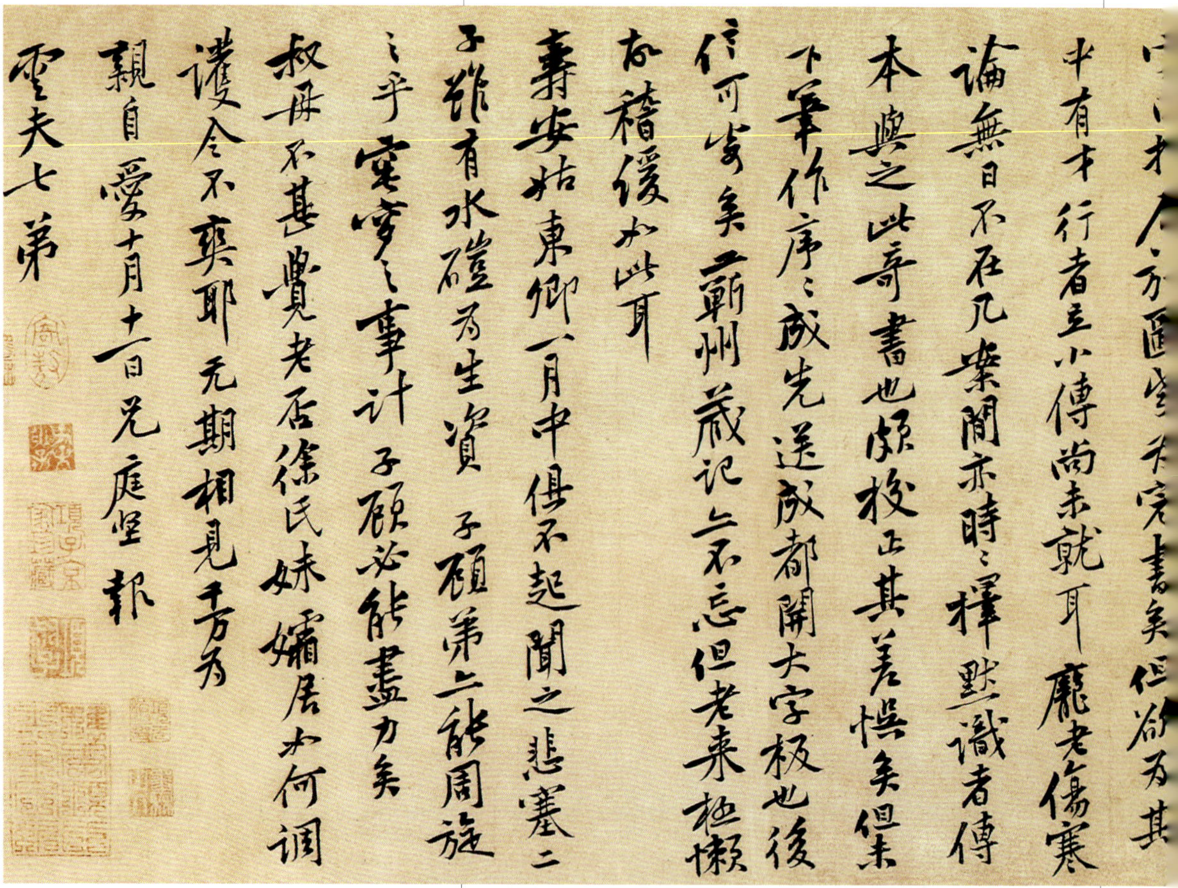

與雲夫七弟書

北宋
黄庭堅
高32.6、寬65.4厘米。
紙本。
現藏臺北故宫博物院。

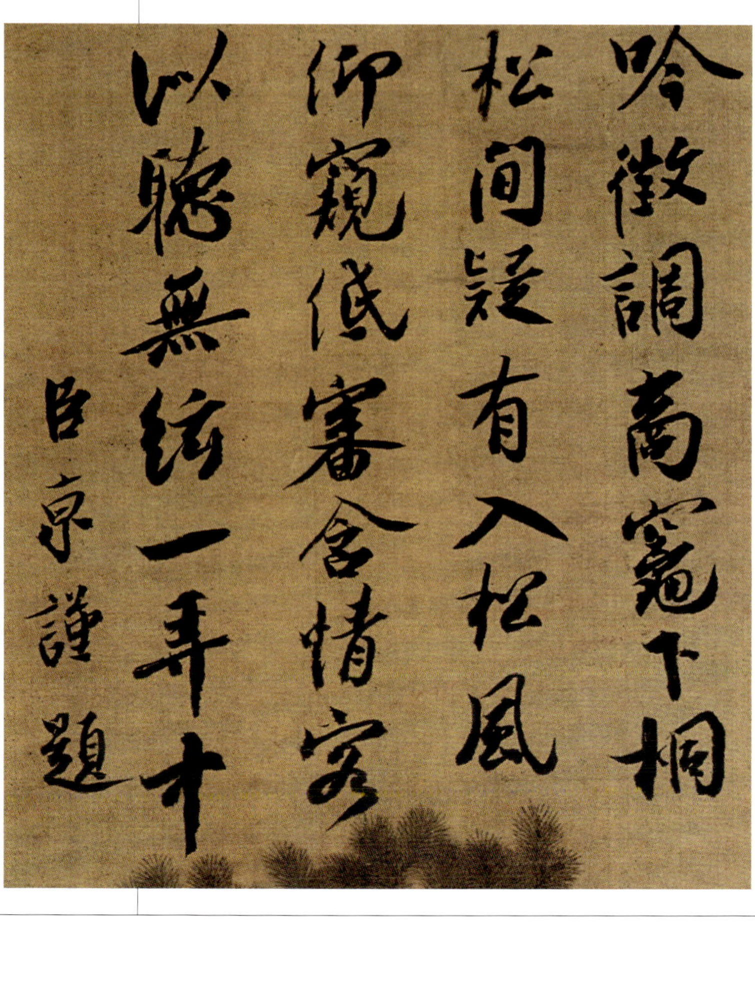

蔡　京（公元1047－1126年）

仙游（今屬福建）人。字元長。官尚書右僕射，至司空，拜太師。

聽琴圖題詩

北宋
蔡京
絹本。
現藏故宫博物院。

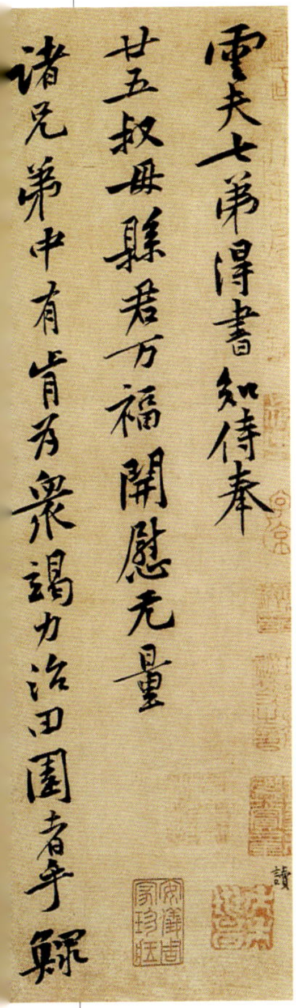

節夫帖

北宋
蔡京
高32.3、寬42.3厘米。
紙本。
現藏臺北故宫博物院。

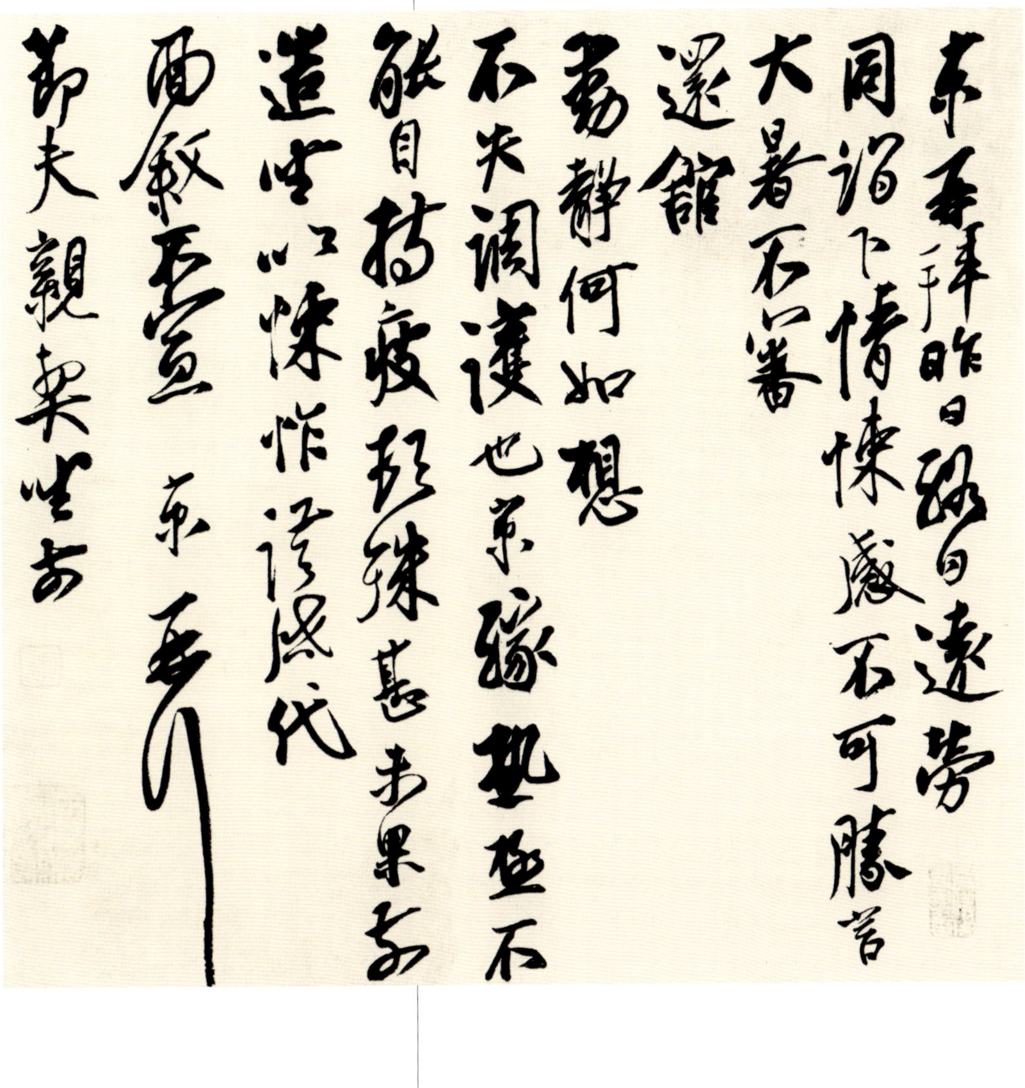

米　芾（公元1051－1107年）

世居太原（今屬山西），遷襄陽（今湖北襄樊），後定居潤州（今江蘇鎮江）。初名黻，字元章，號襄陽漫士、海岳外史等。世稱“米南宫”、“米海岳”和“米襄陽”，又因其性情狂放，亦稱“米顛”。宣和年間擢書畫學博士，官至禮部員外郎。能詩文，精擅書畫，通鑒别。其書法以行書最爲著稱，草書亦有很高成就，師法“二王”，尤得力于王獻之，并博取衆家之長。著有《書史》、《畫史》和《海岳名言》等。

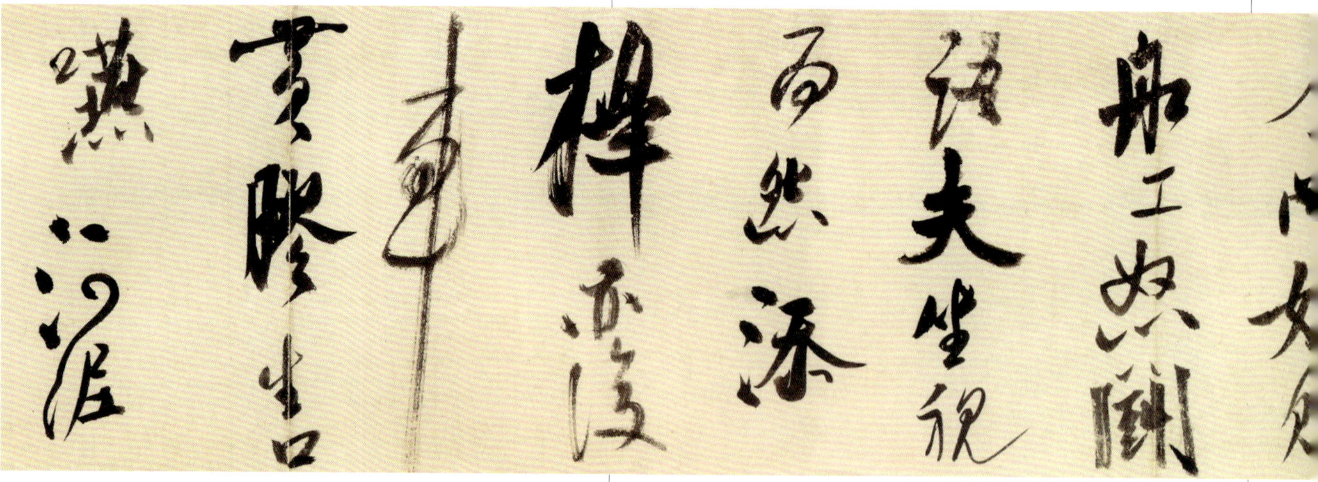

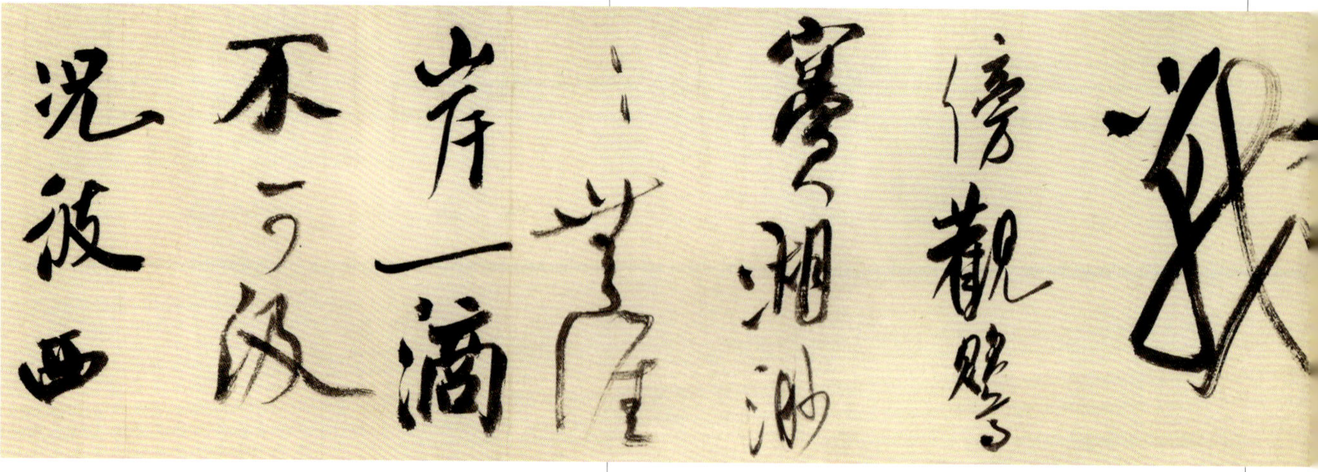

吴江舟中詩卷

北宋

米芾

高31.1、寬559.8厘米。

紙本。

現藏美國紐約大都會博物館。

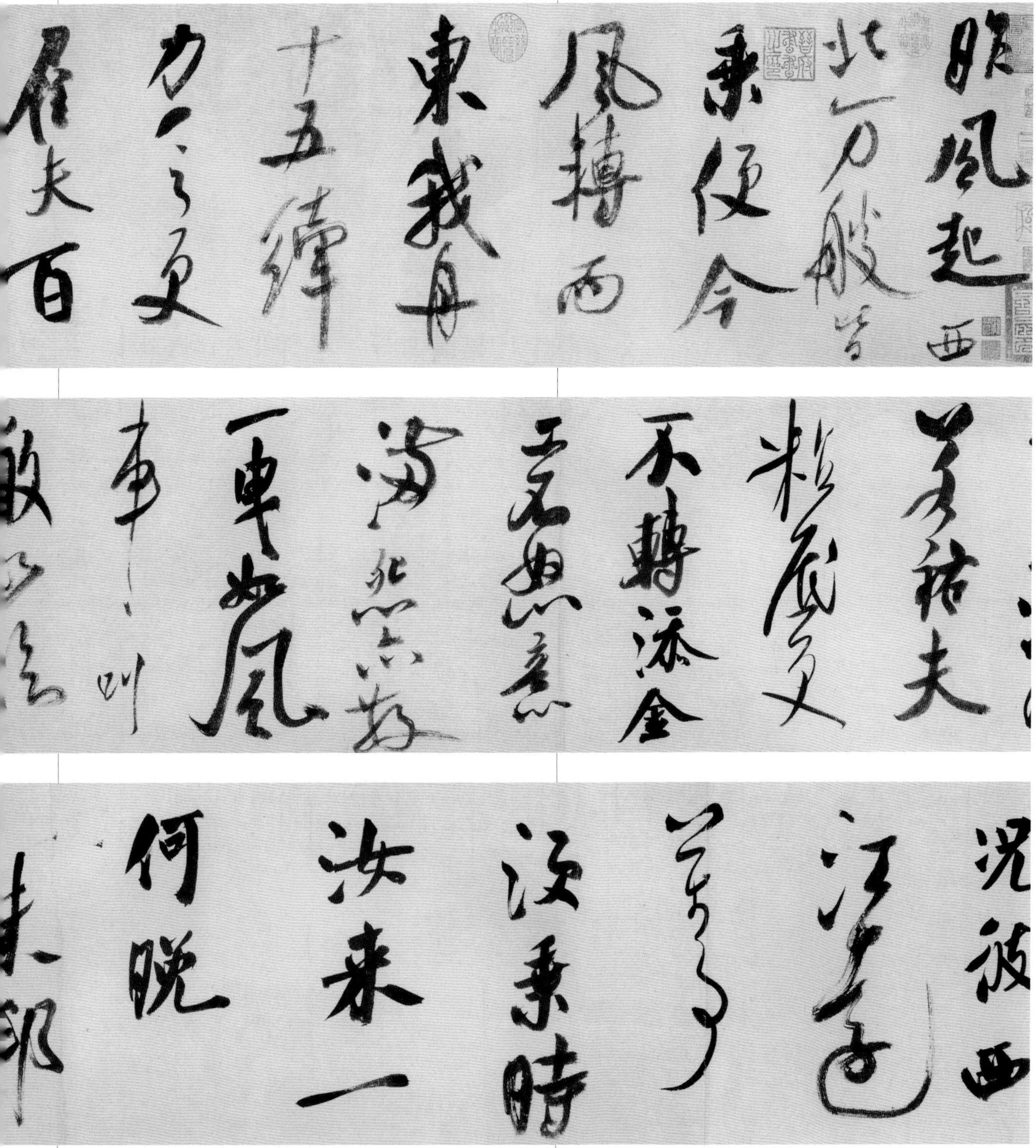

苕溪詩

北宋
米芾
高30.2、寬189.5厘米。
紙本。
現藏故宮博物院。

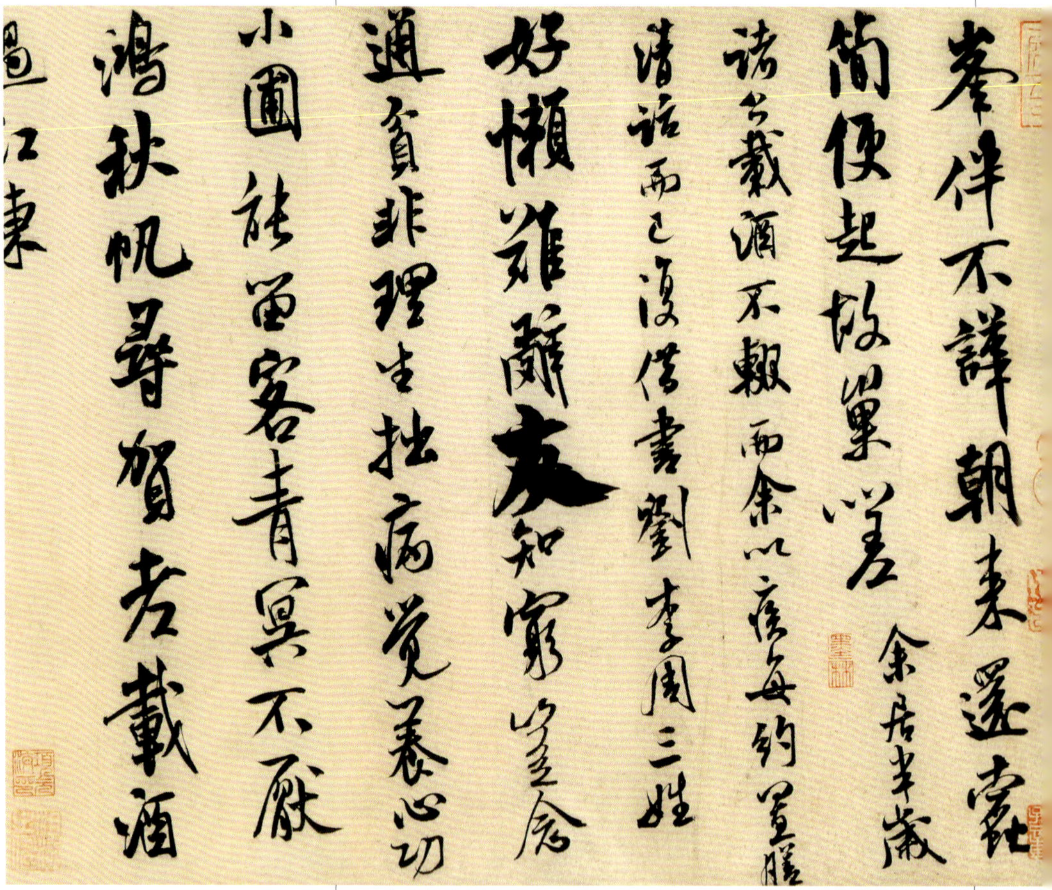

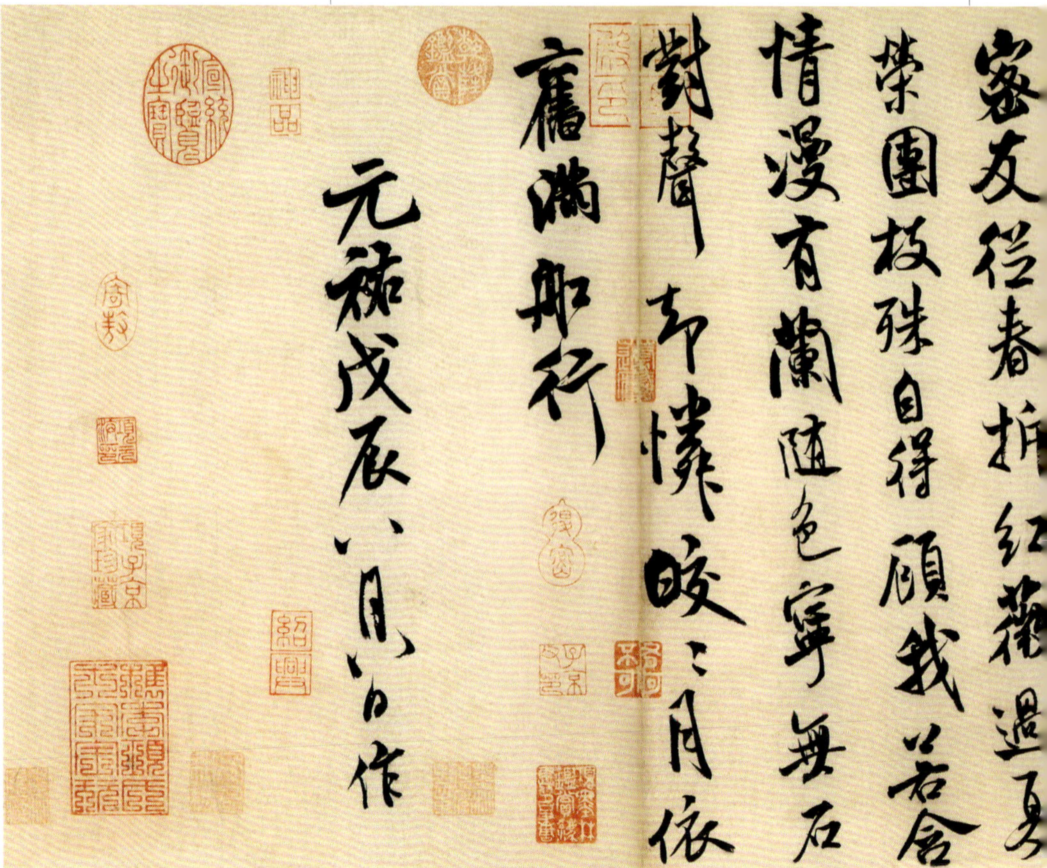

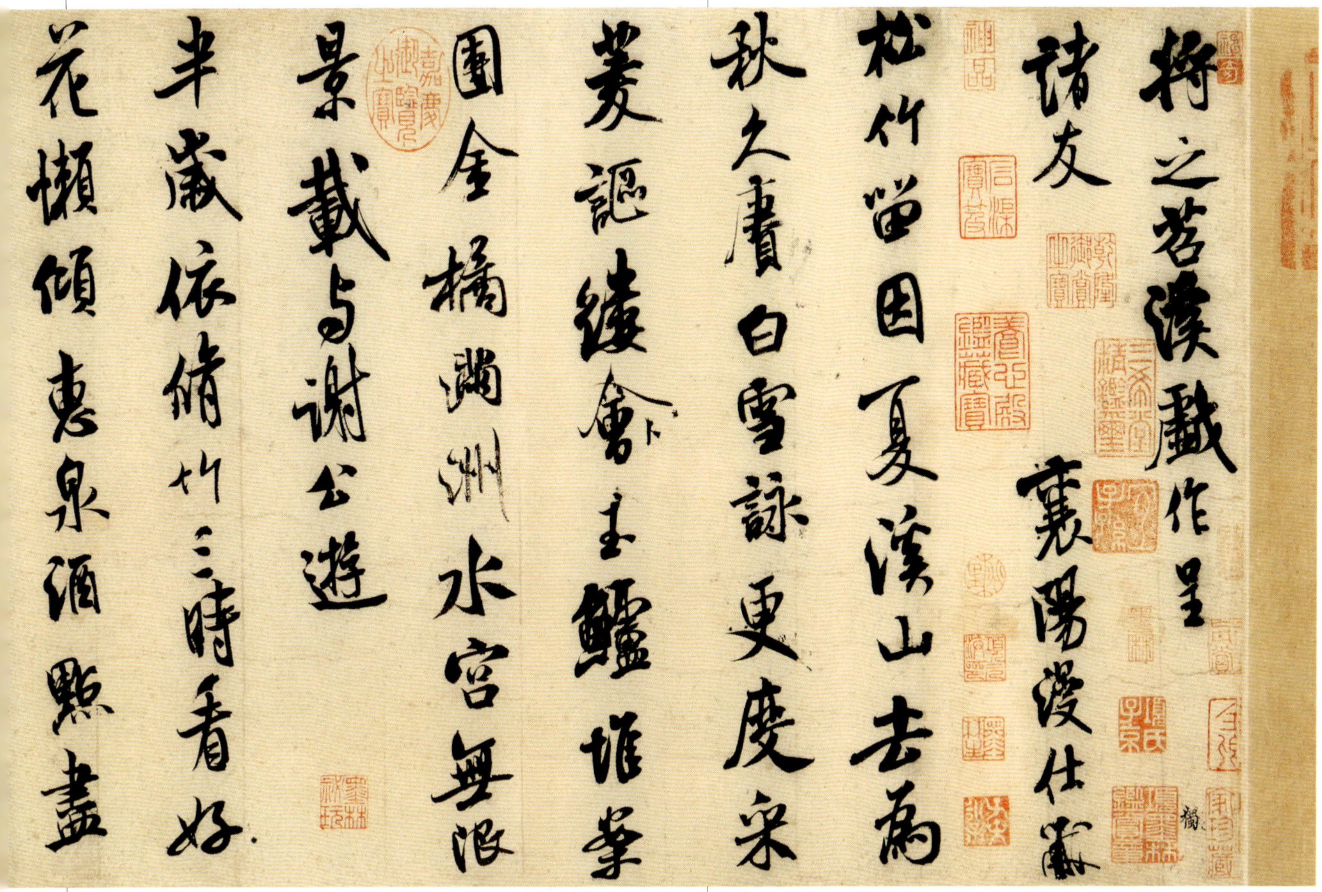
將之苕溪戲作呈
諸友 襄陽漫仕黻
松竹留因夏溪山去為
秋久賡白雪詠更度采
菱謳縷玉鱸堆案
團金橘滿洲水宮無限
景載與謝公遊
半歲依脩竹三時看好
花懶傾惠泉酒點盡

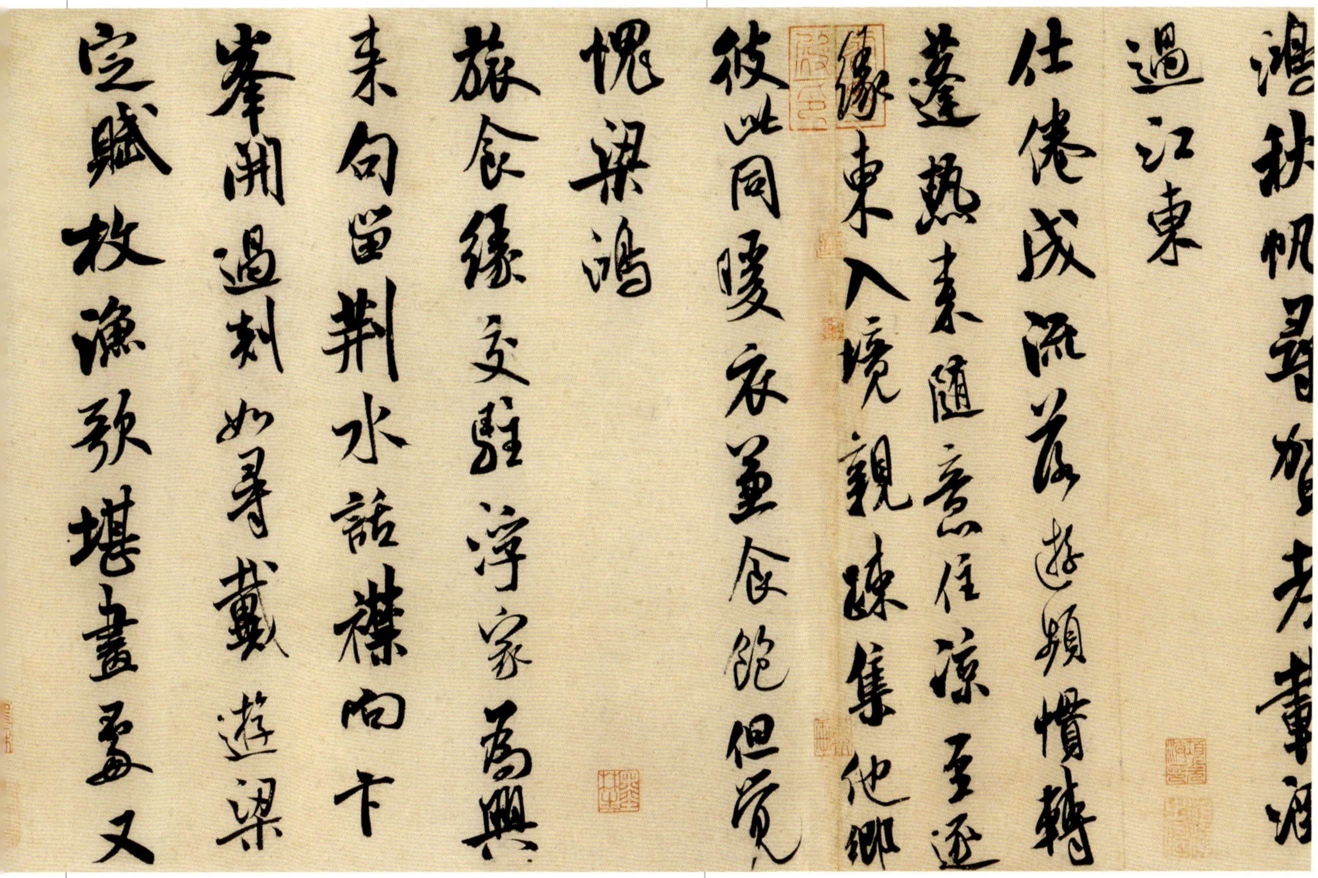
鴻秋帆尋賀老載酒
過江東
仕倦成流浪遊頻慣轉
蓬熱來隨意住涼至逐
緣東入境親疏集他鄉
彼此同暖衣兼食飽但覺
愧梁鴻
旅食緣交駐浮家為興
來句留荊水話襟向卞
峰開過剡如尋戴遊梁
定賦枚漁歌堪畫處又

蜀素帖

北宋

米芾

高27.8、寬270.8厘米。

綾本。

現藏臺北故宮博物院。

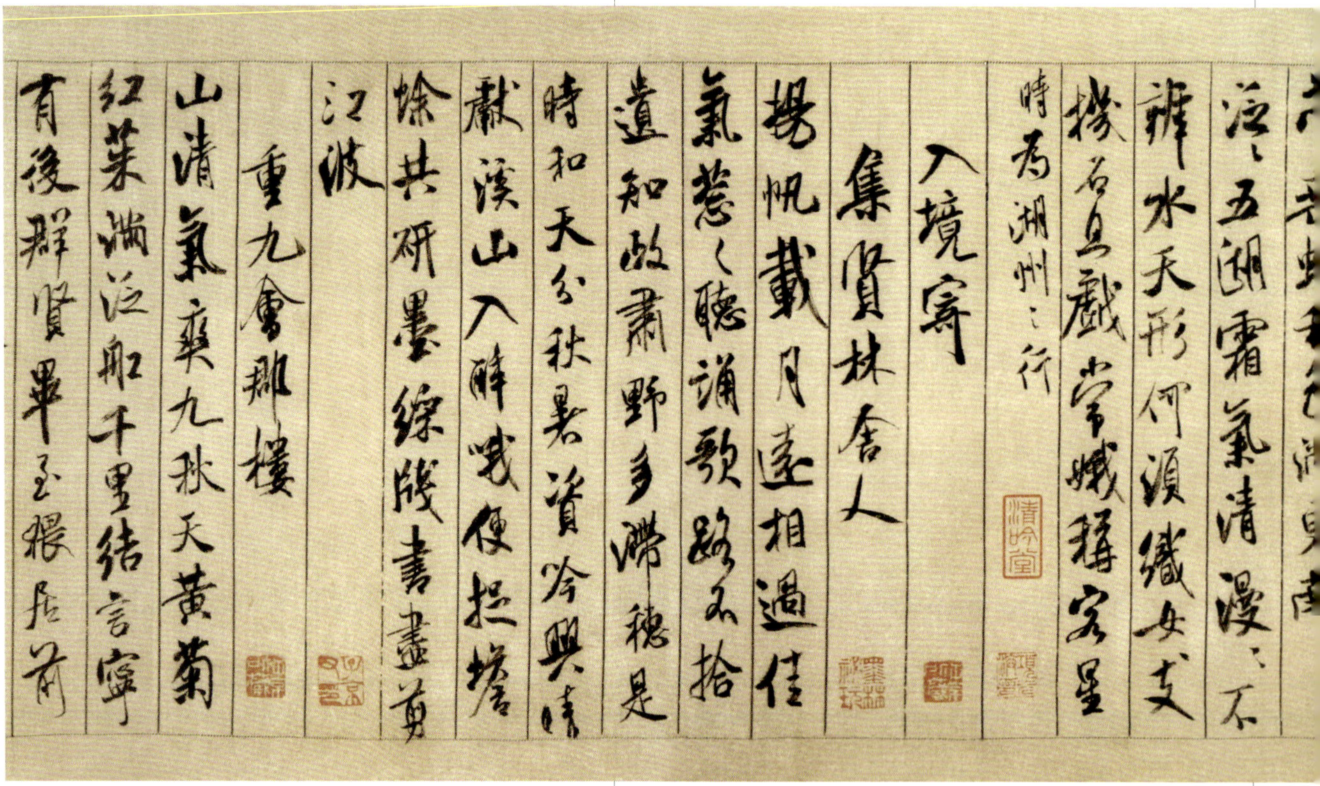

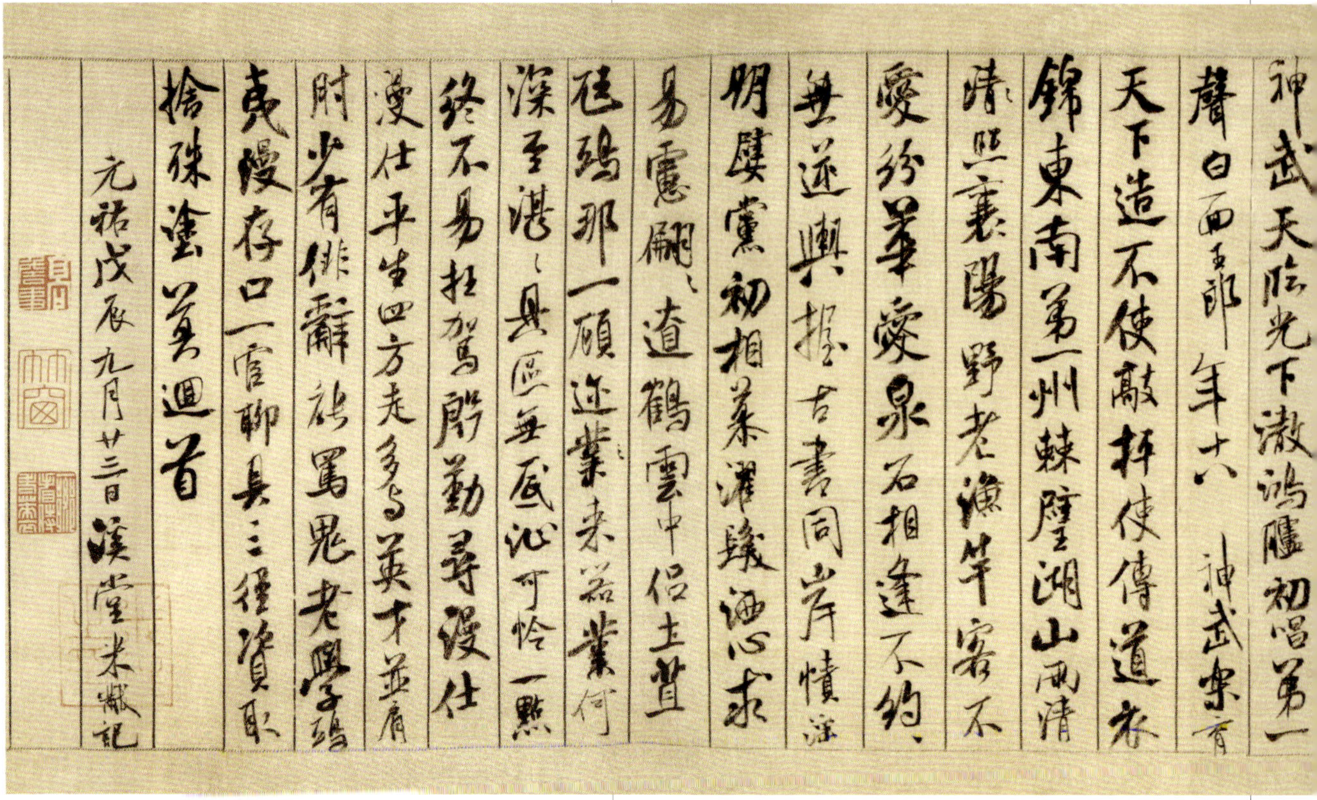

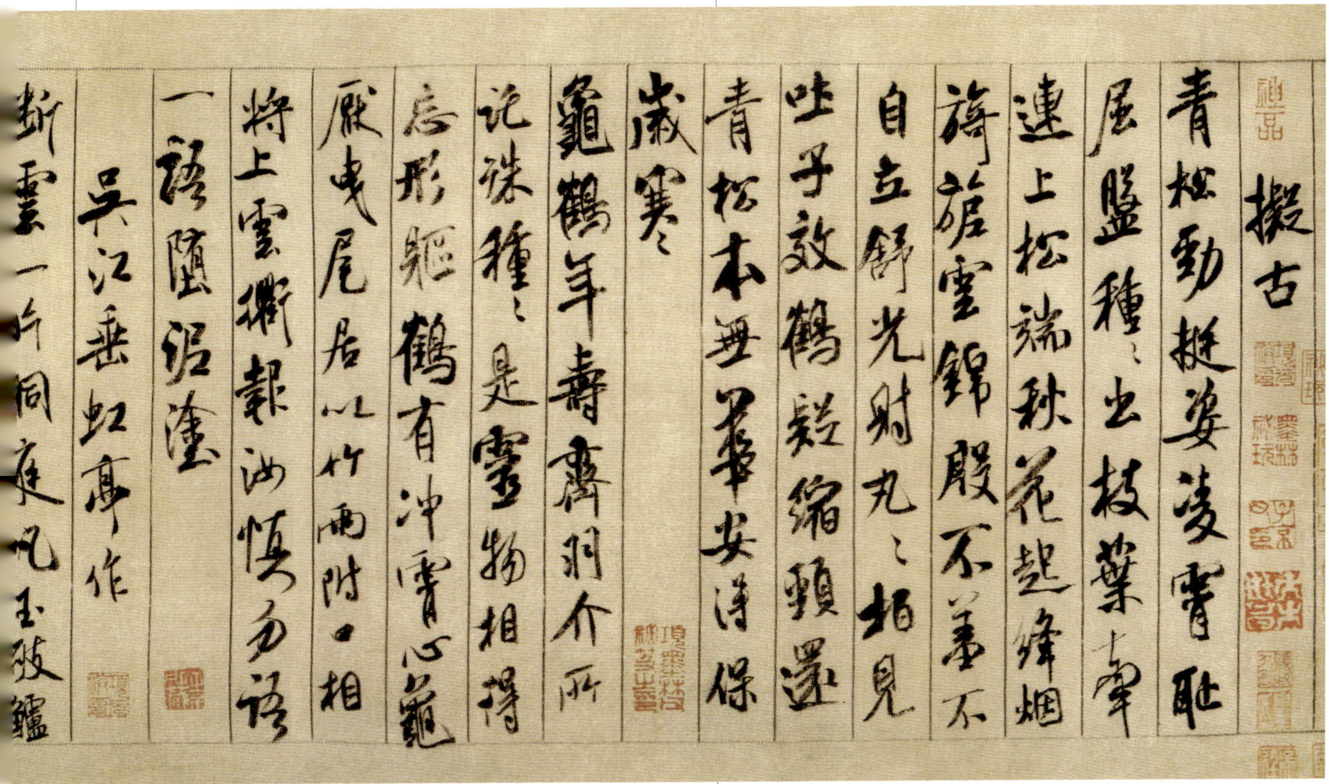

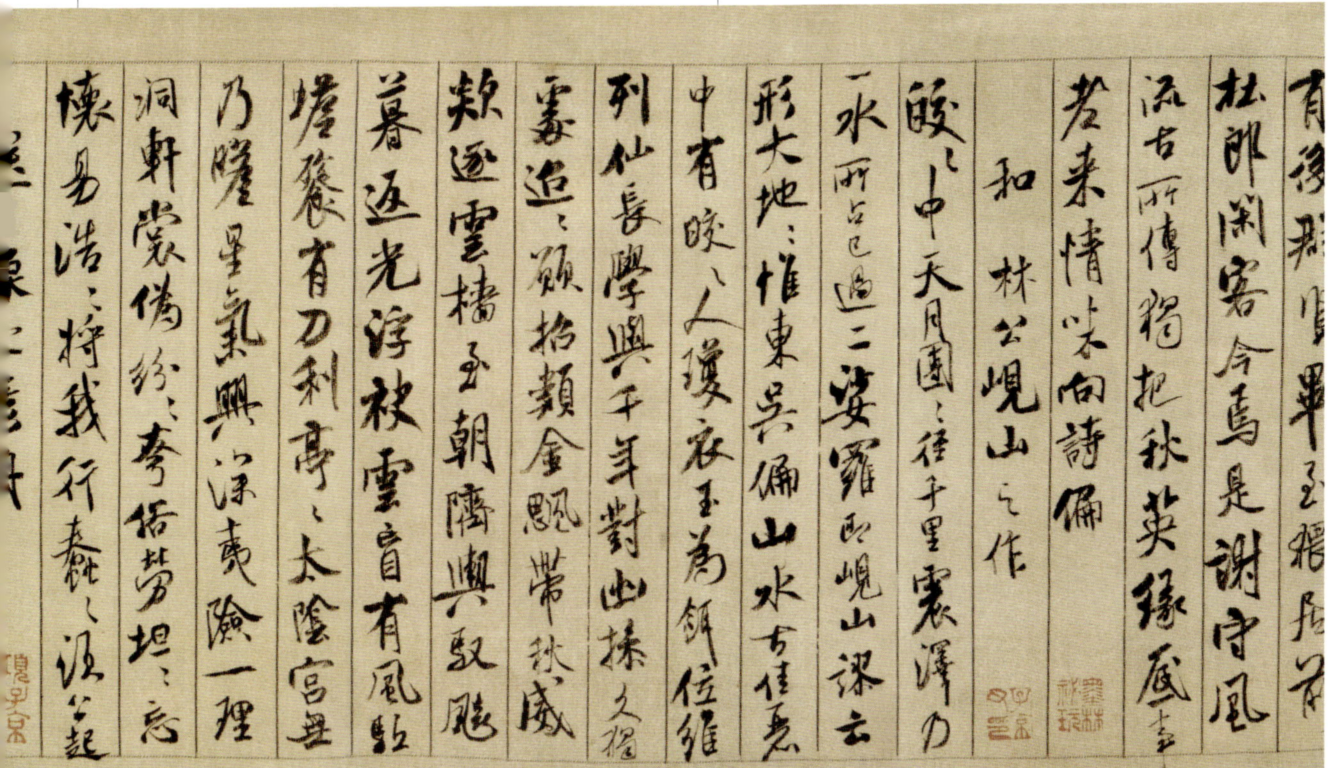

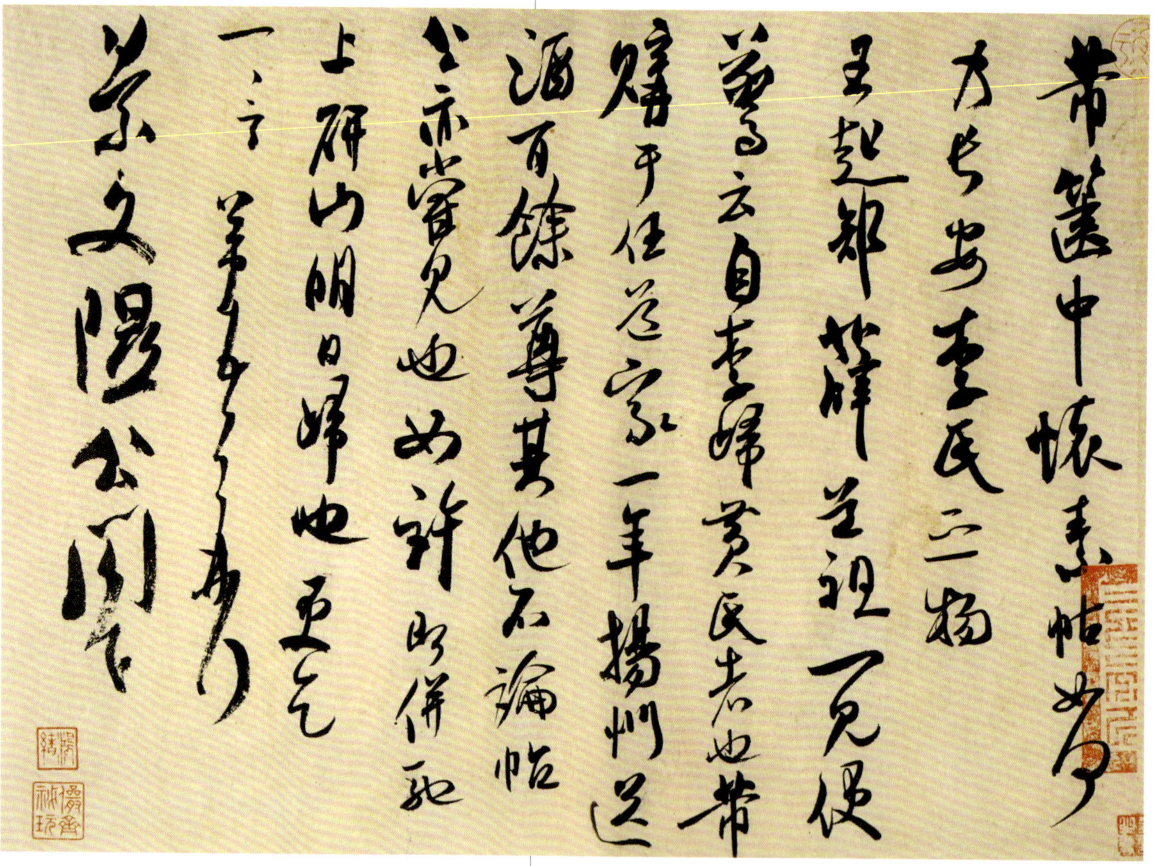

篋中帖
北宋
米芾
高28.4、寬39.5厘米。
紙本。
現藏臺北故宮博物院。

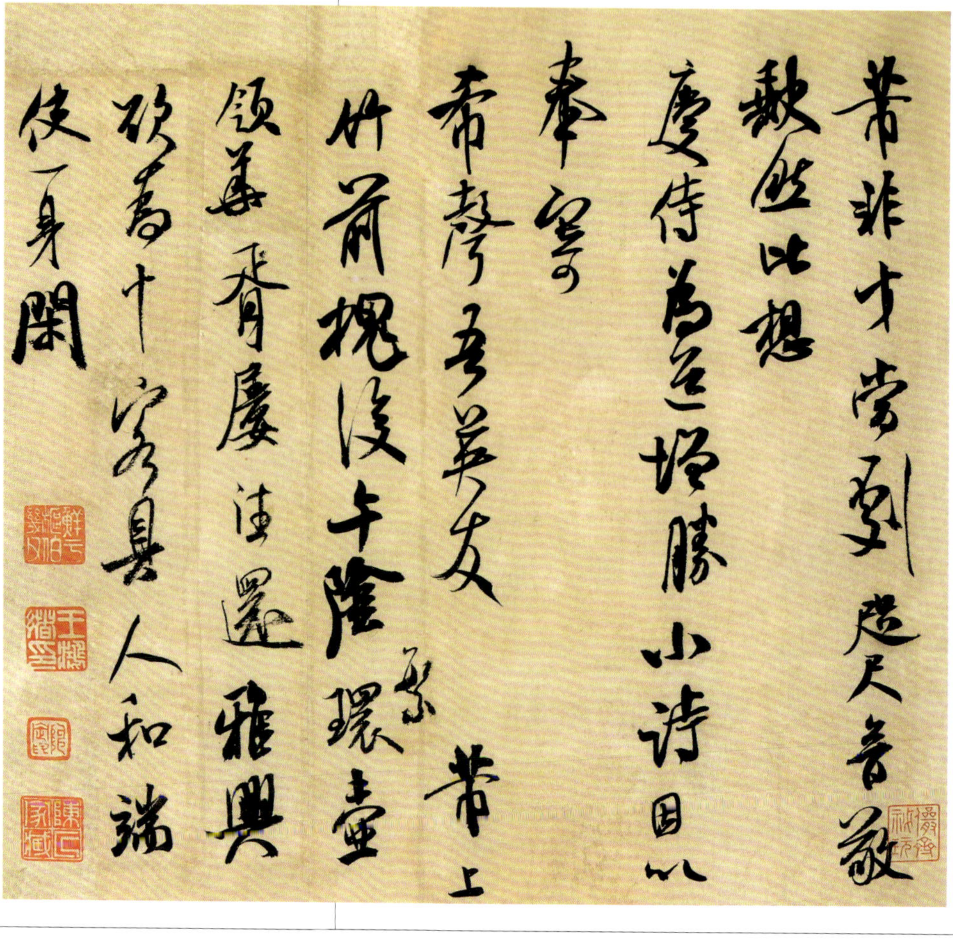

與希聲書并七言詩
北宋
米芾
高29.6、寬31.5厘米。
紙本。
現藏臺北故宮博物院。

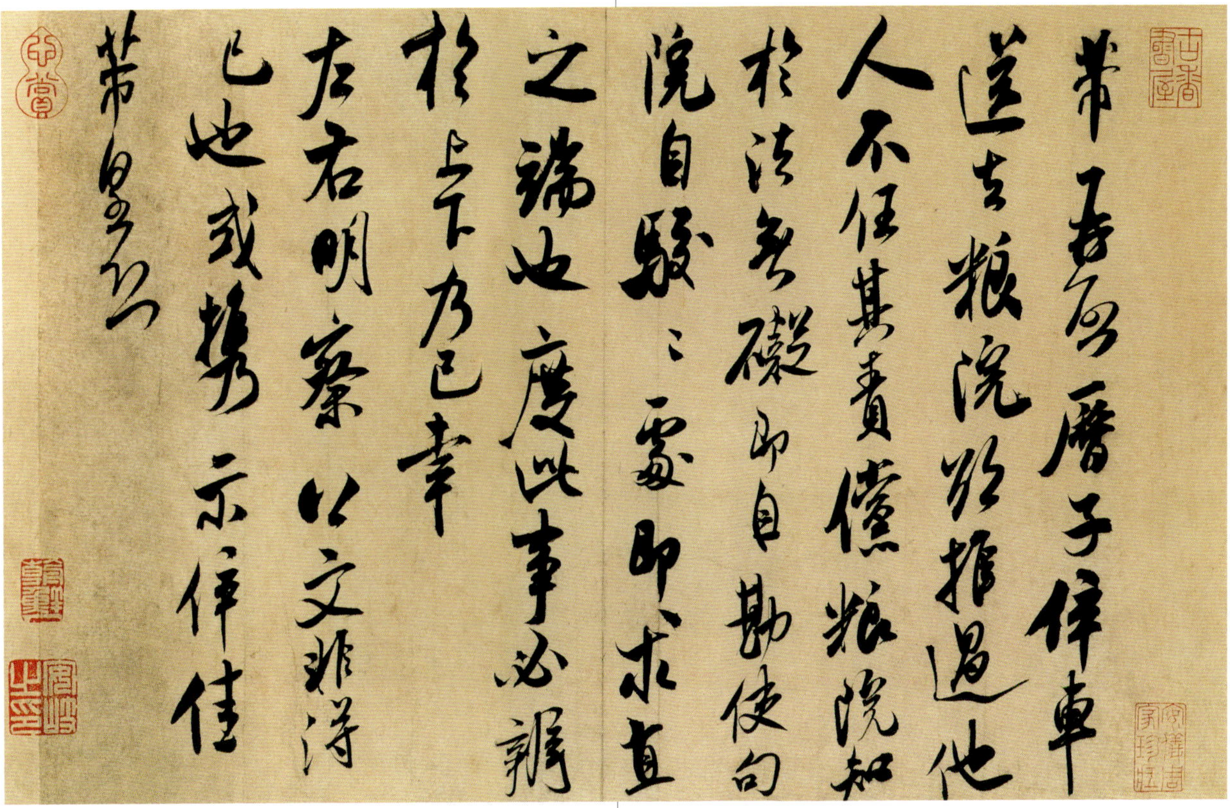

糧院帖
北宋
米芾
高25.6、寬37.2厘米。
紙本。
現藏故宮博物院。

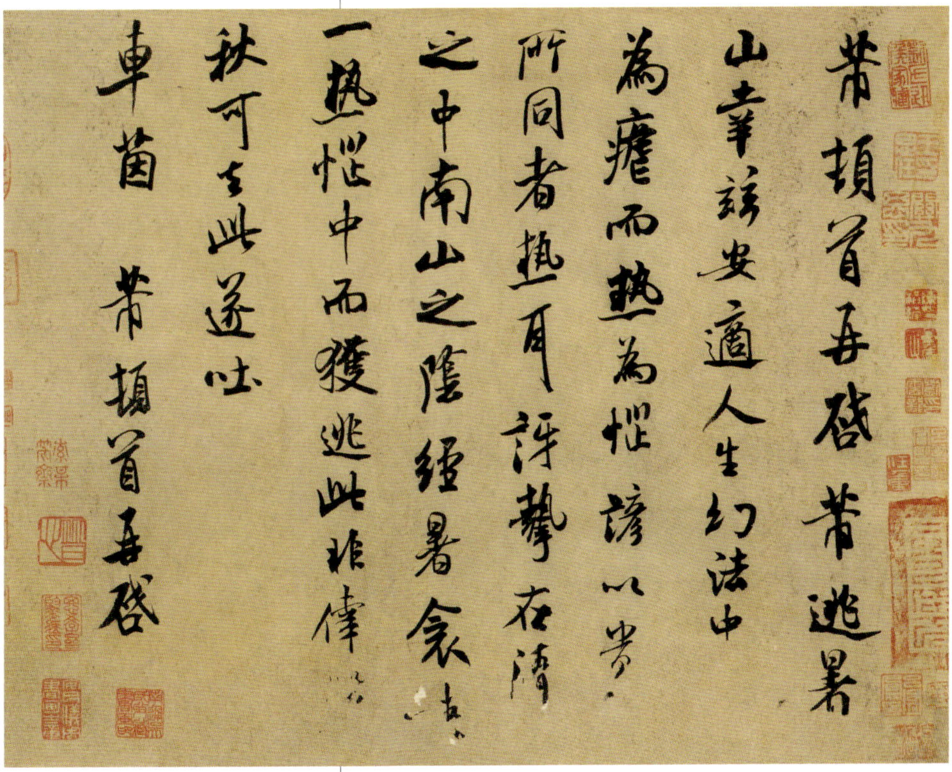

逃暑帖
北宋
米芾
高30.9、寬40.6厘米。
紙本。
現藏美國普林斯頓大學美術館。

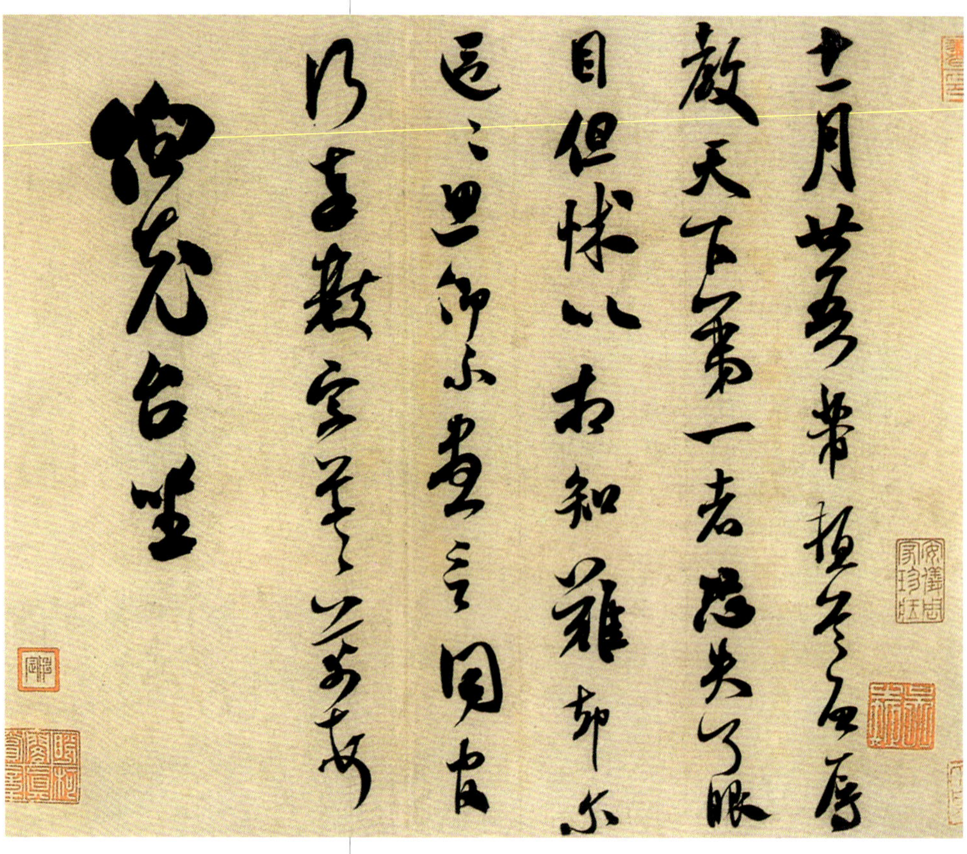

伯充台坐帖

北宋
米芾
高27.8、寬39.8厘米。
紙本。
現藏臺北故宮博物院。

中秋詩帖 目窮帖

北宋
米芾
高25.3、寬42.4厘米。
紙本。
現藏日本大阪市立美術館。

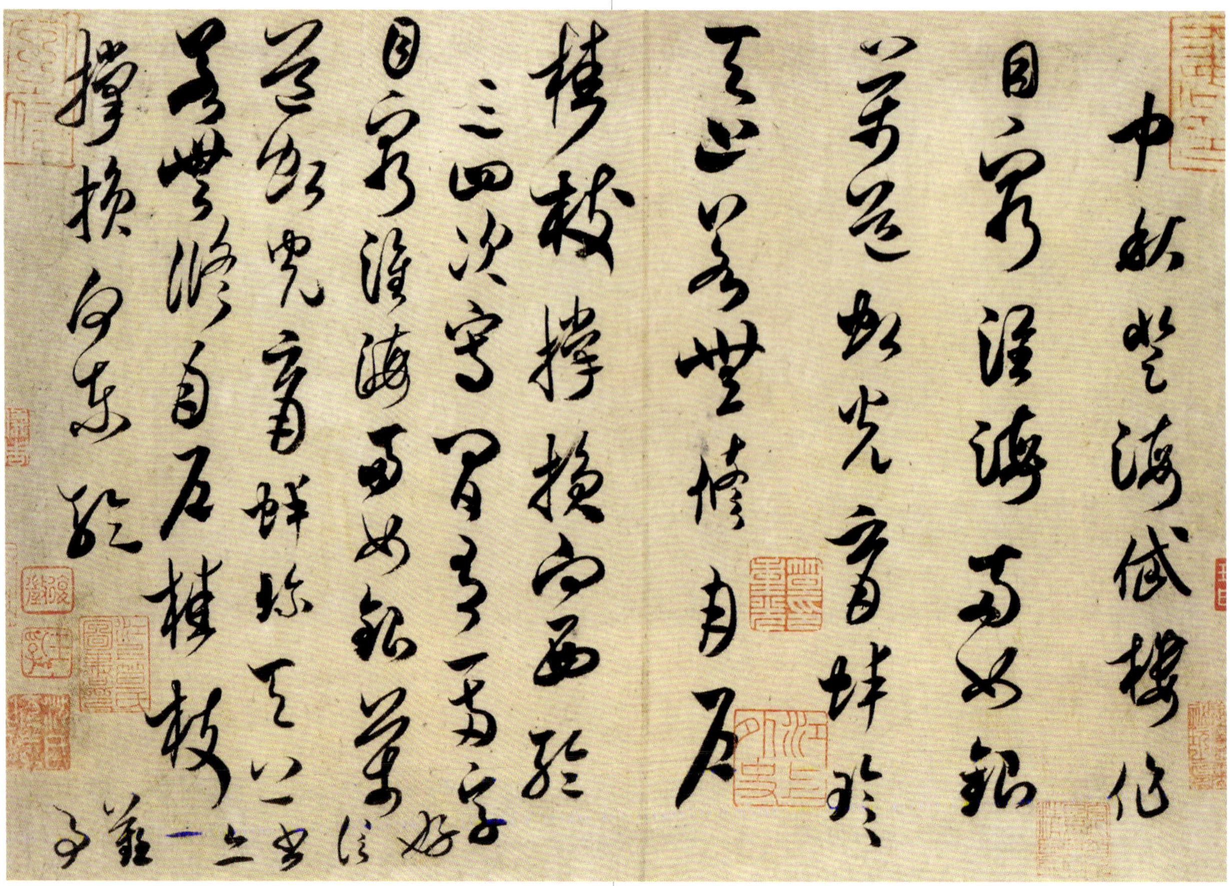

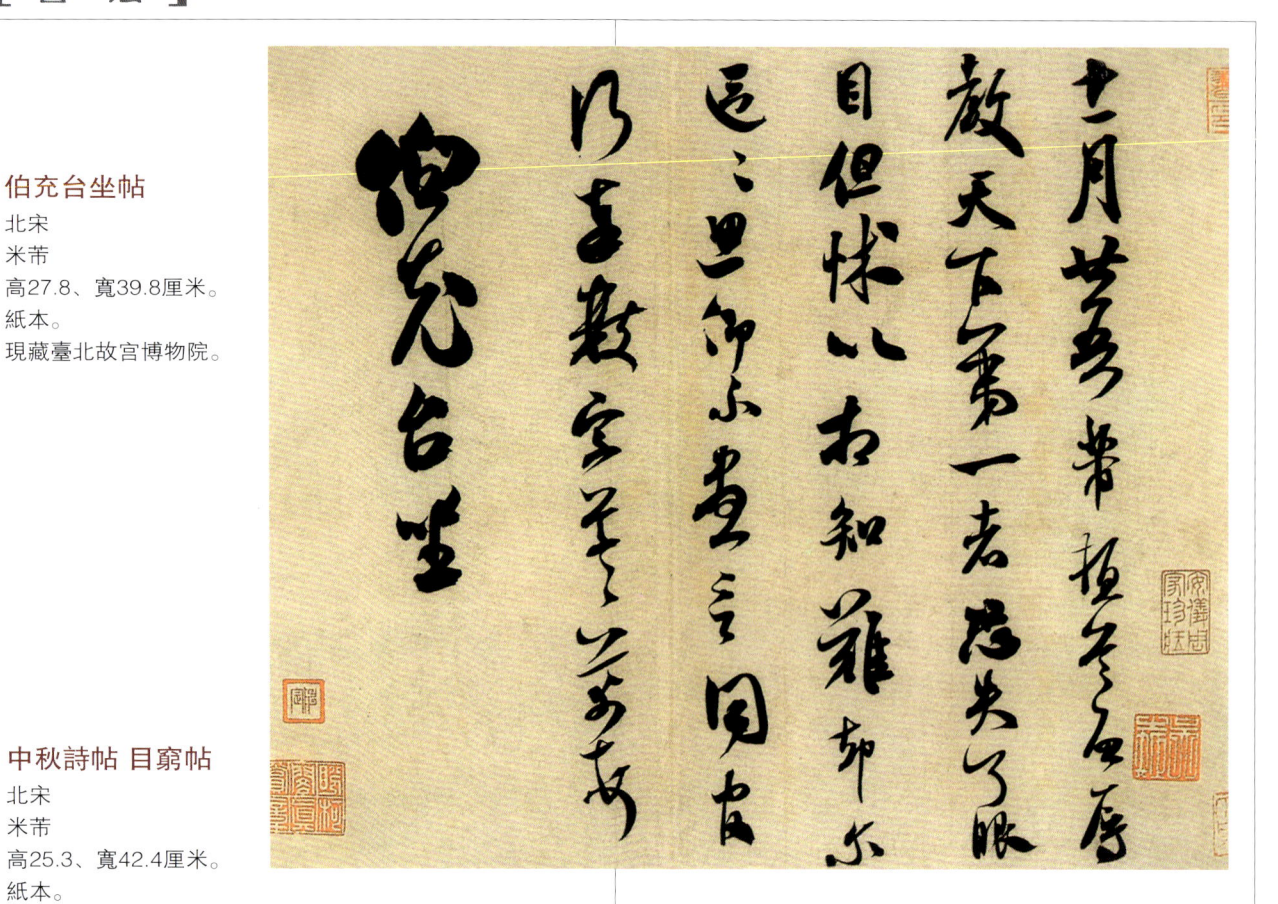

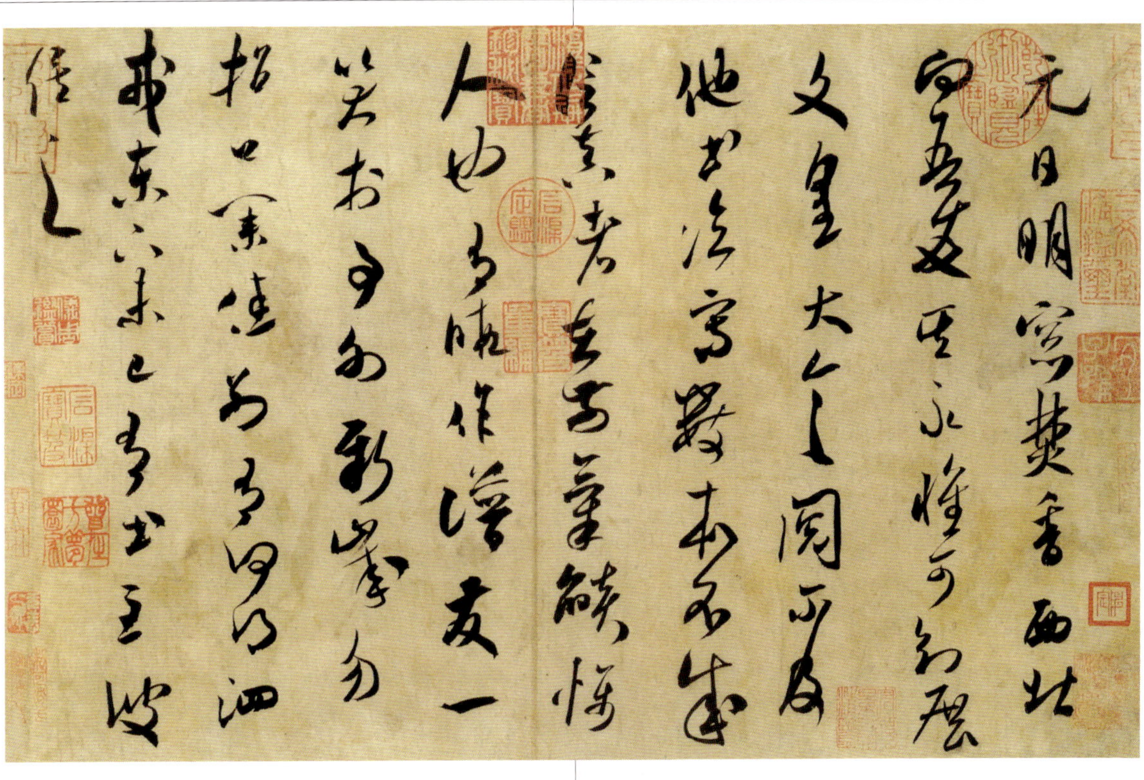

元日帖（上圖）

北宋
米芾
高25.1、寬40.6厘米。
紙本。
現藏日本大阪市立美術館。

論書帖

北宋
米芾
高24.7、寬37厘米。
紙本。
現藏臺北故宮博物院。

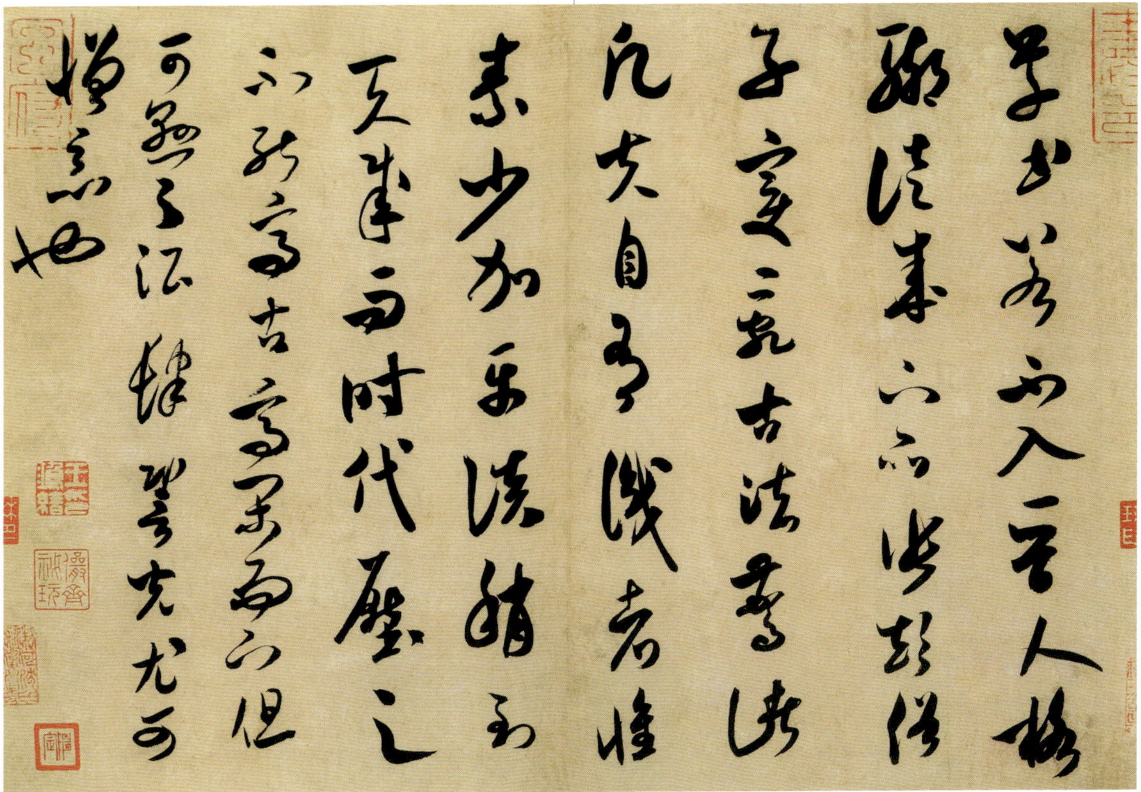

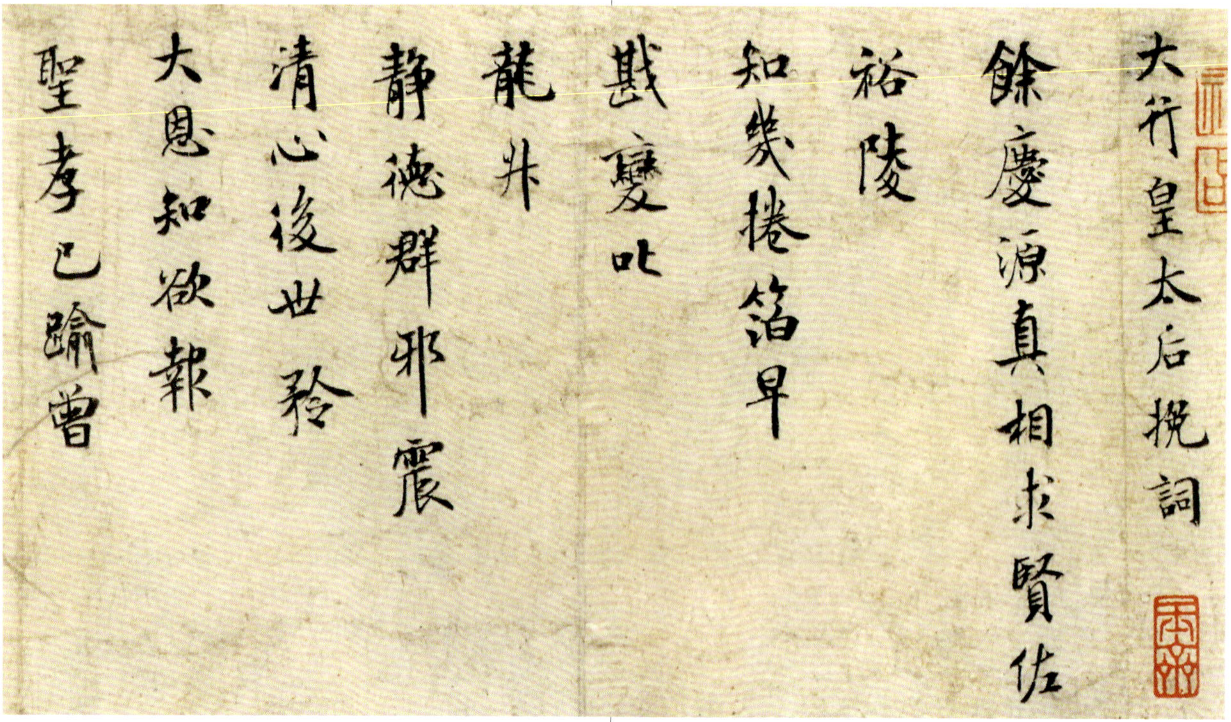

向太后挽詞

北宋
米芾
高30.2、寬45厘米。
紙本。小楷二十二行。被後人割開二頁裱册。此選爲局部。
現藏故宫博物院。

研山銘

北宋
米芾
高35.5、寬308.5厘米。
紙本。
現藏故宫博物院。

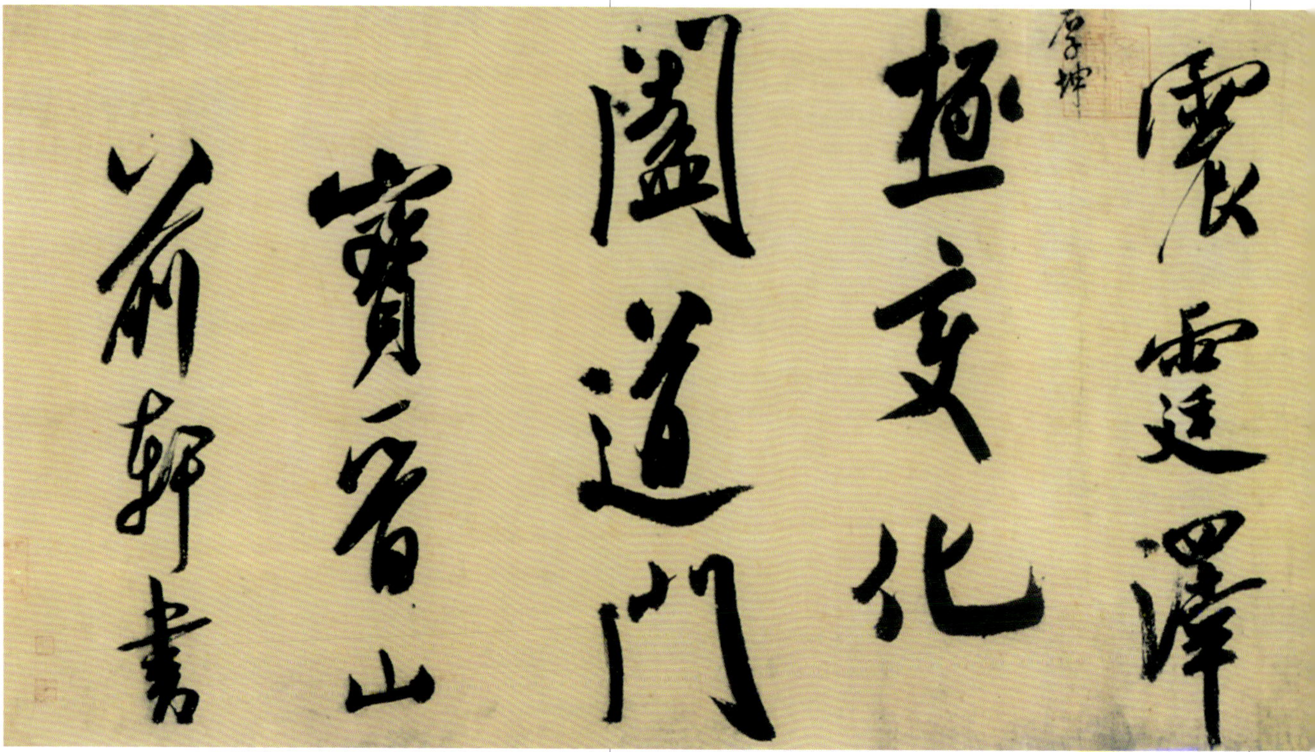

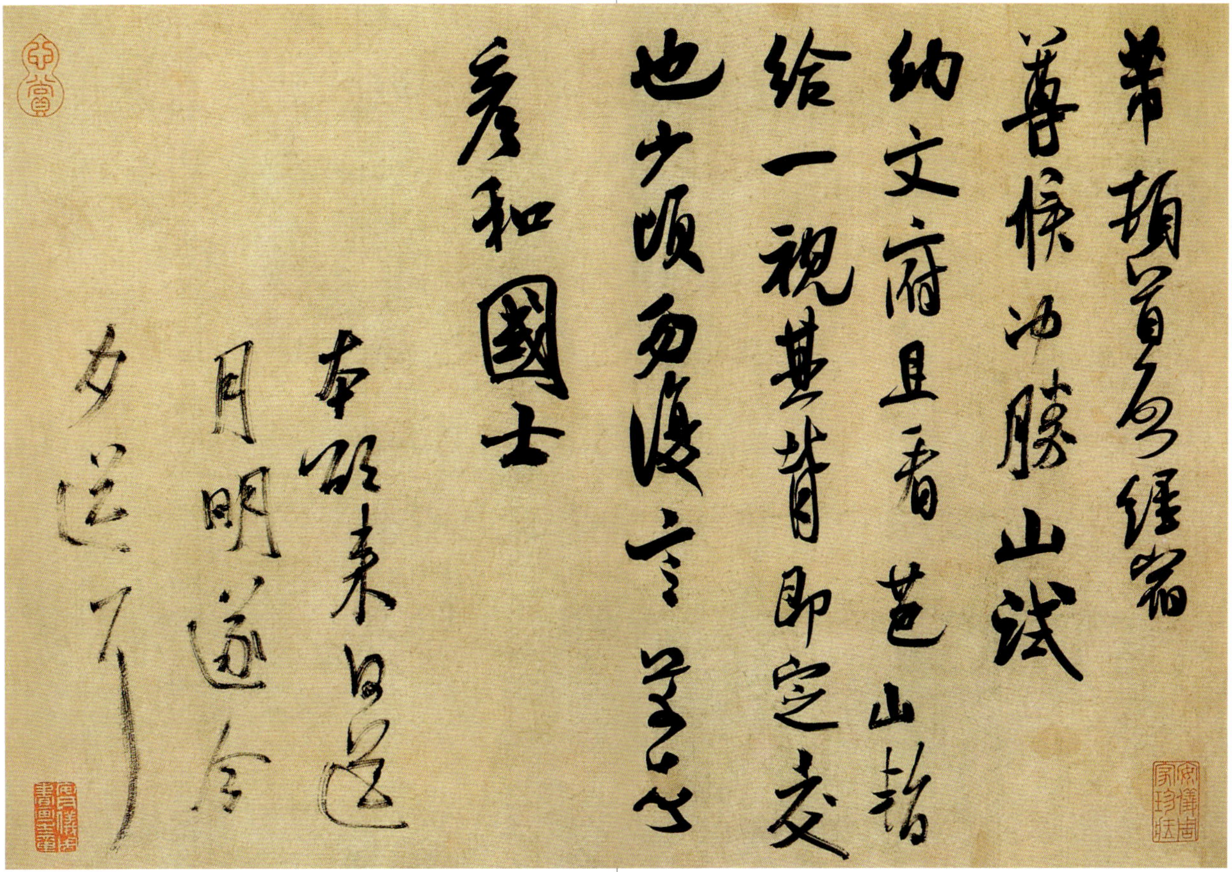

彥和帖

北宋
米芾

高30.1、寬42.6厘米。
紙本。
現藏臺北故宮博物院。

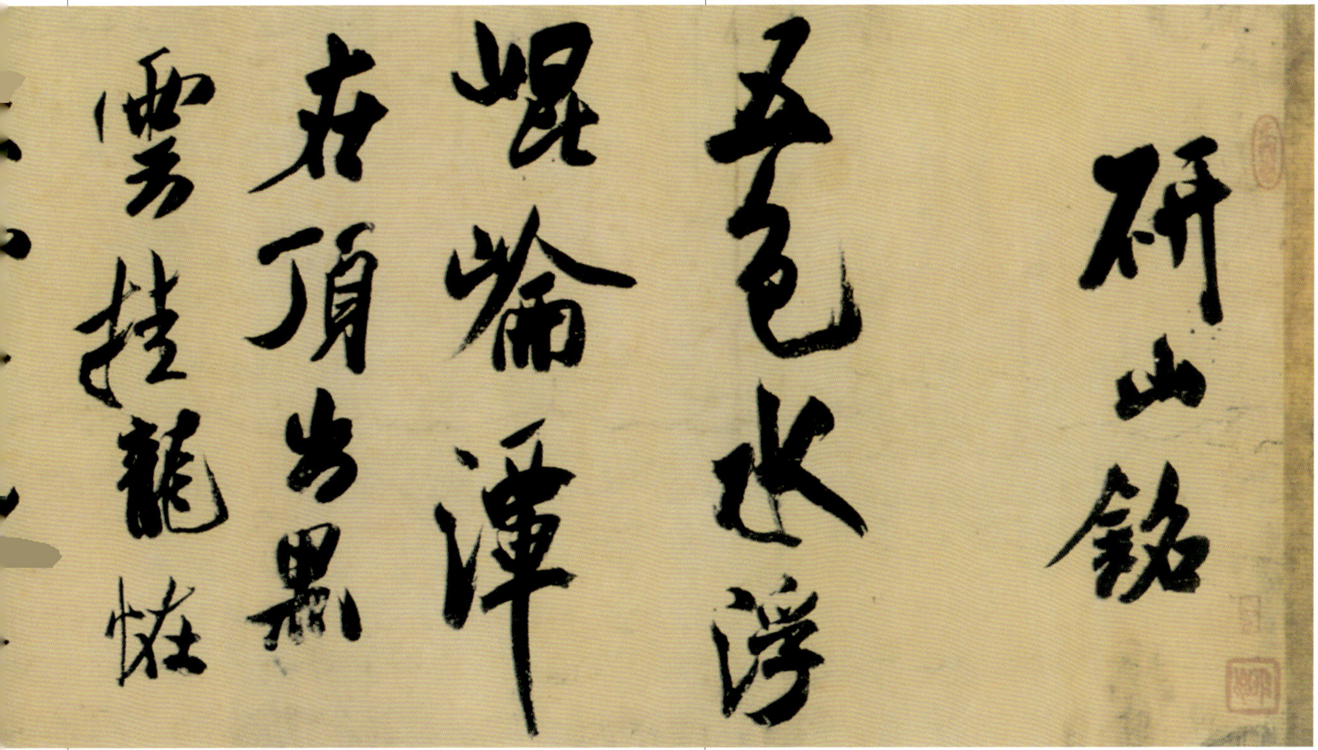

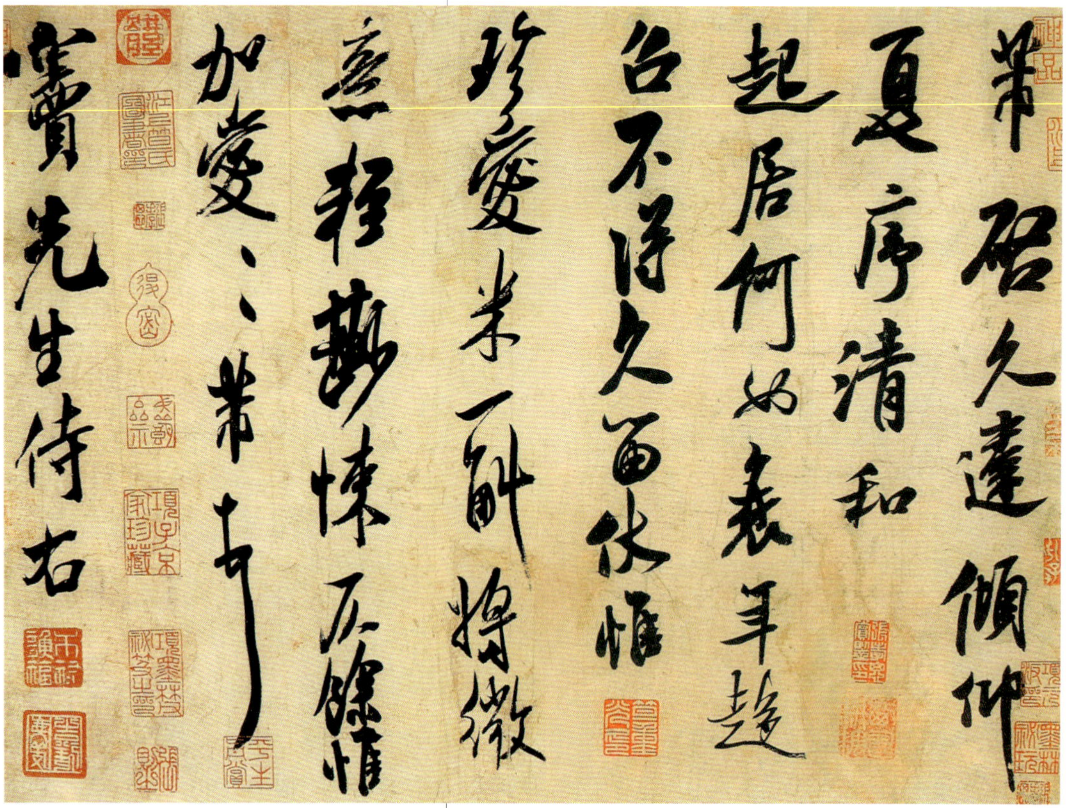

清和帖

北宋
米芾
高28.3、寬38.5厘米。
紙本。
現藏臺北故宮博物院。

復官帖

北宋
米芾
高27.1、寬49.9厘米。
紙本。
現藏故宮博物院。

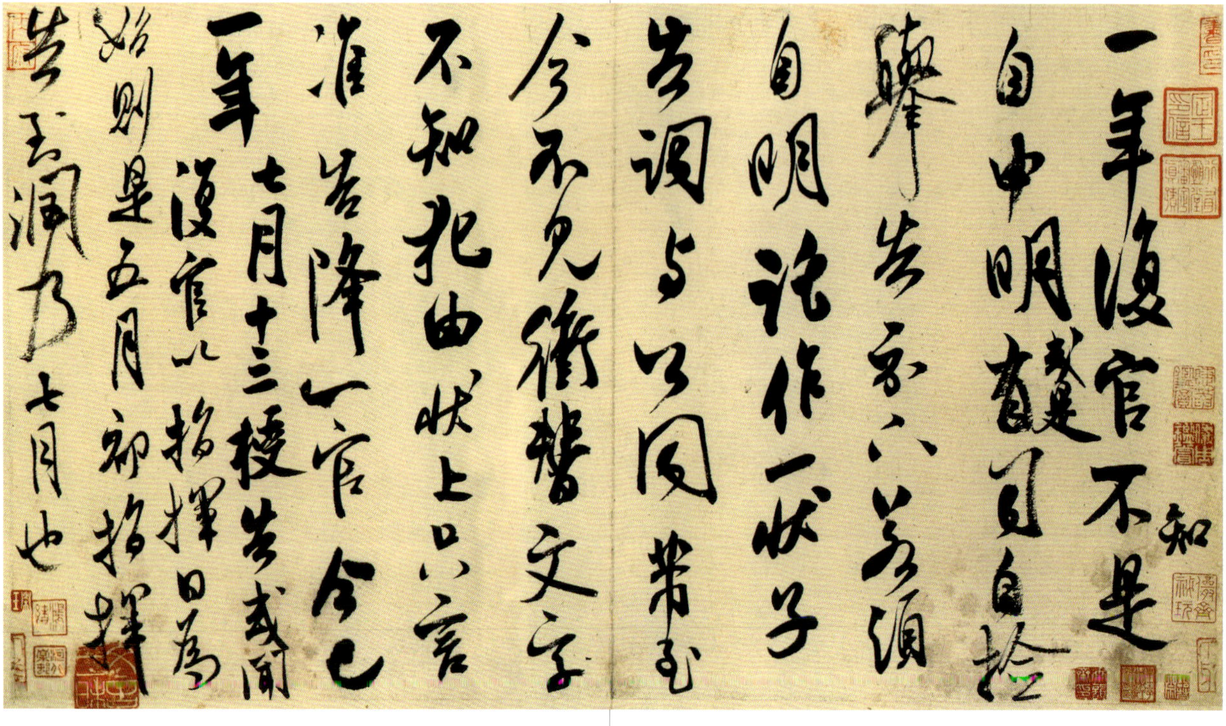

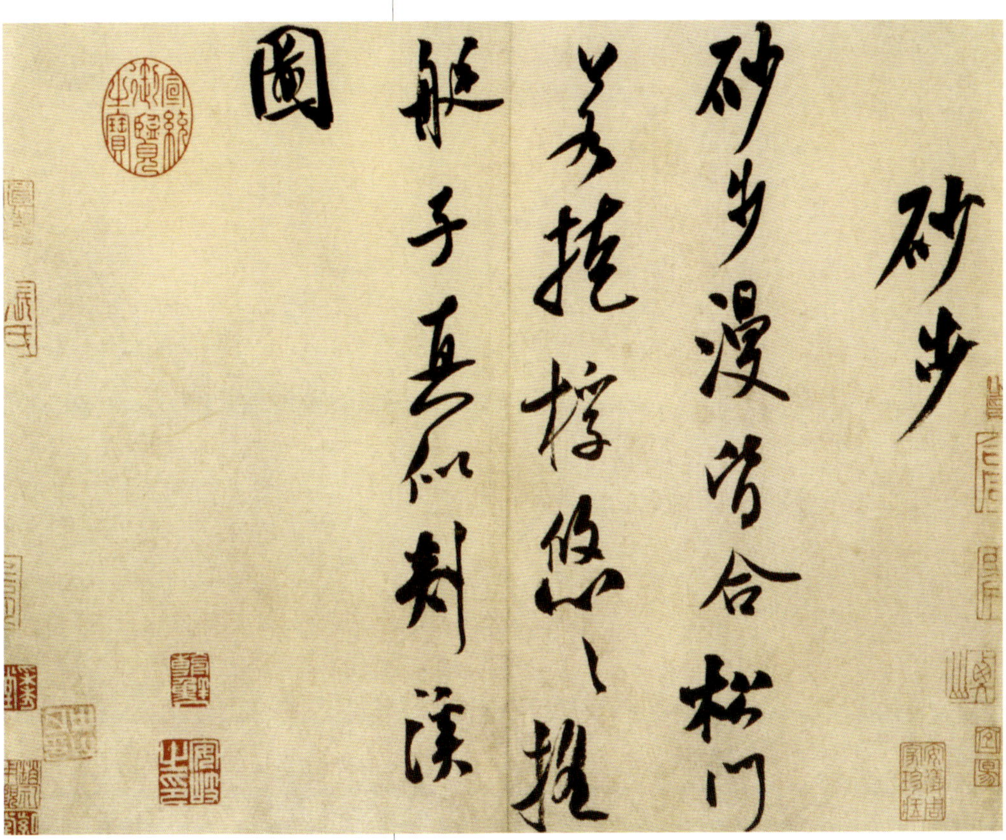

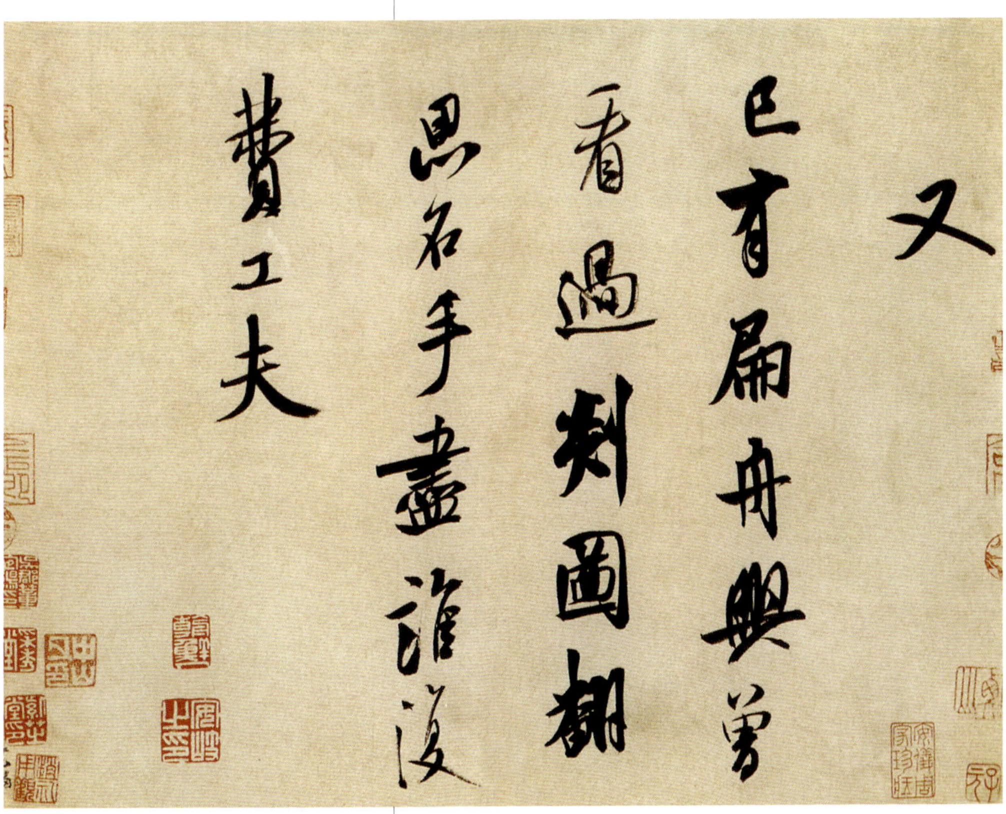

砂步詩帖

北宋
米芾
兩開，分別高29.6、29.5，寬38.5、39.8厘米。
紙本。
現藏故宮博物院。

虹縣詩

北宋

米芾

高31.2、寬487.7厘米。

紙本。行書三十七行，每行二至三字，是米芾大字行書代表之作。

現藏日本東京國立博物館。

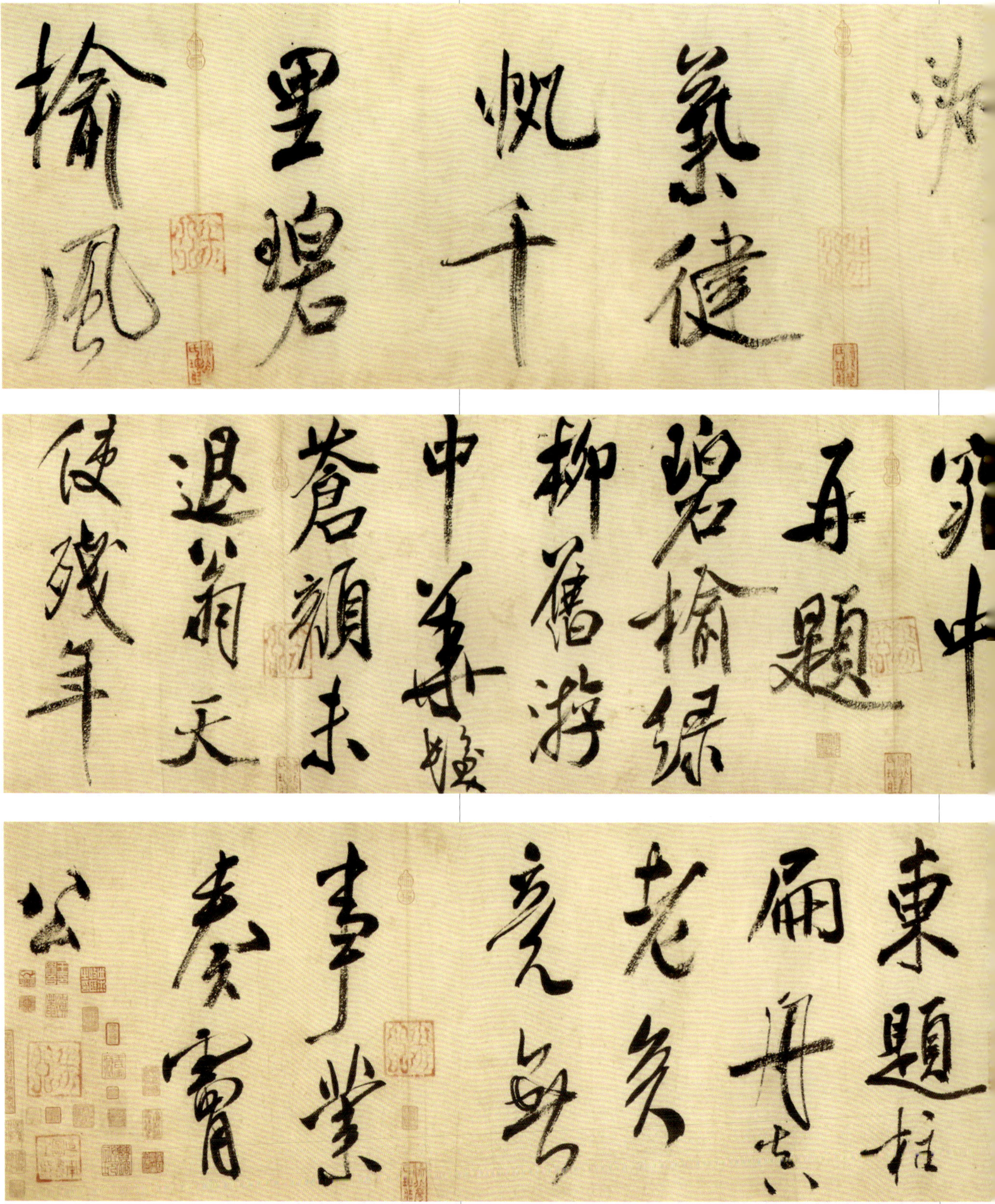

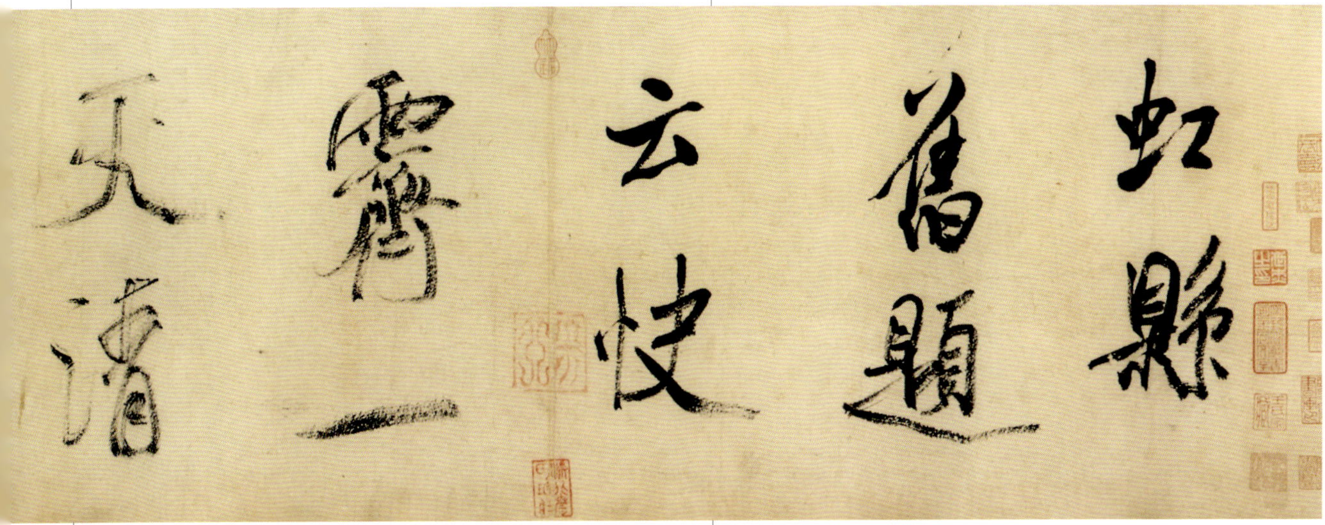
虹縣舊題云
快霽一天清

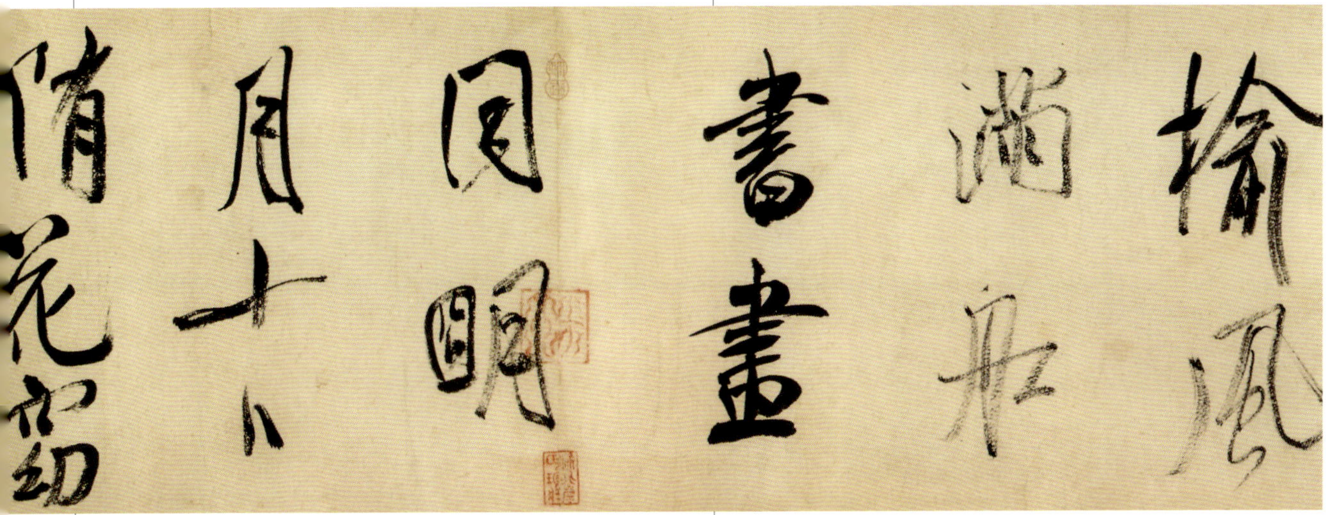
榆風
滿船
書畫
同明
月十日
隨花窈

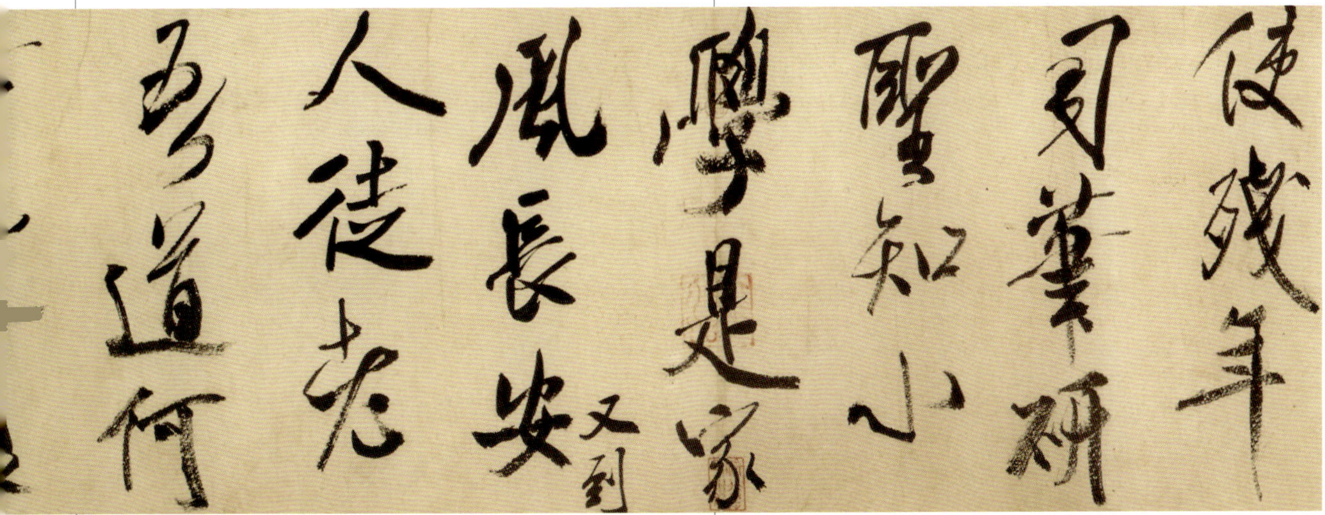

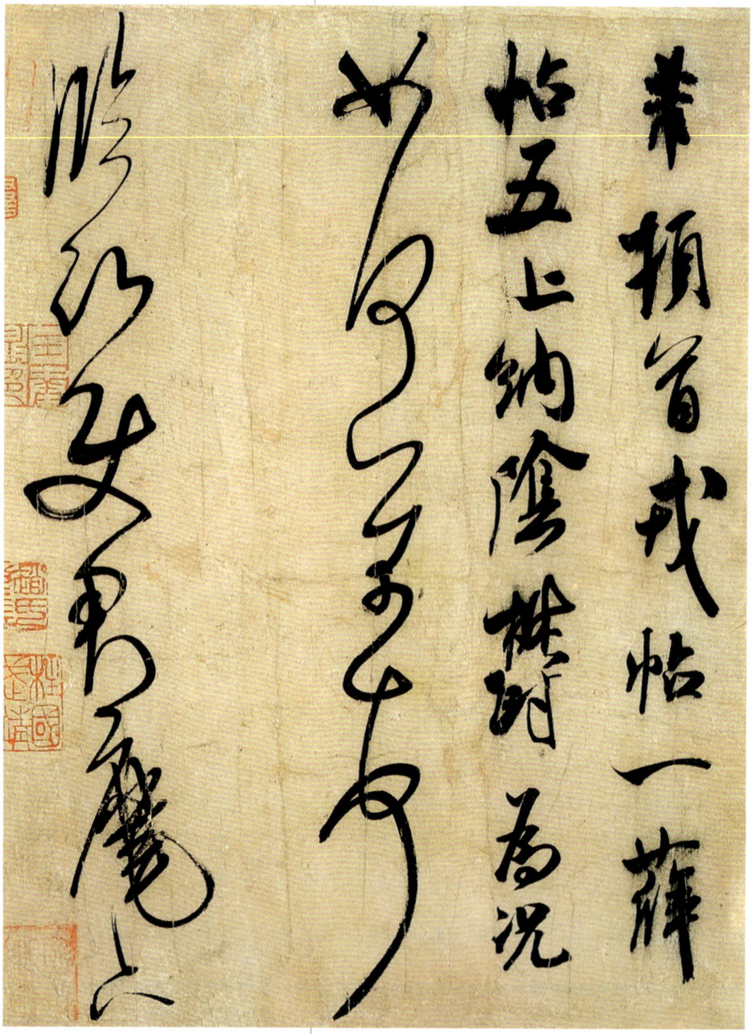

戎薛帖

北宋
米芾
高31.4、寬25.1厘米。
紙本。
現藏臺北故宮博物院。

珊瑚帖

北宋
米芾
高26.6、寬47.1厘米。
紙本。
現藏故宮博物院。

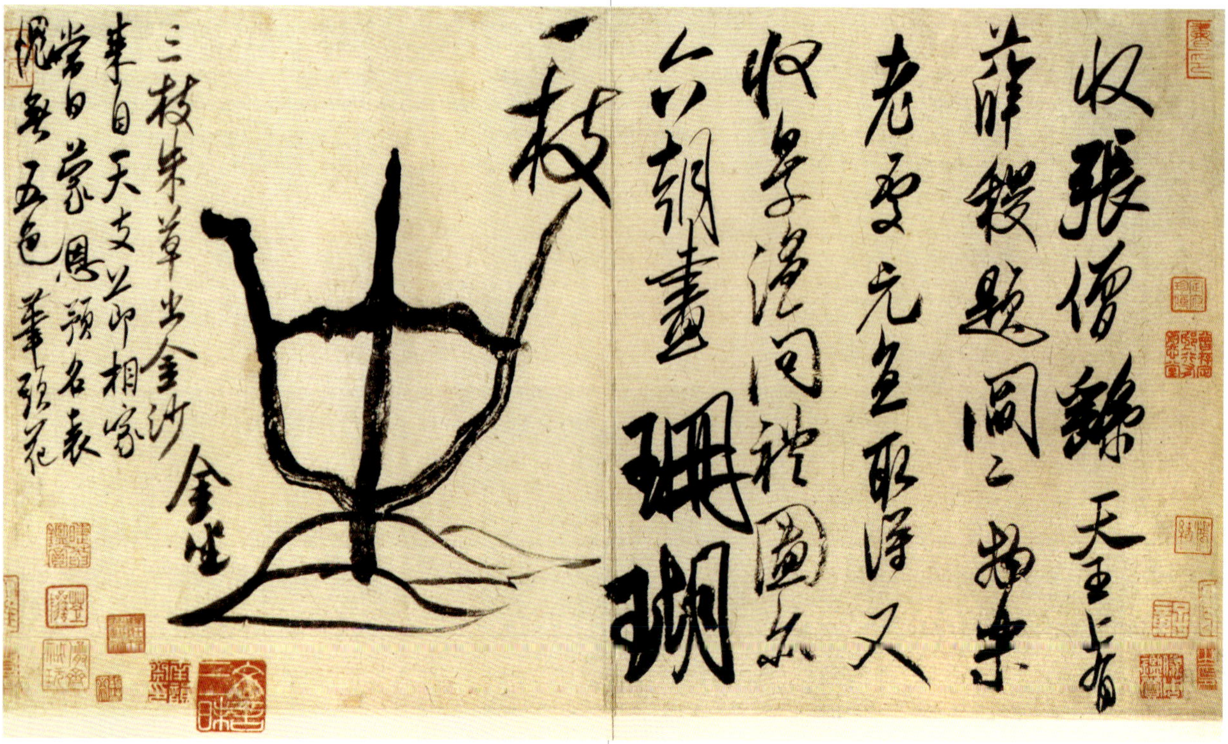

蔡 卞（公元1058－1117年）

仙游（今屬福建）人。字元度。蔡京之弟，王安石之婿。與其兄同年登科，官至檢校少保，謚文正。擅書法，善行書，長于大字，自成一家。

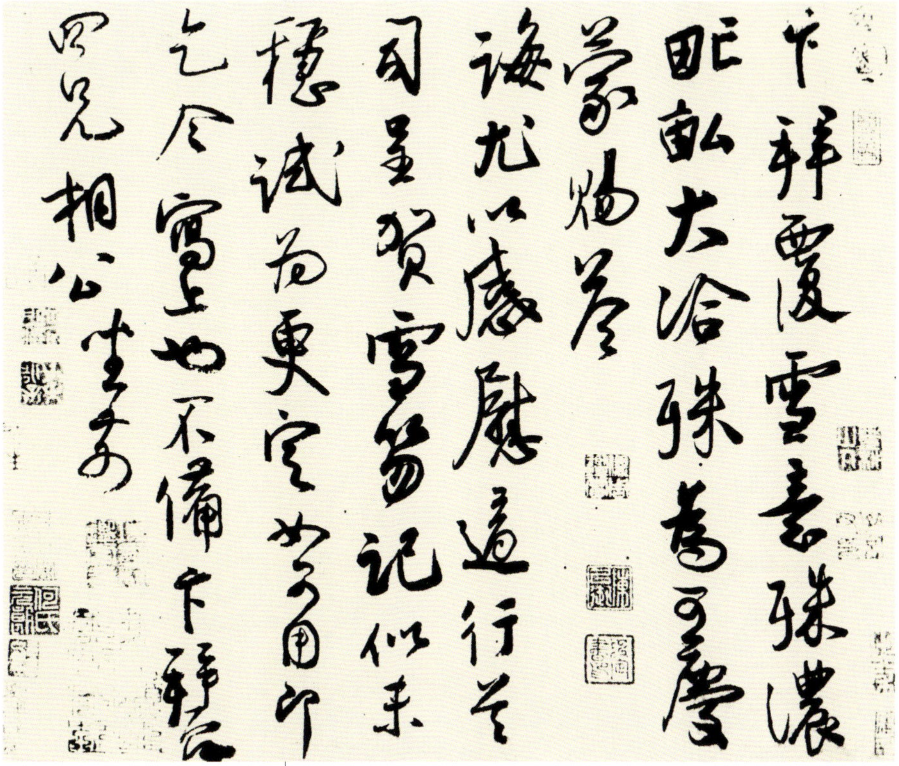

雪意帖

北宋
蔡卞
高29.3、寬34.1厘米。
紙本。
現藏臺北故宮博物院。

蘇 過（公元1072－1123年）

眉州眉山（今屬四川）人。字叔黨，蘇軾之幼子。善書法，長于行楷書。

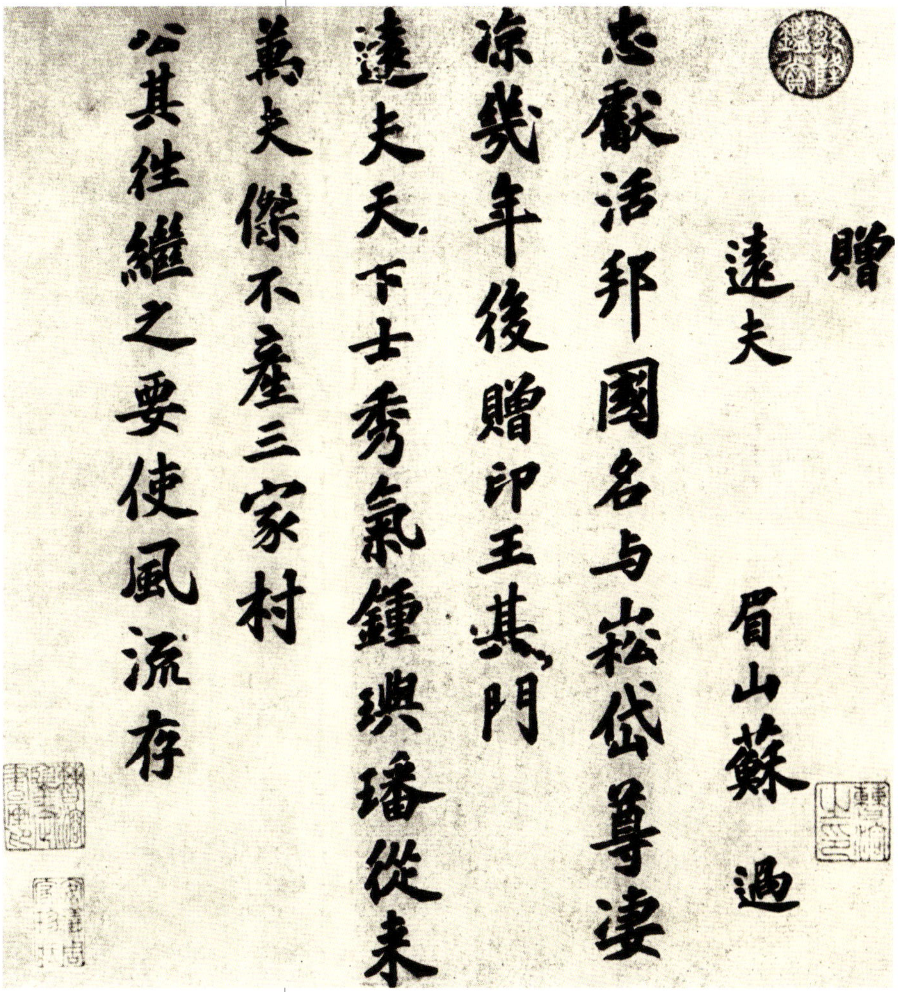
贈
遠夫
眉山蘇過
忠獻活邦國名与嵩岱尊淒
涼幾年後贈印王其門
遠夫天下士秀氣鍾璵璠從來
萬夫傑不產三家村
公其往繼之要使風流存

贈遠夫帖

北宋
蘇過
紙本。
現藏臺北故宮博物院。

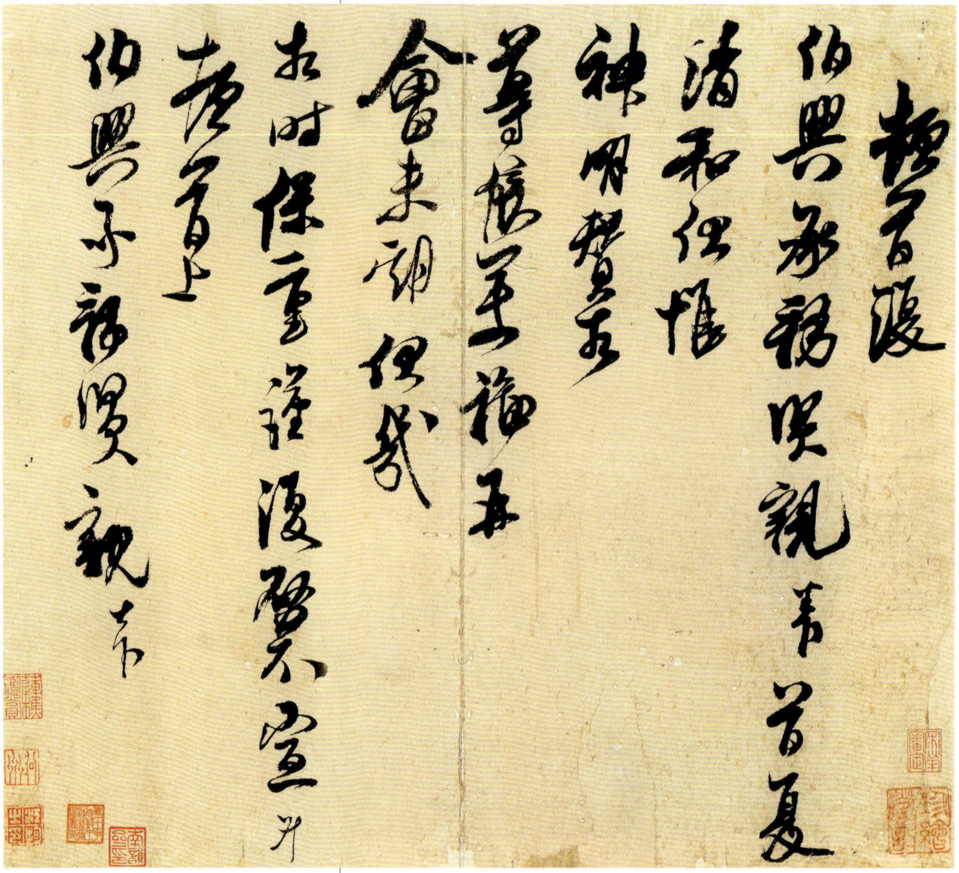

王　昇（公元1076－?年）

汴京（今河南開封）人。字逸老。政和、宣和間曾詔補右爵。因擅書法而爲高宗趙構賞識，官至正使。

首夏帖

北宋
王昇
高32.2、寬38.1厘米。
紙本。
現藏故宫博物院。

薛紹彭

生卒年不詳。長安（今陝西西安）人。字道祖，號翠微居士。楷、行、草諸體皆精，深諳古法，師宗魏晋，是宋代書壇保守書風的代表人物。

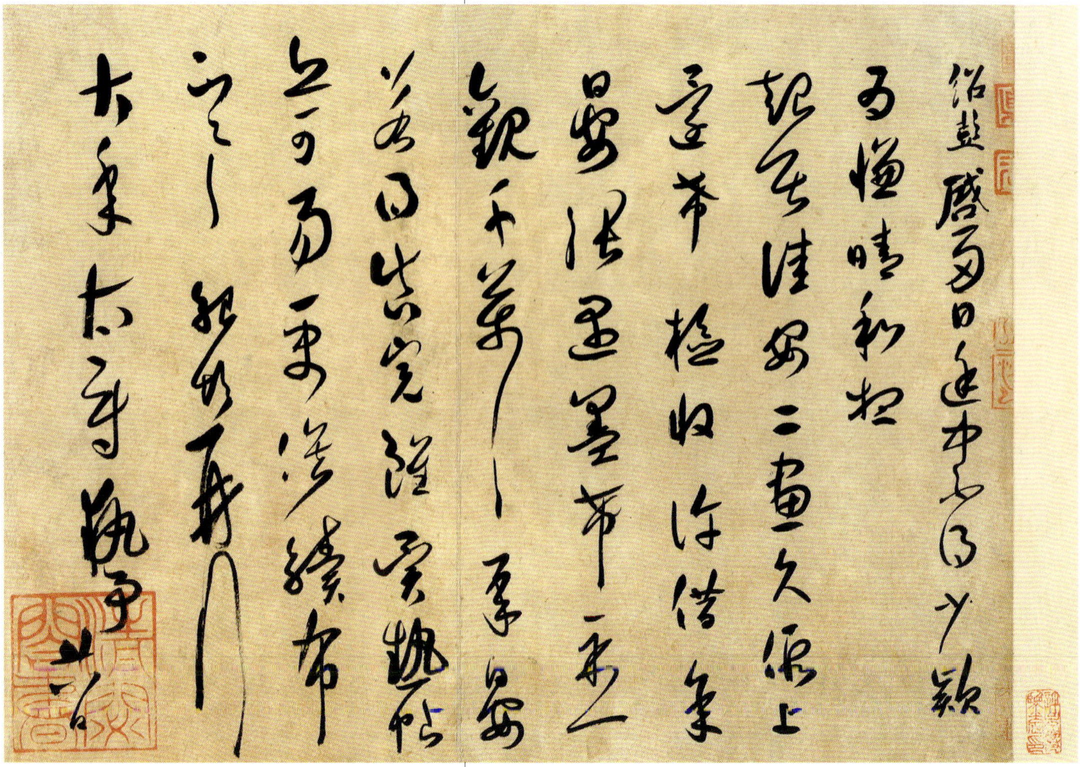

晴和帖

北宋
薛紹彭
高25.1、寬34.8厘米。
紙本。
現藏故宫博物院。

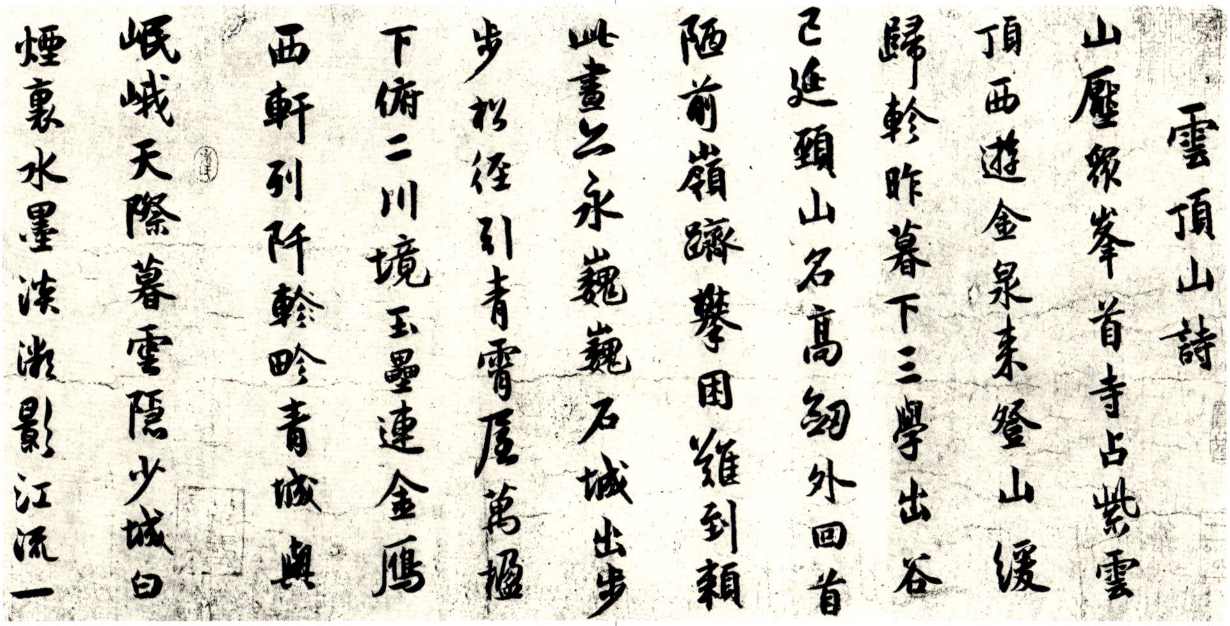

雲頂山詩

北宋
薛紹彭
高26.1、寬303.5厘米。
紙本。此選爲局部。
現藏臺北故宮博物院。

趙　佶（公元1082－1135年）

即宋徽宗。公元1100－1125年在位。書法以楷書及狂草著稱，楷書學褚遂良、薛稷，而更爲工緻細勁，形成獨特的“瘦金書”體；狂草學黄庭堅。在位時廣收書畫古物，擴充翰林畫院，下詔令文臣編成《宣和書譜》、《宣和畫譜》和《宣和博古圖》等，對中國古代書畫作了一次大規模的清點總結，意義重大。

七言詩

北宋
趙佶
絹本。
現藏上海博物館。

草書千字文

北宋
趙佶
高31.5、寬1172厘米。
紙本。草書九十九行。此選爲局部。
現藏遼寧省博物館。

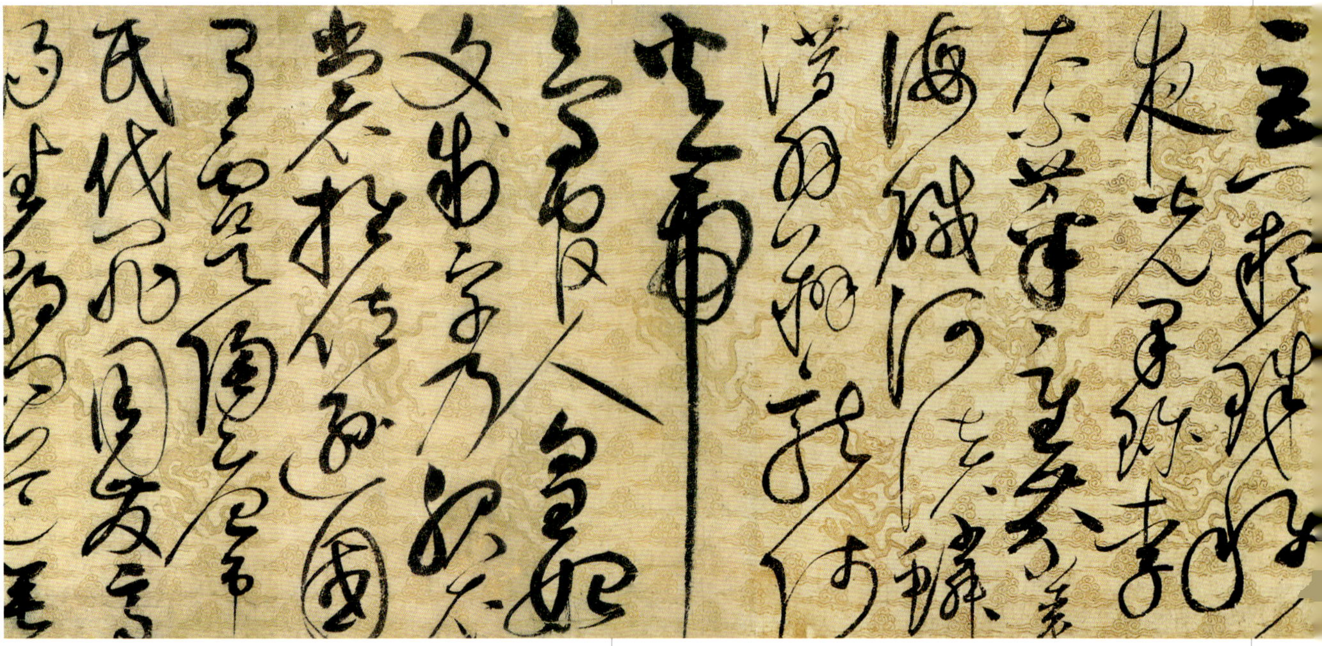

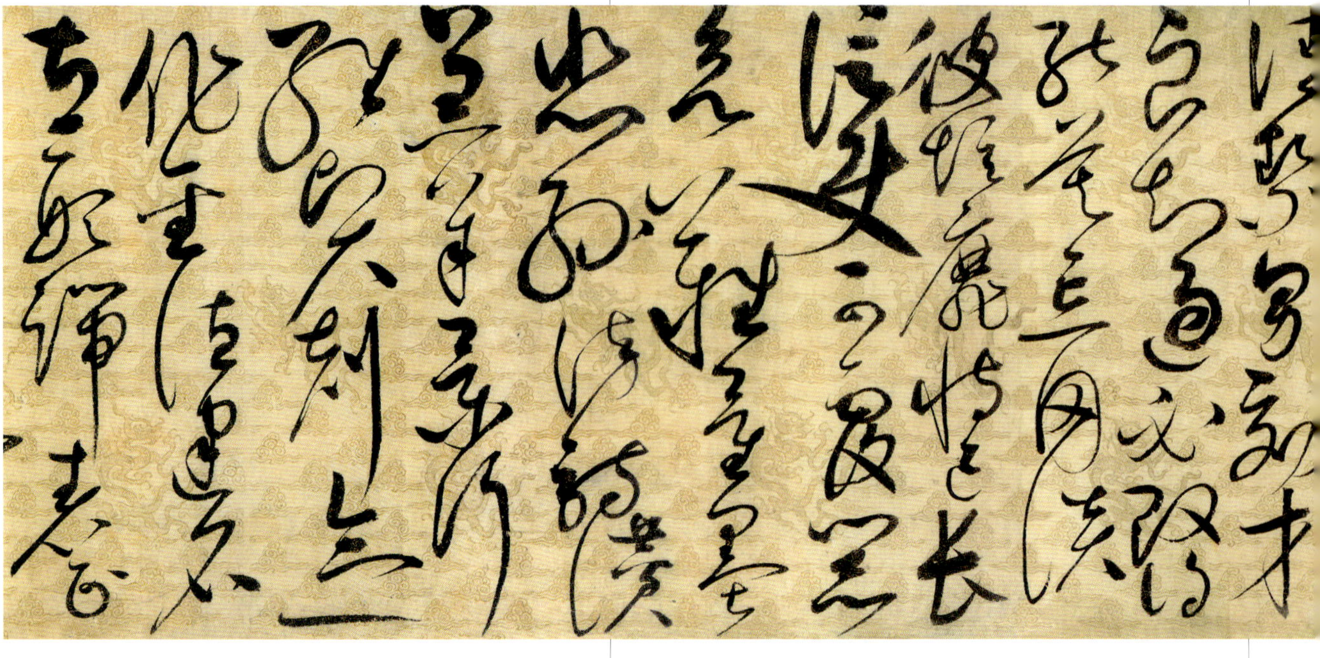

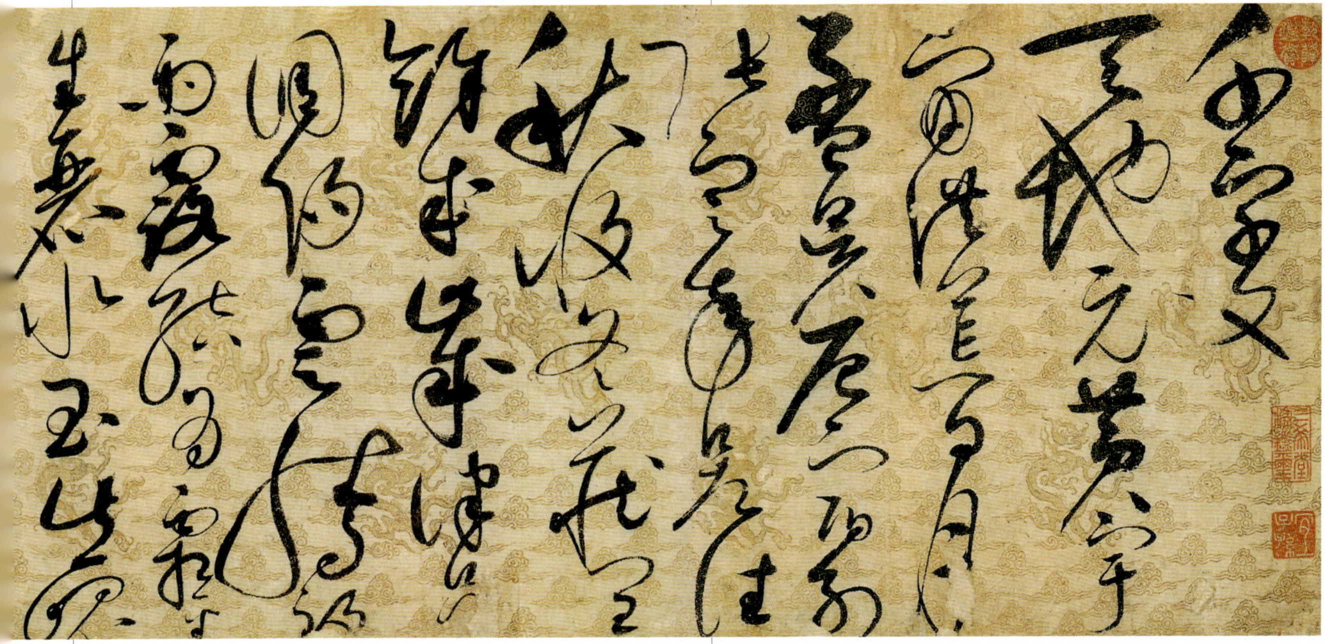

草書千字文局部之一

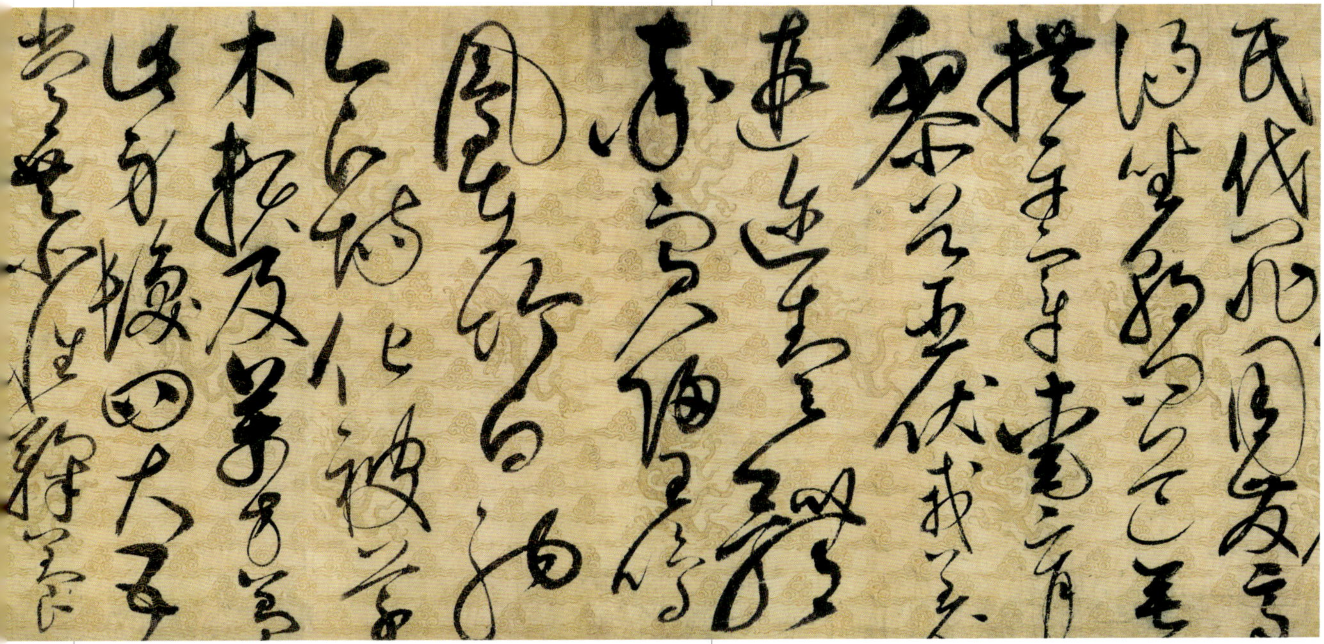

草書千字文局部之二

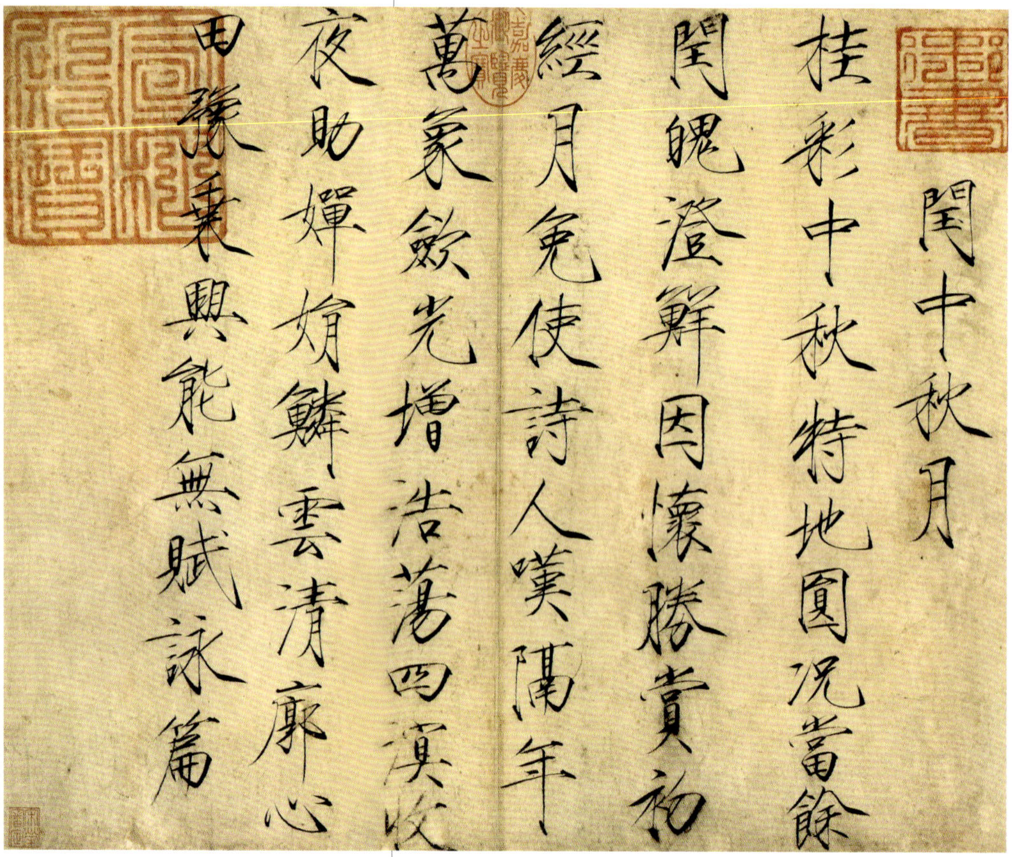
閏中秋月
桂彩中秋特地圓況當餘
閏魄澄鮮因懷勝賞初
經月免使詩人嘆隔年
萬象斂光增浩蕩四溟收
夜助嬋娟鱗雲清廓心
田豫來興能無賦詠篇

閏中秋月詩帖

北宋

趙佶

高35、寬44.5厘米。

紙本。

現藏故宫博物院。

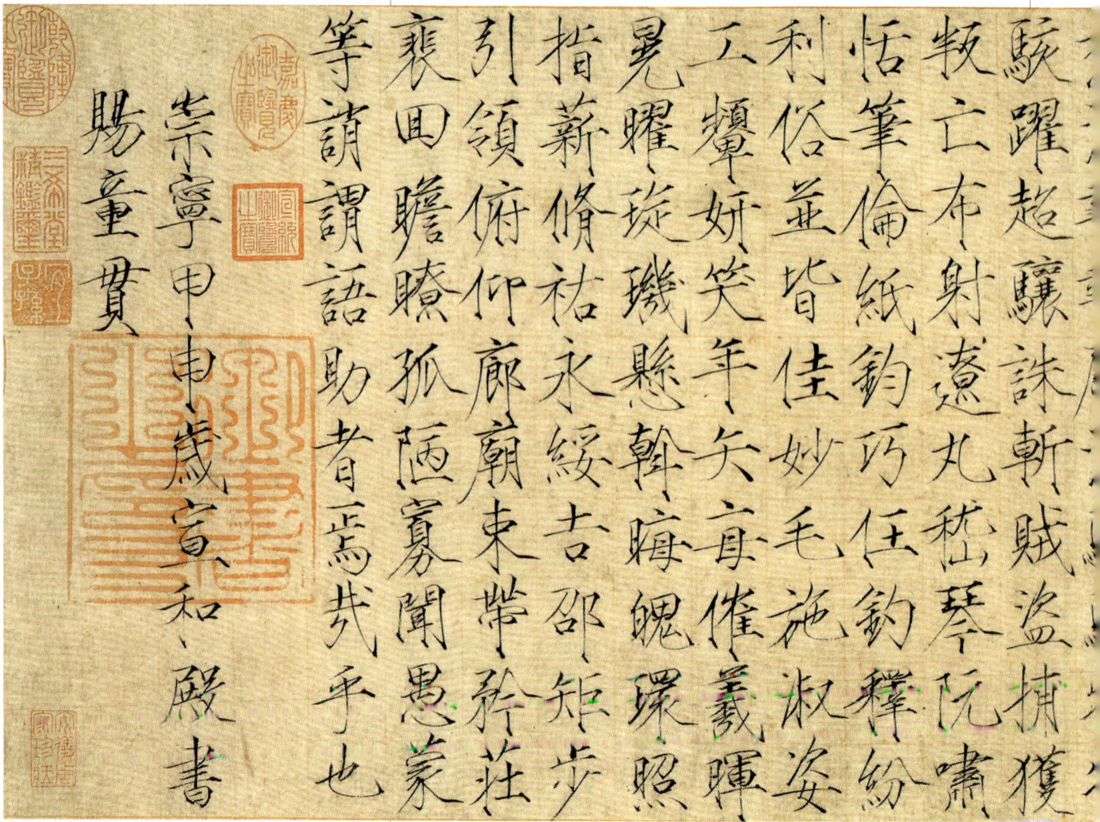
駭躍超驤誅斬賊盜捕獲
叛亡布射遼丸嵇琴阮嘯
恬筆倫紙鈞巧任釣釋紛
利俗並皆佳妙毛施淑姿
工顰妍笑年矢每催曦暉
朗曜璇璣懸斡晦魄環照
指薪修祜永綏吉劭矩步
引領俯仰廊廟束帶矜莊
裴回瞻眺孤陋寡聞愚蒙
等誚謂語助者焉哉乎也
崇寧甲申歲宣和殿書
賜童貫

千字文

北宋

趙佶

高30.9、寬322.1厘米。

紙本。此選爲局部。

現藏上海博物館。

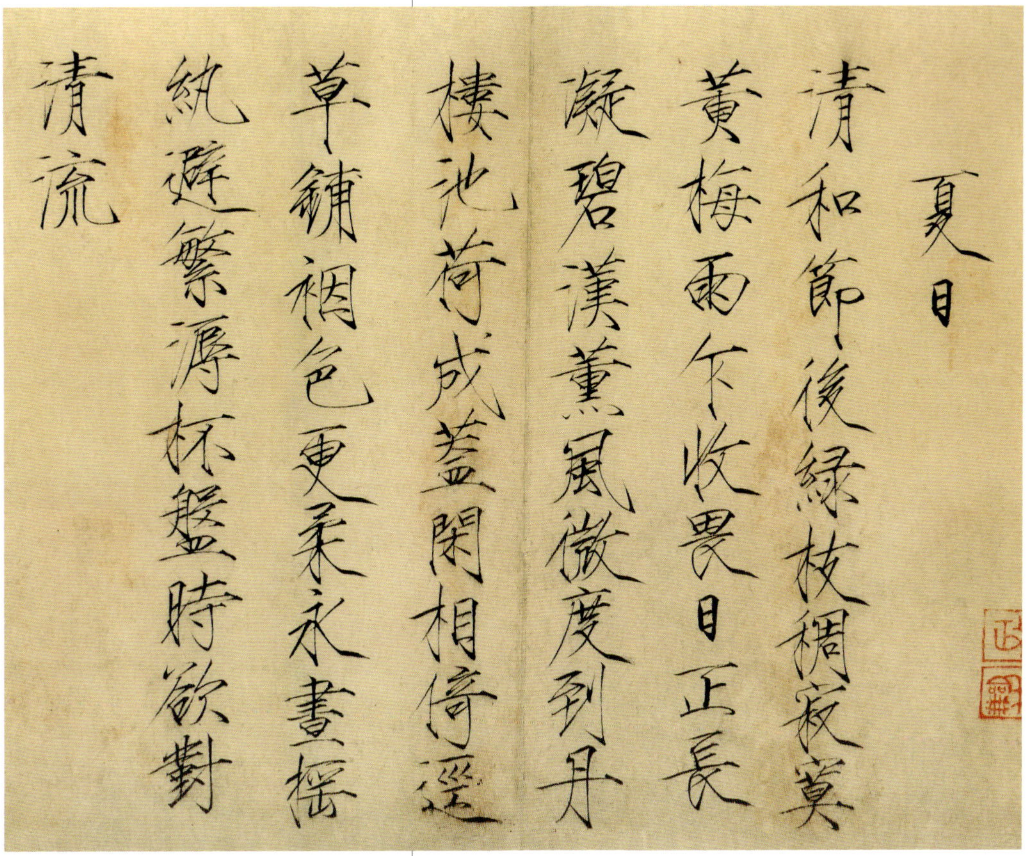
夏日
清和節後綠枝稠
寂寞黃梅雨乍收
畏日正長凝碧漢
薰風微度到丹樓
池荷成蓋閑相倚
逕草鋪裀色更柔
永晝搖紈避繁溽
杯盤時欲對清流

夏日帖

北宋

趙佶

高33.7、寬44.2厘米。

紙本。

現藏故宮博物院。

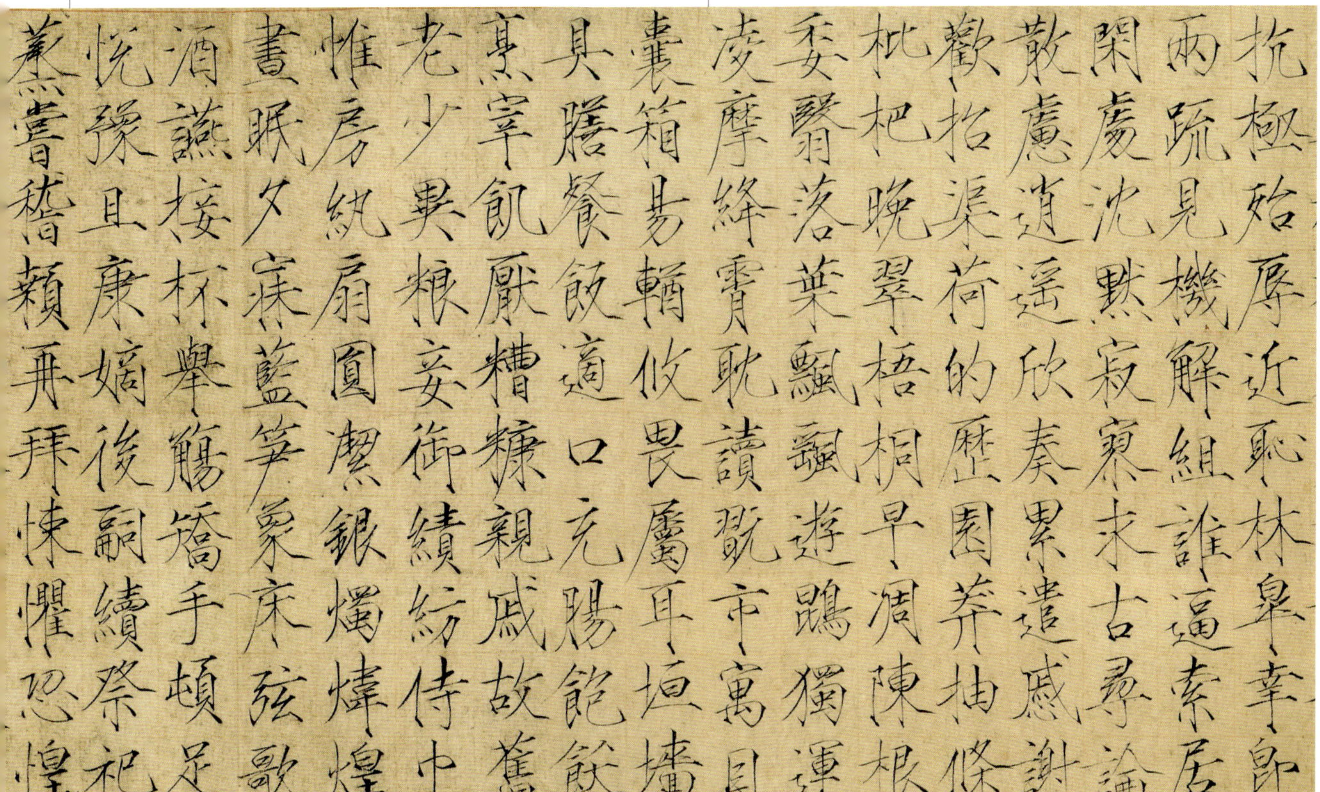
抗極殆辱近恥林皋幸即
兩疏見機解組誰逼索居
閑處沈默寂寥求古尋論
散慮逍遙欣奏累遣慼謝
歡招渠荷的歷園莽抽條
枇杷晚翠梧桐早凋陳根
委翳落葉飄颻遊鵾獨運
凌摩絳霄耽讀翫市寓目
囊箱易輶攸畏屬耳垣牆
具膳餐飯適口充腸飽飫
烹宰飢厭糟糠親戚故舊
老少異糧妾御績紡侍巾
帷房紈扇圓潔銀燭煒煌
晝眠夕寐藍筍象床弦歌
酒讌接杯舉觴矯手頓足
悅豫且康嫡後嗣續祭祀
蒸嘗稽顙再拜悚懼恐惶

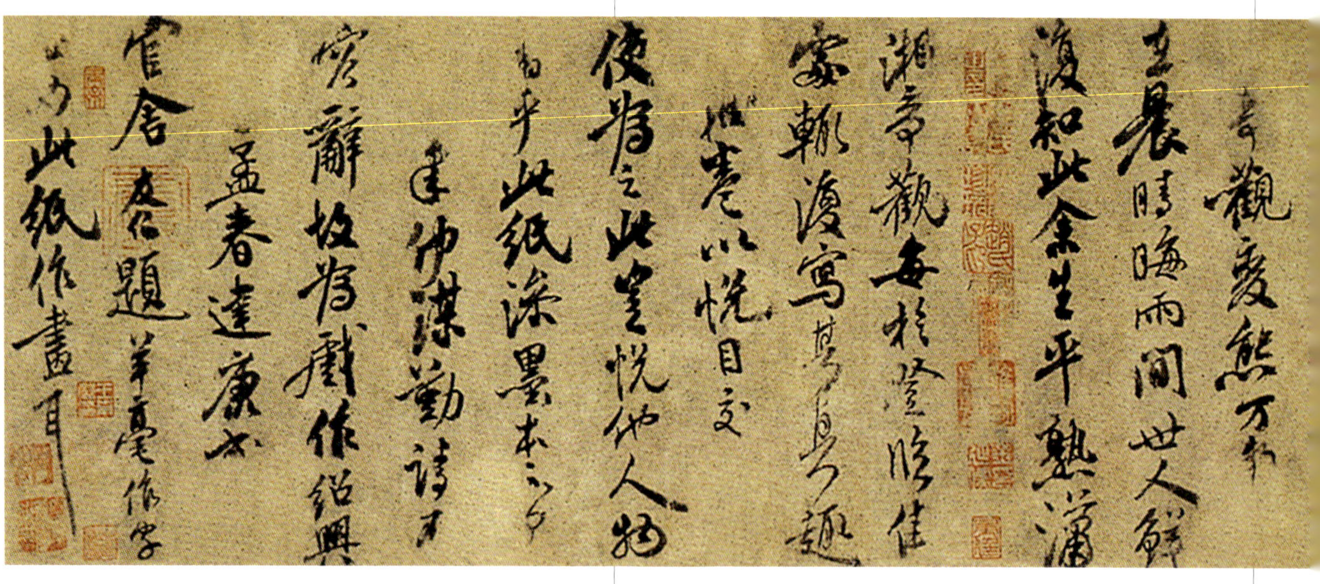

瀟湘奇觀圖跋

北宋
米友仁
高21.7、寬111厘米。
紙本。
現藏故宮博物院。

米友仁（公元1074－1153年）

襄陽（今湖北襄樊）人。字元暉，晚自稱“懶拙老人”。米芾之子。官至工部侍郎、敷文閣直學士。工書法。書風似其父，繪畫、書法皆名于世。

動止持福帖

北宋
米友仁
高33.1、寬59.6厘米。
紙本。
現藏故宮博物院。

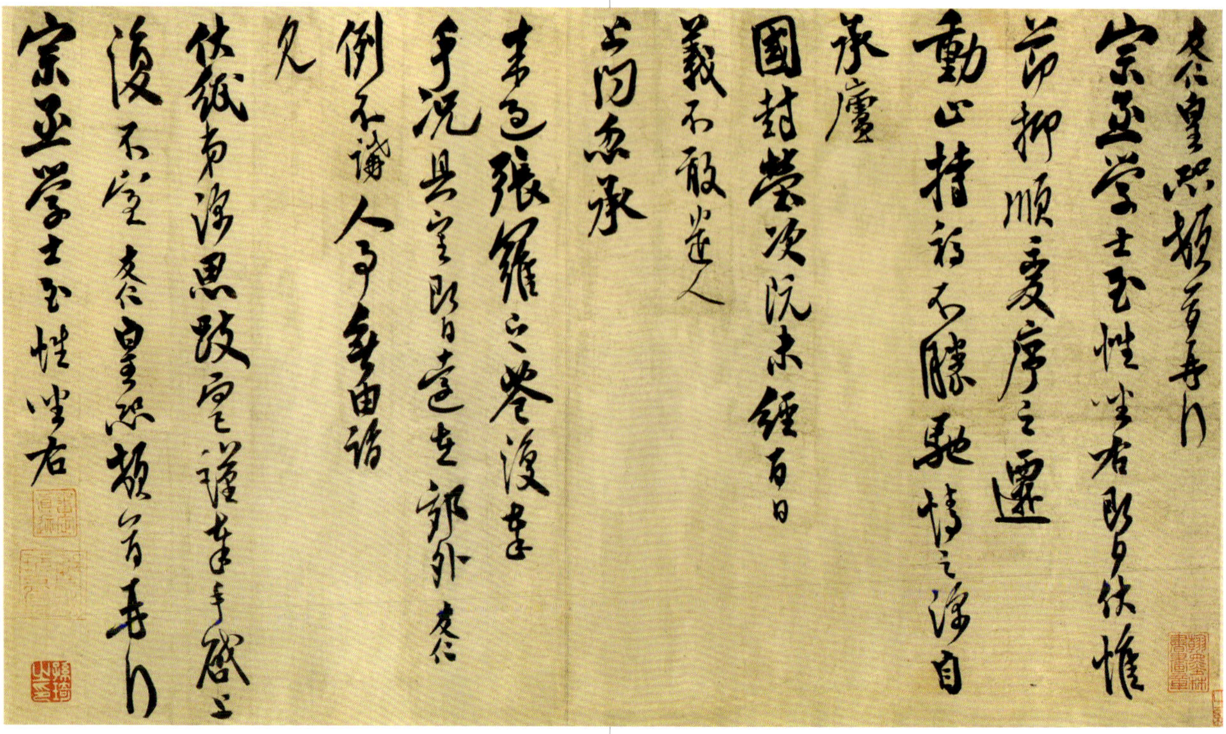

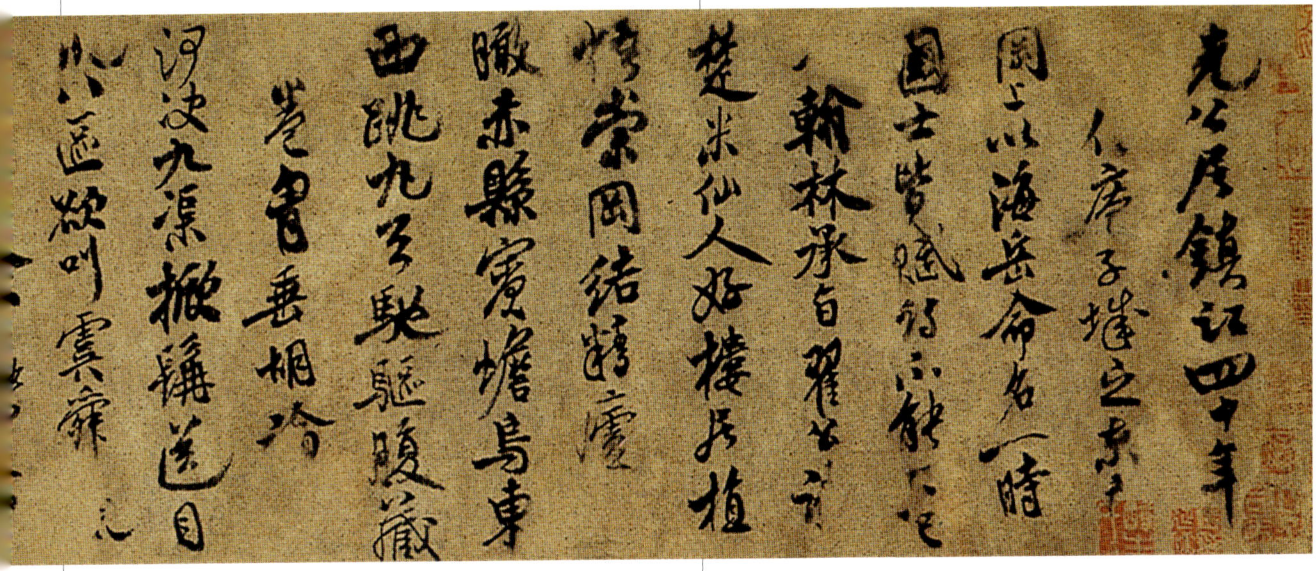

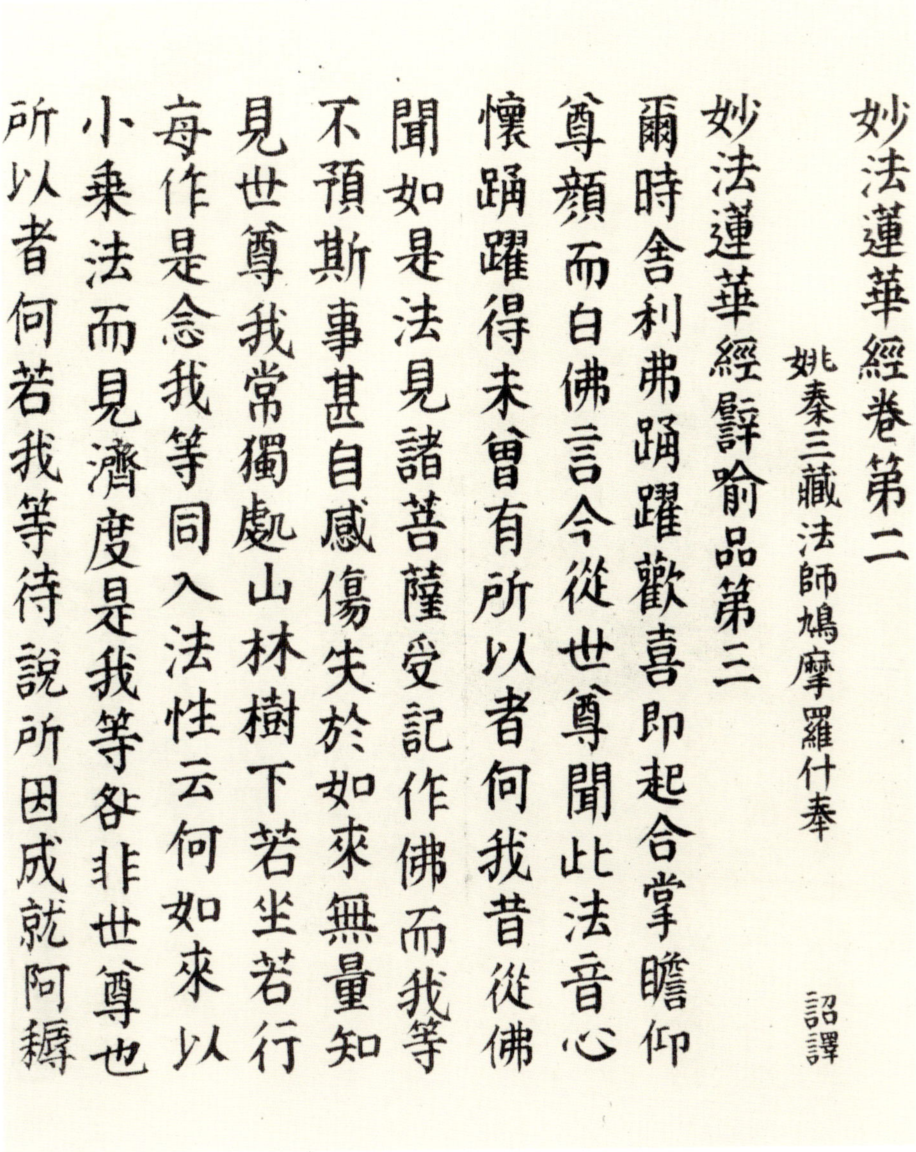
妙法蓮華經卷第二
姚秦三藏法師鳩摩羅什奉　詔譯
妙法蓮華經譬喻品第三
爾時舍利弗踊躍歡喜即起合掌瞻仰
尊顏而白佛言今從世尊聞此法音心
懷踊躍得未曾有所以者何我昔從佛
聞如是法見諸菩薩受記作佛而我等
不預斯事甚自感傷失於如來無量知
見世尊我常獨處山林樹下若坐若行
每作是念我等同入法性云何如來以
小乘法而見濟度是我等咎非世尊也
所以者何若我等待說所因成就阿耨

妙法蓮華經卷第二
北宋
浙江瑞安市慧光塔出土。
高30.1、寬22.8厘米。
紙本。經折裝，六十二開。
現藏浙江省博物館。

職貢圖題記

北宋

高25厘米。

絹本。現存題記十二條。此選爲局部。

現藏中國國家博物館。

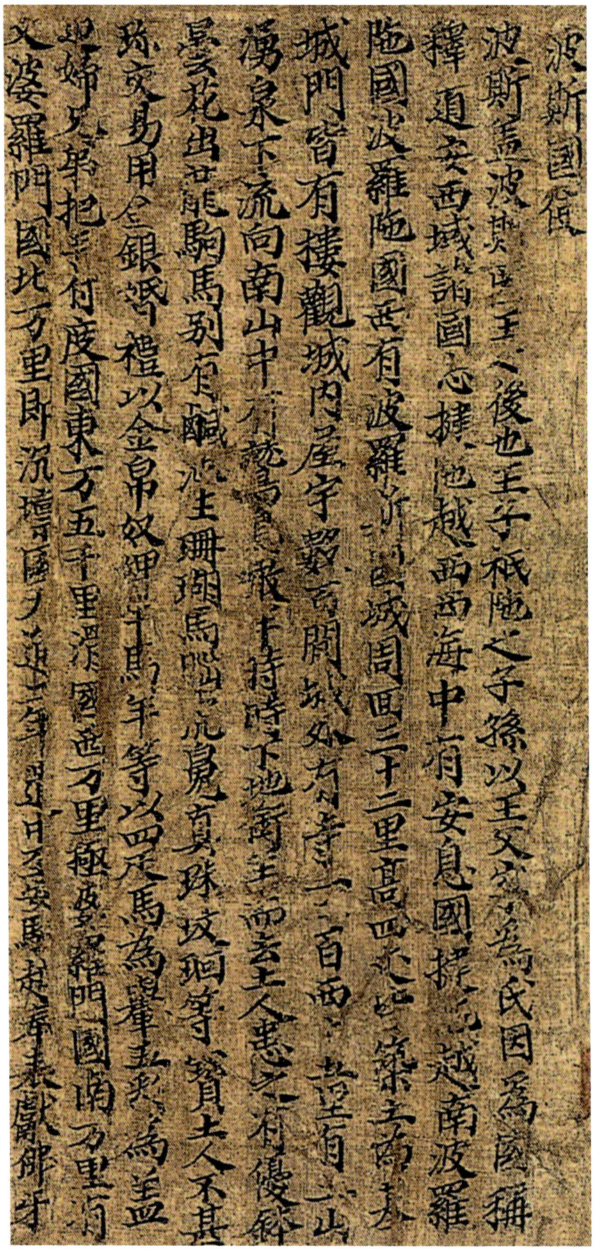

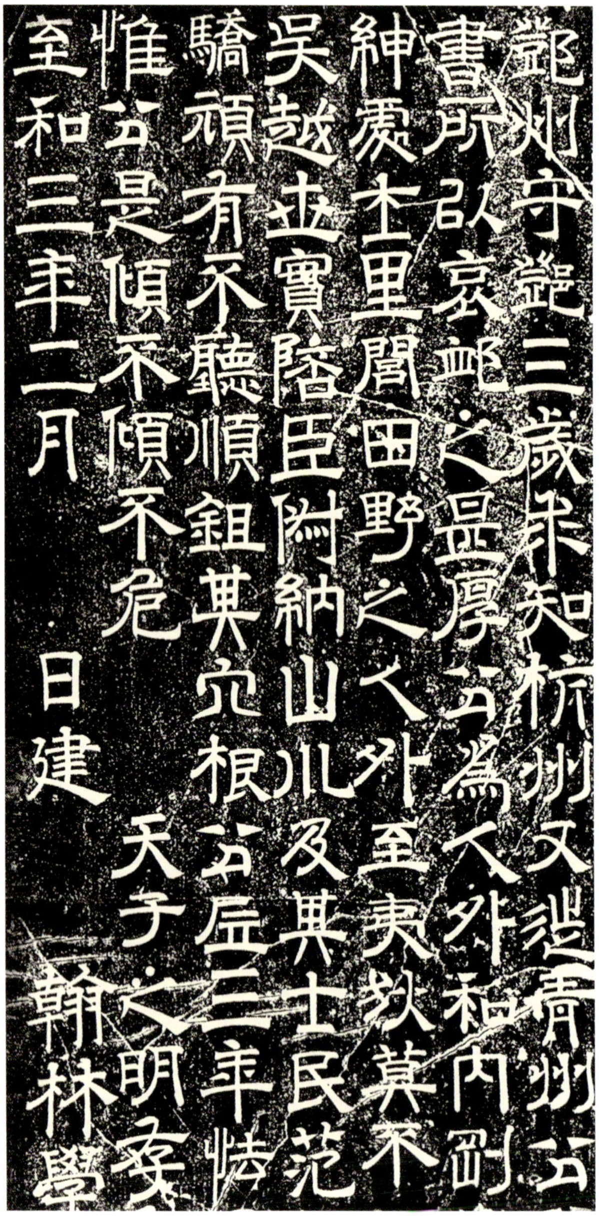

范仲淹神道碑

北宋

碑位于河南伊川縣彭婆鄉。

高408、寬141厘米。

隸書三十行，滿行七十二字。刻于至和三年（公元1056年）。此選爲局部。

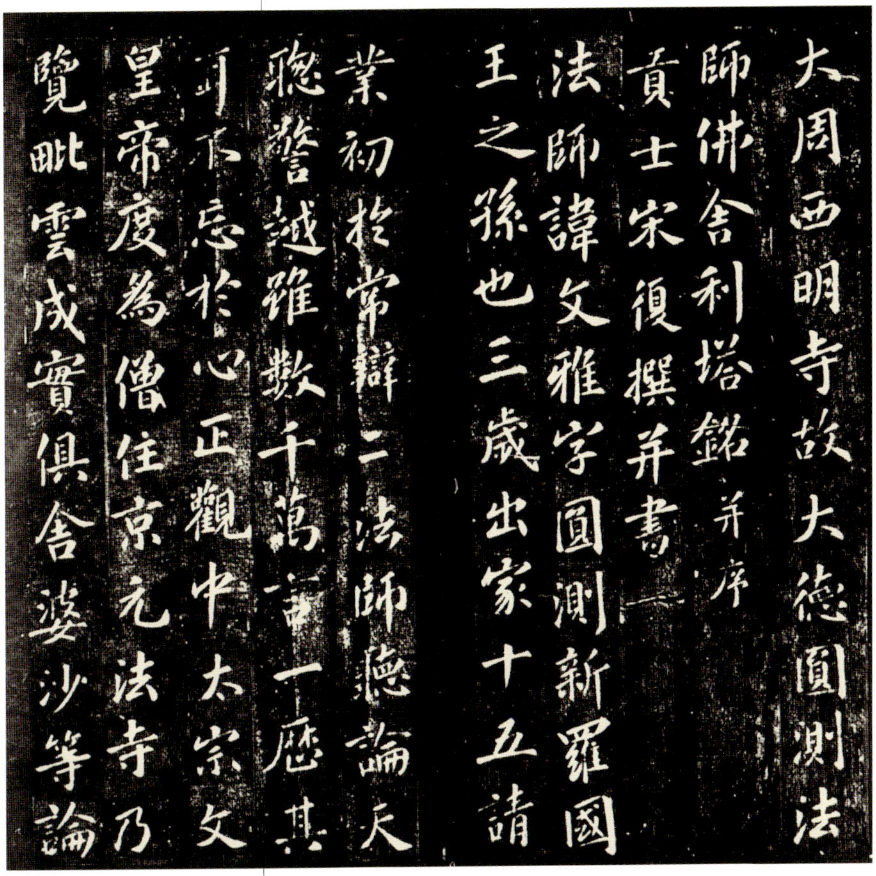
大周西明寺故大德圓測法
師佛舍利塔銘并序
貢士宋復撰并書
法師諱文雅字圓測新羅國
王之孫也三歲出家十五請
業初於常辯二法師聽論天
聰警越雖數千萬言一歷其
耳不忘於心正觀中太宗文
皇帝度為僧住京元法寺乃
覽毗雲成實俱舍婆沙等論

文雅舍利塔銘

北宋

原石在陝西西安市興教寺，現原石已斷爲三。

刻于政和五年（公元1115年）。

此選爲局部。

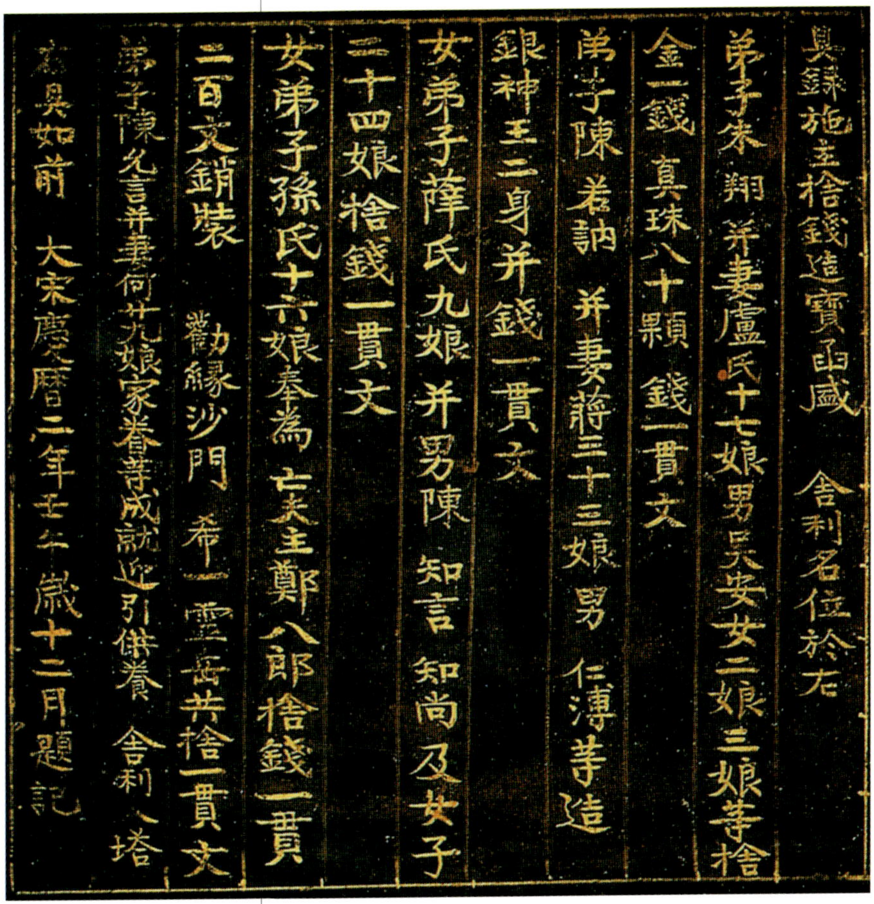
吳錄施主捨錢造寶函感 舍利名位於右
弟子朱翔并妻盧氏十七娘男吳安女二娘三娘等捨
金一錢 真珠八十顆 錢一貫文
弟子陳着訥 并妻蔣三十三娘 男 仁溥等造
銀神王二身并錢一貫文
女弟子薛氏九娘并男陳 知言 知尚及女子
二十四娘捨錢一貫文
女弟子孫氏十六娘奉為 亡夫主鄭八郎捨錢一貫
二百文銷裝 勸緣沙門 希一 雲岳共捨一貫文
弟子陳允言并妻何廿九娘家眷等成就迎引供養 舍利入塔
右吳如前 大宋慶曆二年壬午歲十二月題記

舍利函銘

北宋

浙江瑞安市慧光塔出土。

此銘金書于漆舍利函底部，函底部邊長24.5厘米。

現藏浙江省博物館。

佛經

西夏

寧夏賀蘭縣拜寺溝方塔出土。

高16、寬574厘米。

紙本。

此選爲局部。此書用西夏文草書寫成，西夏國文字既使用西夏文也使用漢文。

現藏寧夏回族自治區文物考古研究所。

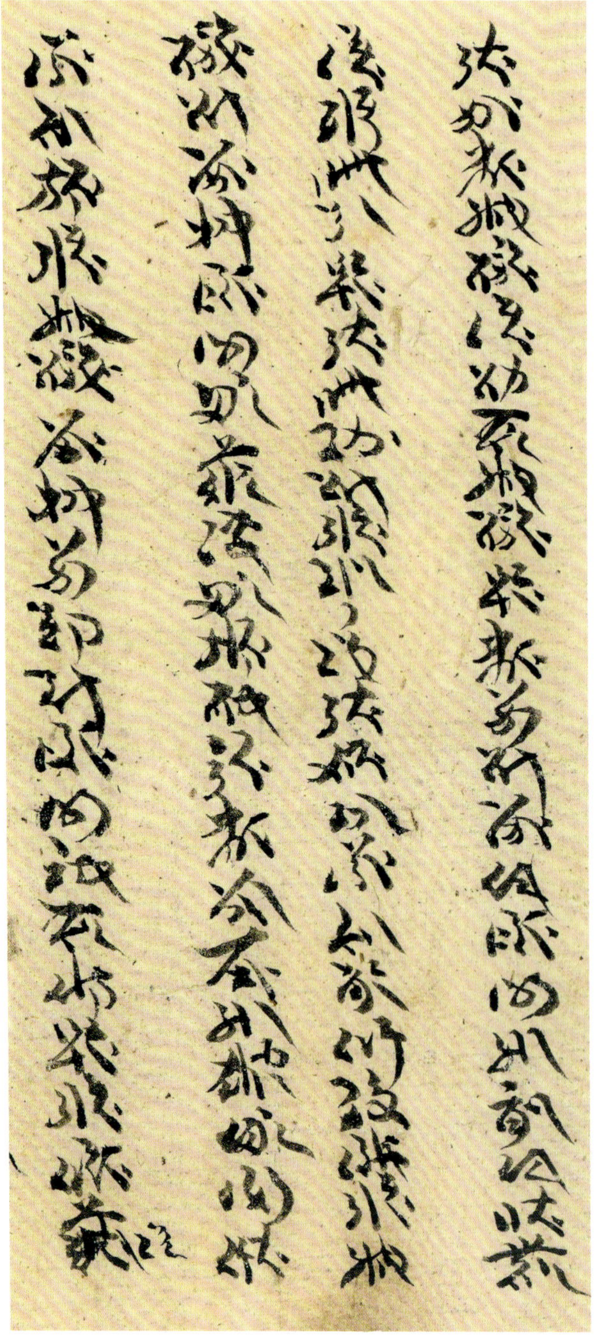

靈芝頌殘碑

西夏

寧夏銀川市西夏陵區7號陵出土。

殘高63.5、殘寬20厘米。

碑文内容爲西夏崇宗所作詩歌《靈芝頌》。

現藏寧夏博物館。

之頌一首其辭
於皇
擇地騰芳
德施率土
賚及多方
既啓有

蔡松年（公元1107－1159年）

真定（今河北正定）人。字伯堅，自號蕭閑老人。纍官至右丞相，加儀同三司。善書法。著有《蕭閑公集》和《明秀集》。

跋蘇軾李白仙詩

金
蔡松年
紙本。
現藏日本大阪市立美術館。

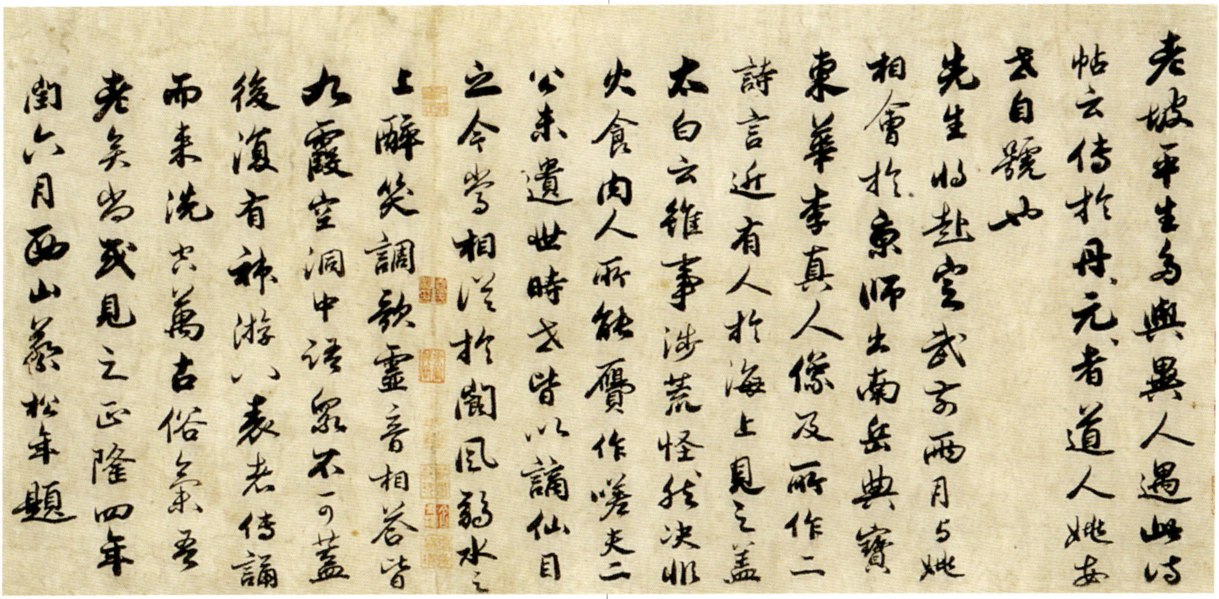

施宜生（公元?－1160年）

浦城（今屬福建）人，一作邵武（今屬福建）人。字明望，自號三住老人。曾官翰林學士。善書法，其書得自米芾。

跋蘇軾李白仙詩

金
施宜生
紙本。
現藏日本大阪市立美術館。

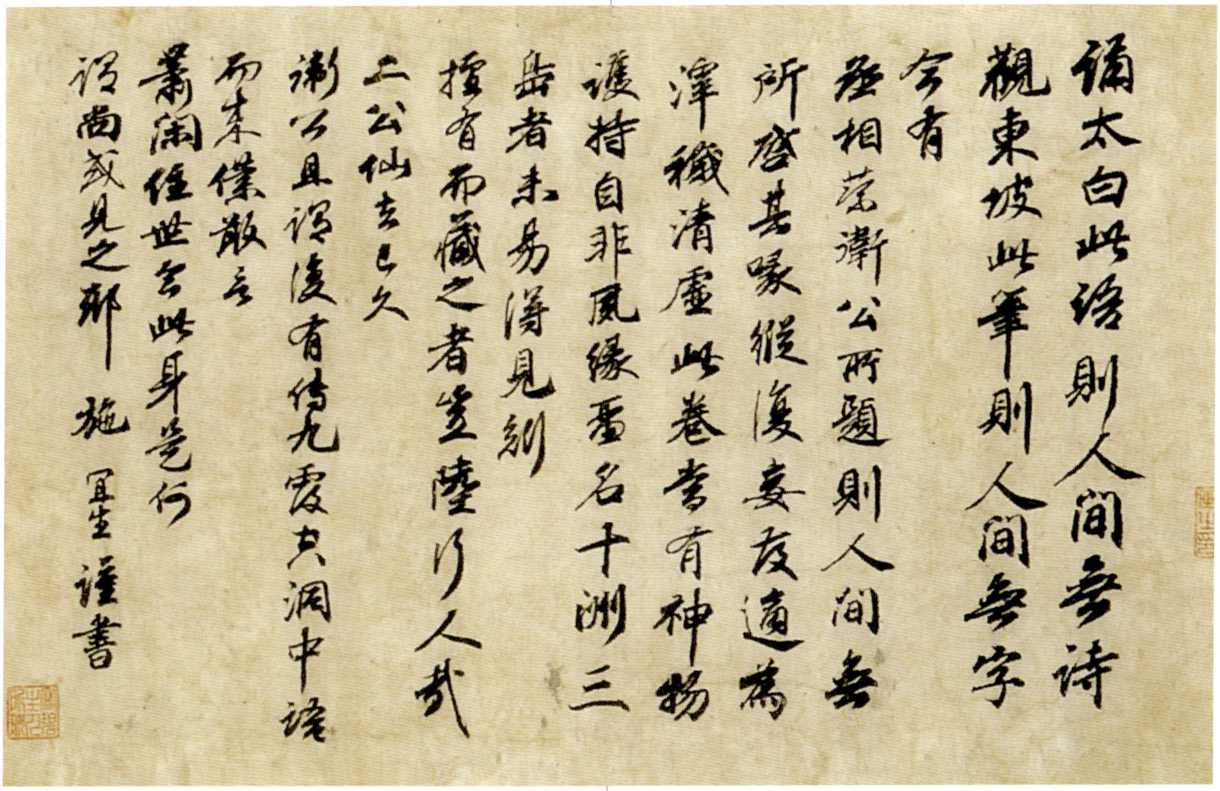

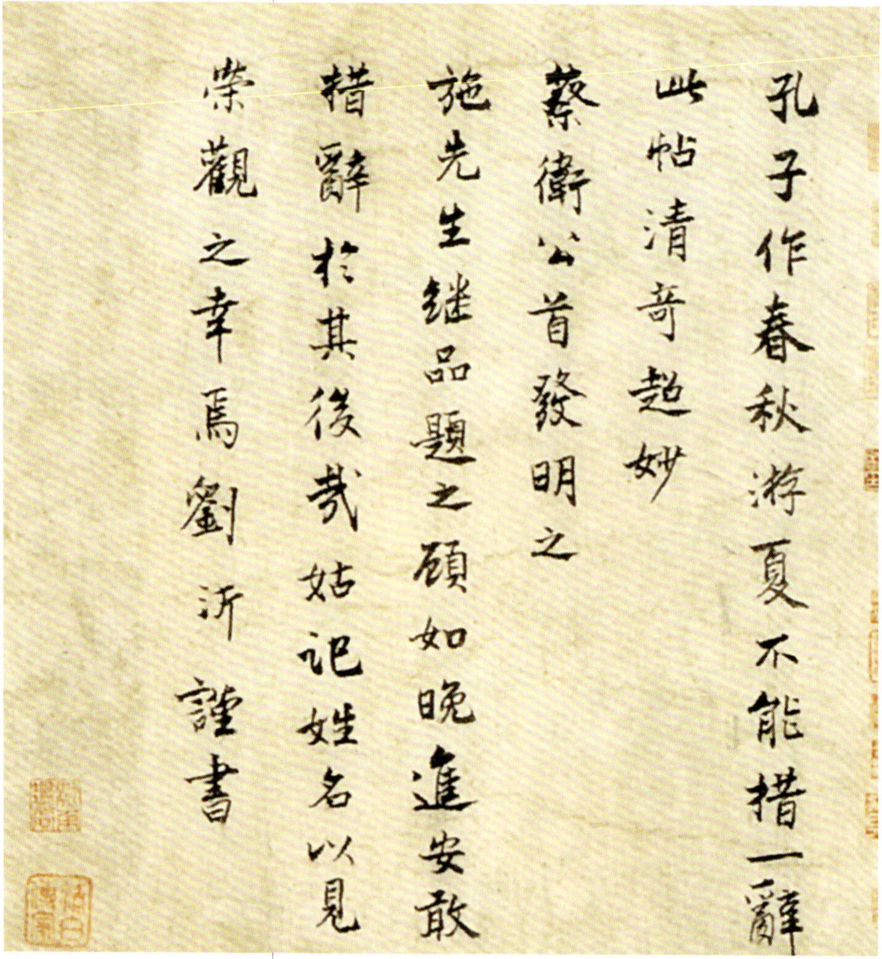
孔子作春秋游夏不能措一辭
此帖清奇超妙
蔡衛公首發明之
施先生繼品題之頤如晚進安敢
措辭於其後哉姑記姓名以見
榮觀之幸焉劉沂謹書

劉 沂

生平不詳。

跋蘇軾李白仙詩卷

金
劉沂
紙本。
現藏日本大阪市立美術館。

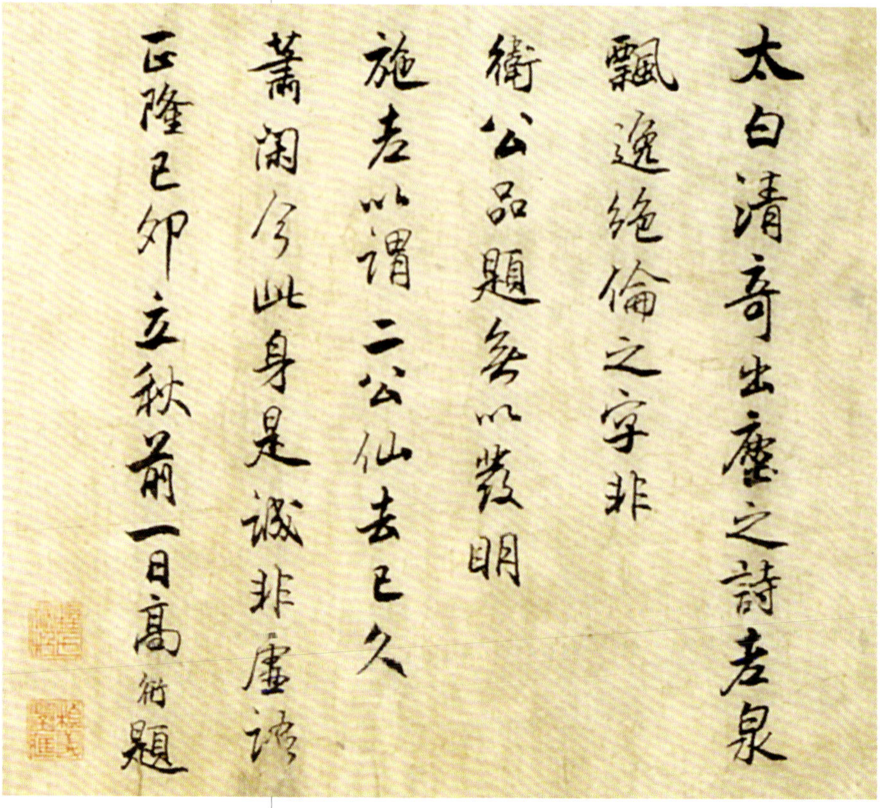
太白清奇出塵之詩老泉
飄逸絕倫之字非
衛公品題無以發明
施老以謂二公仙去已久
蕭閑何此身是誠非虛語
正隆己卯立秋前一日高衎題

高 衎（公元？－1167年）

遼陽（今屬遼寧）人。字穆仲。二十六歲時中進士，歷官尚書省內史、吏部員外郎和左司員外郎等。

跋蘇軾李白仙詩卷

金
高衎
紙本。
現藏日本大阪市立美術館。

任　詢

生卒年不詳。易州易縣（今屬河北）人。字君謨，號南麓先生。正隆二年（公元1157年）進士，官益州判官、北京鹽使。

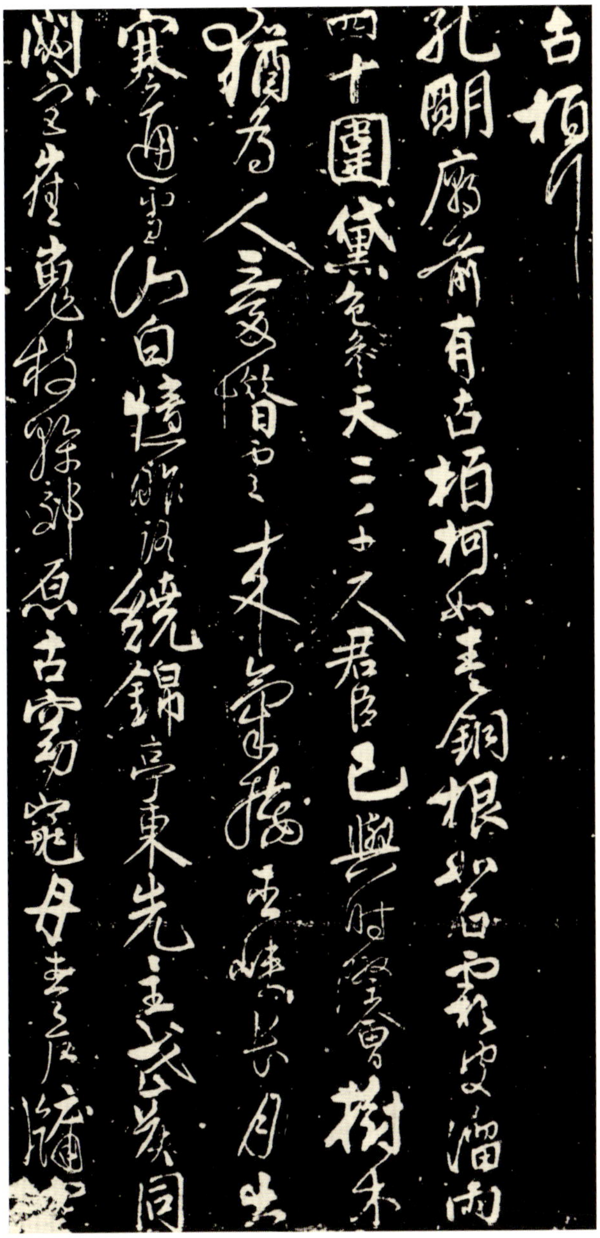

古柏行

金

任詢

拓本。行書十二行。此選爲局部。

現藏日本京都藤井有鄰館。

吕徵墓表

金

任詢

北京豐臺區出土。

墓表通高265厘米。

表文楷書，四面刻，每面八行，滿行二十七字。刻于大定七年（公元1167年）。此選爲局部。

現藏北京市文物研究所。

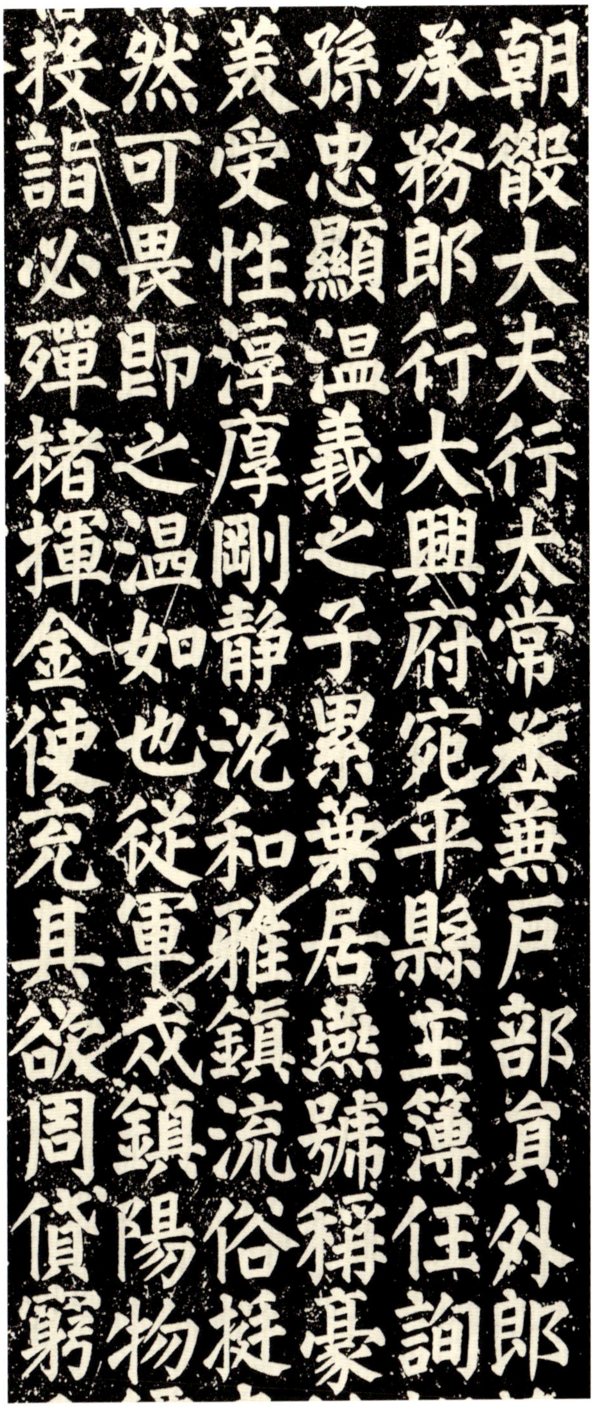

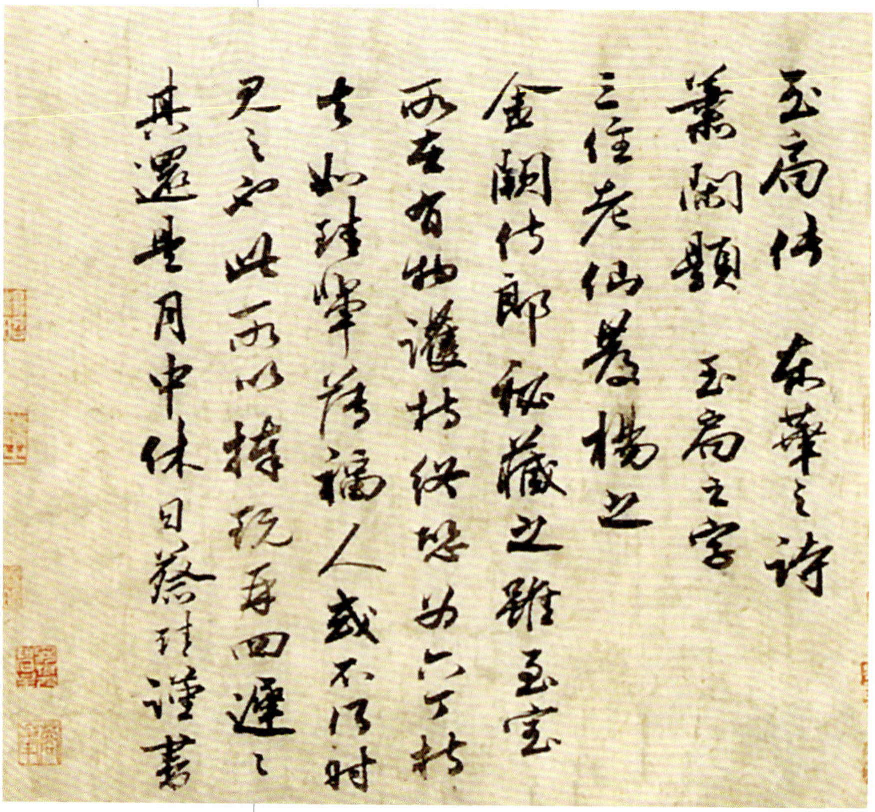

蔡　珪（公元?－1174年）

真定（今河北正定）人。字正甫，蔡松年之子。金天德三年（公元1151年）進士，官户部員外郎兼太常丞、大定十四年（公元1174年）由禮部郎中出守濰州道卒。

跋蘇軾李白仙詩卷

金

蔡珪

紙本。

現藏日本大阪市立美術館。

王庭筠（公元1152－1202年）

蓋州（今屬遼寧）人。字子端，自號黄華山人，又號黄華老子。米芾之外甥。金大定十六年（公元1176年）進士，纍官至翰林修撰，曾主持品第法書名畫。書學米芾，與趙秉文、党懷英齊名。兼善畫山水、古木、竹石。工詩，爲金代著名詩人。

李山風雪杉松圖卷跋

金

王庭筠

高29.7厘米。

紙本。

現藏美國華盛頓弗利爾美術館。

博州重修廟學記

金

王庭筠

碑立于東昌（今山東聊城）府學。碑兩面刻文，碑陰題“廟學碑陰記”。刻于大定二十一年（公元1181年）。

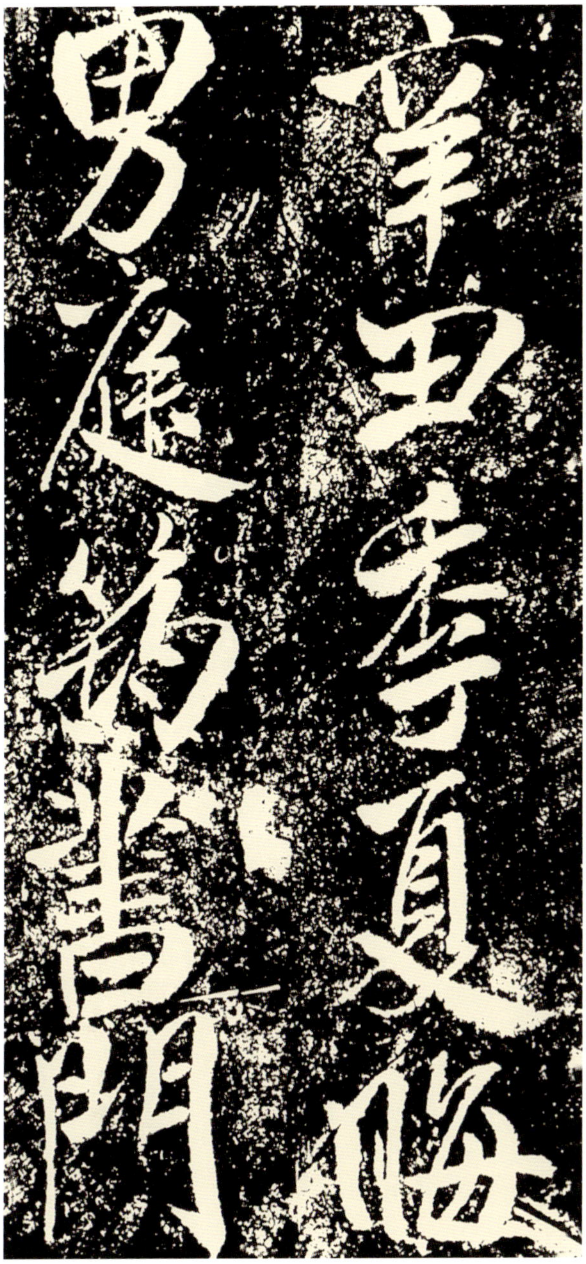

博州重修廟學記局部之一

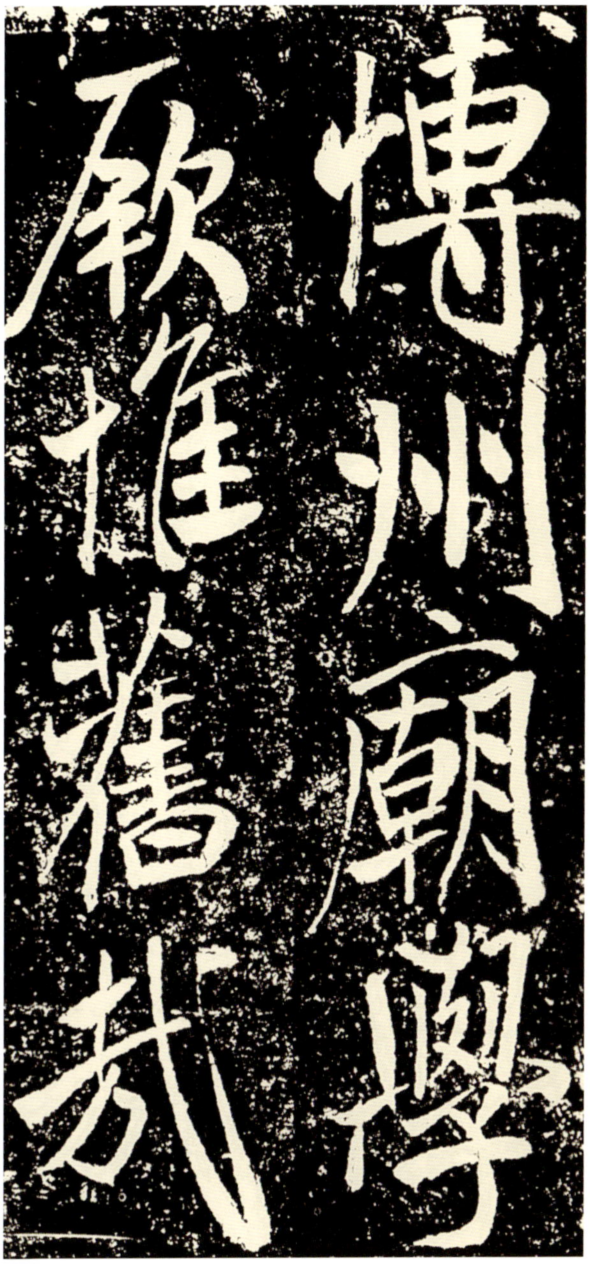

博州重修廟學記局部之二

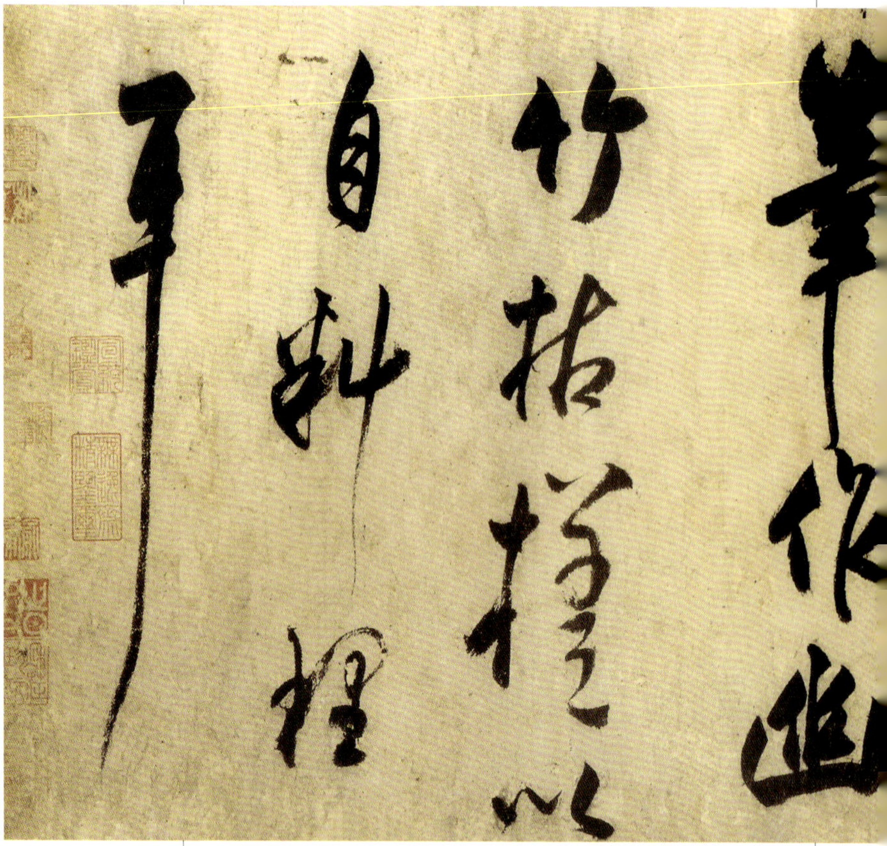

幽竹枯槎圖卷題辭

金
王庭筠
高38.1厘米。
紙本。
現藏日本京都藤井有鄰館。

趙秉文（公元1159－1232年）

滏陽（今河北磁縣）人。字周臣，號閑閑居士。金大定二十五年（公元1185年）進士，官至禮部尚書、翰林學士。書法早年法王庭筠，後學蘇軾、米芾等，晚年書法大成，以草書擅名。

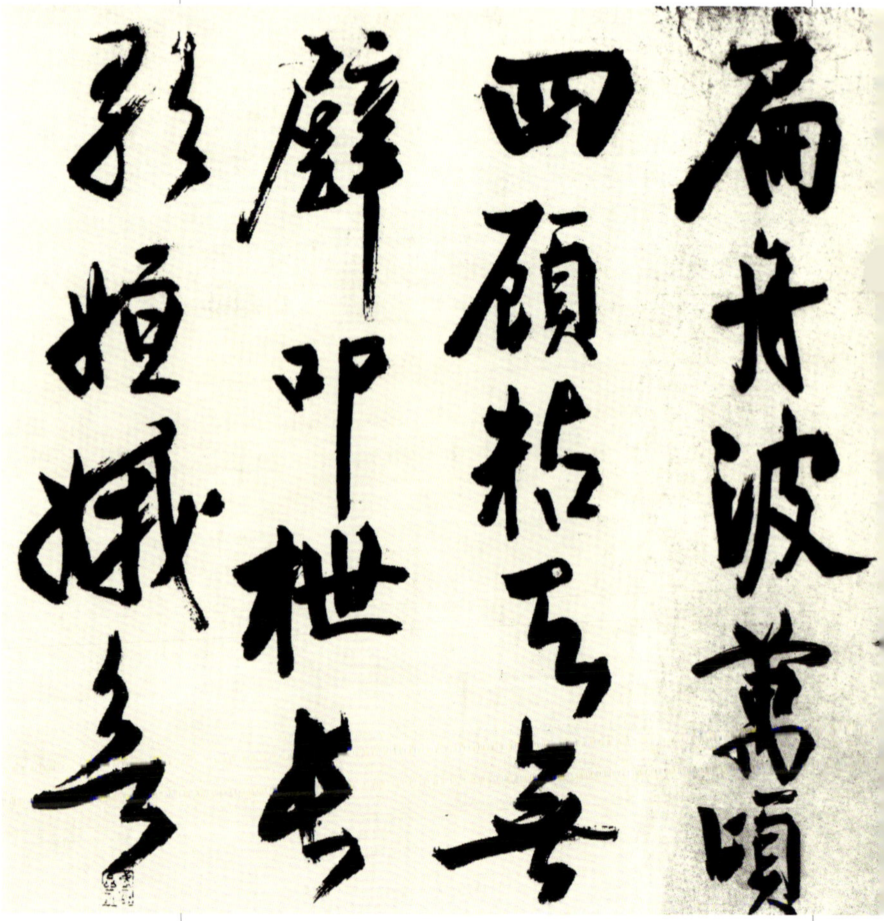

追和坡仙赤壁詞韵

金
趙秉文
紙本。
現藏臺北故宮博物院。

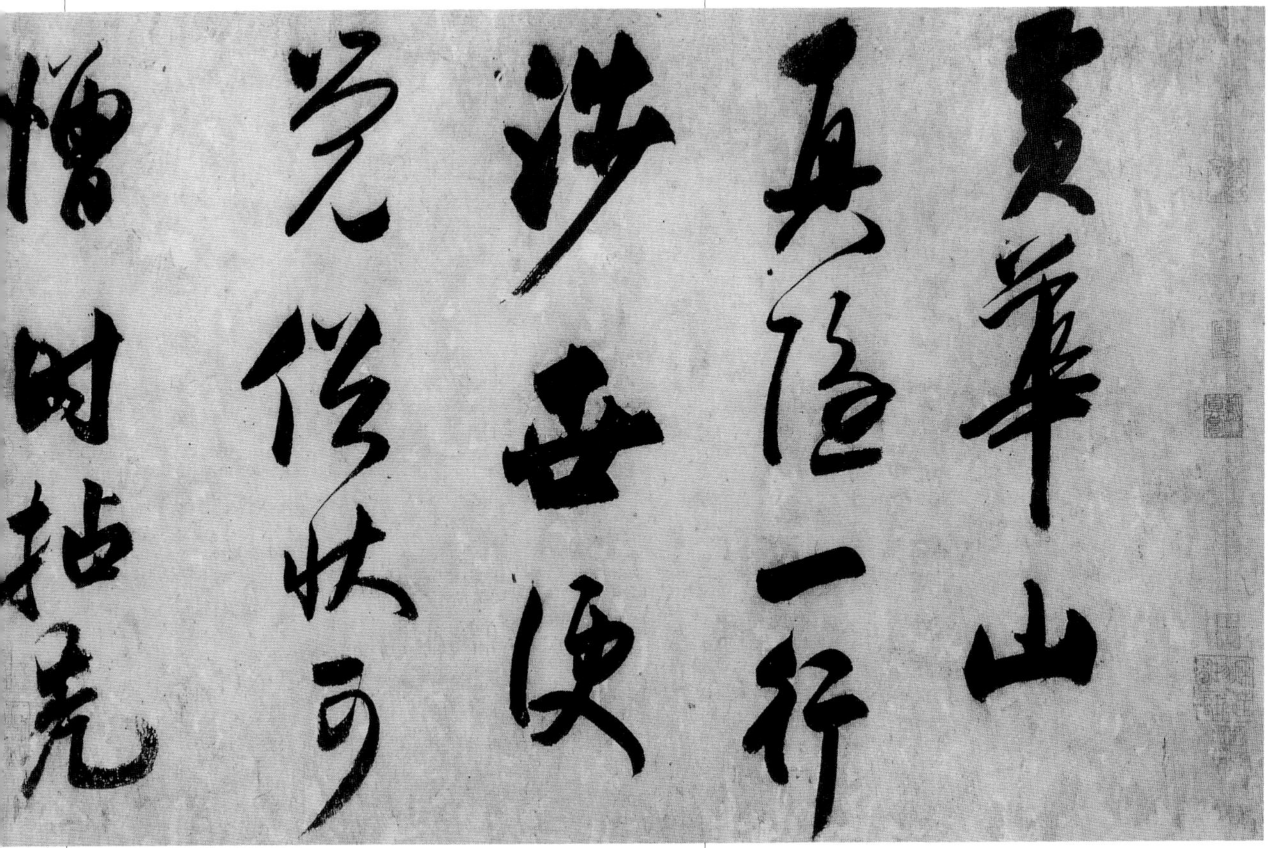

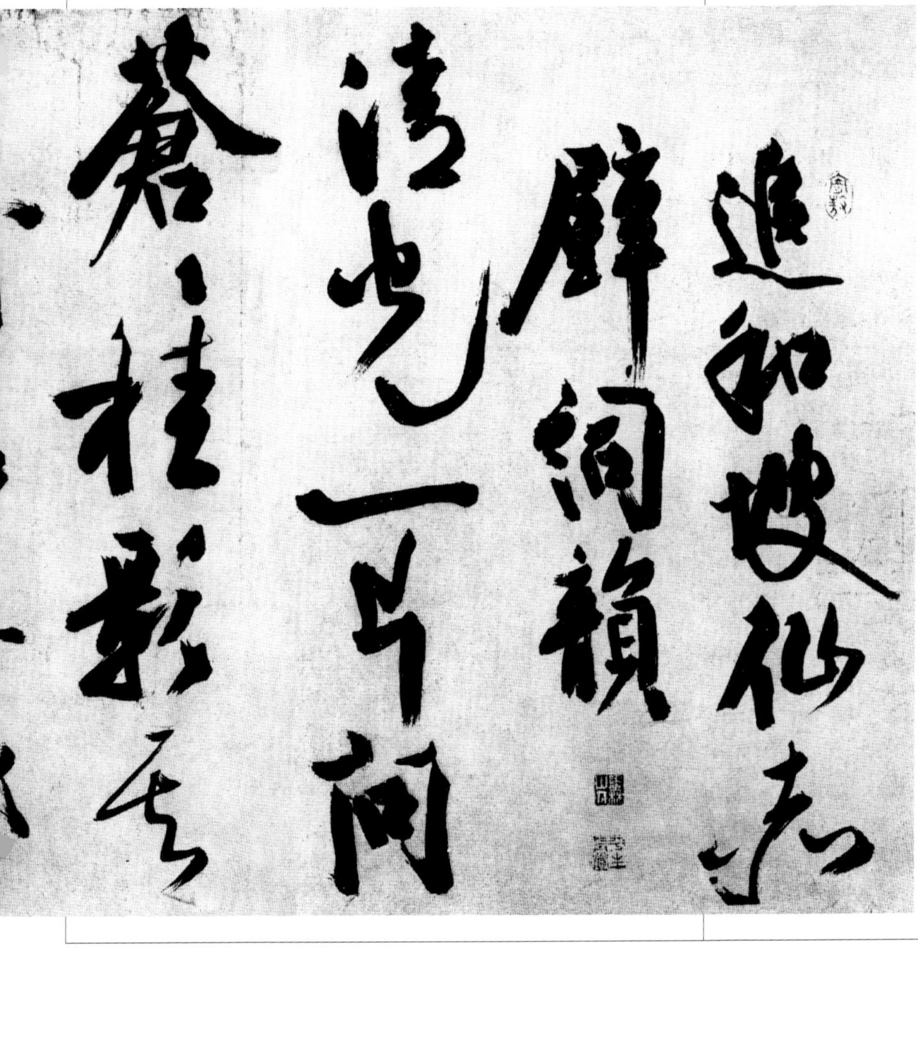

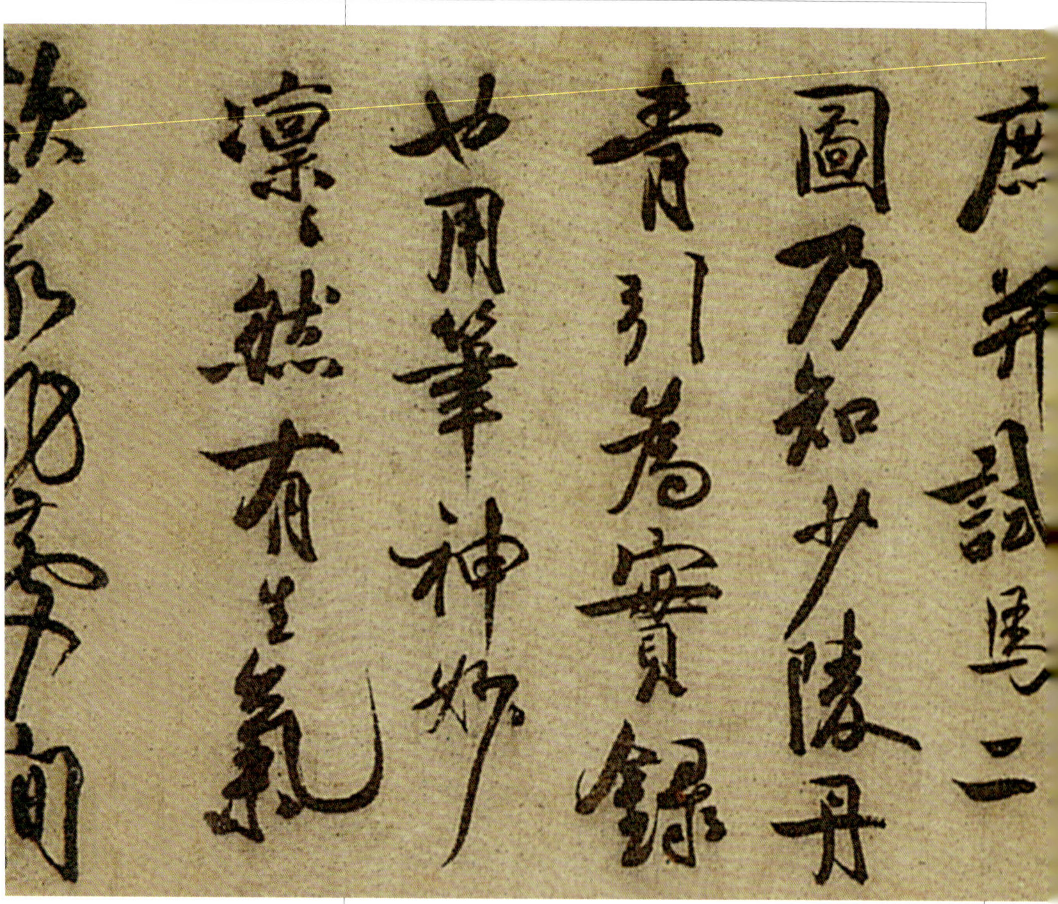

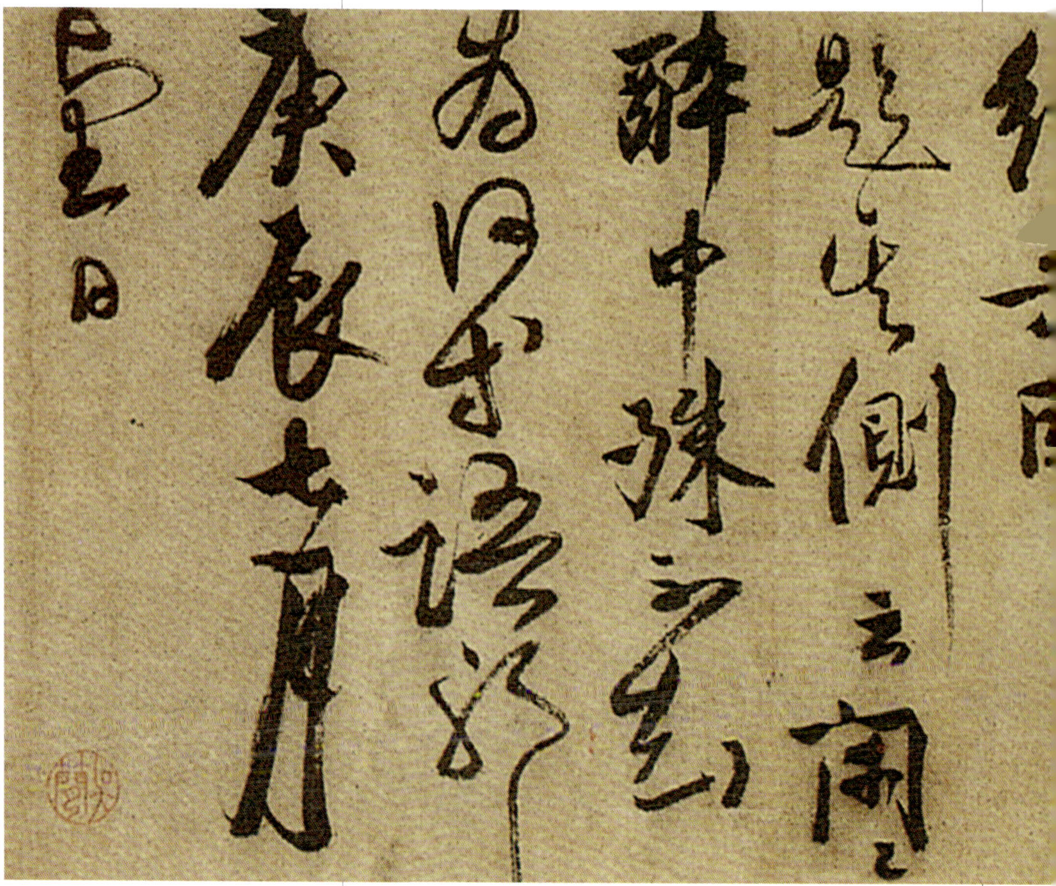

趙霖昭陵六駿圖跋

金

趙秉文

高27.4厘米。

紙本。

現藏故宮博物院。

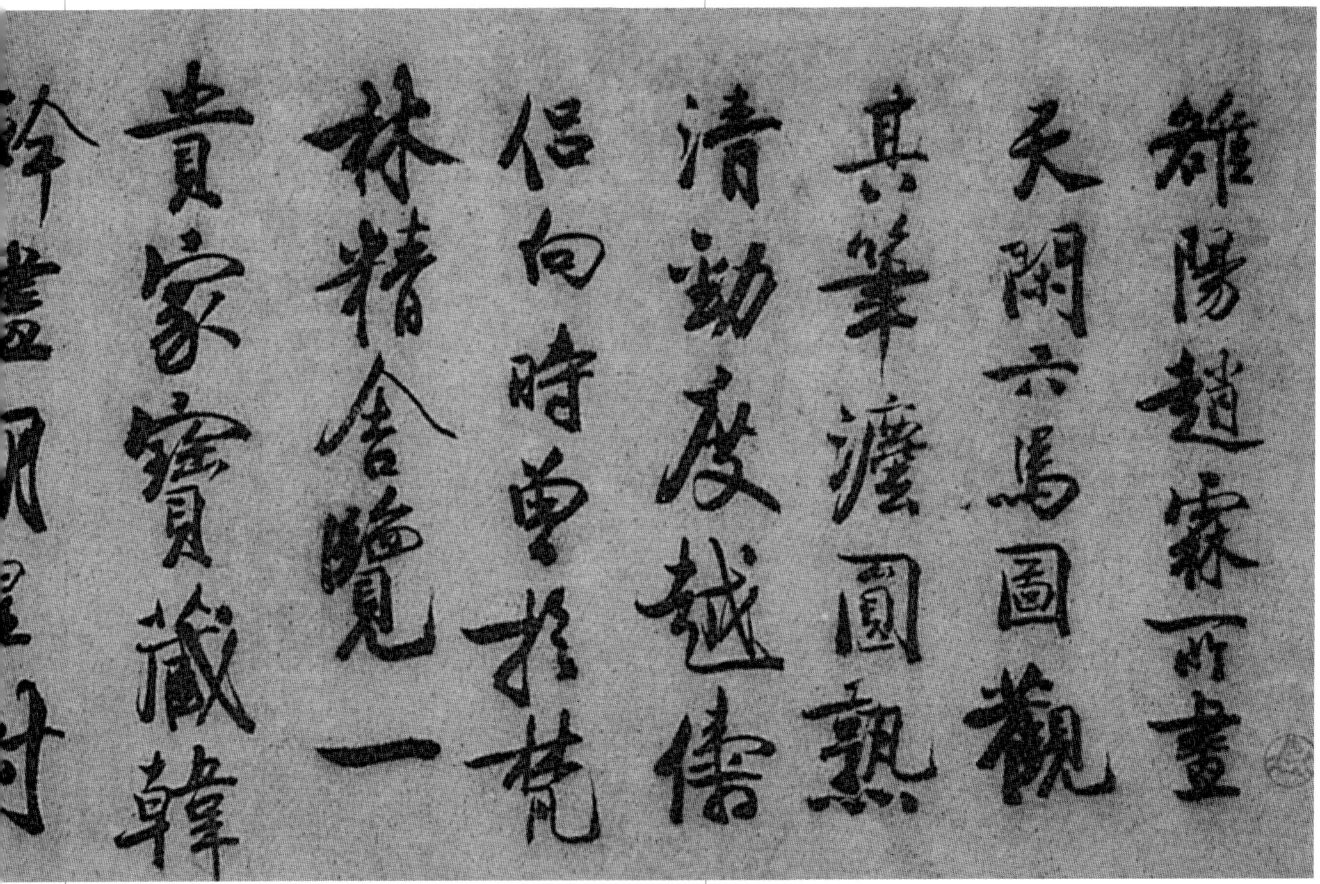

趙　構（公元1107－1187年）

即宋高宗。字德基，趙佶第九子。靖康之難後，于南京應天府（今河南商丘南）即位。工書法，以楷、行書見長。

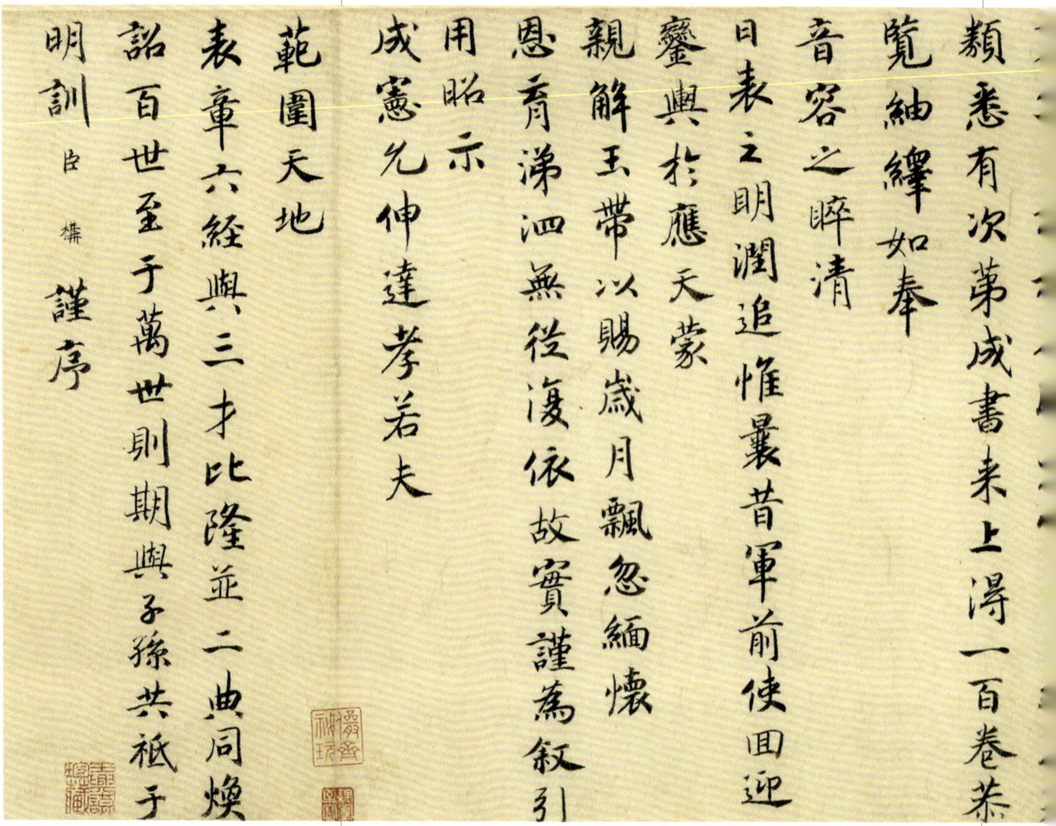

徽宗文集序

南宋
趙構
高27.3、寬137厘米。
紙本。
現藏日本文化廳。

洛神賦

南宋
趙構
高27.3、寬277.8厘米。
絹本。草書九十一行。此選爲局部。
現藏遼寧省博物館。

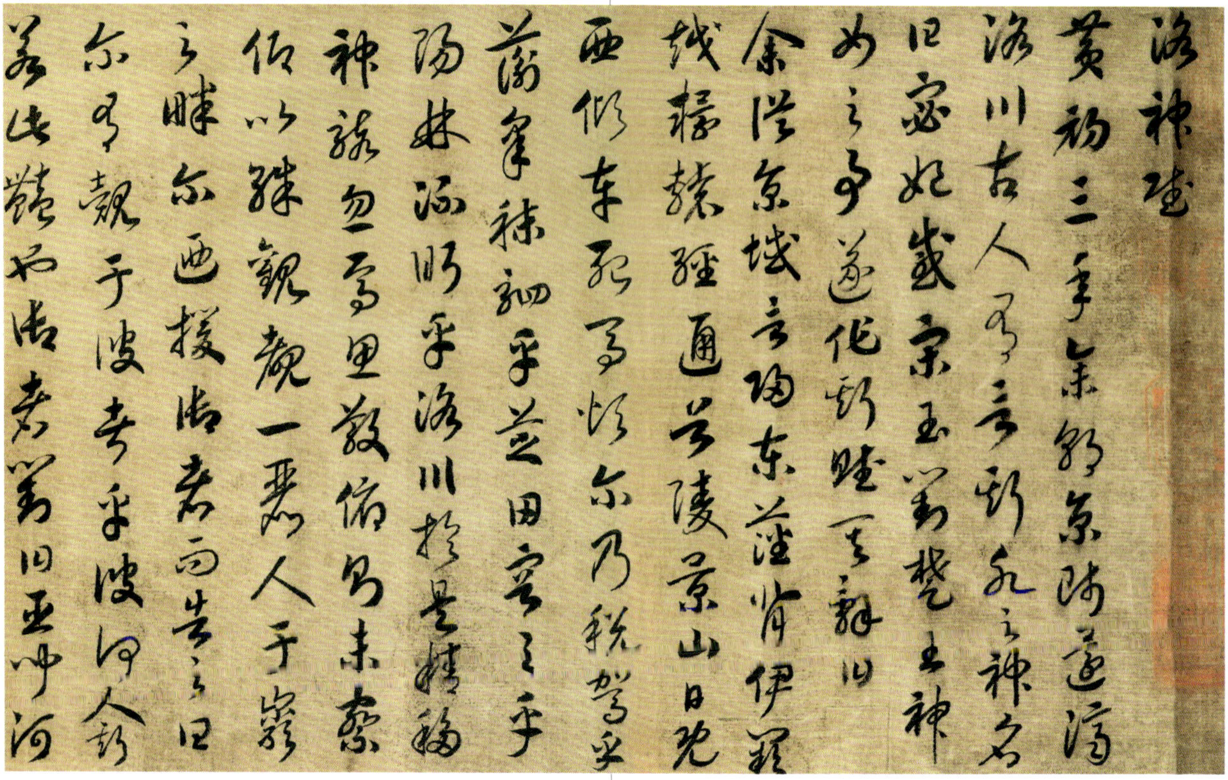

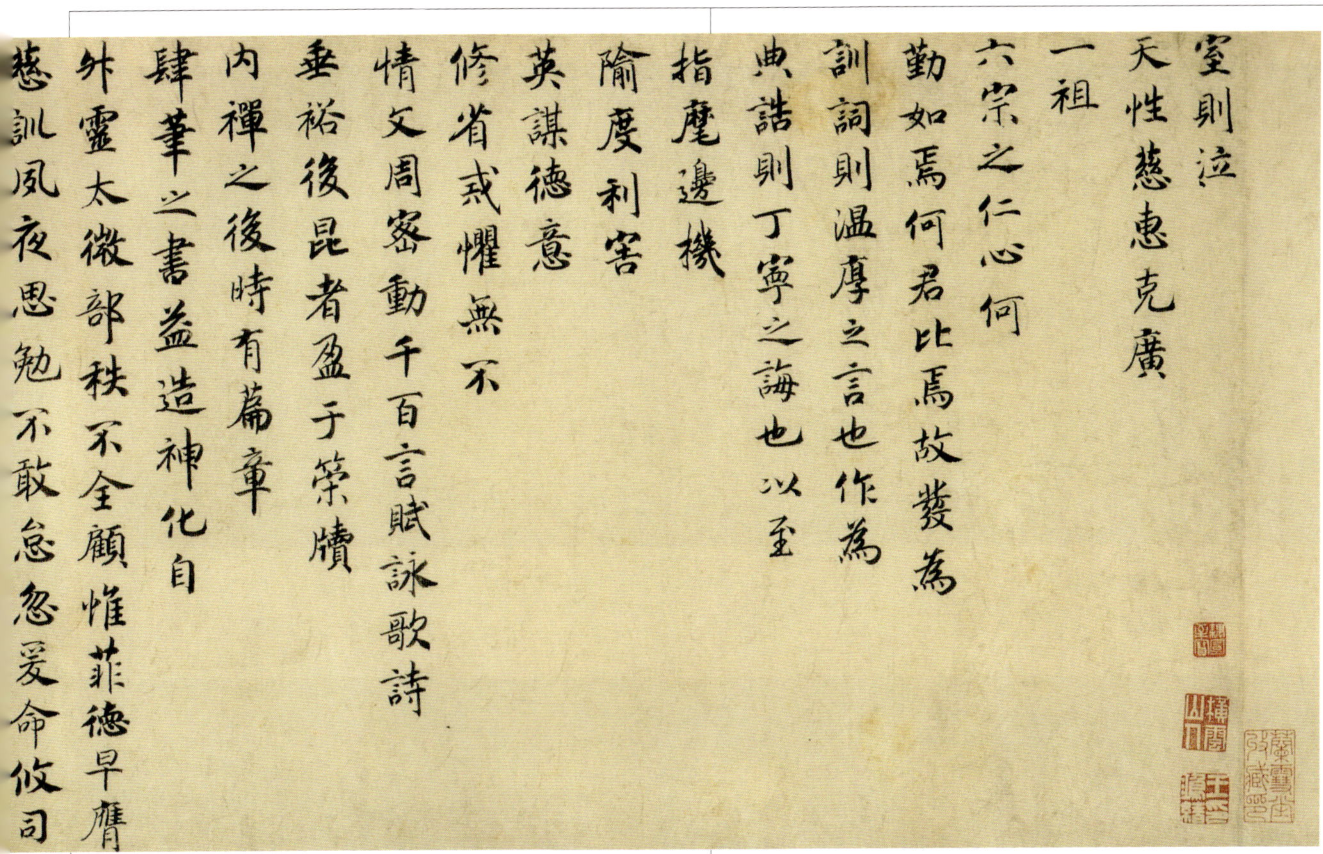

吴說

生卒年不詳。錢塘（今浙江杭州）人。字傅朋，號練塘。居于錢塘之紫溪，人稱“吴紫溪”。官信州守，紹興年間爲尚書郎。工書法，楷、行、草及榜書俱佳。小楷有“宋時第一”之稱。

門内帖（下圖）

南宋
吴說
高25.2、寬45.4厘米。
紙本。
現藏故宫博物院。

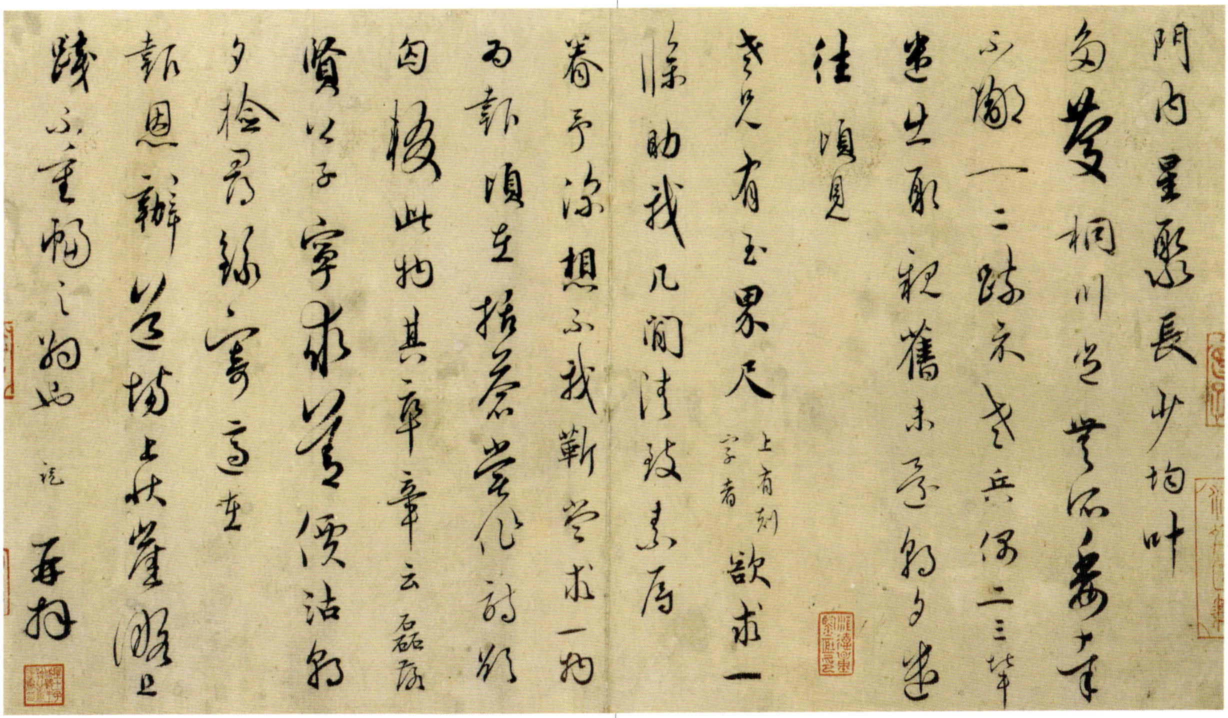

宋人三詩帖

南宋
吴説
高31、寬211厘米。
紙本。
書體爲吴説擅長的游絲體，内容爲王安石的《西太一宫樓》和《題西太一宫壁》以及蘇軾的《西太一見王荆公舊詩偶次其韵》三首詩。卷後附吴説自録吕東萊《上饒使君郎中游絲書歌》及自跋。
現藏日本京都藤井有鄰館。

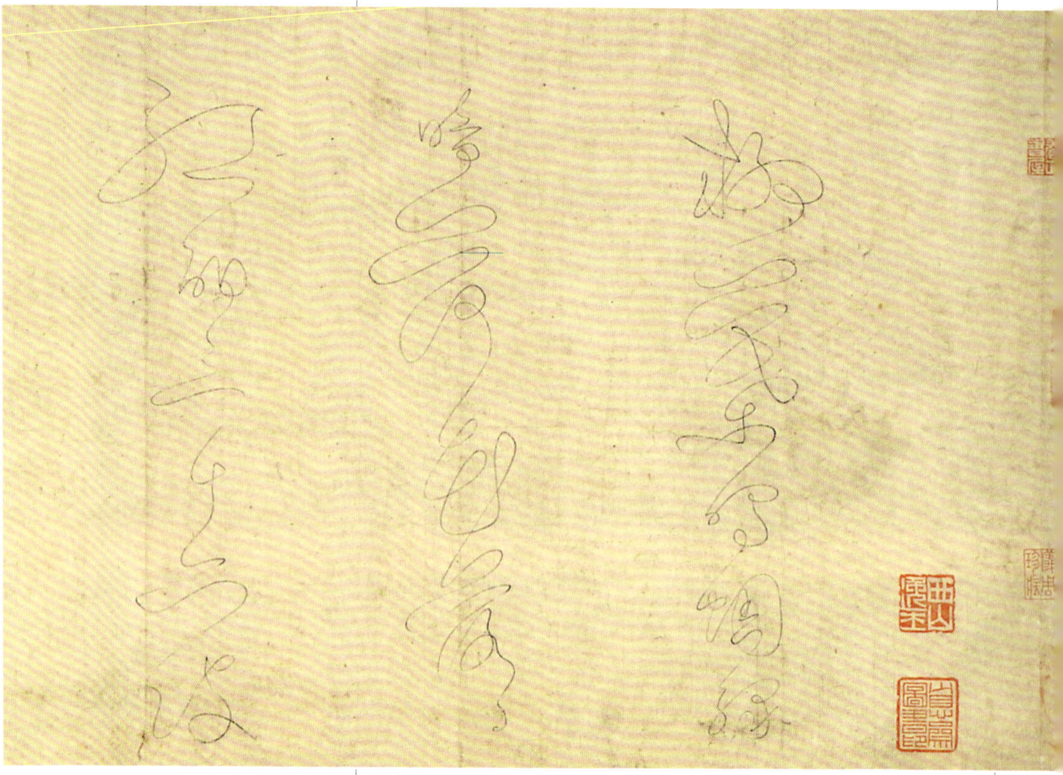

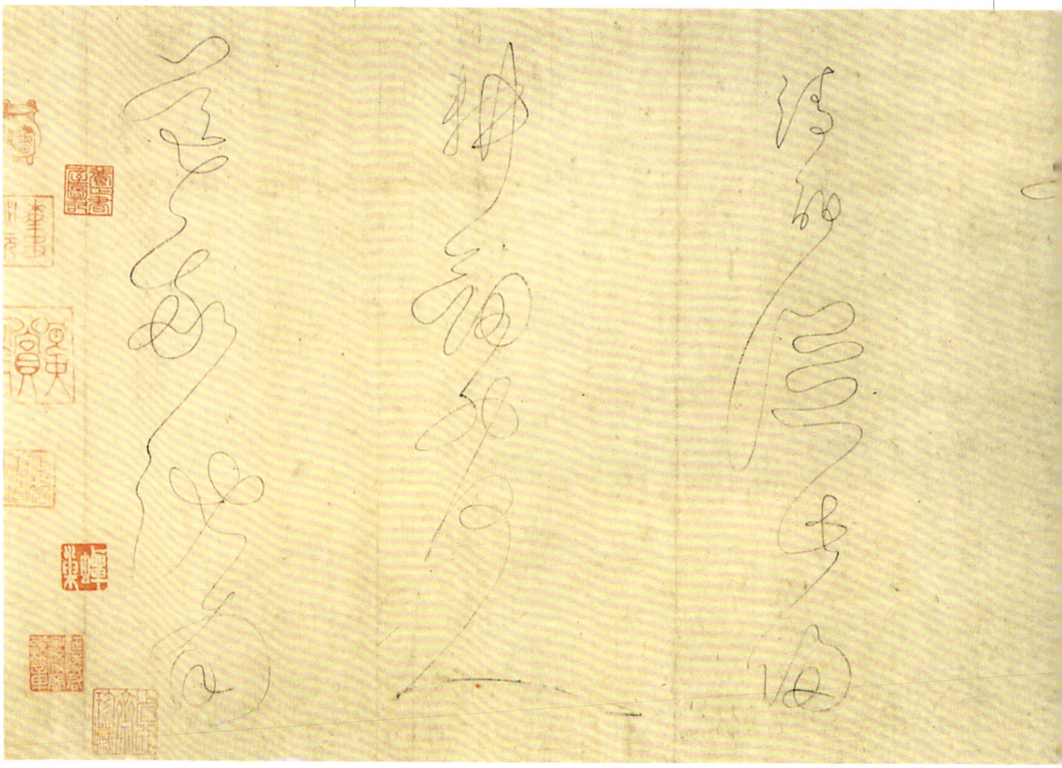

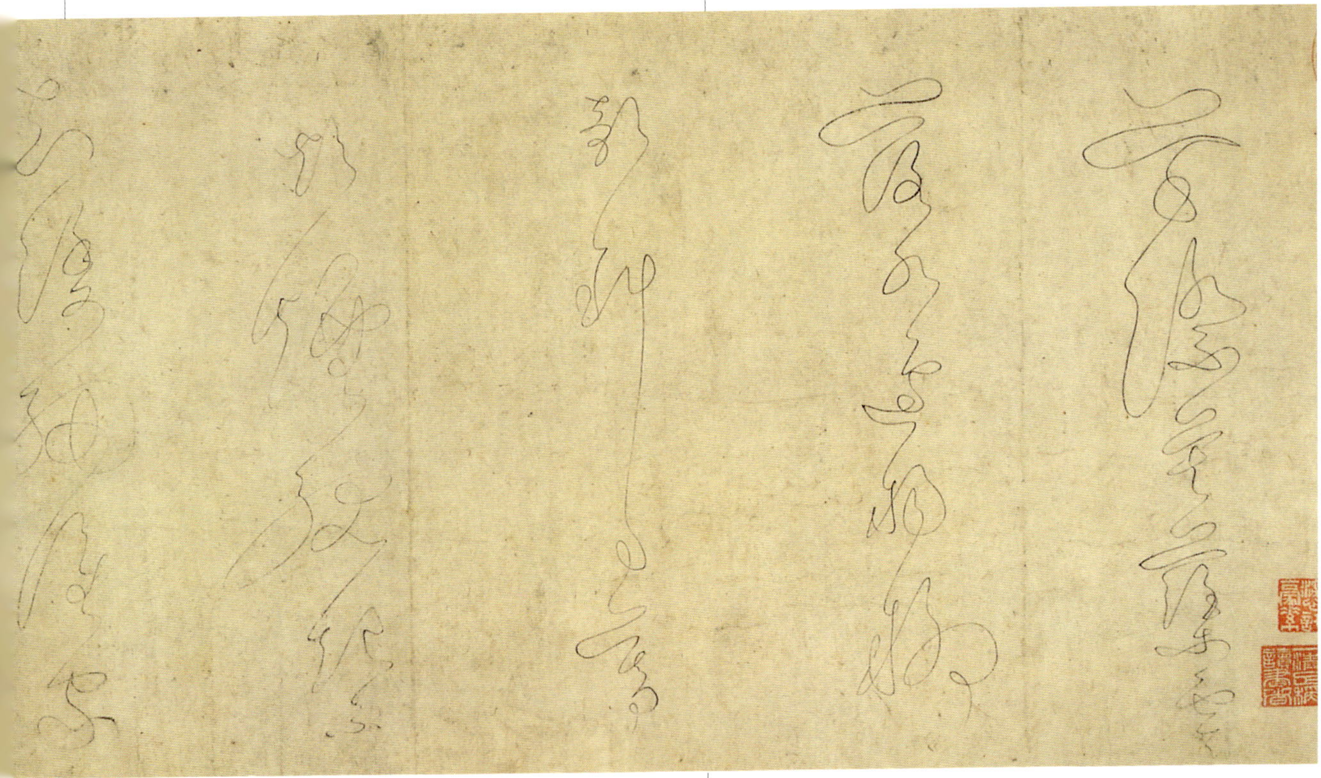

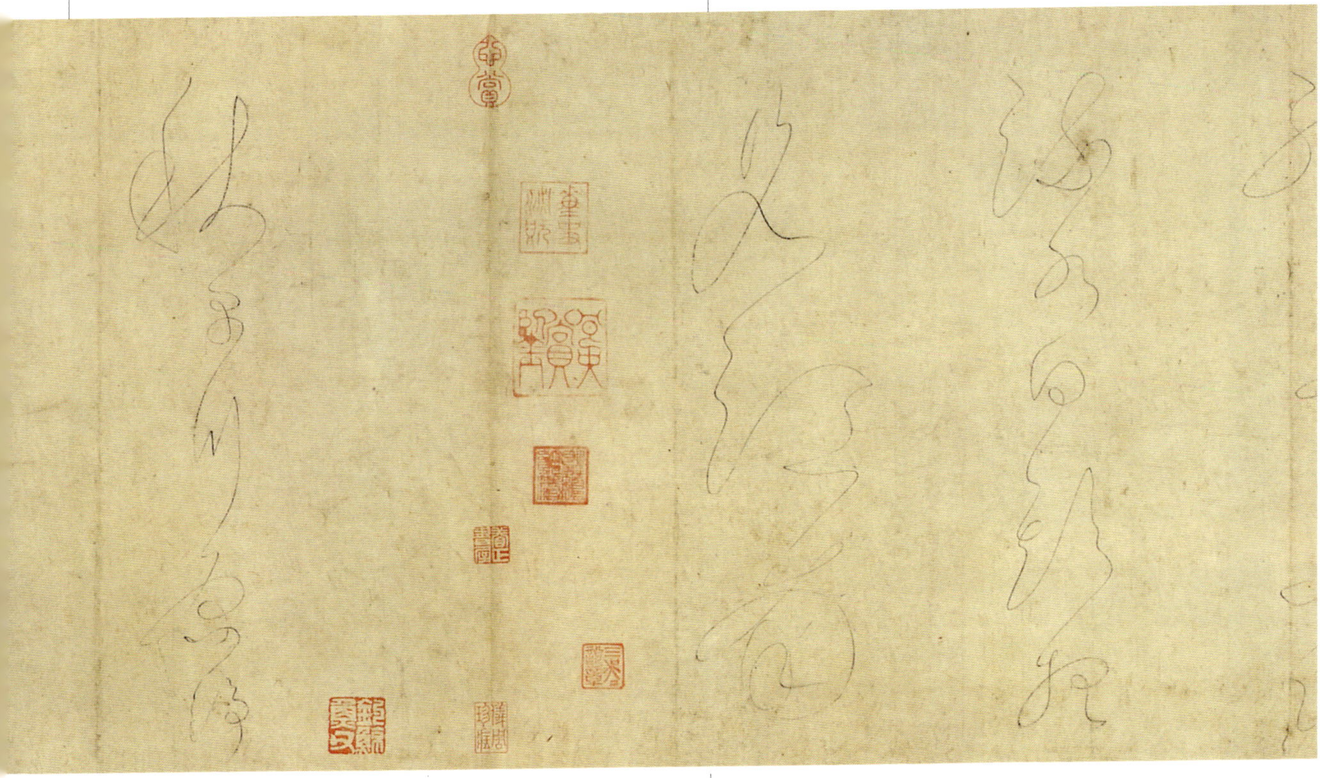

陸　游（公元1125－1210年）

山陰（今浙江紹興）人。字務觀，號放翁。曾官寶章閣待制。工詩，爲南宋著名愛國詩人。兼工書法，行書宗楊凝式，草書法張旭，參以蘇東坡筆意。

自書詩

南宋

陸游

高31、寬701厘米。

紙本。

現藏遼寧省博物館。

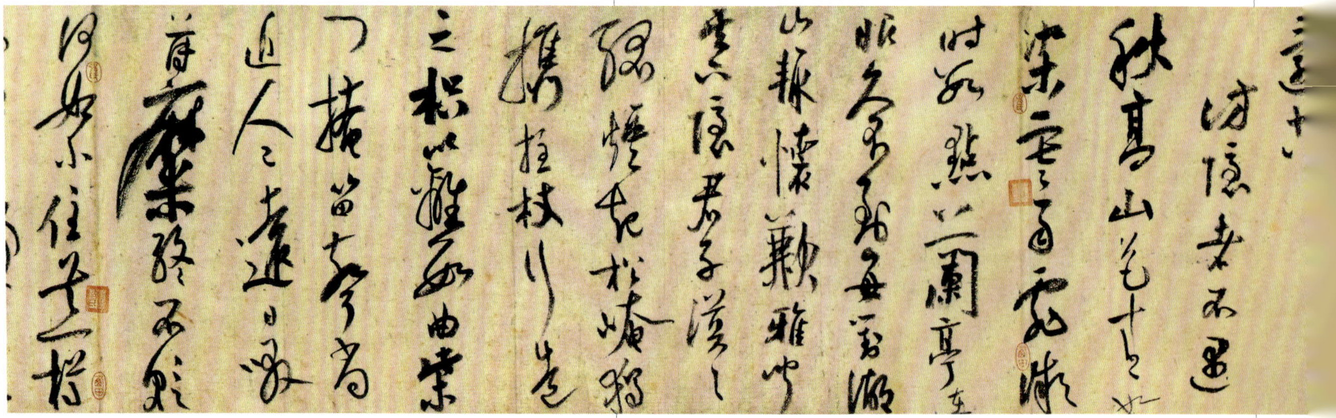

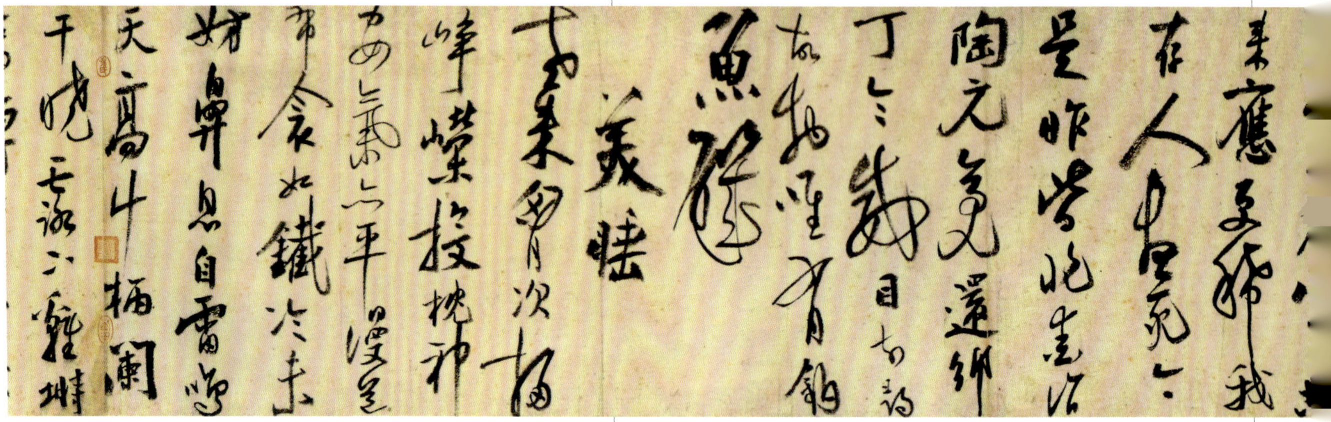

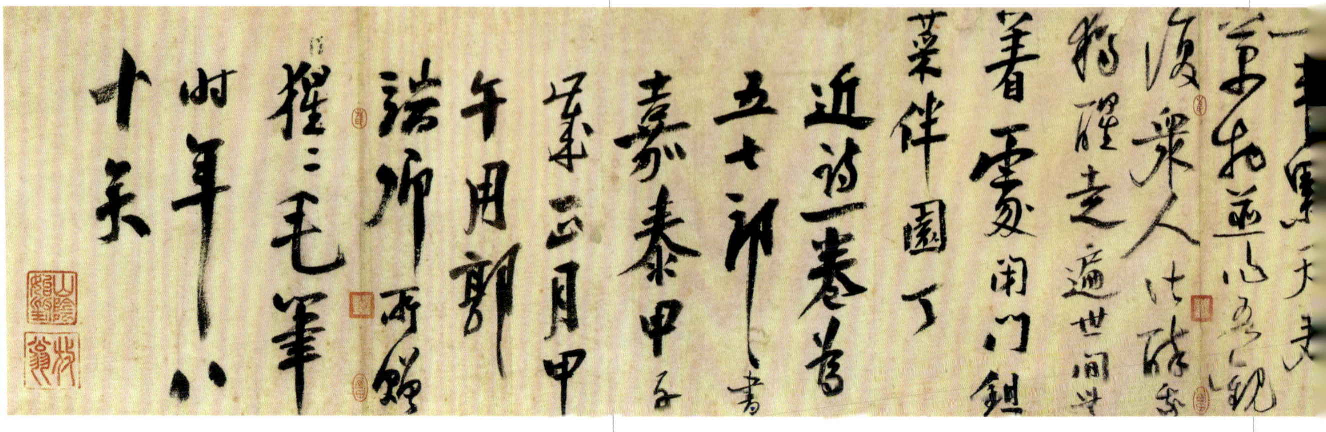

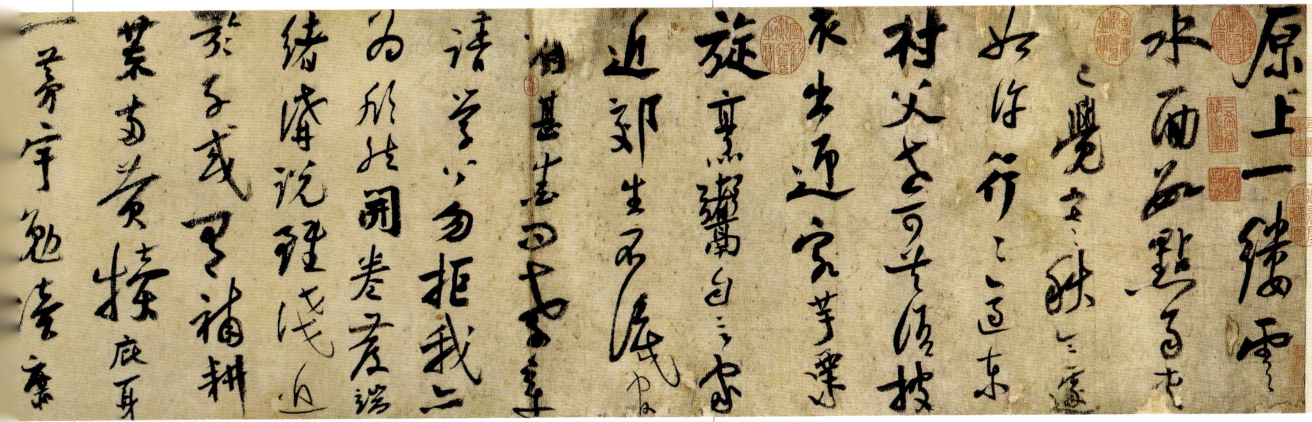

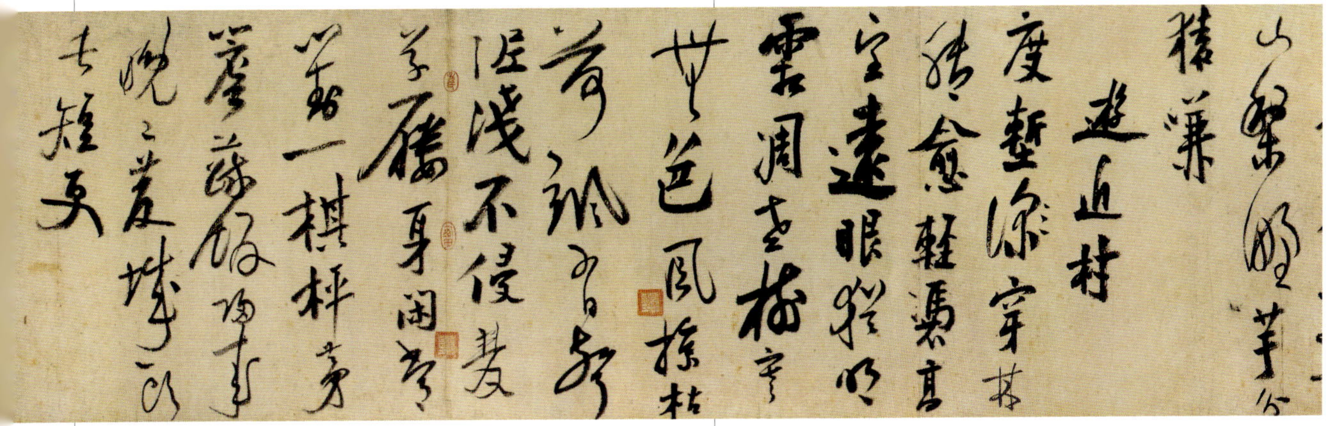

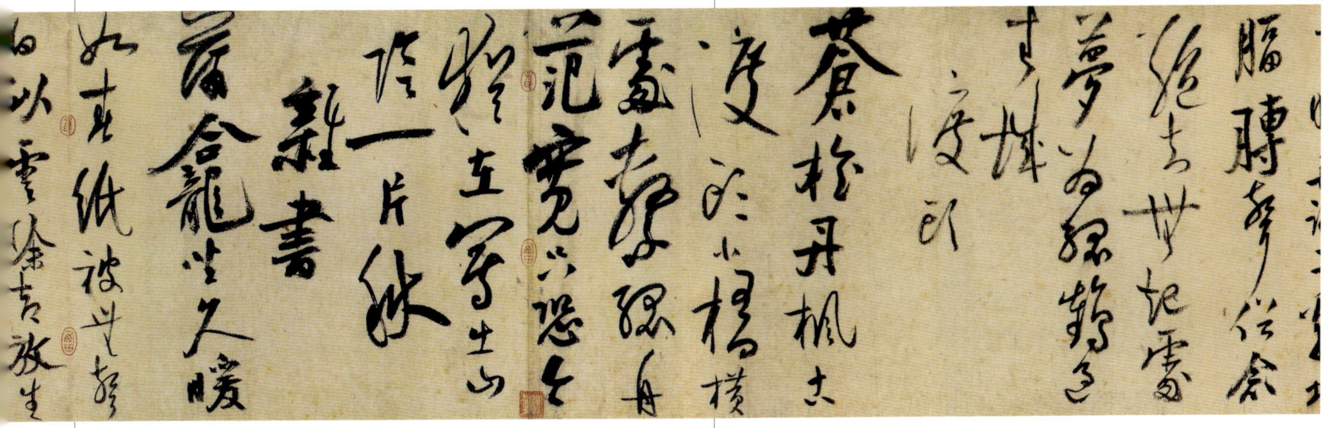

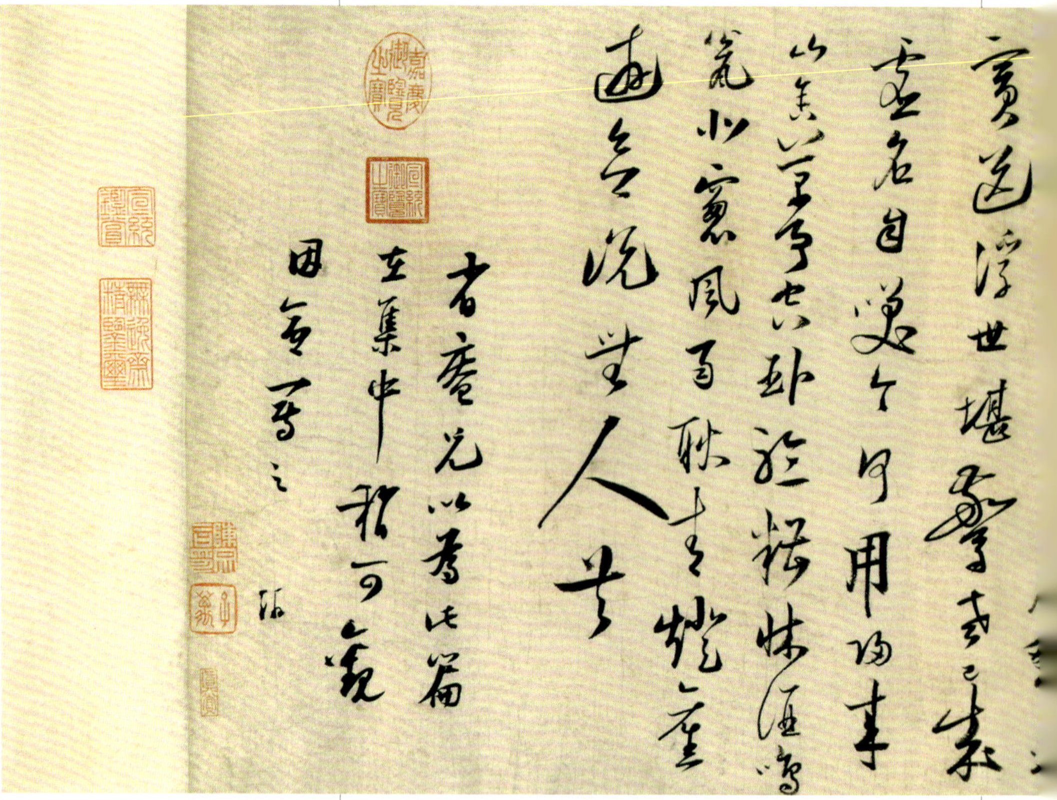

懷成都詩

南宋

陸游

高34.6、寬82.4厘米。

紙本。

現藏故宮博物院。

范成大（公元1126－1193年）

吴郡（今江蘇蘇州）人。字致能，號石湖。紹興二十四年（公元1154年）進士，官至資政殿大學士。素有文名，工詩詞，是當時著名的田園詩人。書法亦頗有造詣。

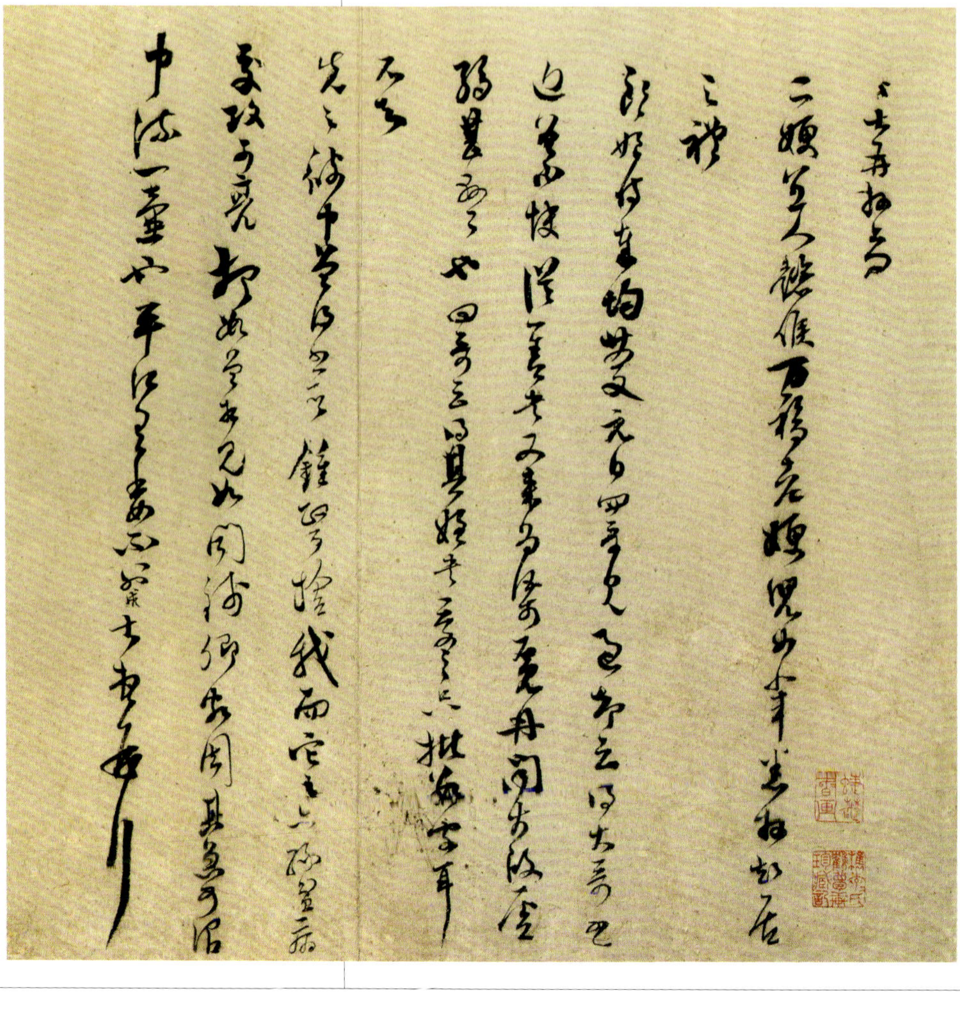

中流一壺帖

南宋

范成大

高31.8、寬42.4厘米。

紙本。

現藏故宮博物院。

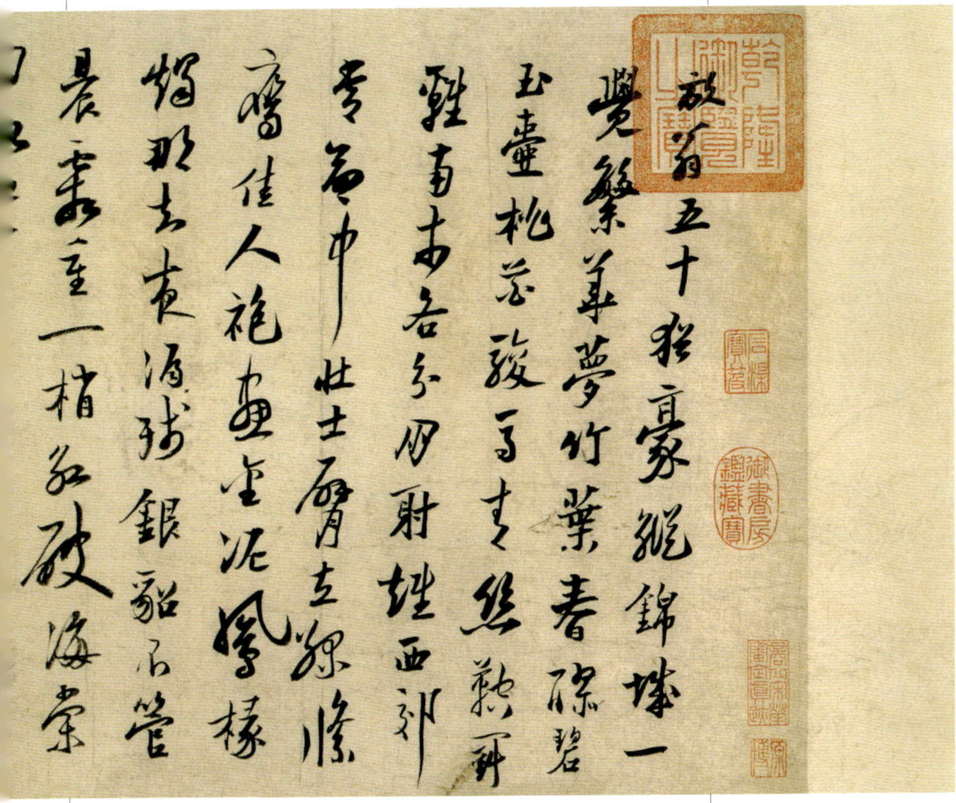

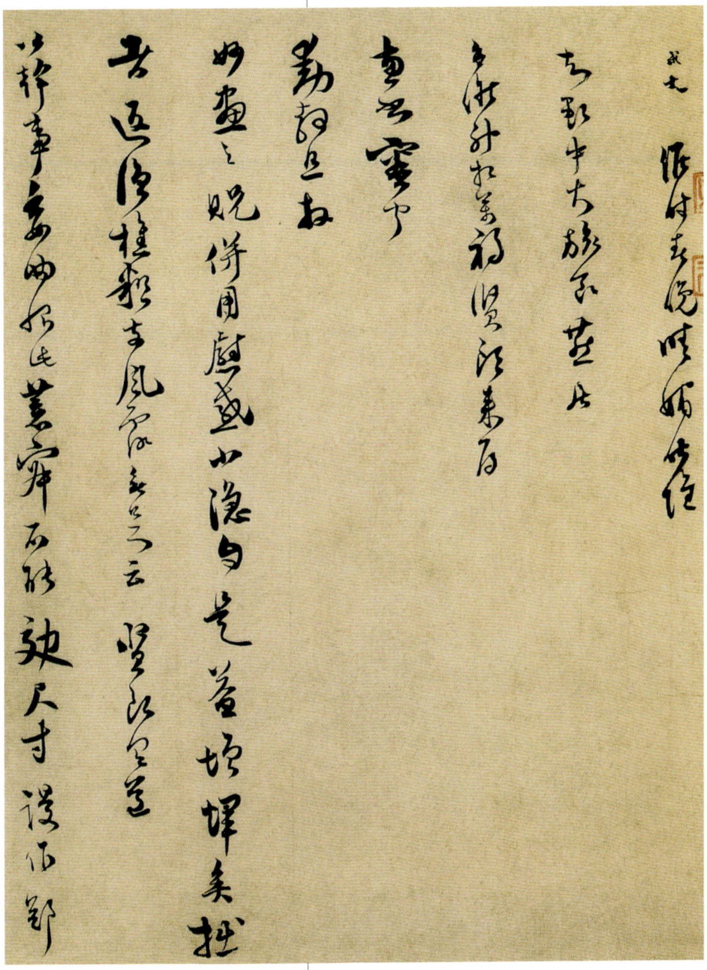

春晚帖

南宋

范成大

紙本。此選爲局部。

現藏上海博物館。

西塞漁社圖跋

南宋

范成大

高40.7、寬135.5厘米。

絹本。書于李佶《西塞漁社圖》卷後。

現藏美國紐約大都會博物館。

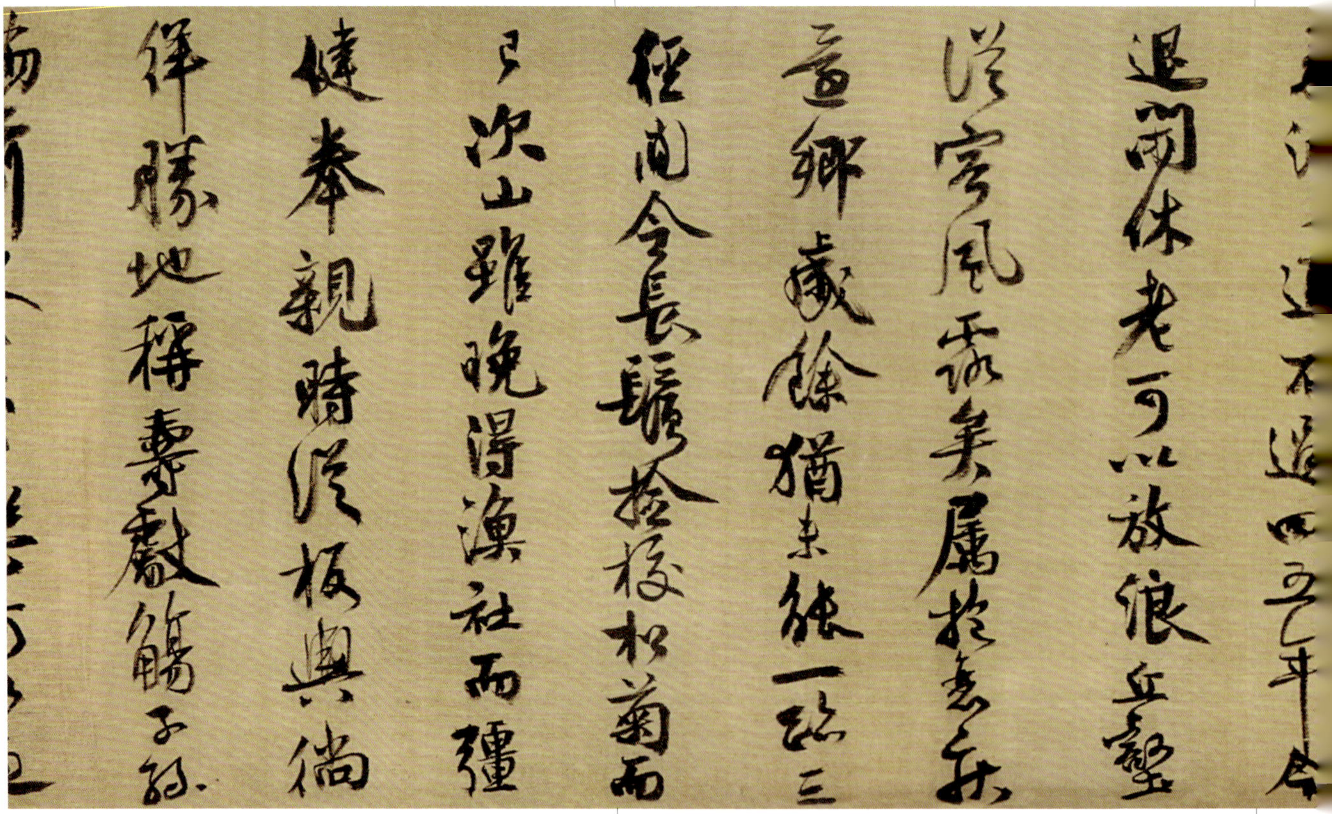

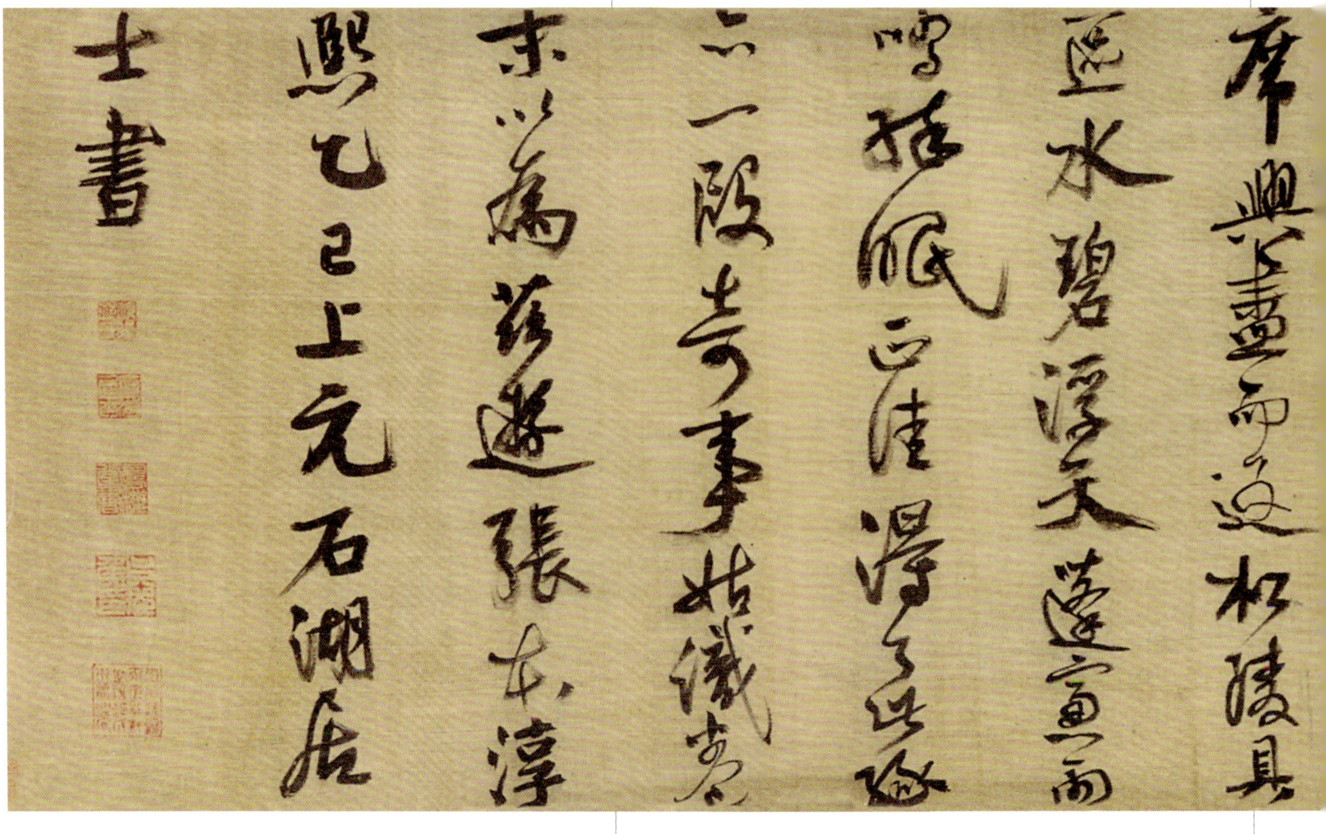

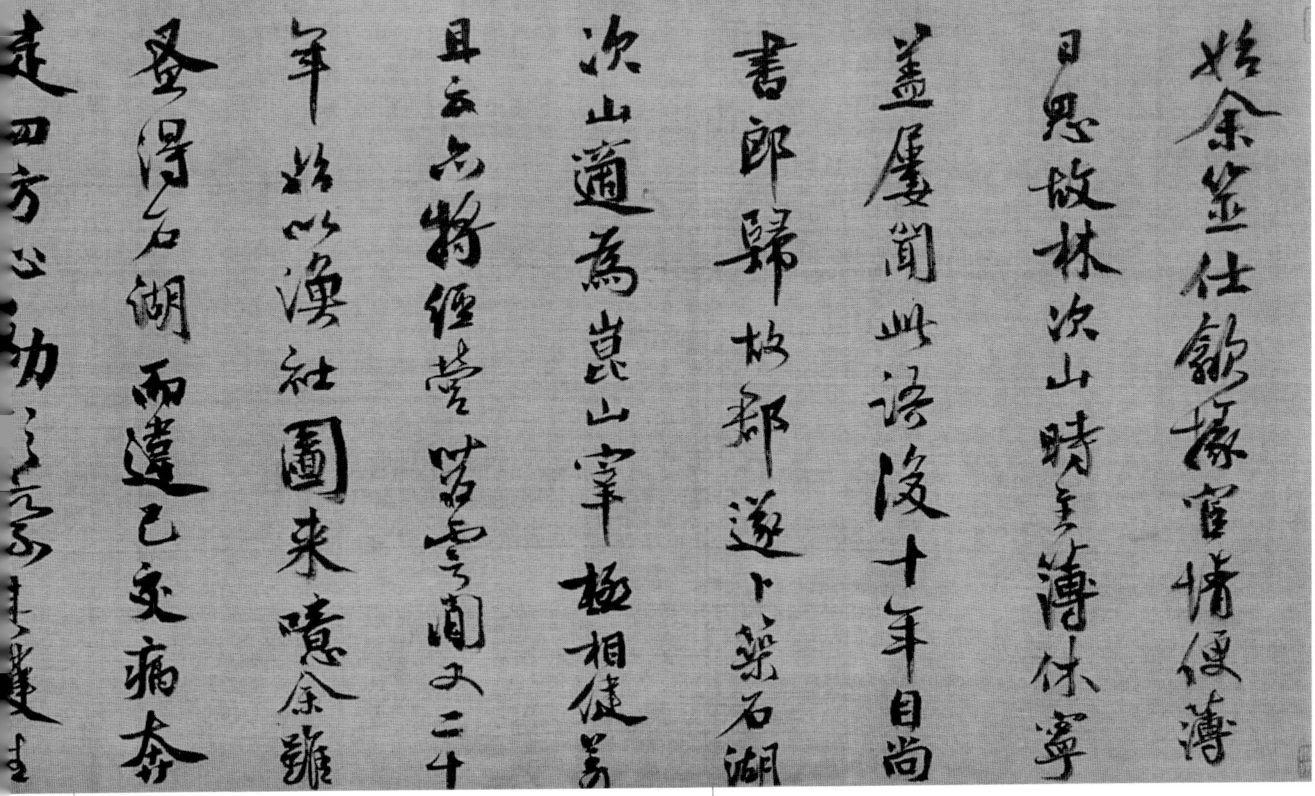

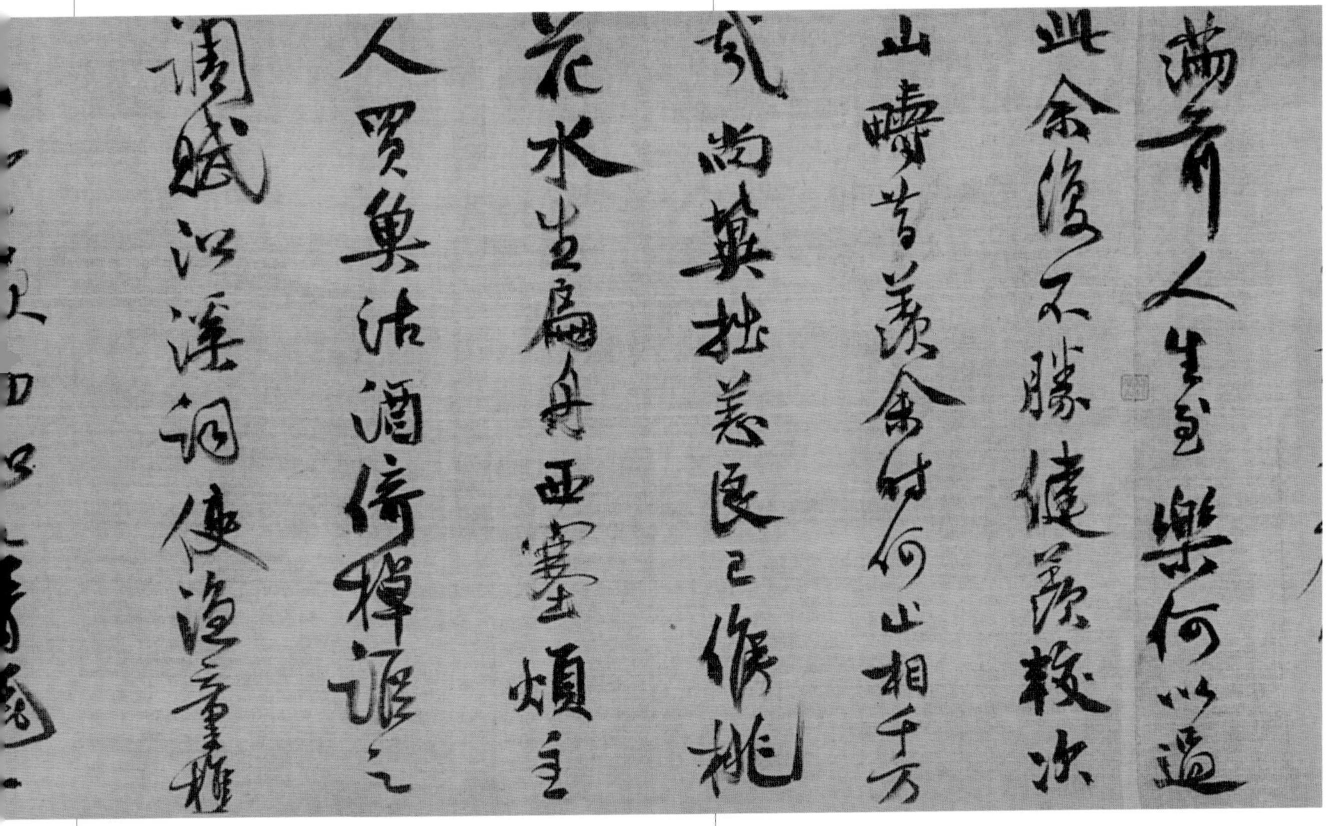

朱　熹（公元1130－1200年）

徽州婺源（今屬江西）人，僑寓建陽（今屬福建）。字元晦，一字仲晦，號晦庵，人稱“考亭先生”。十九歲時中進士，歷仕高、孝、光、寧四朝，曾官秘閣修撰、煥章閣待制。南宋杰出的哲學家和教育家。兼工書法，宗法王羲之和顏真卿。著述宏富，有《四書章句集注》、《楚辭集注》和《朱子語類》等。

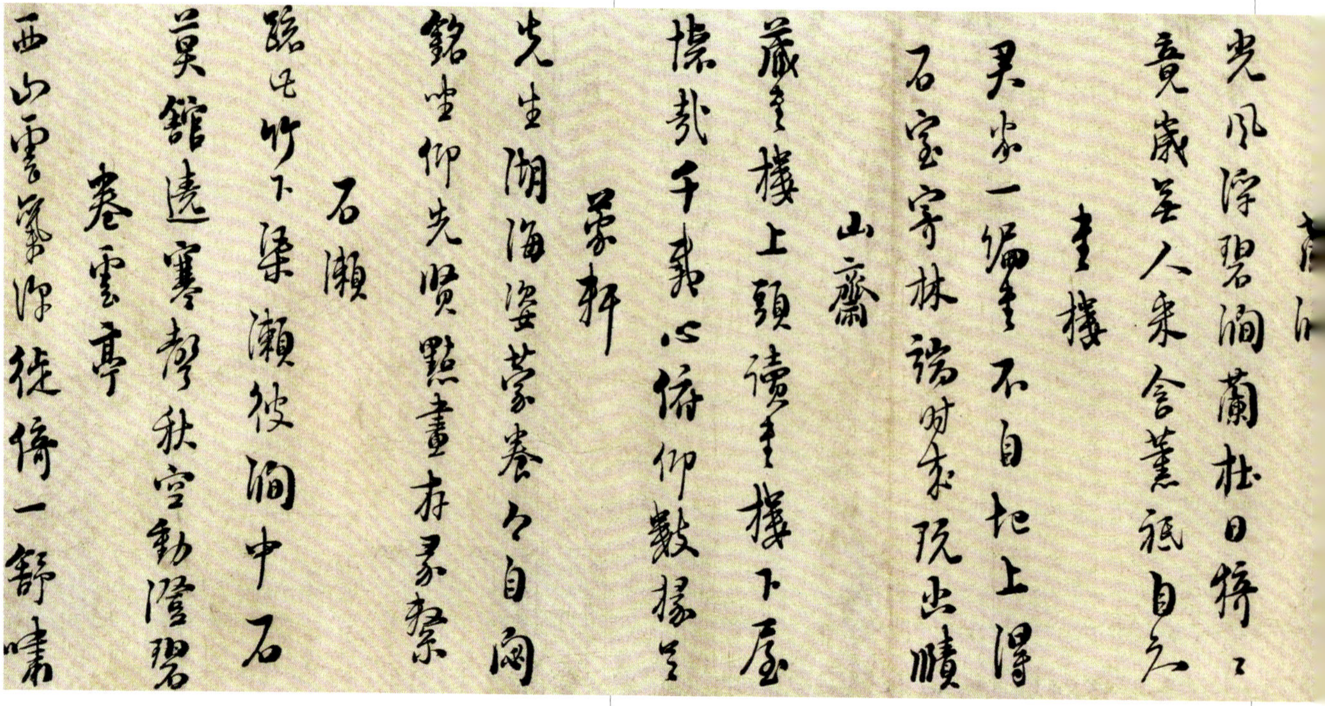

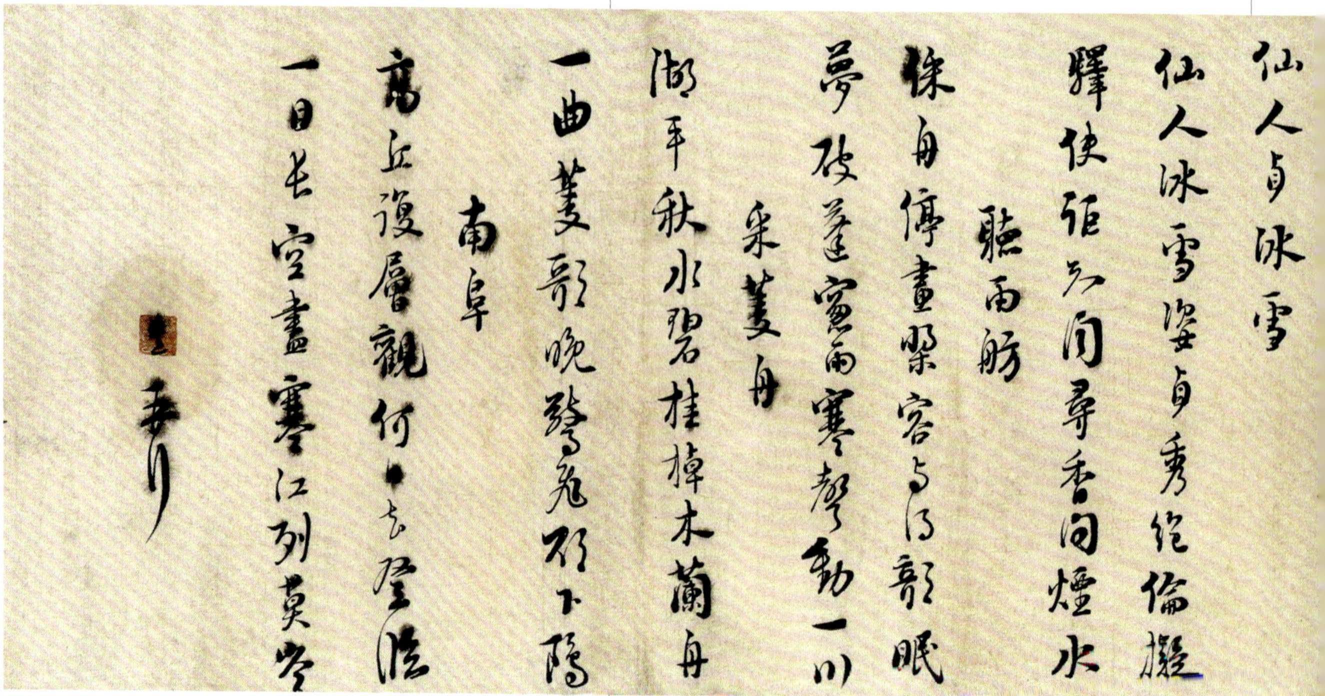

城南唱和詩

南宋

朱熹

高31.5、寬275.5厘米。

紙本。

現藏故宮博物院。

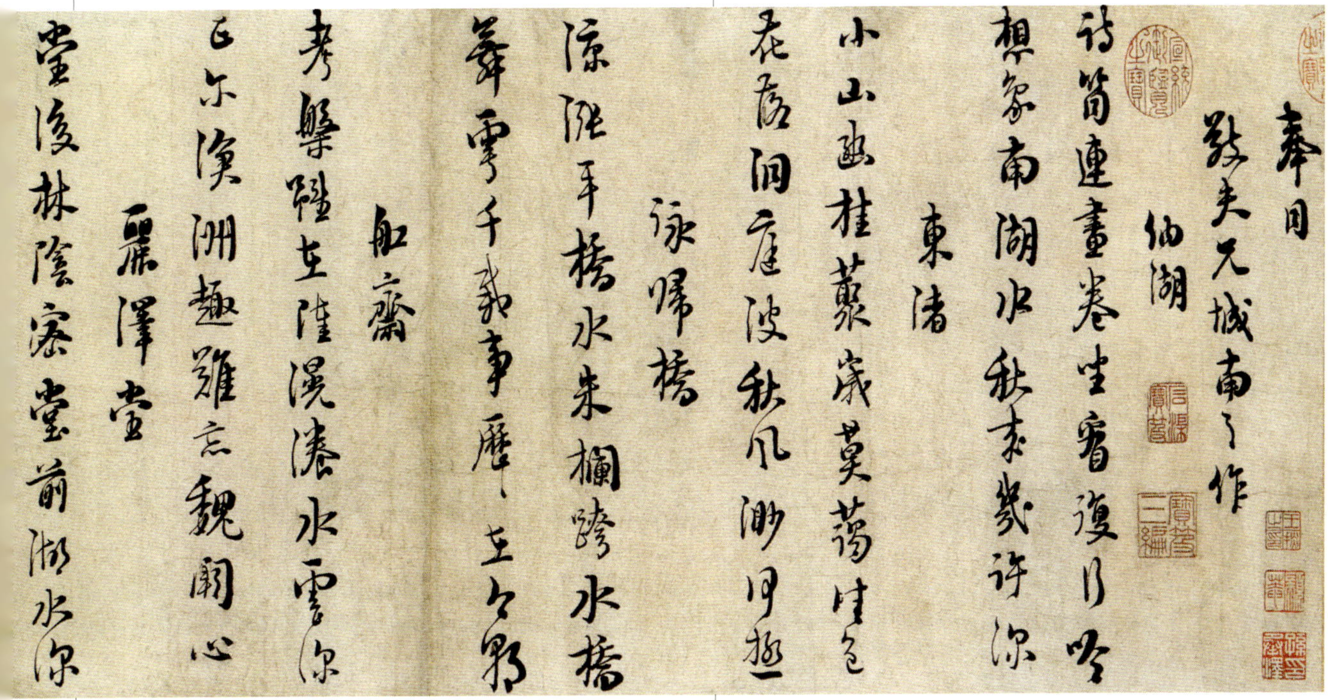

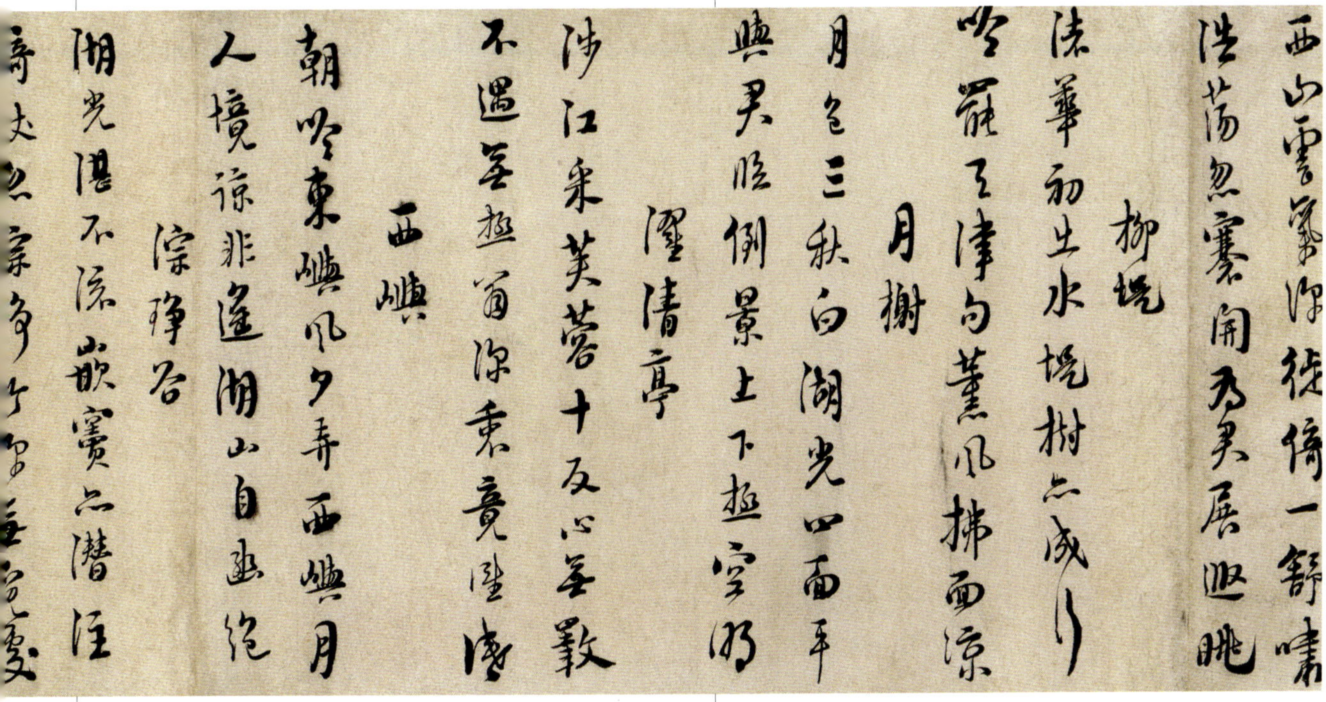

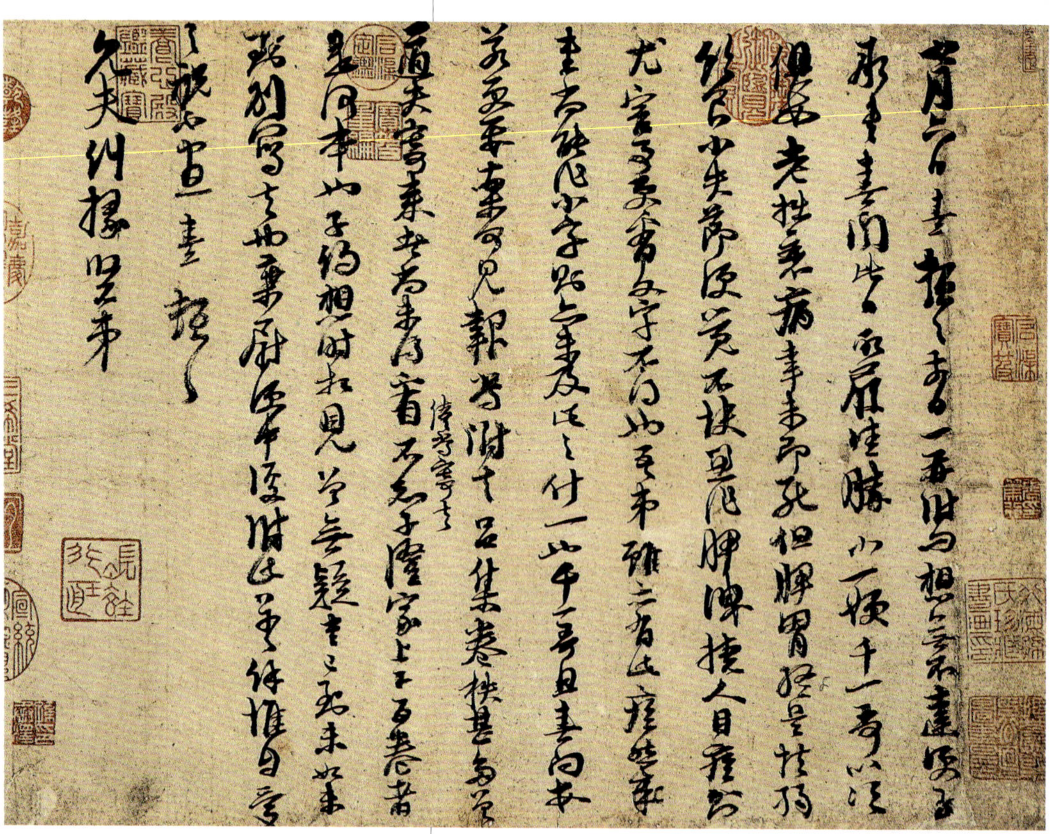

七月六日帖

南宋
朱熹
高33.5、寬45.3厘米。
紙本。
現藏遼寧省博物館。

卜築帖

南宋
朱熹
高33.5、寬57.6厘米。
紙本。
現藏日本東京國立博物館。

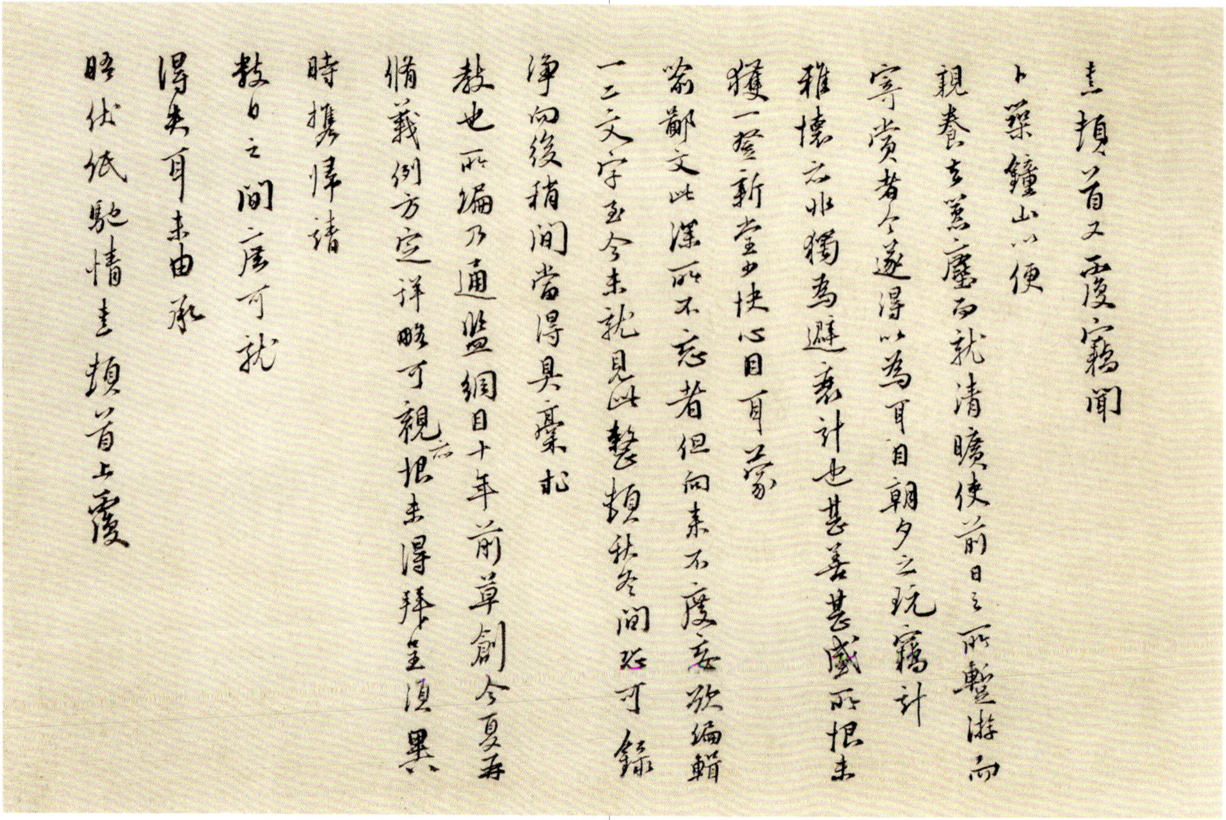

論語集注殘稿

南宋
朱熹
高25.9、寬13厘米。
紙本册裝，共三十七開。爲《論語・顔淵篇》集注的一部分。此選爲局部。
現藏日本京都國立博物館。

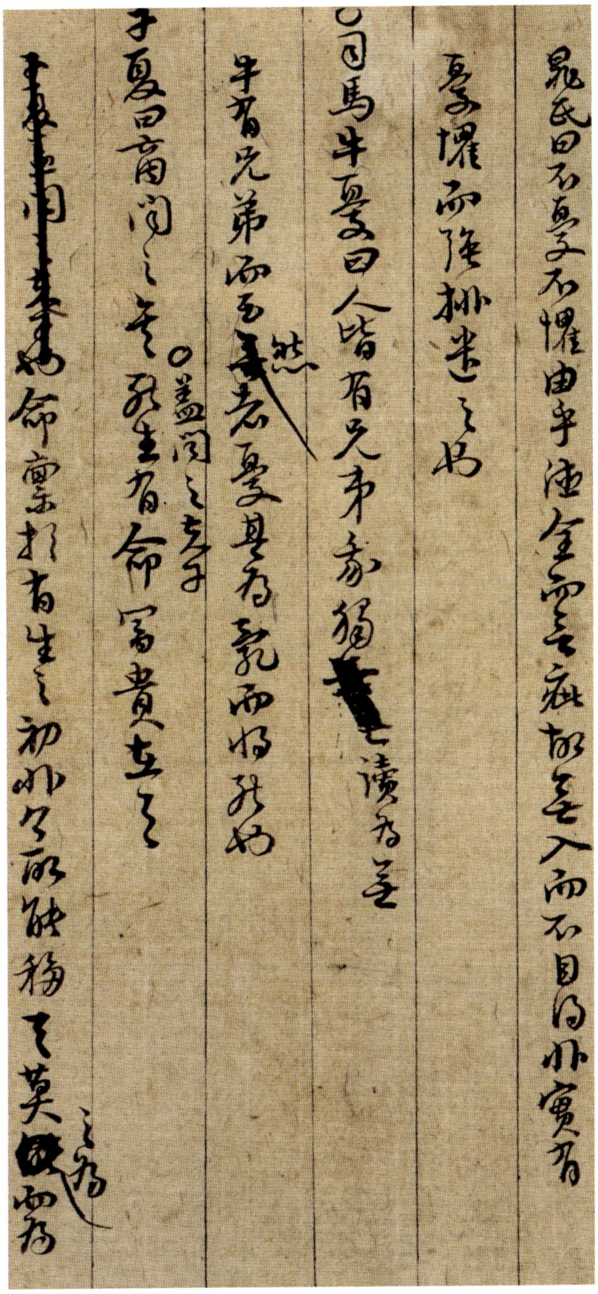

張孝祥（公元1132－1170年）

歷陽烏江（今安徽和縣北）人。字安國，號于湖居士，人稱“于湖先生”。官顯謨閣直學士，是南宋著名愛國詞人。書法成就也很高，楷書有顔真卿風格，行草書則得力于米芾。

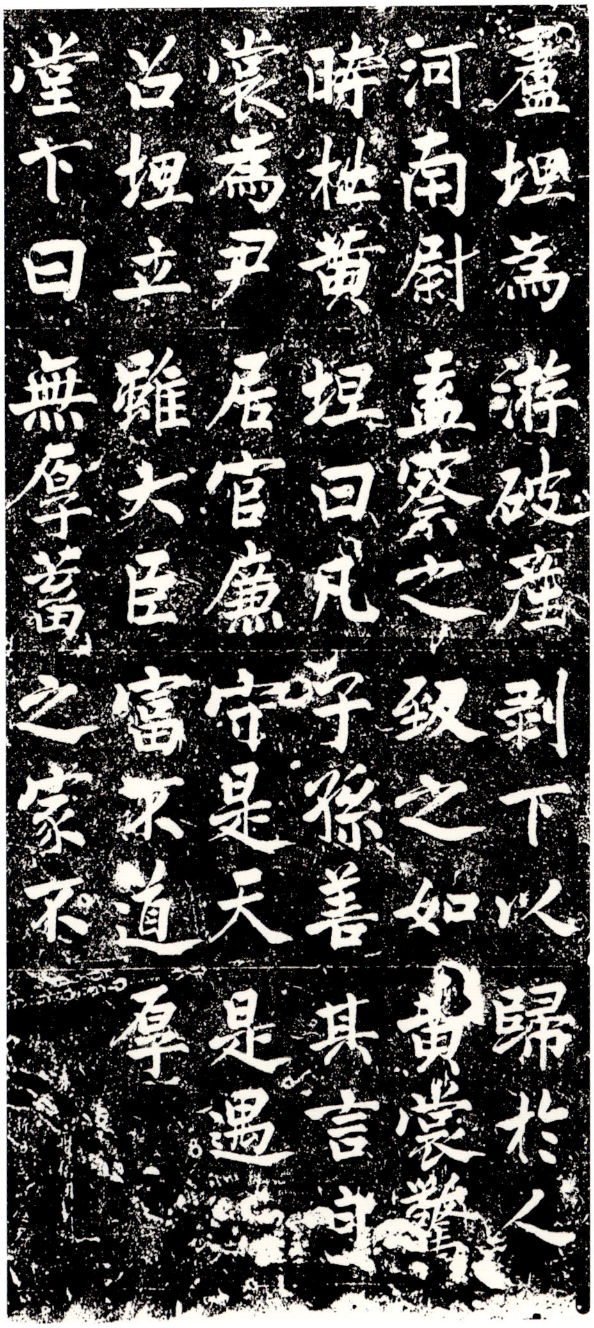

盧坦傳語碑

南宋
張孝祥
高235、寬95厘米。
刻于淳祐辛丑年（公元1241年）。此選爲局部。
現立江蘇省蘇州文廟。

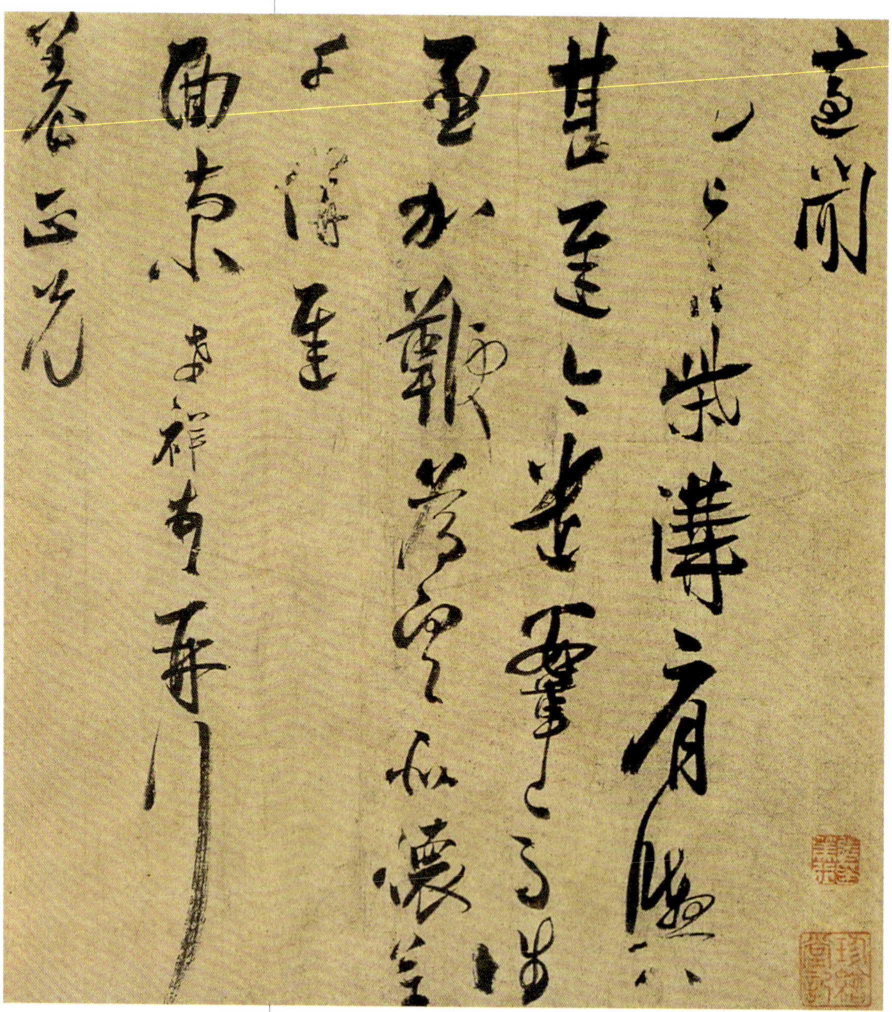

柴溝帖

南宋
張孝祥
高33.5、寬38.9厘米。
紙本。
現藏上海博物館。

涇川帖

南宋
張孝祥
高26.6、寬43.1厘米。
紙本。
現藏上海博物館。

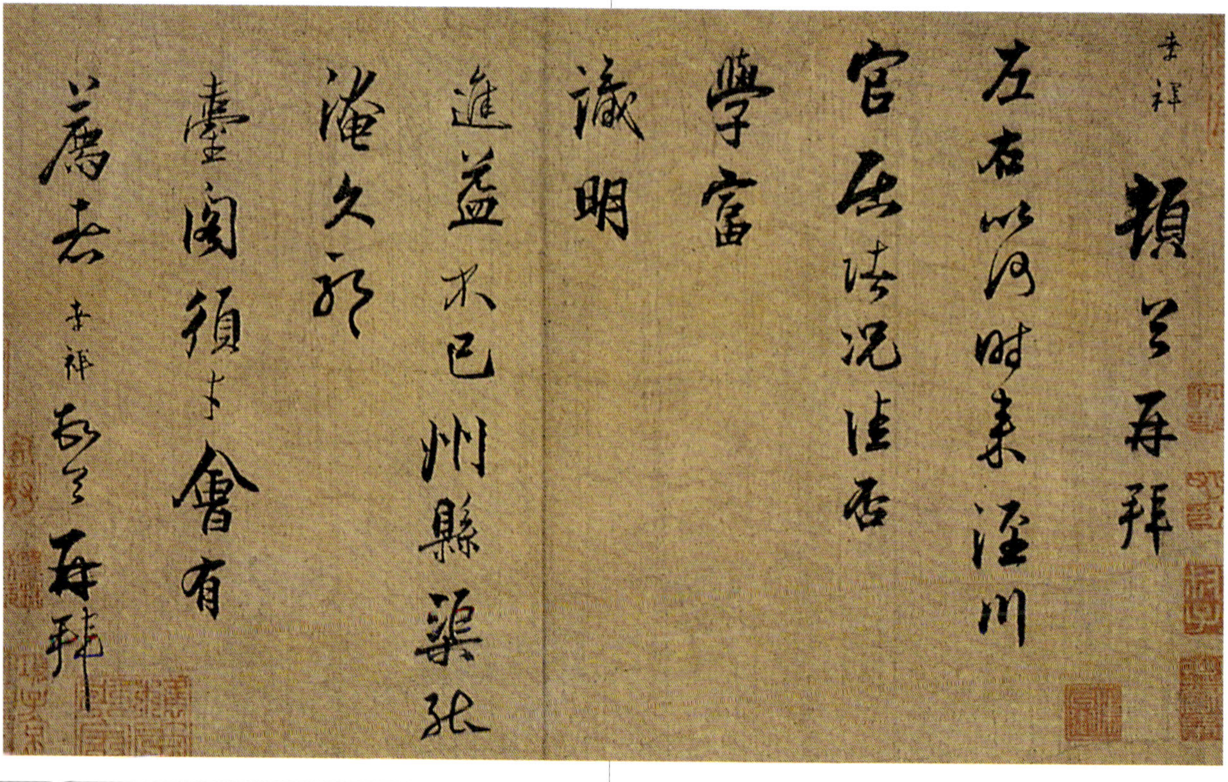

吴　琚

生卒年不詳。汴京（今河南開封）人。字居文，號雲壑。仕至尚書郎、鎮安節度使。世稱“吴七郡王”。工詩善畫能書，書學米芾。著有《雲壑集》。

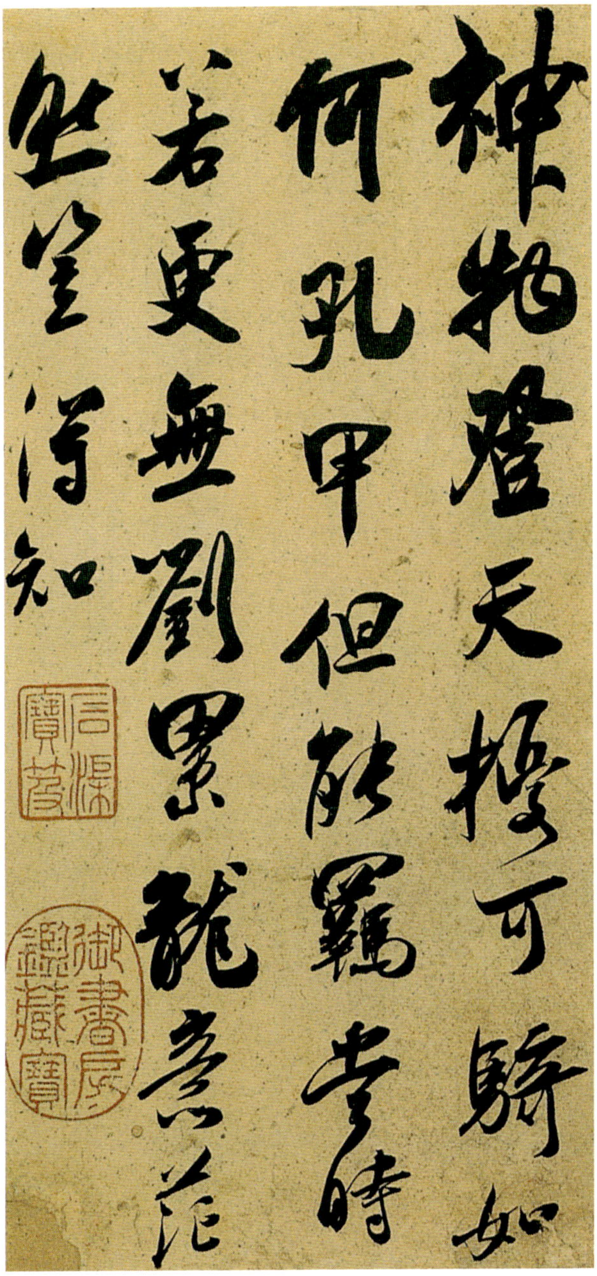

雜詩帖之一

雜詩帖（選二）

南宋

吴琚

高26、寬12厘米。

紙本册裝。共九開半十九紙。

現藏故宫博物院。

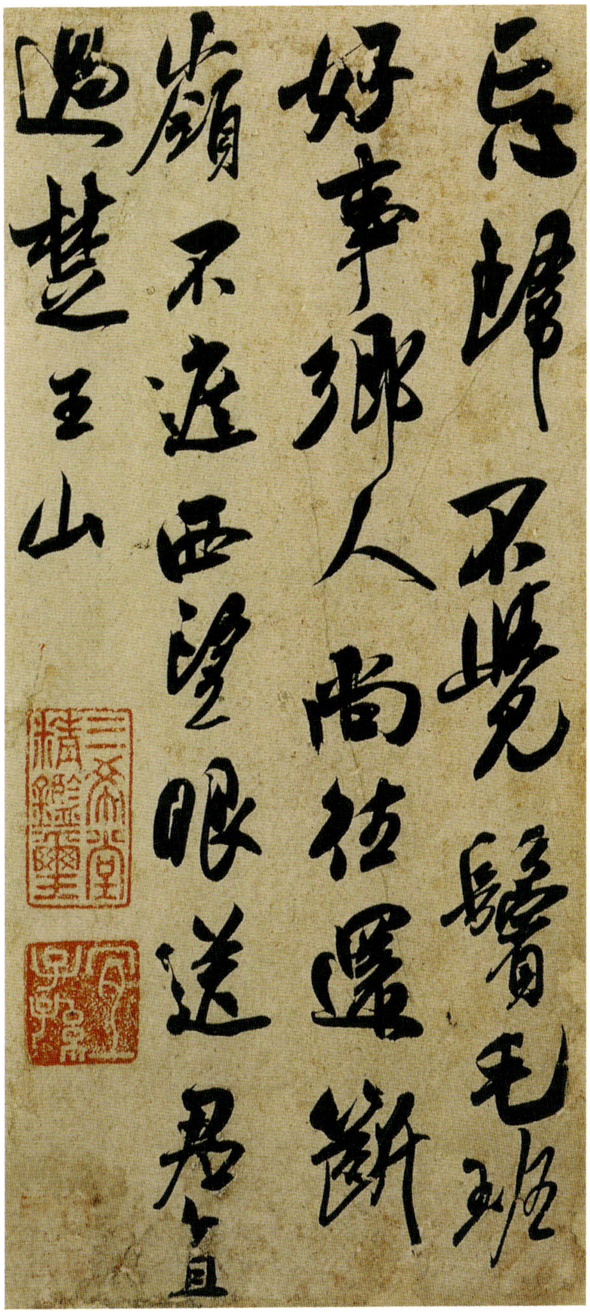

雜詩帖之二

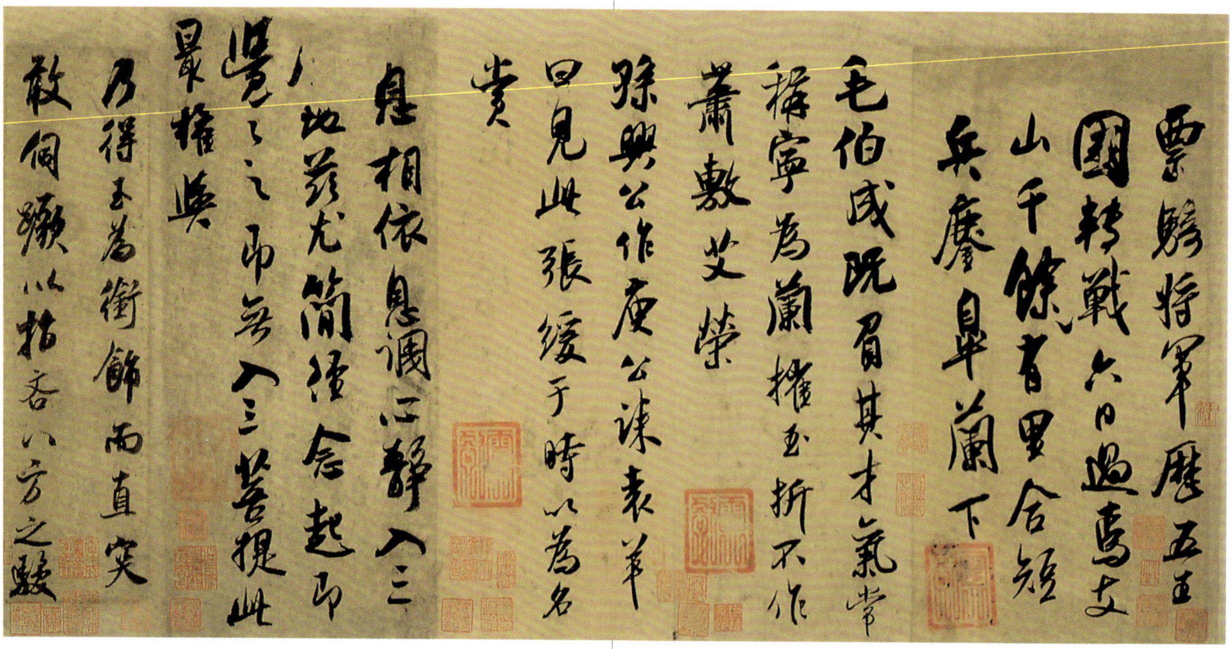

行書五段卷（上圖）

南宋

吴琚

高28.7、寬63.8厘米。

紙本。此選爲局部。

現藏上海博物館。

壽父帖

南宋

吴琚

高22.5、寬48.7厘米。

紙本。

現藏故宫博物院。

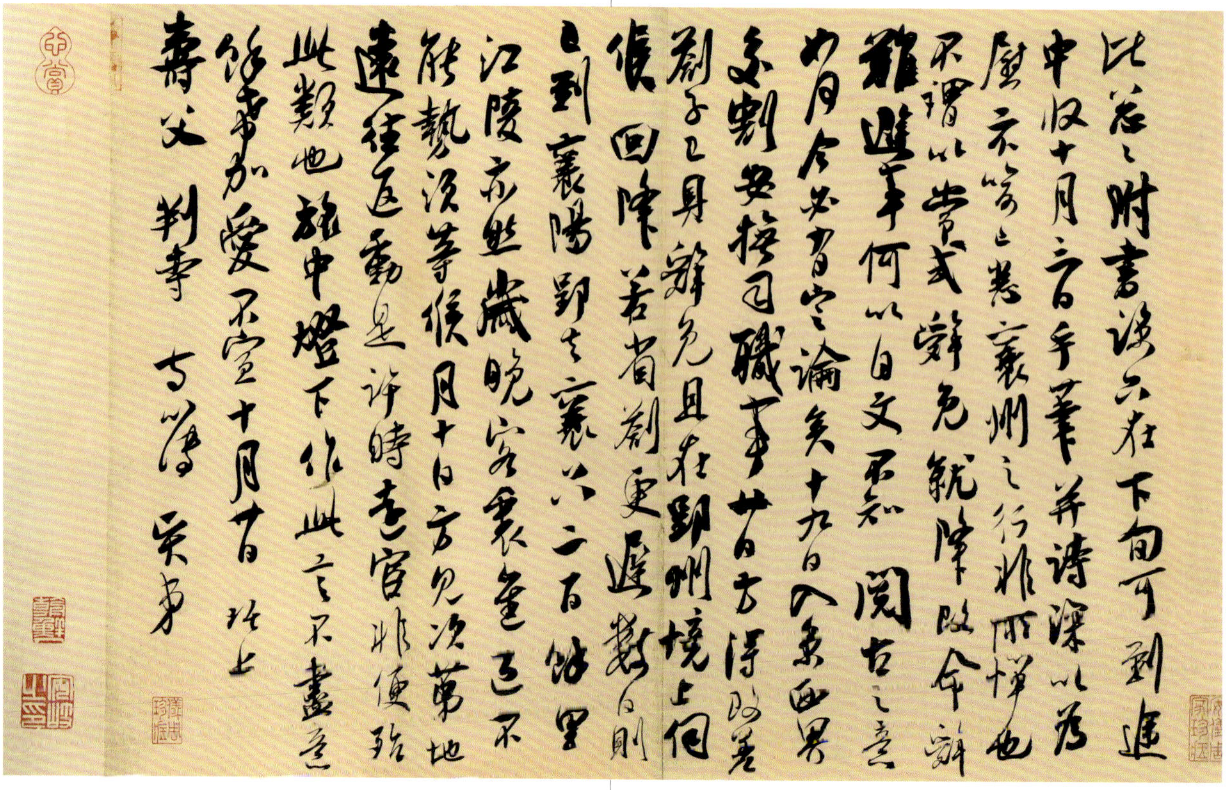

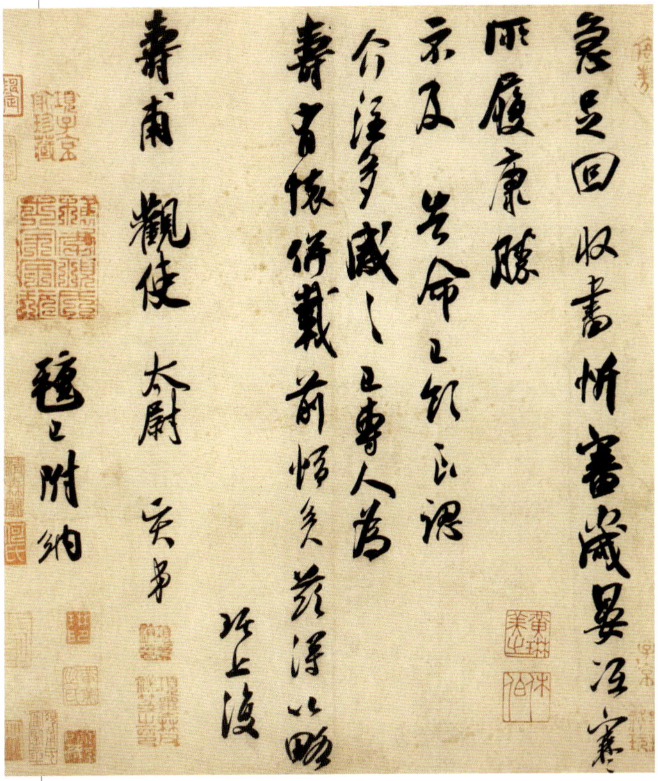

急足帖

南宋
吴琚
高34、寬30.8厘米。
紙本。
現藏日本東京國立博物館。

辛弃疾（公元1140 – 1207年）

濟南歷城（今山東濟南）人。字幼安。著名詞人。

去國帖

南宋
辛弃疾
高33.5、寬21.5厘米。
紙本。
現藏故宫博物院。

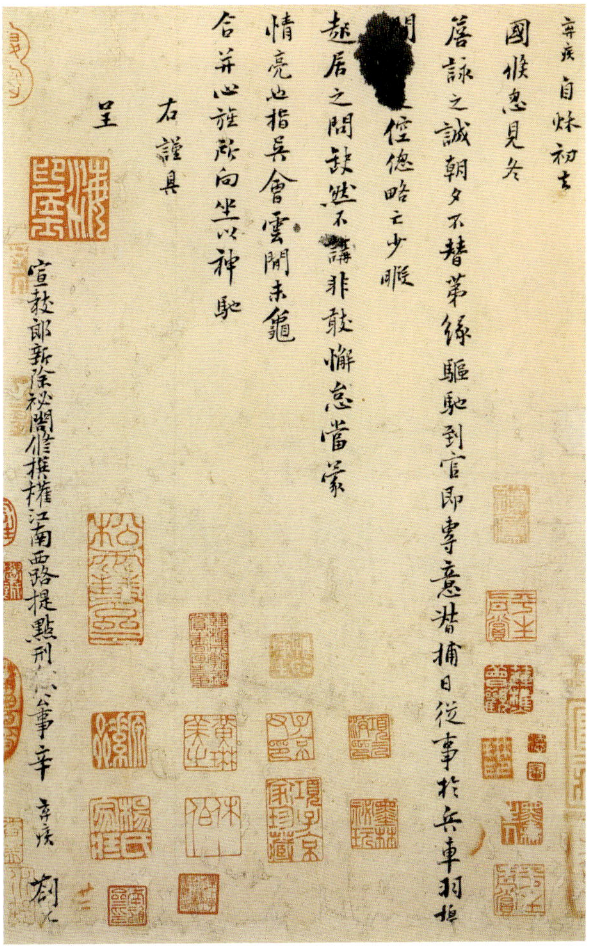

姜　夔（公元1163－1230年）

饒州鄱陽（今屬江西）人。字堯章，自號白石道人，又號石帚。精通音律，工詩詞，是宋代著名詞人。善書法。

王獻之保母帖跋

南宋
姜夔
高31.6、寬708.3厘米。
紙本。此選爲局部。
現藏故宮博物院。

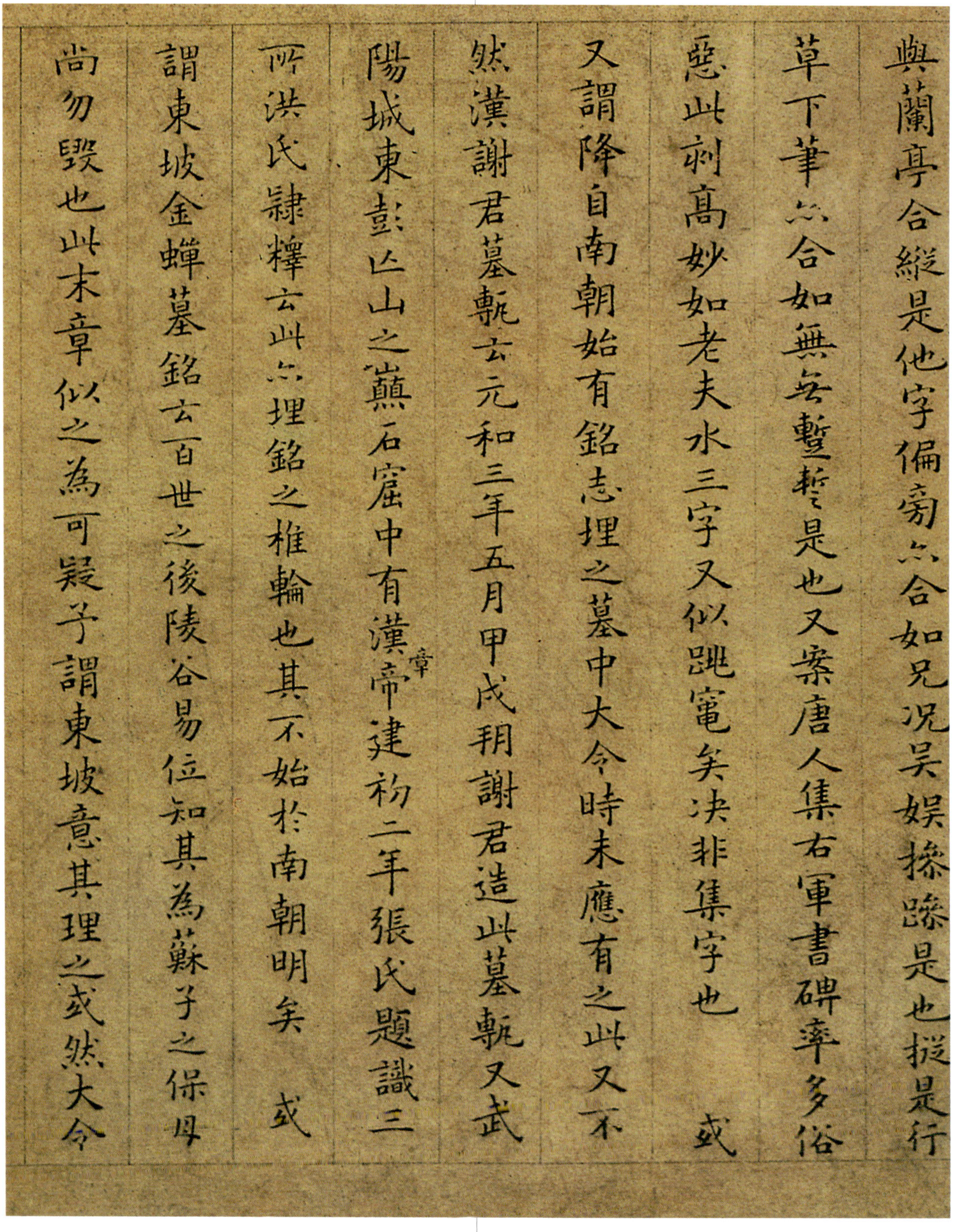
與蘭亭合縱是他字偏旁亦合如兄況吳娛搽蹉是也挺是行
草下筆亦合如無妄暫替是也又案唐人集右軍書碑率多俗
惡此刻高妙如老夫水三字又似跳竄矣決非集字也 或
又謂降自南朝始有銘志埋之墓中大令時未應有之此又不
然漢謝君墓甎云元和三年五月甲戌朔謝君造此墓甎又武
陽城東彭亡山之巔石窟中有漢章帝建初二年張氏題識三
所洪氏隸釋云此亦埋銘之椎輪也其不始於南朝明矣 或
謂東坡金蟬墓銘云百世之後陵谷易位知其為蘇子之保母
尚勿毀也此末章似之為可疑予謂東坡意其理之或然大令

魏了翁（公元1178－1237年）

邛州蒲江（今屬四川）人。字華父。嘉熙元年（公元1237年），逝后十日詔以爲資政殿大學士，謚文靖。少即英悟絶出，鄉里稱爲神童，十五歲即著有《韓愈論》。工書法。

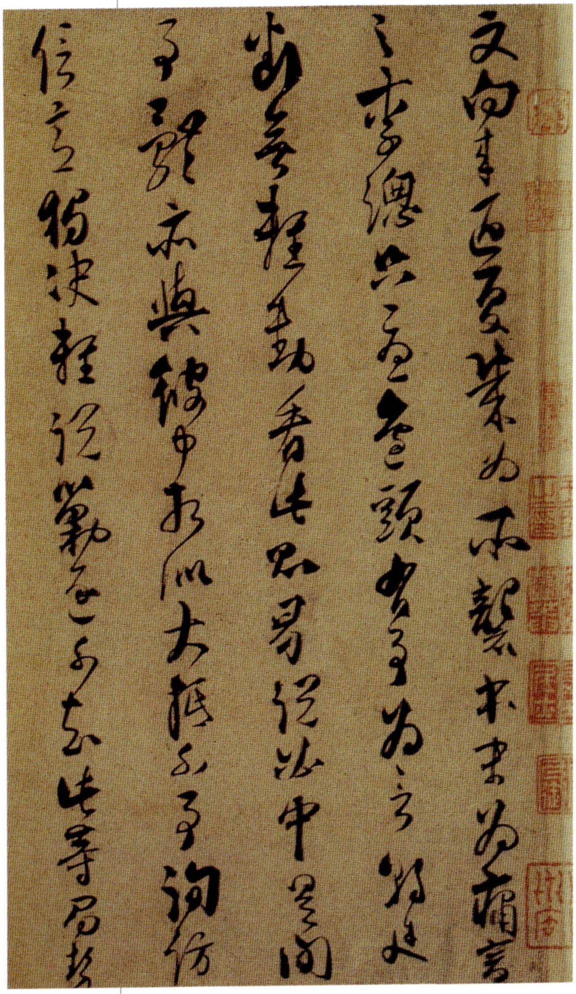

文向帖

南宋
魏了翁
高28.4、寬161.6厘米。
紙本。此選爲局部。
現藏上海博物館。

提刑提舉帖

南宋
魏了翁
高26.2、寬47.8厘米。
紙本。此選爲局部。
現藏故宫博物院。

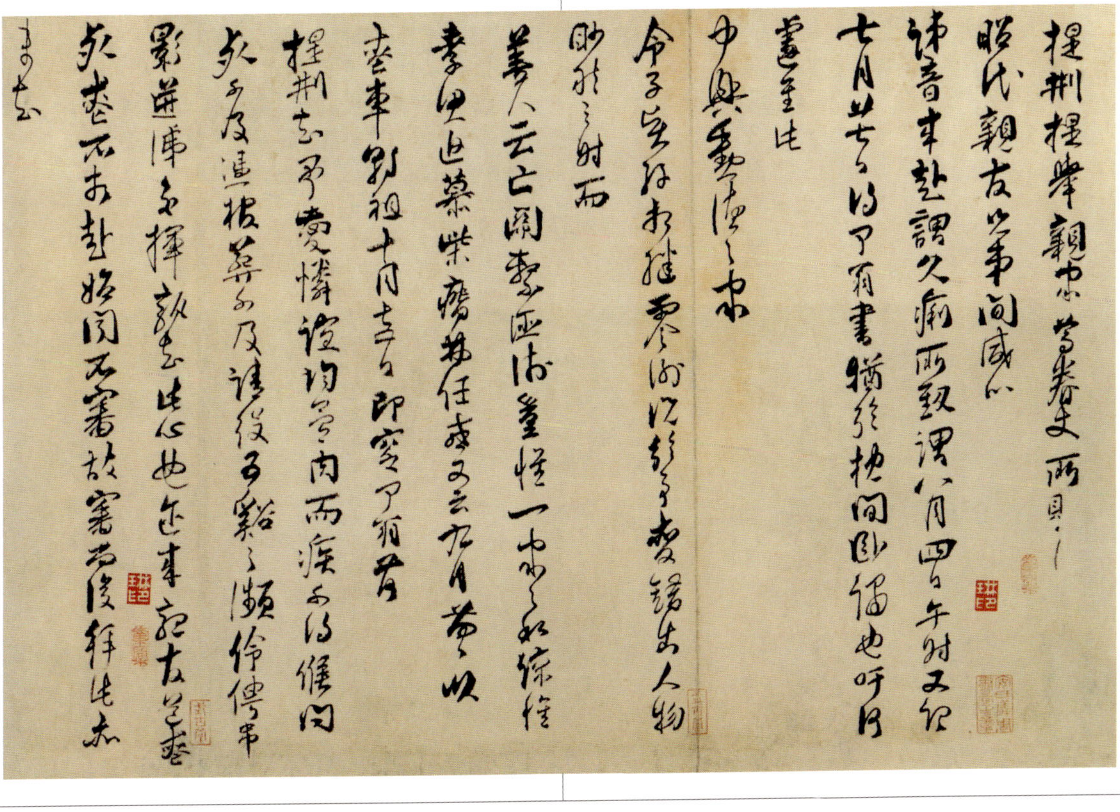

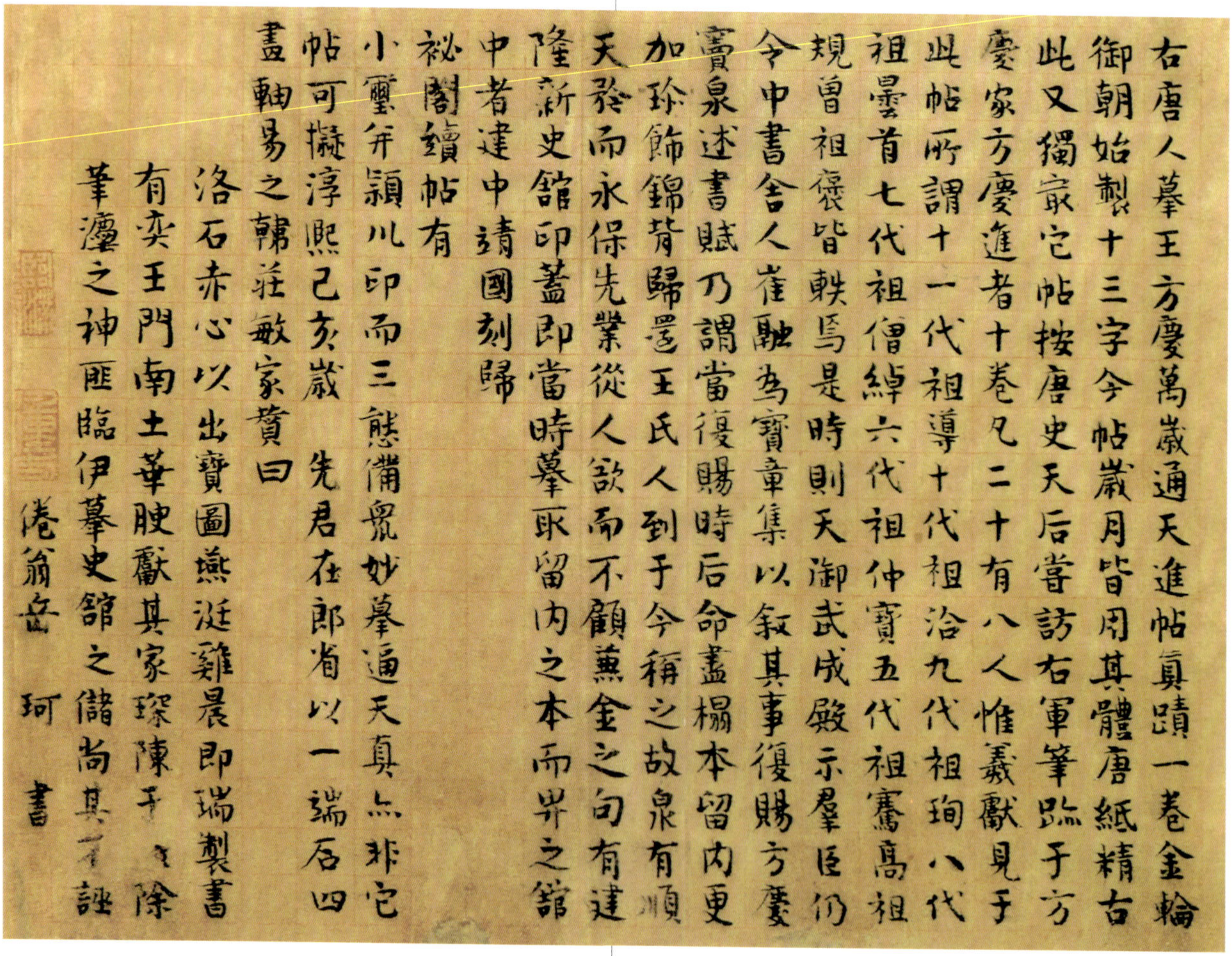

跋萬歲通天帖

南宋

岳珂

高26.3厘米。

紙本。

現藏遼寧省博物館。

岳珂（公元1183－1234年）

相州湯陰（今屬河南）人。字肅之，號倦翁，岳飛孫。著有《寶真齋法書贊》等。

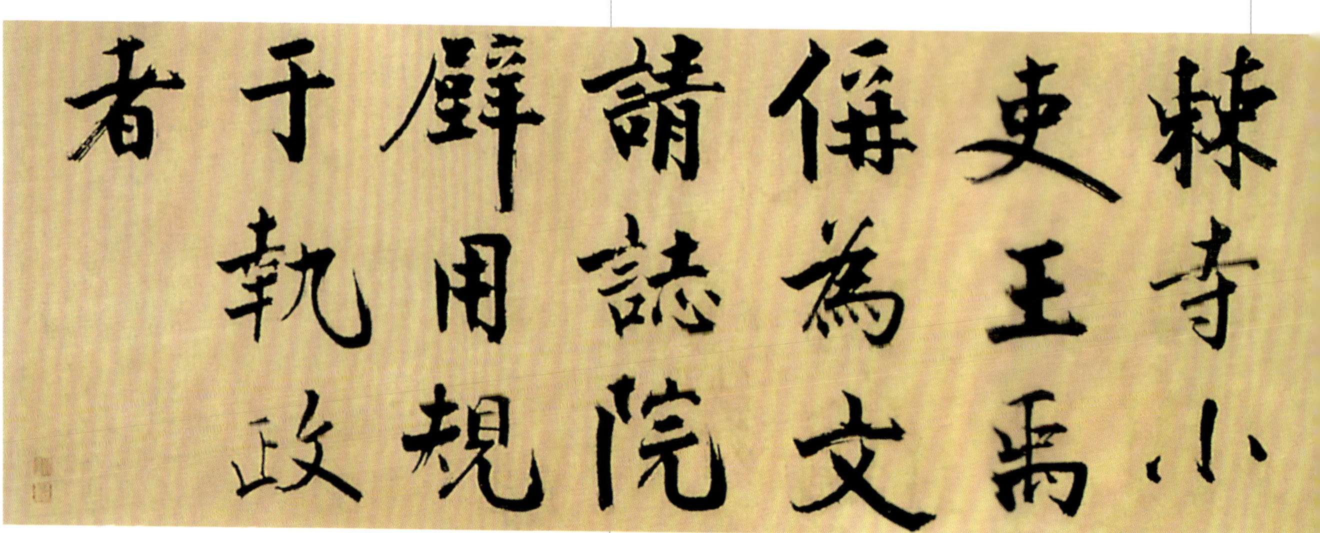

張即之（公元1186－1263年）

歷陽（今安徽和縣）人。字温夫，號樗寮。舉進士，歷任監平江府料糧院、將作監簿、司農寺丞，特授直秘書閣致仕。工書法，南宋末年以能書名天下。

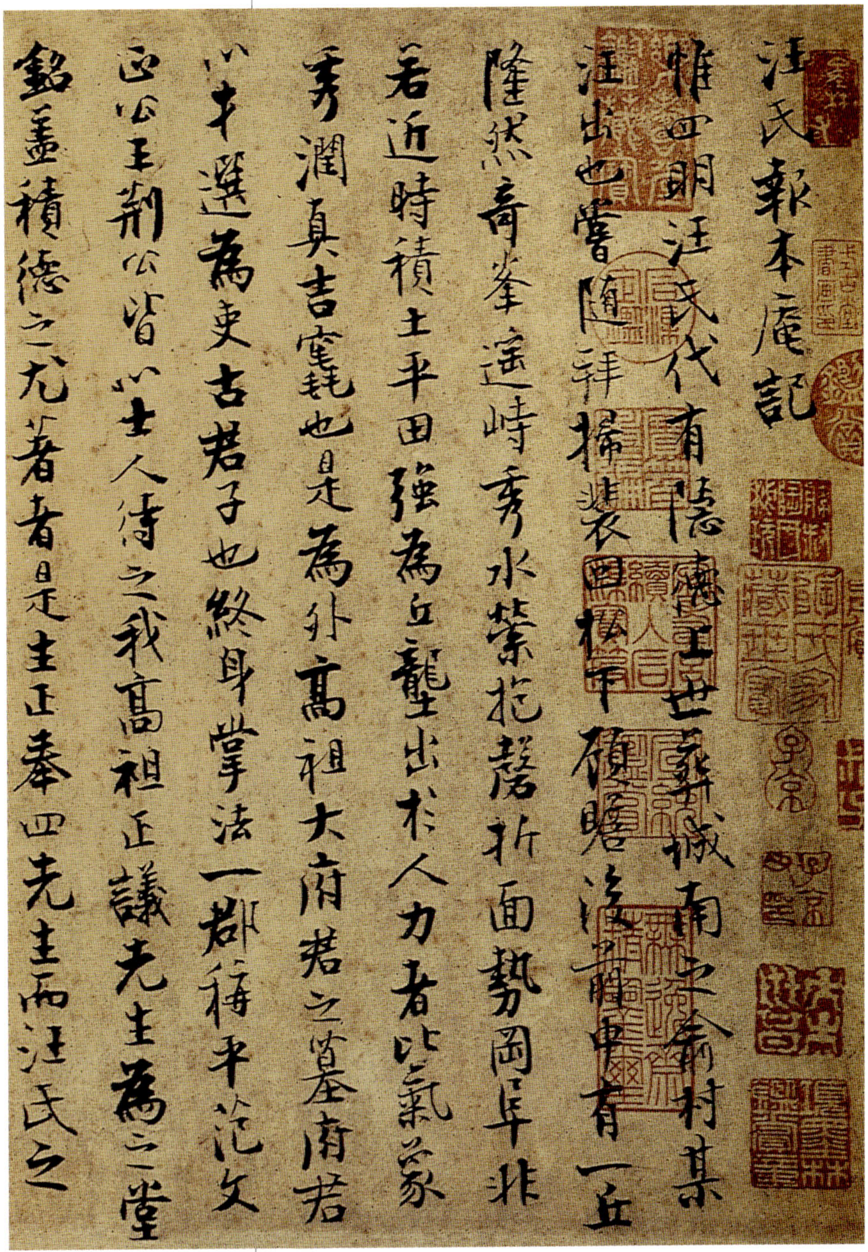
汪氏報本庵記

汪氏報本庵記卷

南宋
張即之
高29.3、寬91.4厘米。
紙本。此選爲局部。
現藏遼寧省博物館。

王禹偁待漏院記卷

南宋
張即之
高47.2、寬2665.5厘米。
紙本。此選爲局部。
現藏上海博物館。

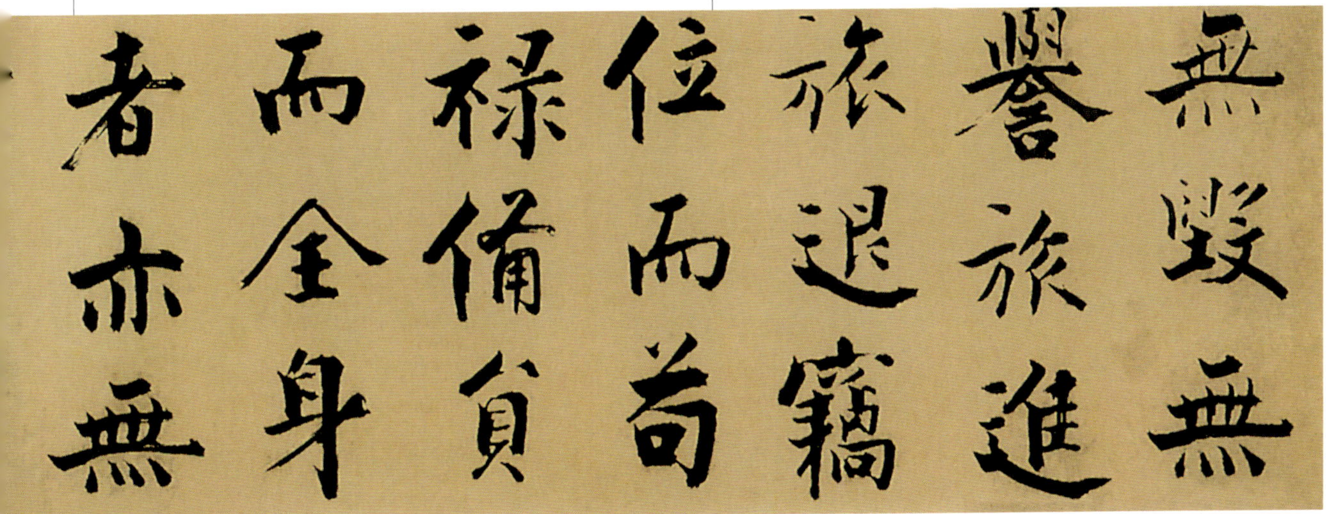
無毀無
譽旅進
旅退竊
位而苟
祿備貪
而全身
者亦無

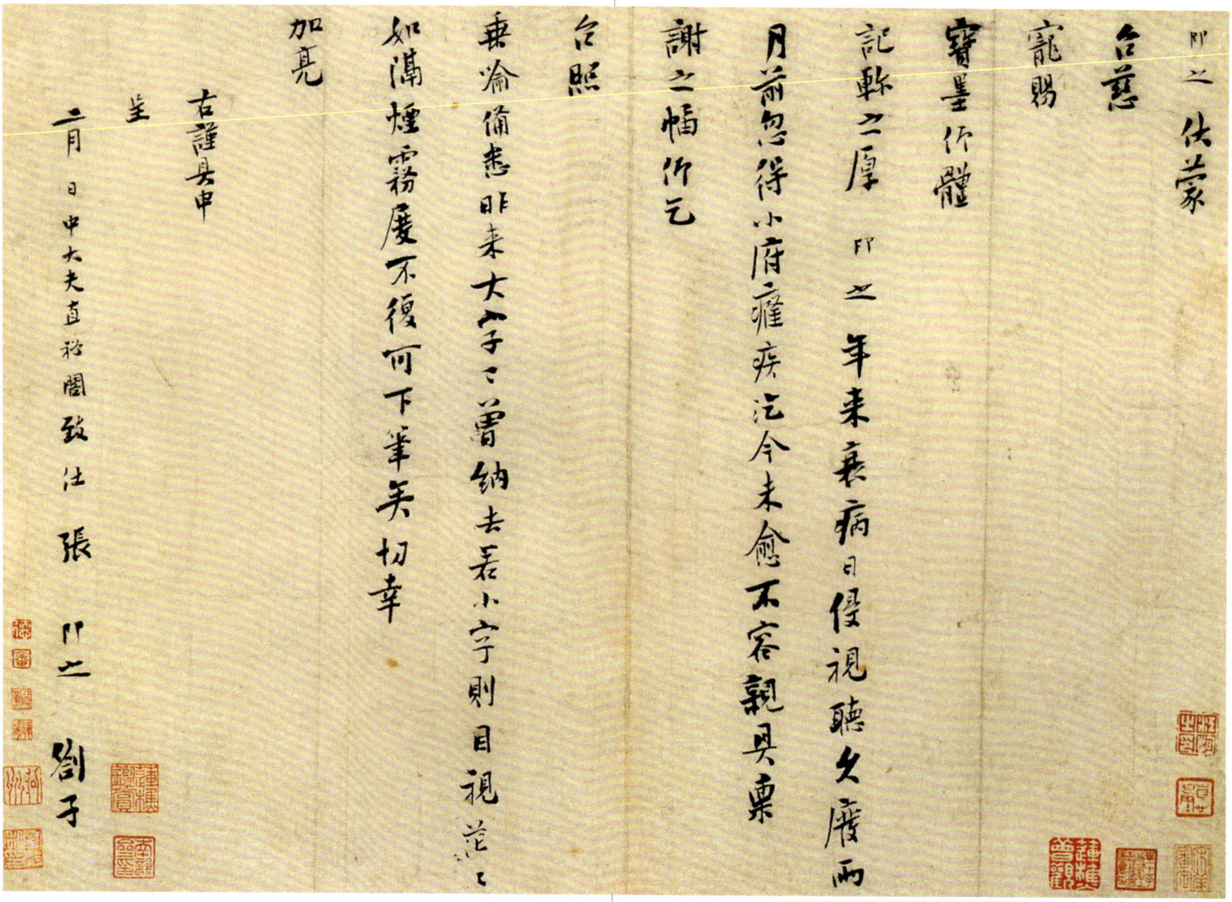

台慈帖

南宋
張即之
高30.9、寬43.1厘米。
紙本。
現藏故宮博物院。

大字杜甫詩卷

南宋
張即之
高34.6、寬128.7厘米。
紙本。此選爲局部。
現藏遼寧省博物館。

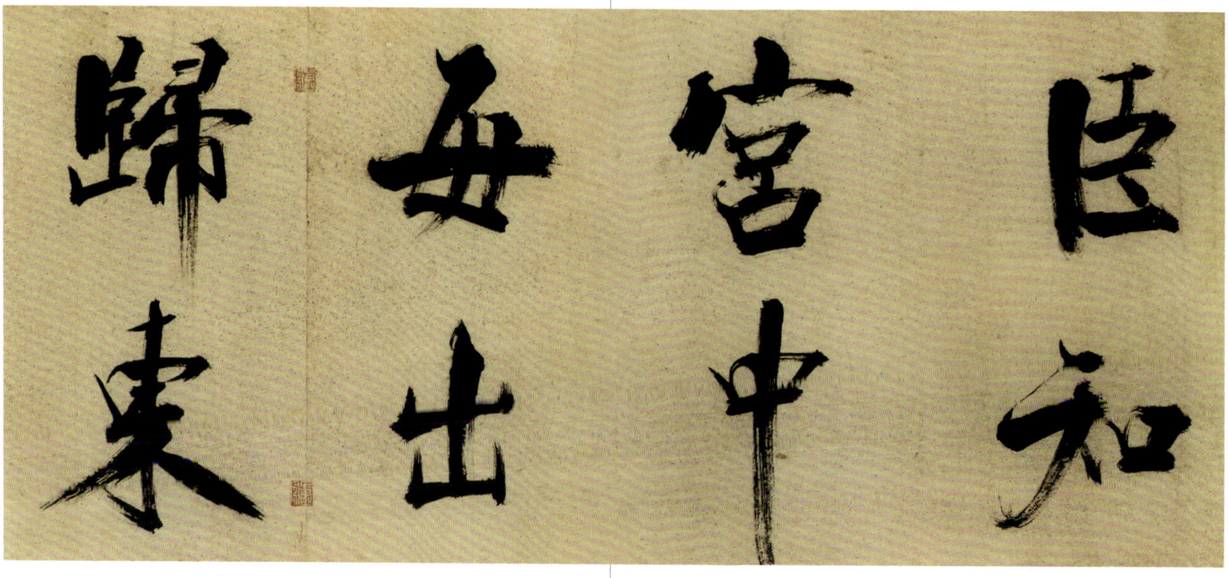
臣知
宮中
每出
歸來

金剛般若波羅蜜經

南宋

張即之

高32.2、寬1780厘米。

紙本。

用淡墨畫出長寬約3厘米的界格。此選爲局部。

現藏日本京都智積院。

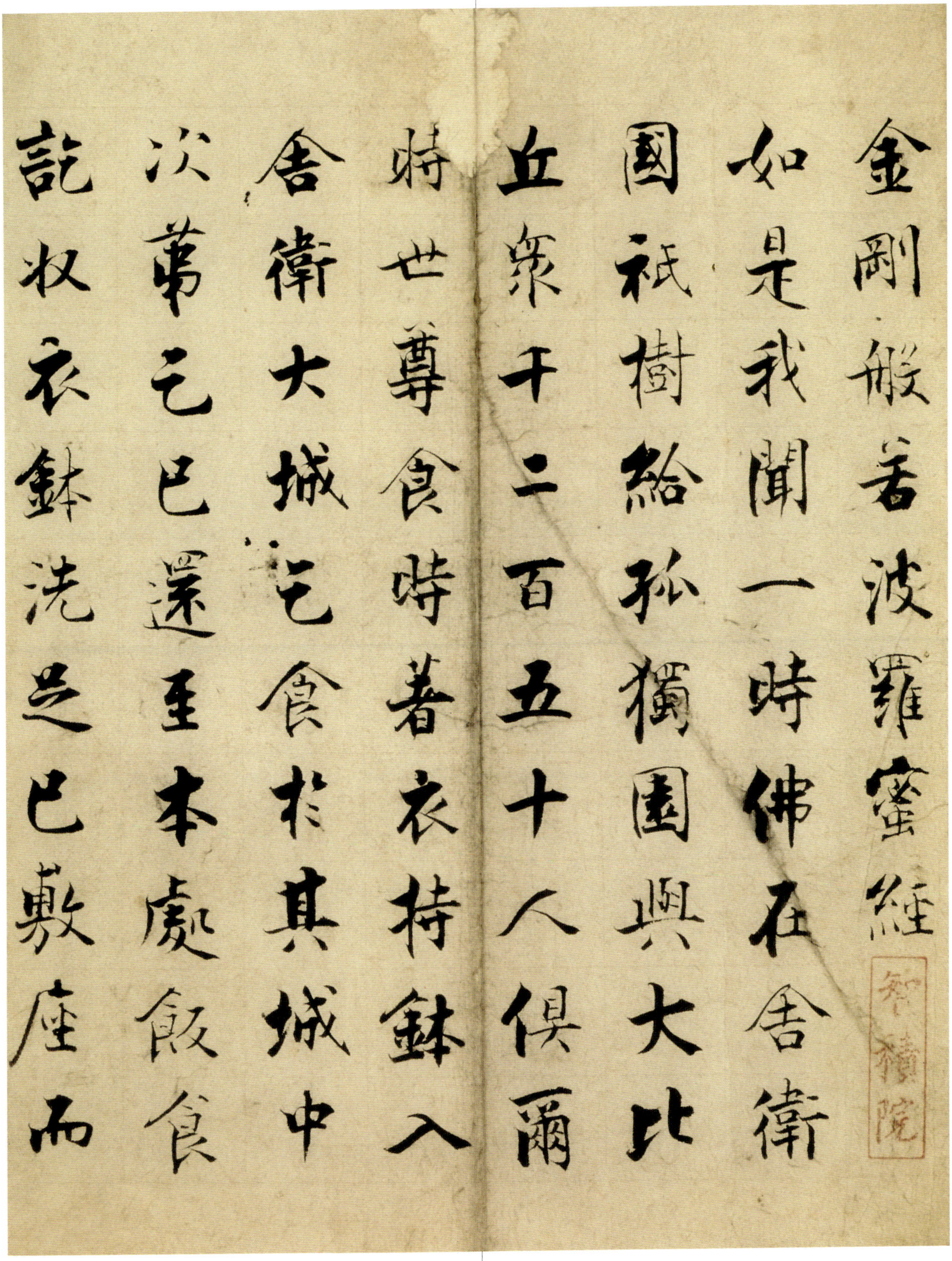
金剛般若波羅蜜經
智積院
如是我聞一時佛在舍衛
國祇樹給孤獨園與大比
丘衆千二百五十人俱爾
時世尊食時著衣持鉢入
舍衛大城乞食於其城中
次第乞已還至本處飯食
訖收衣鉢洗足已敷座而

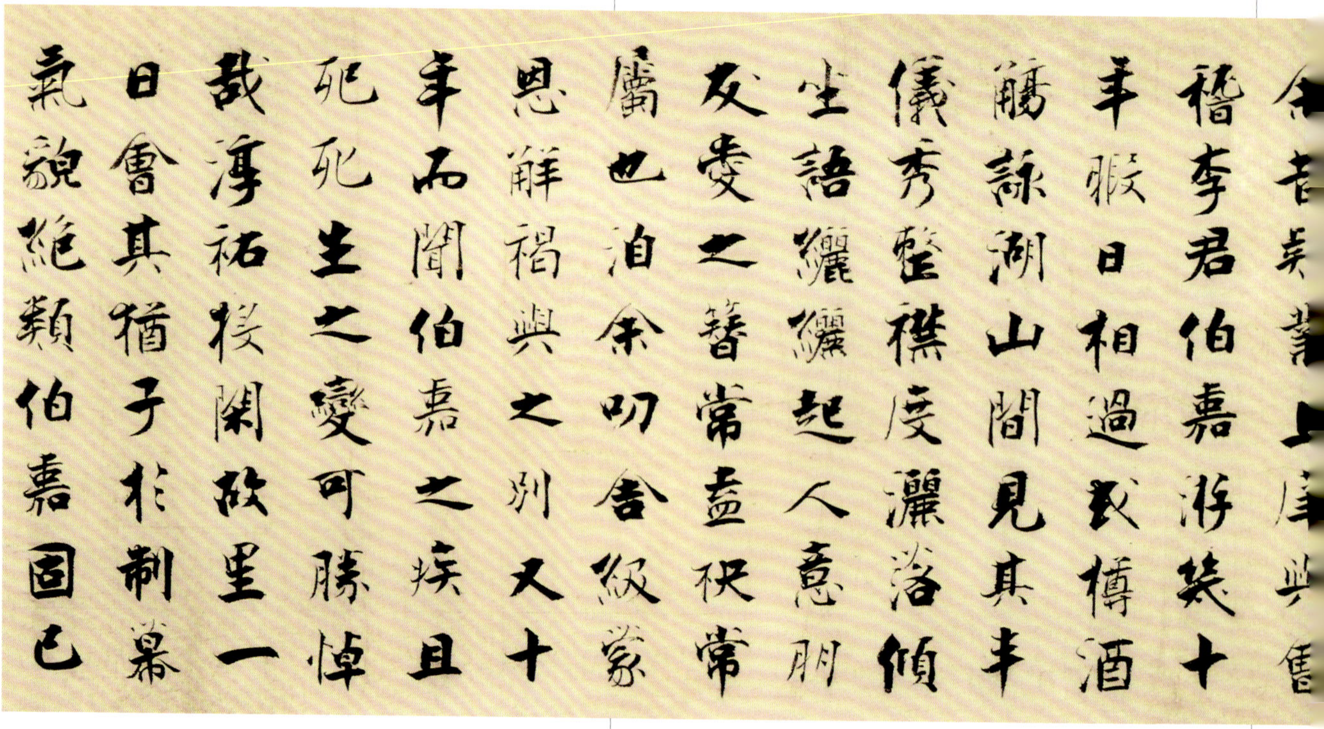

李衎墓志銘
南宋
張即之
高28.5、寬604.5厘米。
紙本。此選爲局部。
現藏日本京都藤井有鄰館。

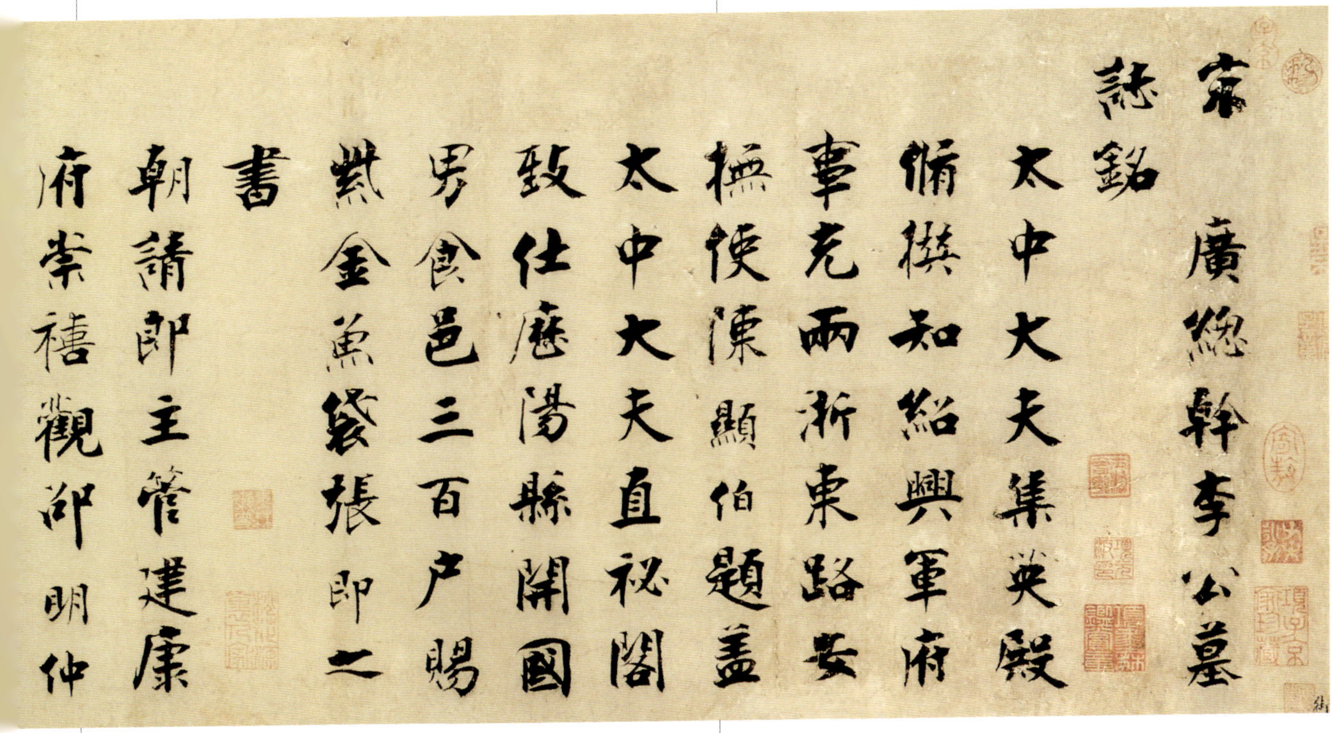

古松詩
南宋
張即之
高33.8、寬1196厘米。
絹本。此選爲局部。
現藏故宮博物院。

天下
幾人
畫古
松畢

趙孟堅（公元1199－1267年）

宋宗室，太祖十一世孫。字子固，號彝齋居士。居于海鹽（今屬浙江）廣陳鎮。寶慶二年（公元1226年）舉進士，官朝散大夫、嚴州守，遷翰林學士。入元不仕隱居。其書法擅長行草書。

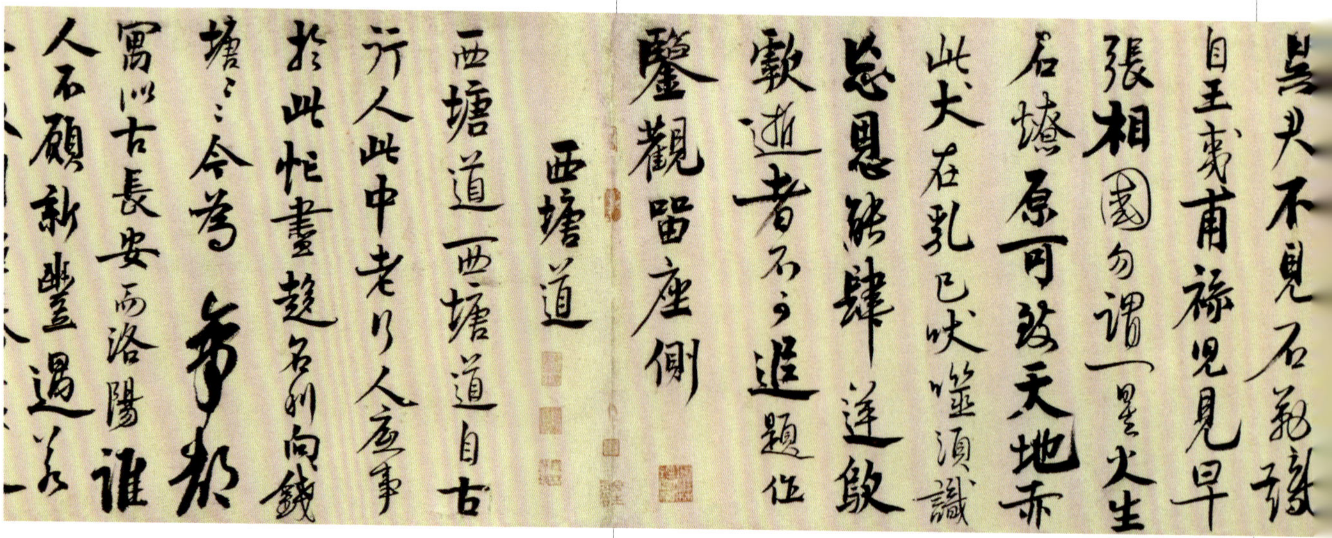

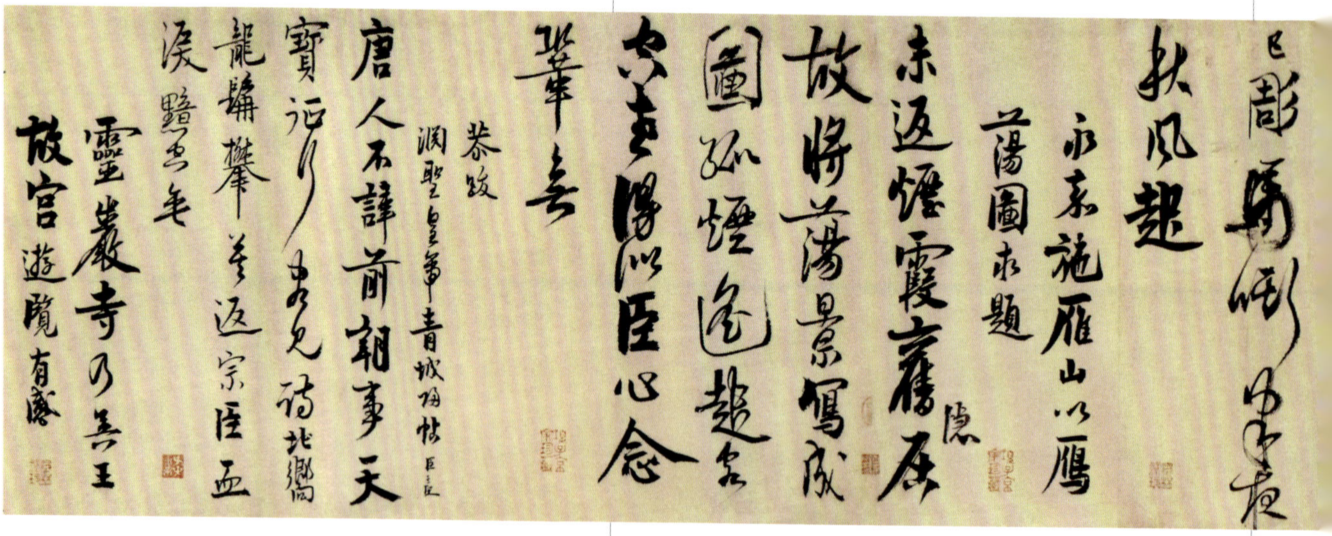

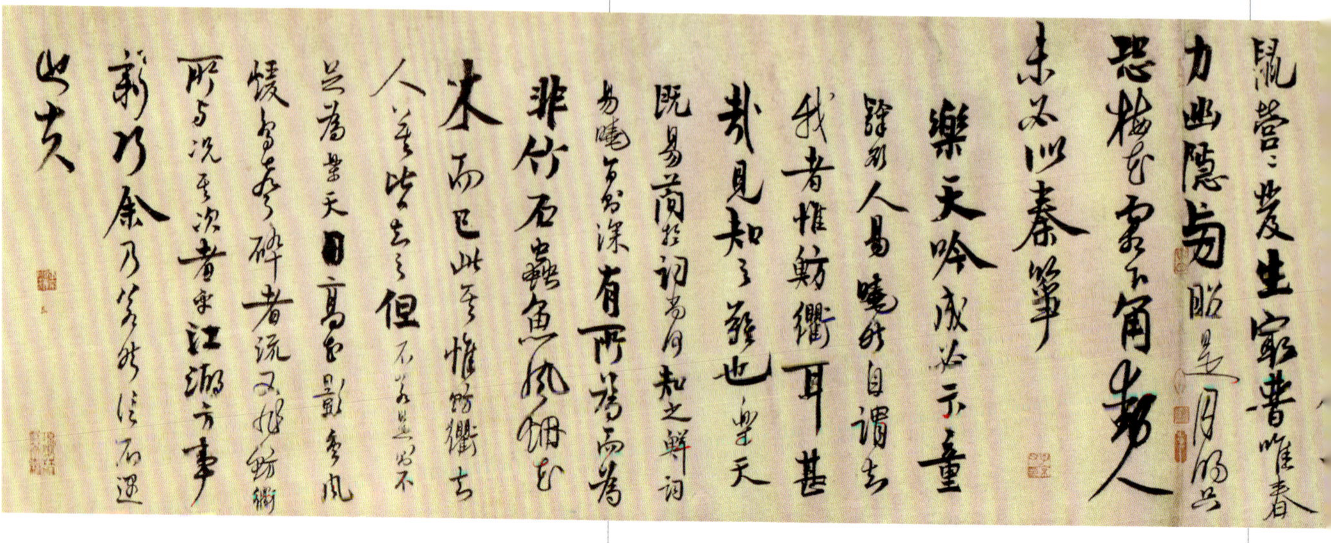

自書詩

南宋
趙孟堅

高35.8、寬675.6厘米。
紙本。
現藏故宮博物院。

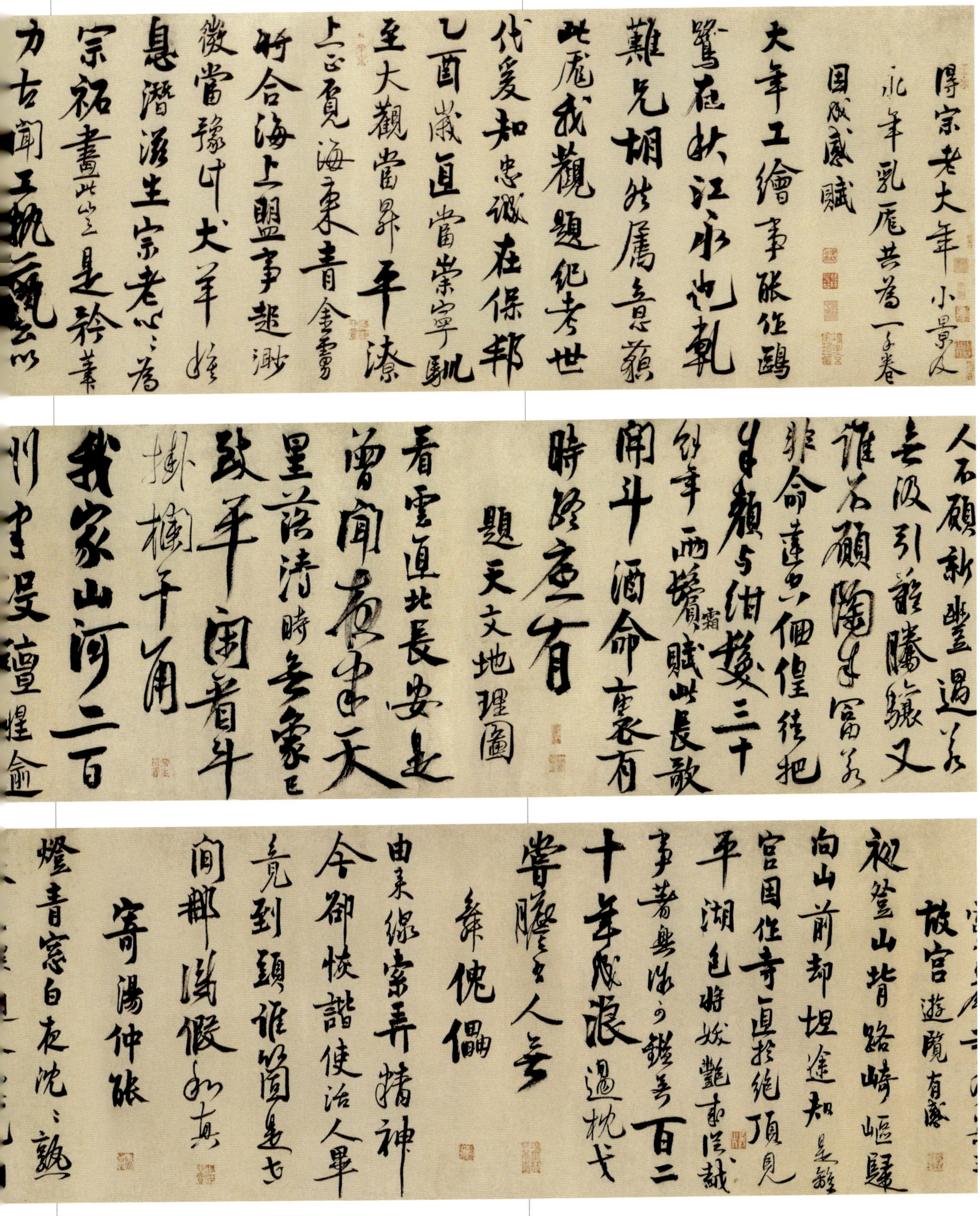

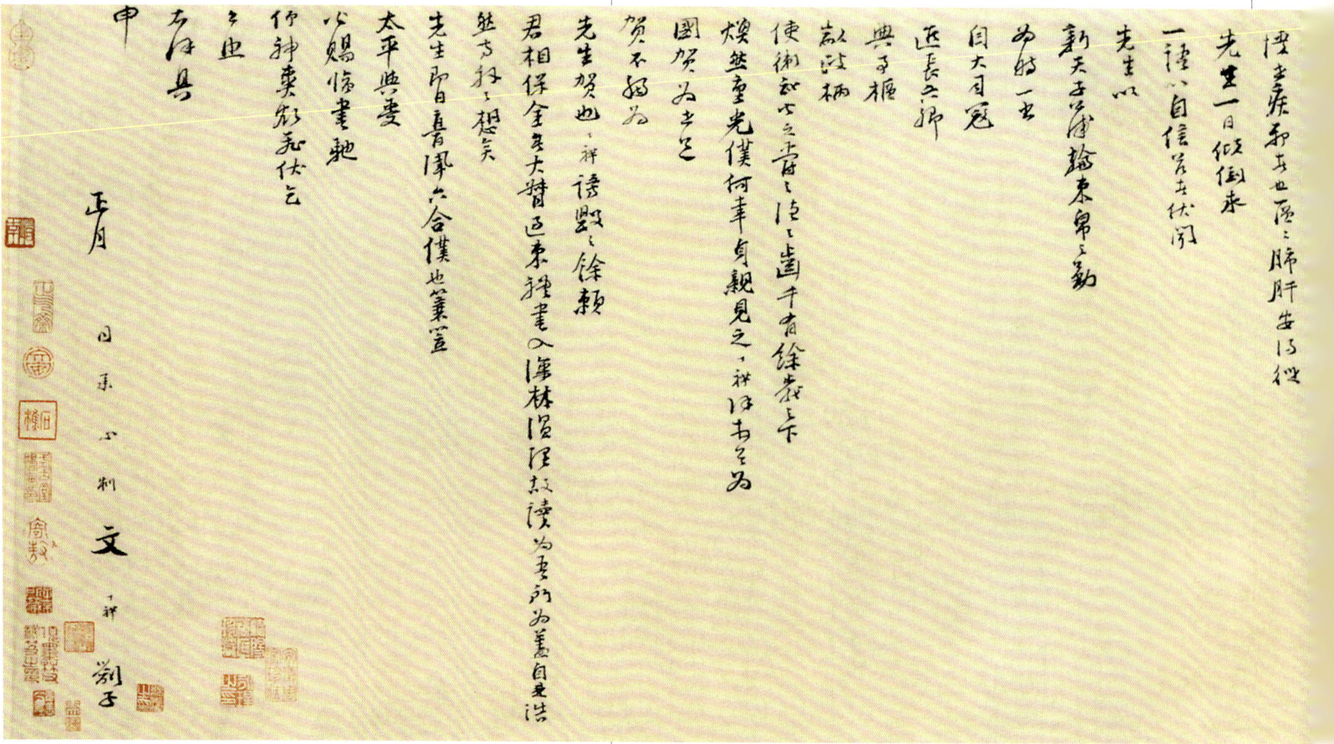

文天祥（公元1236－1283年）

吉州廬陵（今江西吉安）人。初名雲孫，字天祥，改字宋瑞，又字履善，號文山。歷官軍器監兼權直學士院、湖南提刑、右丞相兼樞密使，加封少保信國公。工書法，宗法“二王”。

宏齋帖

南宋

文天祥

高39.2、寬149.9厘米。

紙本。

現藏故宮博物院。

宏齋帖局部

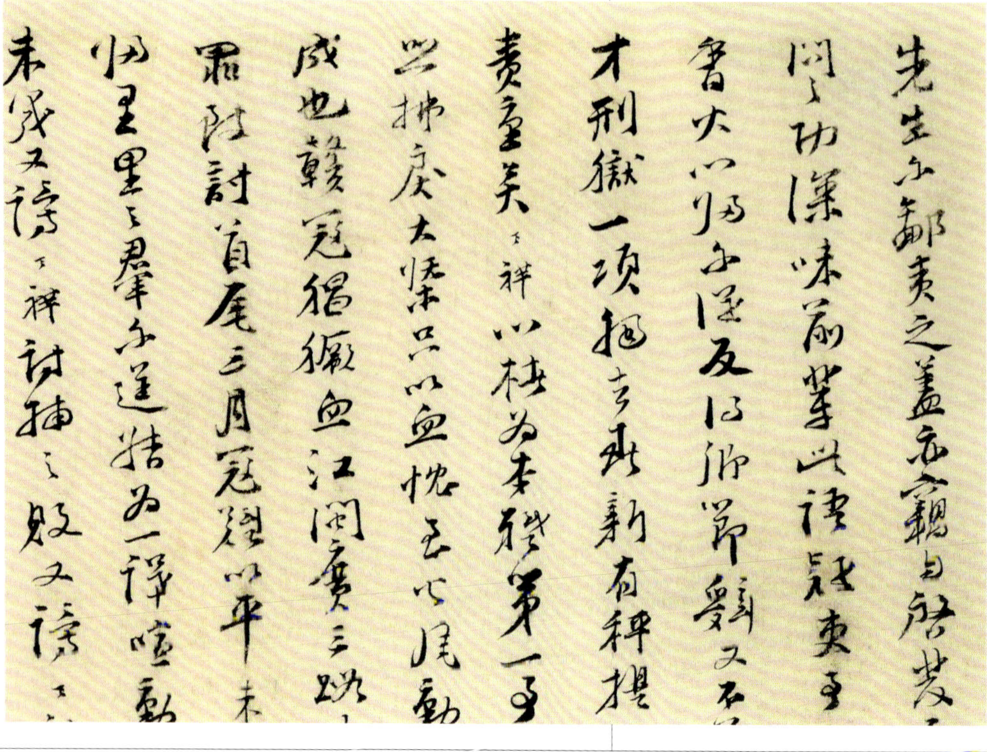

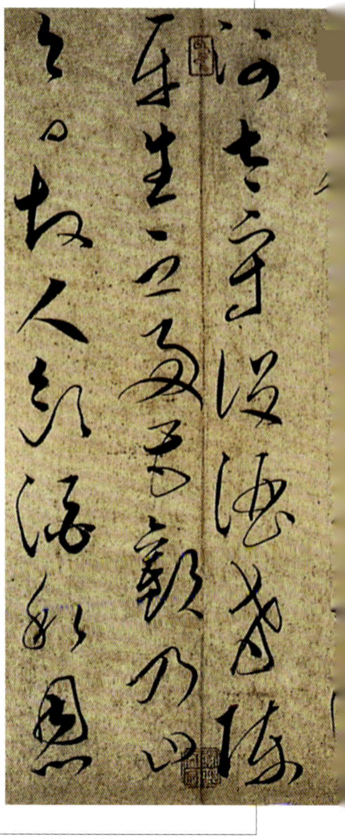

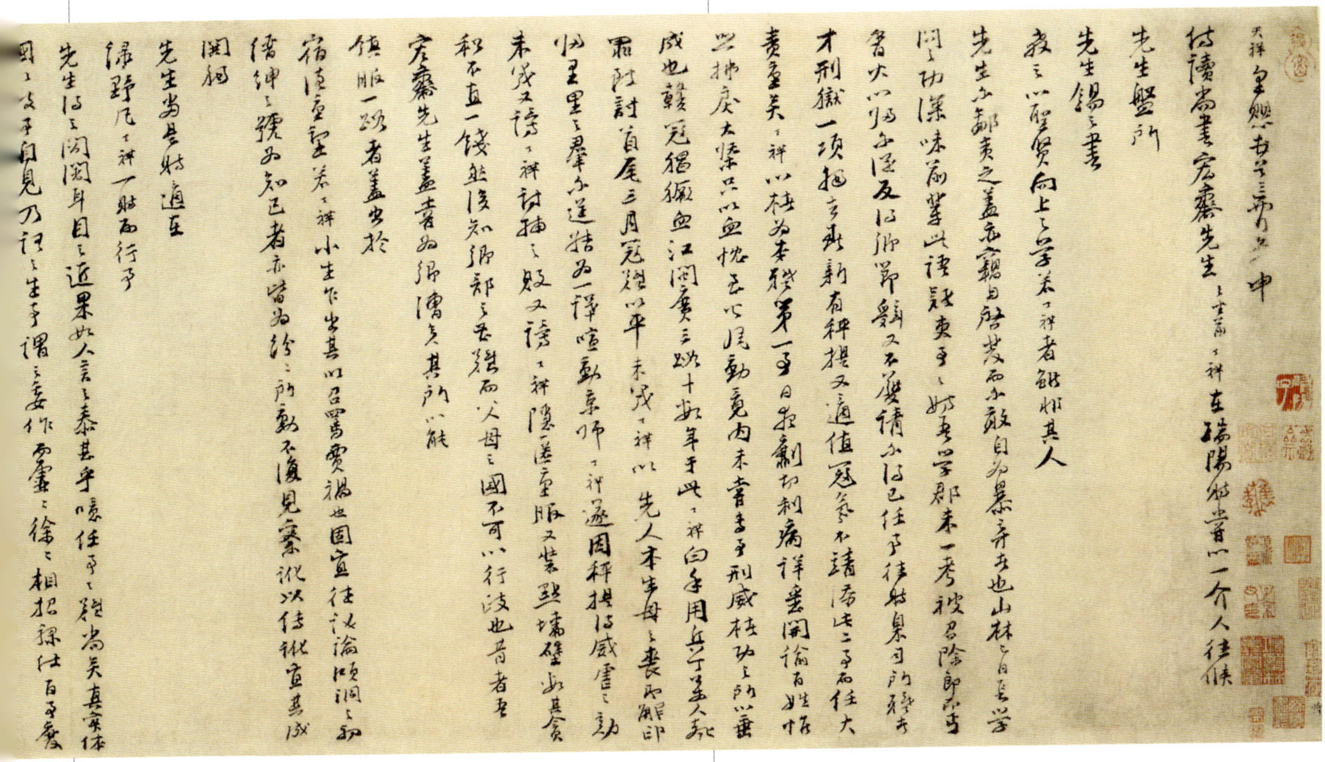

謝昌元座右辭卷

南宋
文天祥
高36.7、寬335.7厘米。
紙本。此選爲局部。
現藏中國國家博物館。

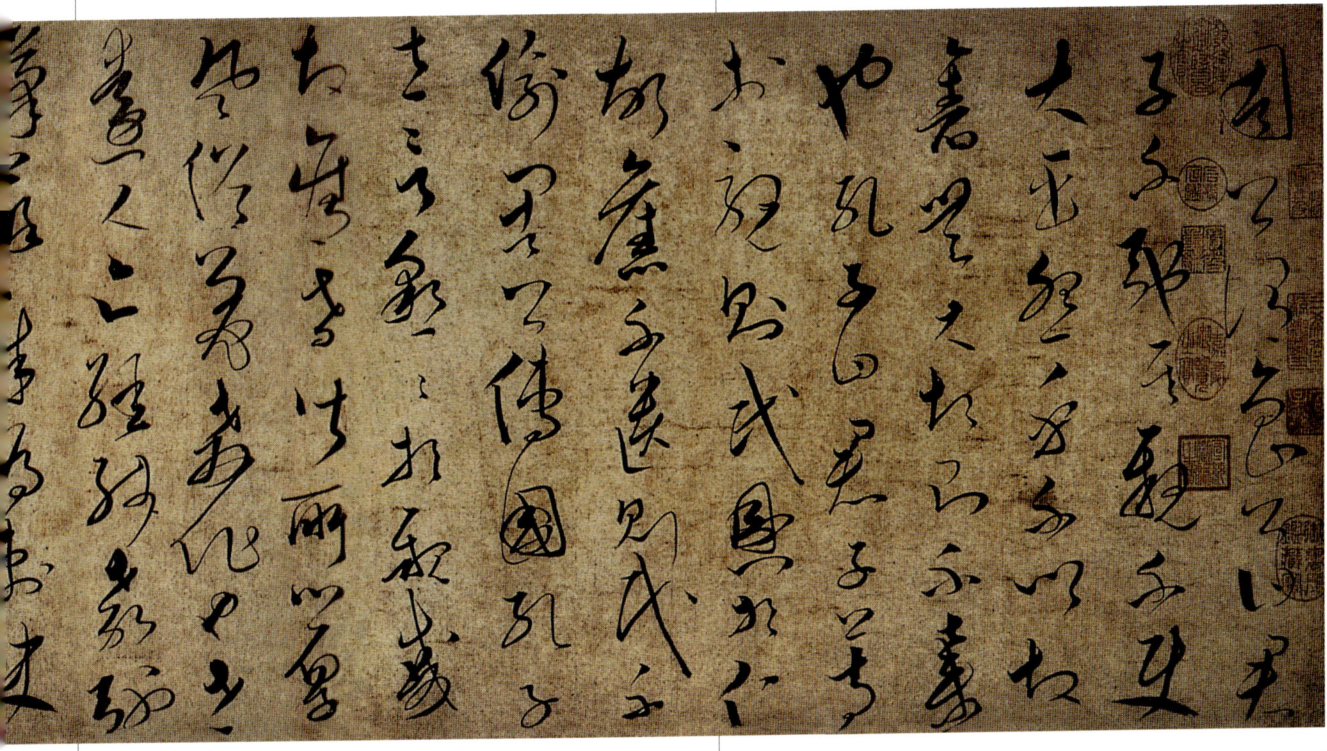

邵 鯱

生卒年不詳。丹陽（今屬江蘇）人。官至直龍圖閣、知蘇州。工書法，擅楷、行二體。

到京帖

南宋
邵鯱
高26.4、寬32.2厘米。
紙本。此選爲局部。
現藏臺北故宫博物院。

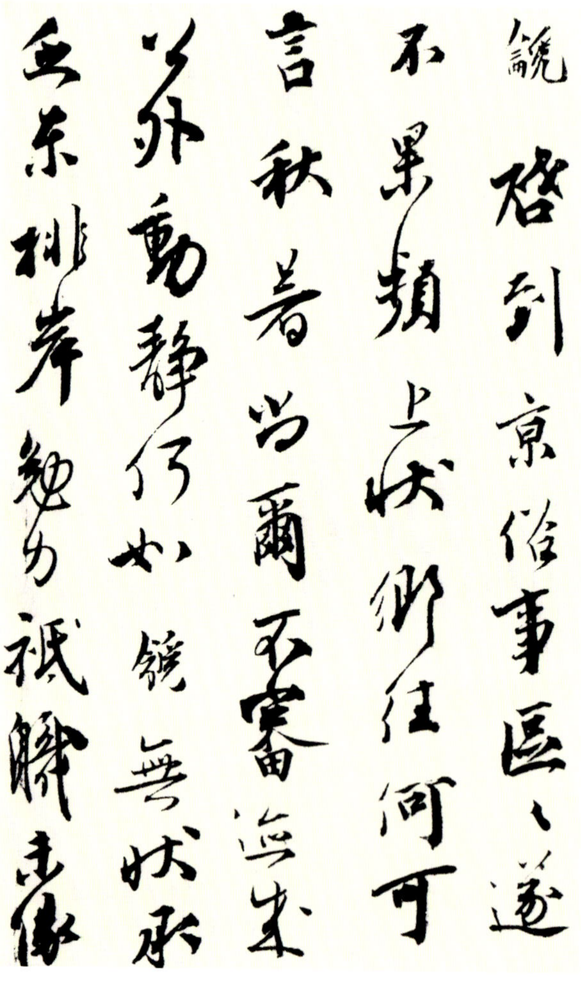

常 杓

生平不詳。

宋人詞（右圖）

南宋
常杓
絹本。此選爲局部。
現藏臺北故宫博物院。

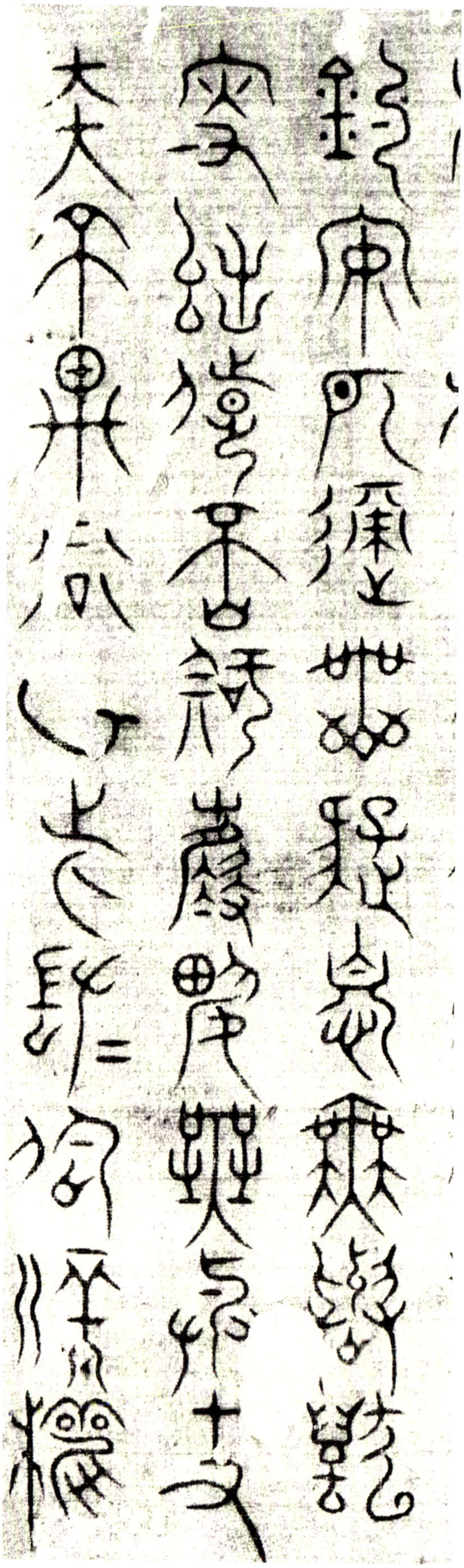

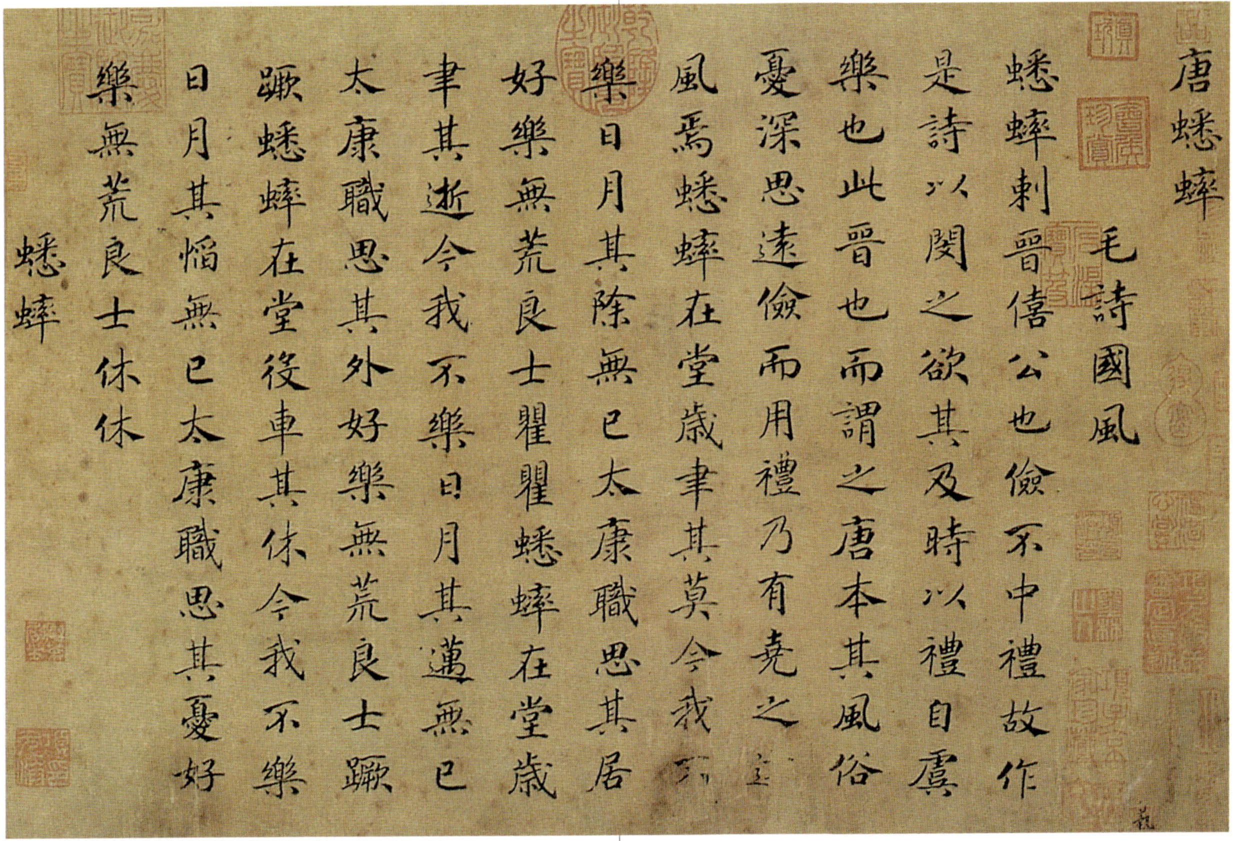
唐蟋蟀
毛詩國風
蟋蟀刺晉僖公也儉不中禮故作
是詩以閔之欲其及時以禮自虞
樂也此晉也而謂之唐本其風俗
憂深思遠儉而用禮乃有堯之遺
風焉蟋蟀在堂歲聿其莫今我不
樂日月其除無已太康職思其居
好樂無荒良士瞿瞿蟋蟀在堂歲
聿其逝今我不樂日月其邁無已
太康職思其外好樂無荒良士蹶
蹶蟋蟀在堂役車其休今我不樂
日月其慆無已太康職思其憂好
樂無荒良士休休
蟋蟀

唐風圖題詩（上圖）

南宋
高28.3厘米。
絹本。
現藏遼寧省博物館。

鹿鳴之什圖題詩

南宋
高28厘米。
絹本。
現藏故宮博物院。

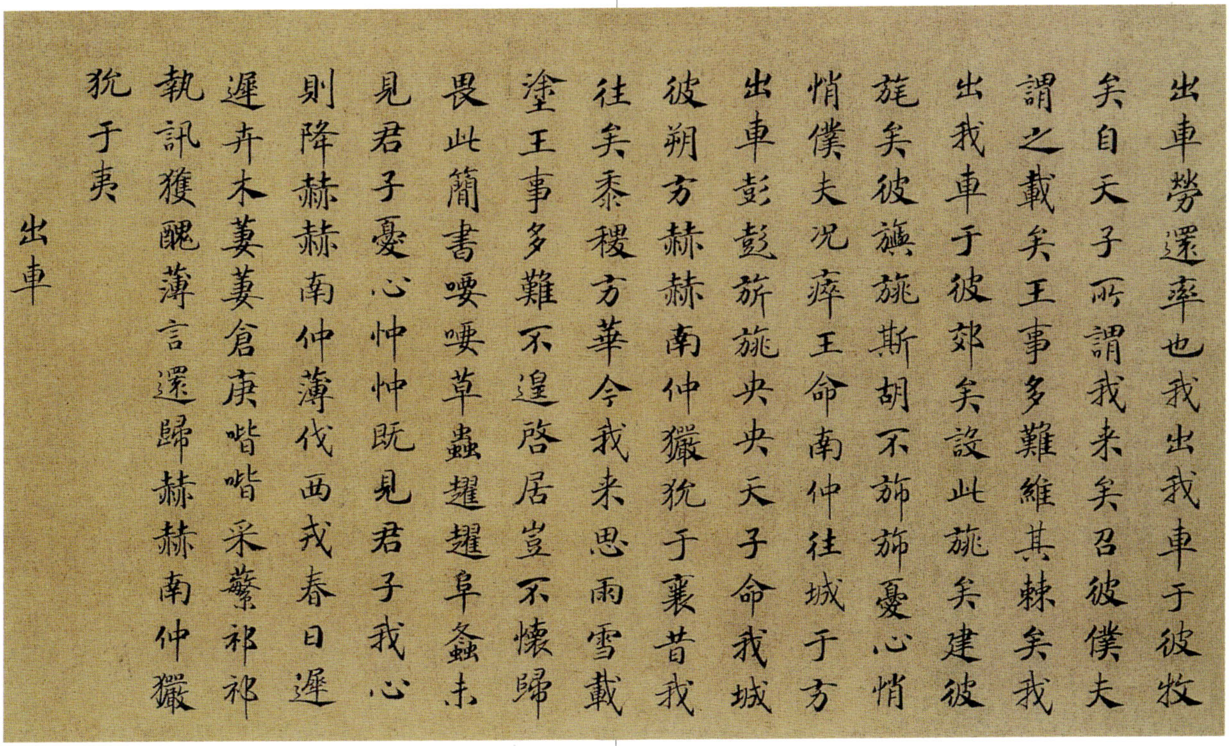
出車勞還率也我出我車于彼牧
矣自天子所謂我來矣召彼僕夫
謂之載矣王事多難維其棘矣我
出我車于彼郊矣設此旐矣建彼
旄矣彼旟旐斯胡不旆旆憂心悄
悄僕夫況瘁王命南仲往城于方
出車彭彭旂旐央央天子命我城
彼朔方赫赫南仲玁狁于襄昔我
往矣黍稷方華今我來思雨雪載
塗王事多難不遑啓居豈不懷歸
畏此簡書喓喓草蟲趯趯阜螽未
見君子憂心忡忡既見君子我心
則降赫赫南仲薄伐西戎春日遲
遲卉木萋萋倉庚喈喈采蘩祁祁
執訊獲醜薄言還歸赫赫南仲玁
狁于夷
出車

耶律楚材（公元1190–1244年）

字晋卿，號湛然居士。蒙古成吉思汗和窩闊台汗時大臣。

送劉滿詩

蒙古汗國
耶律楚材
高36.5、寬274.5厘米。
紙本。
現藏美國紐約大都會博物館。

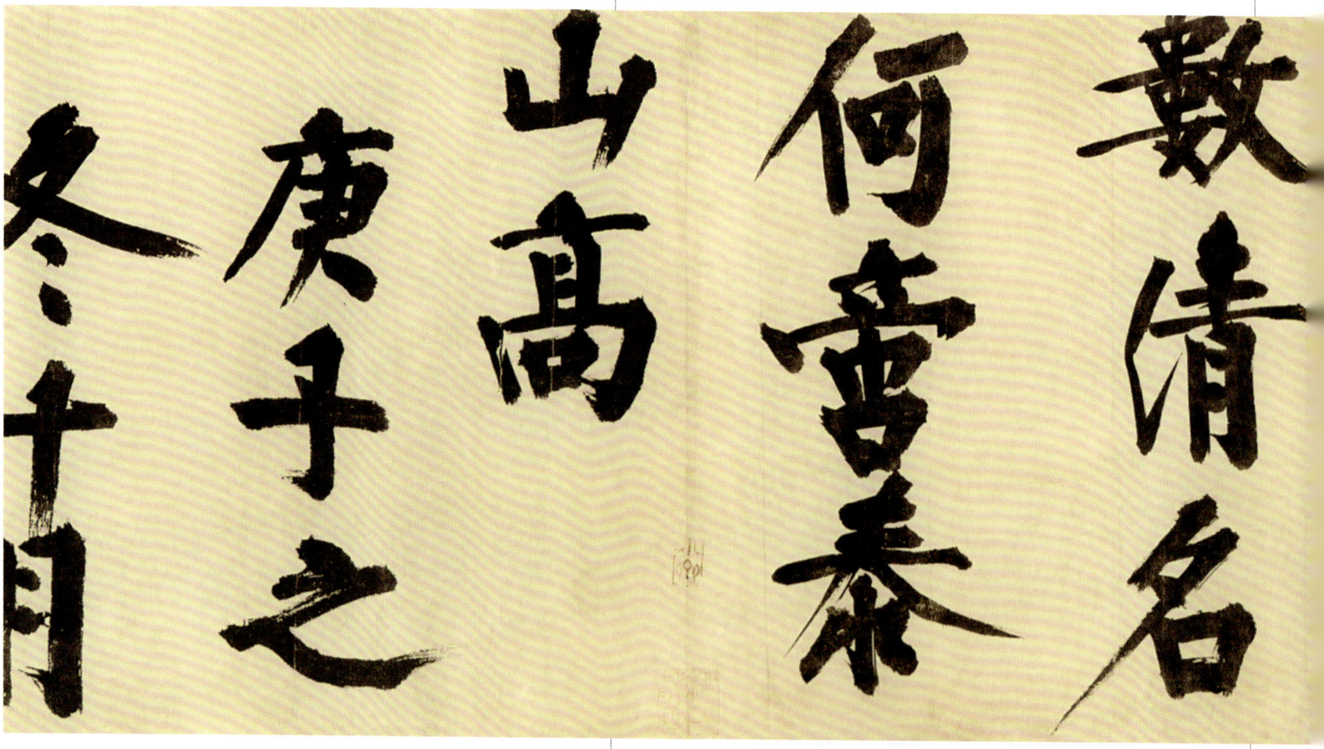

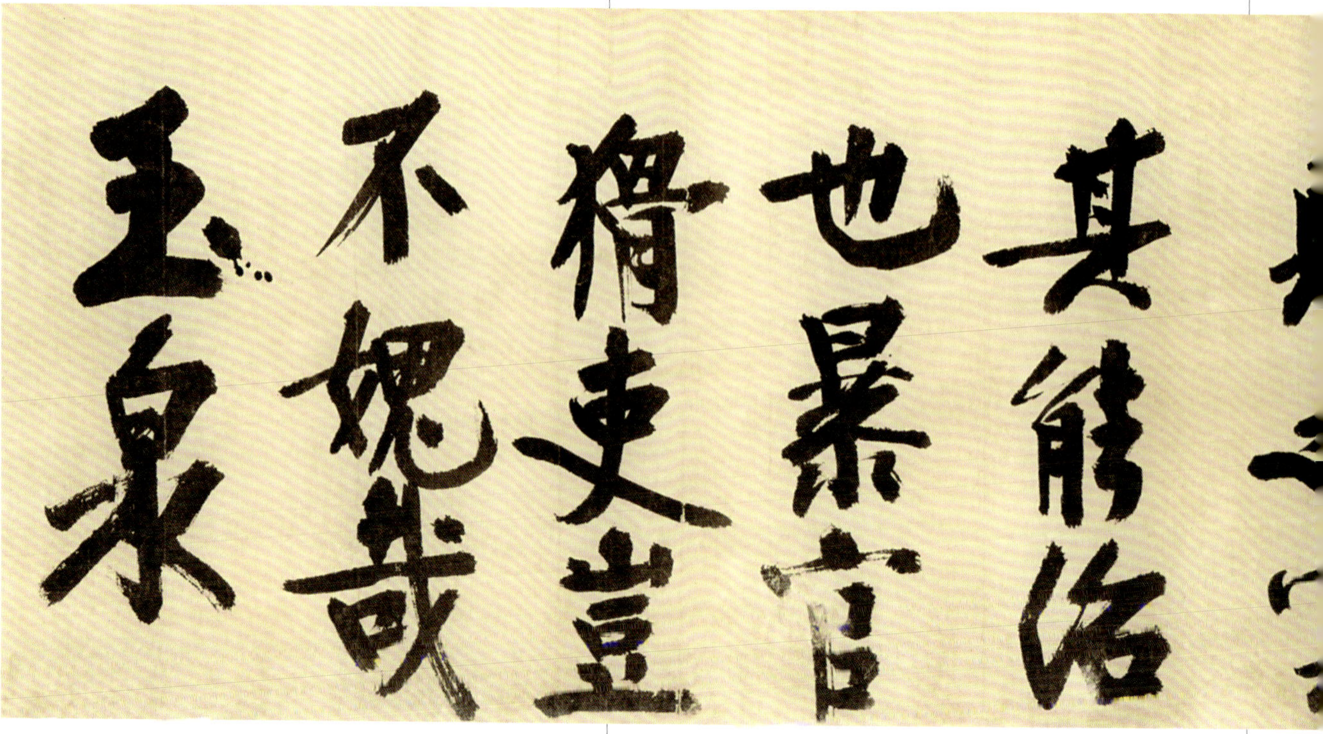

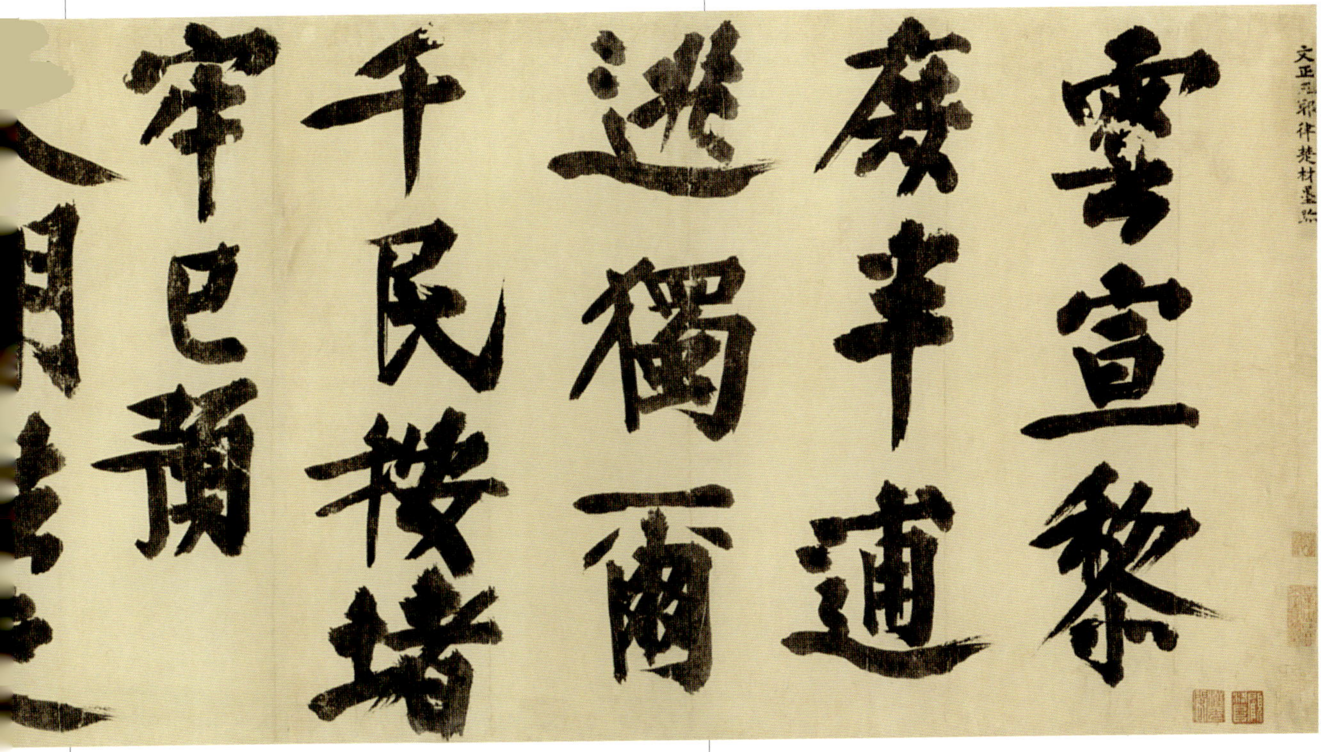

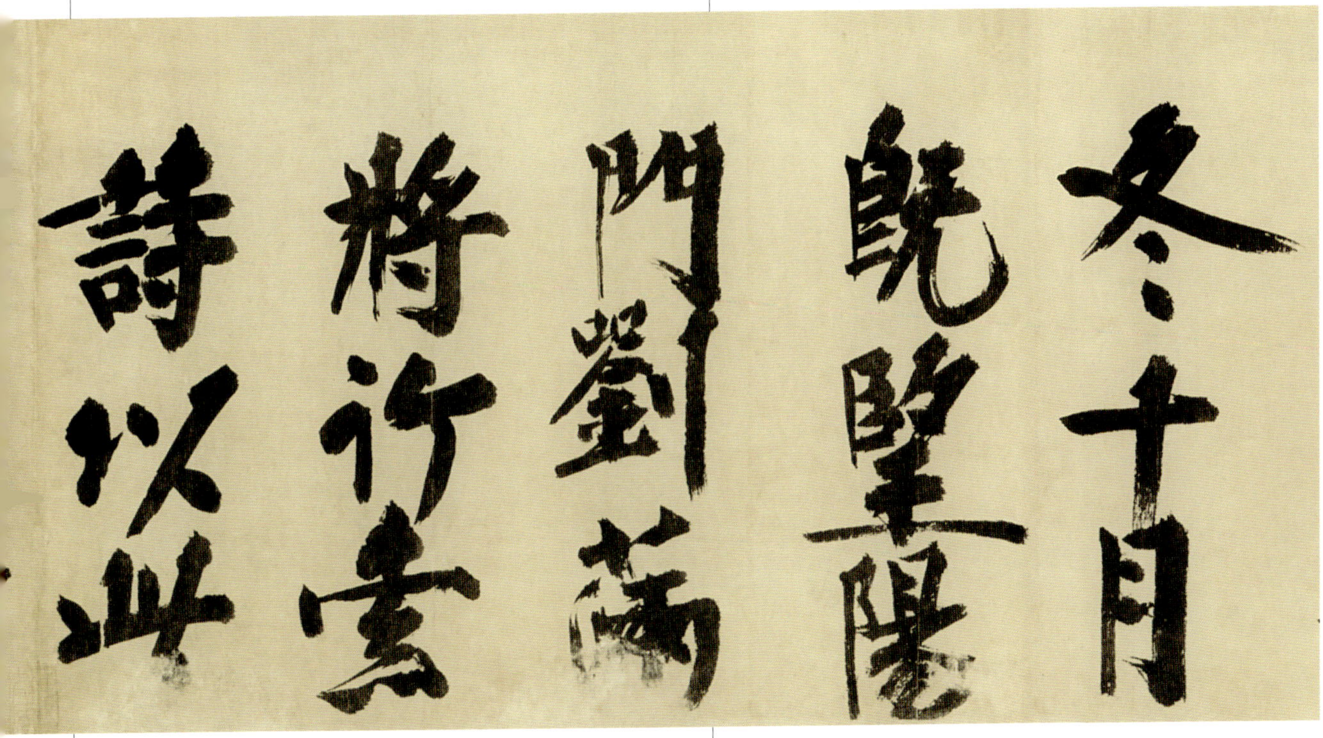

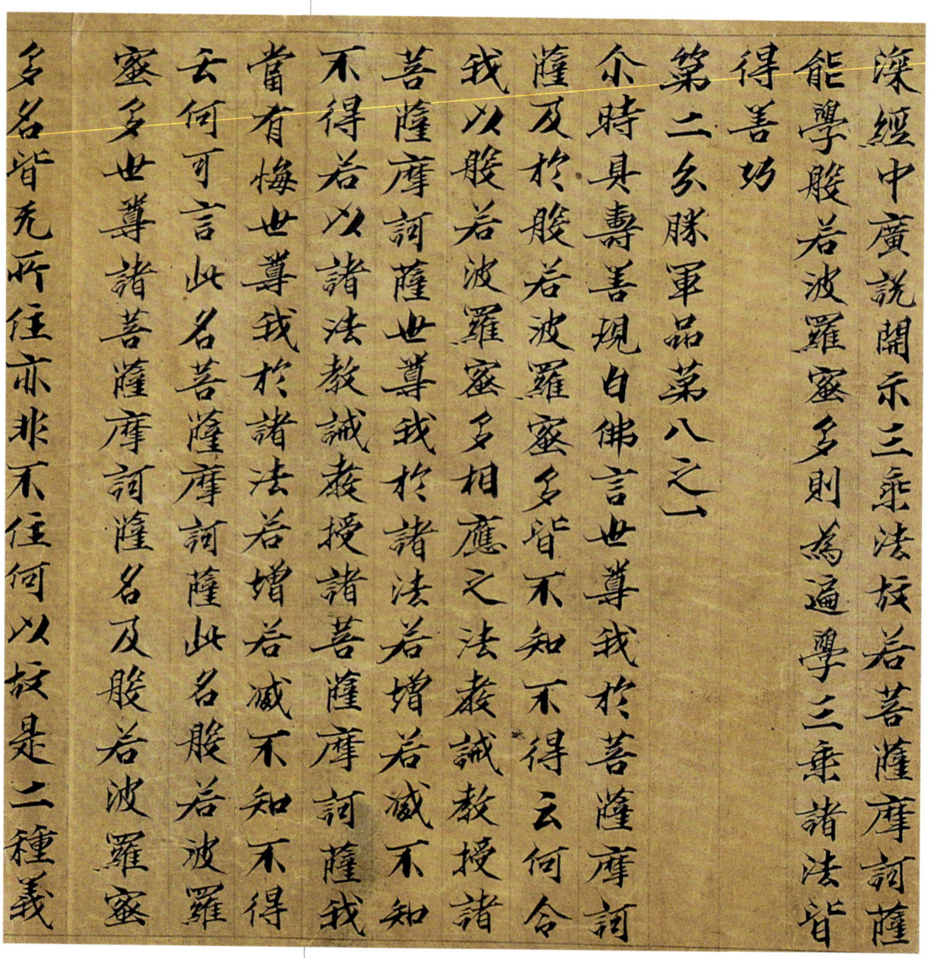
深經中廣說開示三乘法故若菩薩摩訶薩
能學般若波羅蜜多則為遍學三乘諸法皆
得善巧
第二分勝軍品第八之一
爾時具壽善現白佛言世尊我於菩薩摩訶
薩及於般若波羅蜜多皆不知不得云何令
我以般若波羅蜜多相應之法教誡教授諸
菩薩摩訶薩世尊我於諸法若增若減不知
不得若以諸法教誡教授諸菩薩摩訶薩我
當有悔世尊我於諸法若增若減不知不得
云何可言此名菩薩摩訶薩此名般若波羅
蜜多世尊諸菩薩摩訶薩名及般若波羅蜜
多名皆無所住亦非不住何以故是二種義

大般若波羅蜜多經

大理國

雲南大理市徵集。

高30.9、寬1294厘米。

紙本。現存四十一卷，由不同書體寫成。

現藏雲南省博物館。

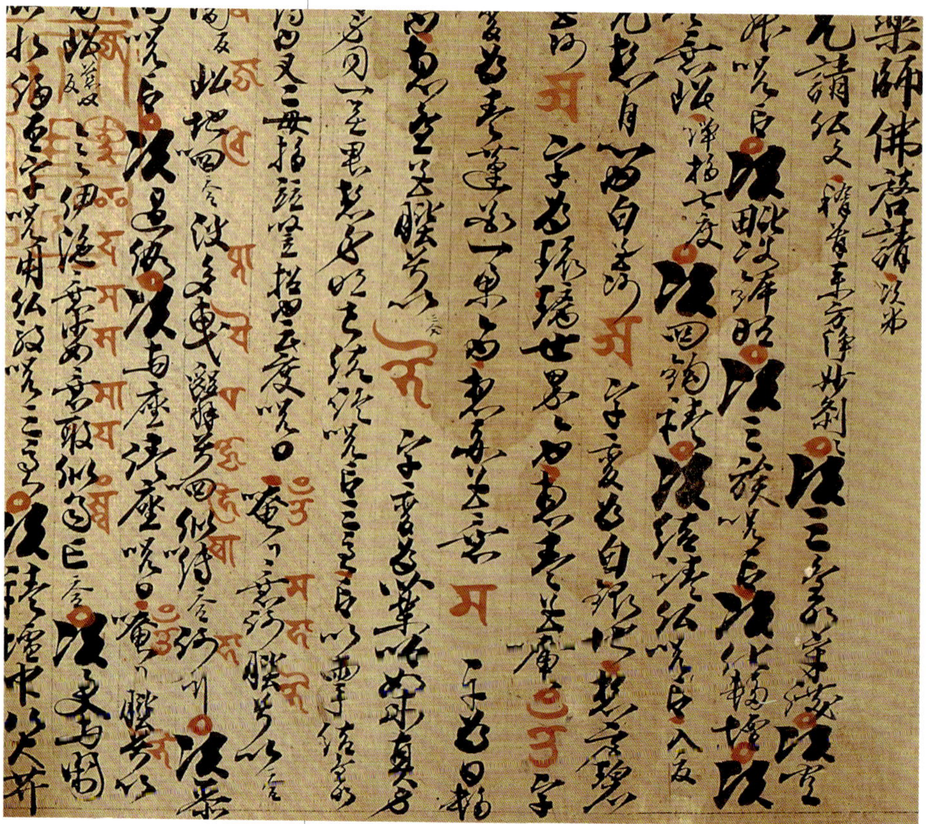

啓請儀軌經

大理國

雲南大理市徵集。

高25.3、寬298.9厘米。

紙本。

現藏雲南省博物館。